QUEVEDO

20.XI.63

ANTONIO PAPELL

Catedrático de Literatura

QUEVEDO

SU TIEMPO
SU VIDA
SU OBRA

EDITORIAL BARNA, S. A.

BARCELONA

Talleres Gráficos MARIANO GALVE. Carmen. 16 - Barcelona

A Guillermo Díaz-Plaja,
sembrador de ideas
y de vocaciones

PROLOGO

Presento en estas páginas a la diversa y original figura del caballero español don Francisco de Quevedo y Villegas, el escritor más genuino de nuestra patria. Encarna maravillosamente el espíritu polifacético, tan dinámico y tan desconcertante, de la raza hispánica, pródiga, generosa, fluctuante y tenaz al propio tiempo, osada en las empresas más hiperbólicas, ávida de justicia y de equidad.

Es un Quevedo comentado al margen de mis lecturas, en las largas horas de meditación y de estudio. Es un Quevedo «mío», en cuya alma gigantesca, la más extraordinaria de cuantas pudo alumbrar el sol ardiente de nuestra tierra, he procurado bucear con acendrada fe y entusiasmo juvenil.

He buscado, con labor amorosa y paciente, en la enmarañada selva de sus escritos, el hilo espiritual de Quevedo. A veces le perdía en dedálicos laberintos o en los aledaños de vastos arenales. Otras le hallaba de improviso y como saliéndome familiarmente al paso, en paisajes de vegetación lujuriosa. Cordial y altivo, sencillo y alambicado, portentoso y vulgar. Pero siempre nimbado por la luz radiosa de la genialidad.

El escritor no se conoce hasta después de haber meditado mucho el por qué de sus obras, de haberle comparado, mimado ; de haberle amado. Largas horas de fluctuaciones y de objetivación son precisas para aquilatar la conciencia del escritor. El por qué, el cómo, el cuándo. Hay que ser curioso en extremo, prolijo y nimio y aun pesado. A menudo el que juzga yerra el camino y es preciso desandarle con resolución. Sobre todo es necesario saberse aprovechar de los instantes más diáfanos del entendimiento — esos preciosos instantes de las grandes y afortunadas adquisiciones —, «verle bien», y saberle dejar reposar a tiempo cuando sospechamos que el corazón va a tomar una parte decisiva en nuestras valoraciones. La pasión y la despasión desempeñan un papel importante en esa clase de trabajos, y a menudo suelen perjudicar la discriminación. Amarle, sí ; pero amarle con amor sereno, maduro y reflexivo, reconociendo sus defectos, precisamente en aras de este amor. Hay que elevarse, aun a costa de sacrificios personales, hacia las alturas del genio, pues el genio es como el águila, que necesita de las altas cumbres para lanzar su vuelo.

De súbito, como si una voz misteriosa nos despertara de una pesada somnolencia, surge el concepto lúcido de la realidad.

Naturalmente, y aun más en lo que a mí concierne, dada mi condición profesional, no puedo prescindir del juicio de los grandes críticos y biógrafos — pocos, en realidad — que le han estudiado, facilitándome a veces — no siempre, y a menudo embrollándome — la lectura y la comprensión del alma de ese genial sembrador de ideas, de ese impetuoso caballero santiaguista, el más sincero y contundente de cuantos en nuestra patria han enristrado la pluma a guisa de arma para alancear la miseria moral, las purulencias sociales, el egoísmo y la estulticia, en aquella edad en que el glorioso Imperio español, tan potente y avasallador, se derrumbaba con estrépito.

Quevedo no es un quimerista, ni un despechado, ni un bufón. Es un ser que lleva dentro de sí el atavismo de muchos siglos, la mezcla de muchas sangres, las múltiples facetas de ese gran diamante que es España. Es un torbellino, pródigo, despilfarrador. No crea un arte nuevo, ni lo pretende, ni quizá lo haya pensado nunca, puesto que es, como digo, la concreción singularísima de todas las tendencias étnicas. Está con lo clásico y con lo romántico, con el pueblo y con las altas esferas humanísticas, con el más puro ideal y con la más grosera realidad. El hombre medioeval y el moderno se interfieren constantemente. Por esto, sin duda, por el desconcierto que sugiere su obra es por lo que nos asusta el juzgarle congruentemente, ni aun inquirir —como escribe Karl Vossler a su amigo Von Hofmannsthal—«llamando calladamente a las puertas y escuchando cautelosos lo que oigamos». Es característico de la idiosincrasia española: el genio prolífico y poco tenaz; al lado de lo descomunalmente grande, lo infinitamente pequeño; cabe lo excelso y noble, lo vulgar y lo ruin; junto a lo puramente místico y ascético, las álgidas reflexiones de la Negación y la Duda y el engallado empaque de la heterodoxia; pero todo ello por modo singular, original, vehementemente expuesto, en ocasiones sublime.

Quevedo fué un patriota insigne que sintió en su

alma y en su carne la profunda amargura del desaliento al ver liquidarse aquel empuje vibrante que conquistaron los titánicos conmilitones de nuestro César. Nadie como él conoció la historia de la Patria y nadie como él supo ensalzarla. Alma cordial y rebelde, generoso hasta el sacrificio, pensó embridar a nuestro Pegaso desbocado. Quiso contener la avalancha; pero su fuerza, con ser enorme, no podía contrarrestar el empuje de aquel cadáver viviente que se descuartizaba destituído de sus grandezas. Y por esto sufrió tanto. Tronó en el vacío. Y el desespero llevó a su pluma el pimiento de una sátira amarga e implacable y a veces procaz y desvergonzada.

Quevedo es el escritor más completo de nuestra Literatura y uno de los más grandes prosistas de la humanidad. Sin duda alguna puede hacerse esta afirmación categórica, como también esta otra: de que se le ha estudiado poco. Filósofo, teólogo, crítico, político, filólogo, novelista, poeta y, sobre todo, satírico. Su verbo es estilete, es buril, es veneno, es fiel, es sentencia, es palpitante llama de agudeza, es visión acabada de la realidad. El cerebro sutil crea sin cesar elevados pensamientos que se retuercen y tornean en la fragua de su pasmosa fantasía. A veces muestra un humorismo triste, amargado por el lamentable espectáculo de la sociedad en que se desenvuelve. Pintor realista, con la mirada absorta del miope, no deja escapar detalle del corazón humano y de las lacras sociales que expone con implacable severidad.

No busquéis en él una ordenación sistemática. No tiene tiempo de metodizar sus notas, que surgen impetuosas como su propio temperamento. Es, cual Lope, un monstruo que se desparrama en múltiples planos, valido de su potencia creadora y de sus fabulosos recursos lingüísticos.

Juega con los vocablos como con el mundo. Lanza de continuo un torbellino de imágenes, como obras en potencia, que surgen atropelladamente, pisándose unas a otras, cual agua prieta de riquísimo manantial. Los epítetos son joyas para medallones, obras de arte acabado, fruto de un orfebre genial. Su léxico flúido y acertado es una rica veta inagotable. Crea incesantemente. En su obra hay, como en los lienzos impresionistas, ideas esbozadas que sugieren rayos de luz, ilusiones que se hacen carne en nuestro espíritu, realidades aplastantes. Es un escultor de caracteres, un pintor de costumbres, un músico de la palabra.

Pero también es un descarado esgrimidor de insultos.

¿Cómo es posible, me he preguntado infinitas veces, haber olvidado tanto a Quevedo? Se han escrito millares y millares de páginas para estudiar a los ingenios buenos, regulares y malos. Cervantes, Lope, Góngora y Calderón cuentan con bibliotecas eruditísimas que analizan minuciosamente los más recónditos azares de su existencia y sutilizan hasta sus pensamientos más nimios y vulgares. En cambio la pobreza bibliográfica de Quevedo es patente y desconcertante. ¿Por qué? Acaso nos lo podamos explicar cuando haya puesto fin a este estudio.

Poseemos un caudal inmenso de obras de Quevedo. Pero hemos perdido por desgracia otra cantidad considerable, quizá lo más sustancial y lo que reflejara mejor su carácter.

«Absolutamente — dice el señor Astrana Marín —, en ningún escritor del mundo, sin tiempos ni épocas, se ha dado, con la intensidad que en don Francisco, tal diversidad de inspiraciones, tal movilidad de genio, tantos cambiantes de estilo, tantos matices, tantas aparentes contradicciones, tantos temas opuestos.»

Hay que considerar que una gran parte de su obra es circunstancial. La sátira, especialmente, es más del hoy que del mañana. Como la suya es, generalmente, tan personal, tan de su tiempo, pasada esa palpitante actualidad, llega a fatigar al lector poco amigo de estudios costumbristas. Pero su obra seria, filosófica, satíricomoral, política y poética es verdaderamente de hoy y de siempre.

Mi pretensión no es rehabilitar la gloria de don Francisco de Quevedo, puesto que no se puede rehabilitar lo que es inmortal, ni tendría, caso de ser así, fuerzas suficientes para ello, sino que persigo un fin asequible a mi modesta competencia y a mi interés profesional: el de recordar a los estudiosos que deben emprender una tarea patriótica, la más urgente y digna en el campo de la crítica, pues no hay duda que una discriminación competente y justa está por hacer. Día llegará en que saldrán a luz juicios definitivos sobre Quevedo que pongan de relieve la grandeza universal de uno de los cerebros más sólidos y más cultivados de todos los tiempos y de todos los países.

Escasos autores hay que ofrezcan como Quevedo un mayor caudal biográfico esparcido en su propia obra y en su numerosa correspondencia. A esta grávida cantera acudiré yo para sacar preciosos manantiales con que elaborar la mía.

En cuanto a la Bibliografía, debo consignar que es escasa y deficiente porque, como dice Fitzmaurice-Kelly, «fué demasiado alabado y demasiado aborrecido». En vida, el «silencio oficial» que tácitamente impuso su poderoso enemigo el Conde-duque de Olivares, rector absoluto de la política de Felipe IV, hizo que muchos juicios críticos se dejaran de publicar.

Por otra parte: el polígrafo, a pesar de moverse en distintos planos sociales, de intervenir activamente en la política en sus tiempos juveniles y de relacionarse con numerosos ingenios contemporáneos, era un perfecto solitario; no se daba fácilmente a la amistad y vivía encastillado en el infranqueable alcázar de su espíritu orgulloso y altivo, muy superior en cultura a la inmensa mayoría de sus contemporáneos. Su prosa contundente, llena de aristas tajantes, contiene una formidable provisión de recias invectivas, de términos insultantes, de ironía y de burla mordaz y a veces un antipático sello de jactancia, sacrificando en aras de la verdad y de la rotundidad del chiste no sólo a los adversarios sino a los amigos más devotos. Aun después de su muerte tuvo enemigos porque era un genio demasiado grande para su tiempo y porque nadie quiere que le cuenten sus propias faltas, buscando siempre el hombre en la insinuación y en la intencionada reticencia un paliativo para justificarse ante su propia conciencia. Y Quevedo no era así: era claro, acerado, expedito, de honradez moral acrisolada. Este silencio bibliográfico ha perdurado a través de los siglos y si algo se ha hecho ha sido publicar sus sales y sus chistes de cara a un éxito editorial.

El señor Fernández-Guerra ha consagrado a Quevedo un trabajo enorme, de paciencia benedictina, el único verdaderamente digno de mención, desde el punto de vista estrictamente bibliográfico. En nuestros días se ha ido completando con aportaciones de mérito, particularmente por el señor Astrana Marín, el cual ha rectificado no pocos errores que en las ediciones se iban sucediendo, depurándolas con el cotejo de valiosos manuscritos; ha publicado varias obras inéditas de gran trascendencia, esclareciendo asimismo numerosas dudas sobre la obra y la vida del gran satírico, que iré cotejando en lugares oportunos.

CONSIDERACIONES PRELIMINARES

BIOGRAFÍA Y BIBLIOGRAFÍA

La escueta biografía de Quevedo se reduce casi exclusivamente a dos obras fundamentales, alrededor de las cuales se desarrollan comentarios y estudios de investigación.

El trabajo más antiguo es el del abad napolitano Pablo Antonio de Tarsia, titulado *Vida de don Francisco de Quevedo* [1]; cálida biografía empedrada de peregrinas anécdotas, muchas de las cuales contribuyeron a dar a Quevedo el carácter borroso y la fama mal comprendida con que la posteridad le conoce. Publicóla en Madrid, dieciocho años después de morir el escritor, y la insertó en el tomo X de la edición de las obras de don Francisco, publicada por Sánchez. Tick-

---

[1] *Vida de don Francisco de Quevedo y Villegas, Cauallero del Orden de Santiago, Secretario de su Magestad, y Señor de la Villa de la Torre de Iuan Abad. — Escrita por el Abad Don Pablo Antonio de Tarsia, Doctor Theologo y Academico de Napoles. — Madrid, Pablo de Val, 1663.*

nor dice que existe otra biografía más reducida en Baena, pero que da mejores noticias [1]).

Sobre la base de este libro fundamental, escrito, como digo, con devoción cordial y admiración fervorosa, don Aureliano Fernández-Guerra y Orbe — ilustre polígrafo a quien Menéndez y Pelayo llama «mi amigo y maestro» — compuso un documentado estudio del escritor madrileño, inserto en la gigantesca *Biblioteca de Autores Españoles* [2]).

Estas dos obras han perdido mucho de su valor prístino y hasta hoy no se ha hecho una revisión completa de ellas. La de Tarsia se basa en el testimonio de gentes que conocieron y trataron a Quevedo, y es sabido cuánto error llevan los juicios contemporáneos, porque nadie puede escapar, ciertamente, a la voz persuasiva de sus sentimientos personales. El biógrafo napolitano, además, conocía a Quevedo a través de una obra infusa, editada con lamentable incoherencia y sin el aval de una crítica más o menos objetiva. Es una «Vida» ficticia e irresponsable, a la que sólo debemos conceder un mérito: que es la primera.

La obra de don Aureliano adolece de tres defectos fundamentales: uno — natural —, el de su arcaísmo [3]); otro, el de seguir con demasiada fidelidad los pasos de Tarsia y confirmar hechos que la propia obra de Que-

[1]) M. G. Ticknor. — *Historia de la Literatura Española.* — Madrid, 1851, pág. 398, nota (vol. II). No conozco esta obra, como no sea la edición de P. Mellado («Obras festivas de don Francisco de Quevedo Villegas». Madrid, 2 vols., 1891), en la que hay una biografía más reducida que la de Tarsia.
[2]) Aureliano Fernández-Guerra. — *Vida de D. Francisco de Quevedo y Villegas.* — Madrid, 1852. 2 vols.
[3]) Está fechada en Madrid, a 13 de noviembre de 1852.

vedo desmiente y que el abad, que no conoció personalmente al escritor, aceptó cándidamente de boca del pueblo, siempre dado a la hipérbole; el otro es el del entusiasmo por la persona de Quevedo, explicable y necesario en un poeta, pero perjudicial al crítico, que no se cuida de ocultar y que palia muchos de sus juicios [1]). No obstante, su valor es inmenso debido a la copiosa erudición y a la gloria legítima de haber desempolvado no pocos manuscritos inéditos.

Otra obra de gran prestigio biográfico, aunque de corta extensión, es el Prólogo a las *Tres Ultimas Musas Castellanas,* escrito por don Pedro Aldrete Quevedo Villegas, sobrino y heredero del poeta, que nos refiere los últimos momentos de aquel insigne varón.

Posteriormente a estos libros se han publicado eruditos trabajos que aclaran puntos de capital importancia. Atendiendo a tales rectificaciones, que iré consignando en lugares oportunos, han aparecido nuevas biografías, entre las que se destacan las de los señores Astrana Marín, Julián Juderías, Janer, Merimée, Porras y pocas más [2]).

*
**

Divido este trabajo en tres partes: *Su vida, su genio y su obra.* En la primera procuro estudiar el paso

[1]) «¡Lástima que el colector no se extendiera a escribir una monografía acabada sobre el gran satírico, que habría resultado quizá superior a la reciente del hispanófilo francés E. Merimée! El ilustre biógrafo y editor de Quevedo no le juzgó con la amplitud que debía esperarse de su indiscutible competencia, pero continuó esclareciendo las nieblas de nuestra historia política y literaria.» — P. FRANCISCO BLANCO GARCÍA. — *La Literatura Española en el siglo XIX.* Madrid, 1910. Vol. II, pág. 568-69.

[2]) Véase BIBLIOGRAFÍA.

fascinante de ese ingenio por el mundo, en el que deja huella indeleble, situándole en su ambiente y describiendo sus trabajos, sus luchas, sus triunfos, sus desengaños y el espectáculo de la sociedad en que hubo de desenvolverse. En la segunda consigno su constitución física y moral, las conquistas realizadas consigo mismo y las fuerzas maravillosas de su espíritu señero. La Obra de Quevedo es lo más personal mío y, por ende, lo más trabajado de estas páginas.

PRIMERA PARTE

SU VIDA

El Imperio español, que no conoció fronteras en el mundo, inicia su caducidad, se encamina hacia su procelosa ruina.

Todo es grandeza todavía en España. La Espada y la Cruz continúan venciendo lejanas resistencias y la lengua de la patria triunfa en la lucha contra los fonemas de ultramar. Son los años áureos de nuestra Literatura. El arte español es adulado, imitado, admirado por doquiera.

Pero los síntomas son fatales.

«Durante el siglo XVII — escribe Patricio de la Escosura [1] —, la sociedad española era la más original, la más severamente sujeta a sus propias reglas y preocupaciones, de toda Europa ; y éralo, no solamente por efecto de la natural gravedad castellana y a consecuencia de sus antecedentes históricos, sino además por la índole ceremoniosa, autocrática y pomposamente vana de la dinastía austríaca, y muy principalmente por el aislamiento hostil en que vivíamos respecto al resto del mundo entonces civilizado.»

[1] PATRICIO DE LA ESCOSURA. — *Teatro escogido de D. Pedro Calderón de la Barca.* Madrid, 1868. vol. I, pág. XCIX.

Toda la grandeza que Felipe II soñó para su nación en su covacha del maravilloso Escorial; la febril y obsesiva ambición que le poseía; el afán nunca satisfecho que acuciaba a su espíritu autocrático, no pudo traspasarlo a sus descendientes. Es la tragedia del poderoso ante la Impotencia. El gran soberano español caminaba hacia el Ocaso con paso declinante en su rincón del Escorial, amargado por sinsabores familiares. Su desazón de rey y de padre está reflejada en la frase que decía al marqués de Castel-Rodrigo poco antes de morir, refiriéndose al heredero:

«¡Que me temo que le han de gobernar!»

Aquellos fabulosos tesoros que los galeones de Indias traían a España y que Felipe II dispendiaba para extender la fe católica allende las fronteras, en contraposición con su vida austera y recoleta, servirán para alimentar la codicia de los validos y el lujo de la Corte.

Bien es cierto que Felipe III encontró exhausta la hacienda española, ya que no es posible mantener el rango sin dispendio. Para proseguir viviendo en la dorada ociosidad cortesana, la existencia del Dorado es insuficiente. El único problema en verdad digno de preocupación en esa época, es la Real Hacienda. Gobernará exquisitamente quien consiga acuñar más ducados. ¿Y de dónde sacar la materia prima? Del sudor y de la sangre de los que pagan. Para dar pasto a las exigencias fastuosas de la Corte y a las famosas pitanzas de los políticos [1]), tiénense que vender hidalguías y jurisdicciones y lugares de la Corona, exprimir las

---

[1]) «El real patrimonio iba peregrinando de casa en casa, fugitivo de la corona y encubierto de diferentes esponjas». Quevedo: *Grandes anales de quince días.*

lacias bolsas de los pecheros y de los cortesanos todos. La España de los reinados de Felipe III y Felipe IV llega a ser, según expresión de Pfandl, «un coloso, pero con pies de barro» [1]).

En los órdenes militar, político y social, esos reinados no pudieron ser más decadentes. Millares de hombres emigraron a América y los moriscos dejaron yermos los feraces campos de nuestra patria. La calamidad de la guerra creó esta clase de soldadesca indolente y mísera, ociosa y mendicante, de la que salió nuestro simpático Pícaro. España se desangraba en las luchas contra los infieles; en las gigantescas guerras de Trípoli, Gelves, Orán, Mazalquivir, el Peñón de la Gomera; en las terribles luchas de Malta; en las agotadoras persecuciones a los satélites de Barbarroja, que infestaban nuestras aguas y asolaban nuestras costas; en la rota de la Invencible. Lepanto, Túnez y La Goleta glorificaron nuestros blasones: el César dirigía los altísimos rumbos del Imperio. Flandes y Lutero se alzaban en armas... Y toda esa herencia que requería la mano férrea y la concepción genial de un caudillo de invencibles arrestos, para colmo de fatalidad recayó en manos de dos reyes vacuos e irresponsables. El cadáver de España erguíase en los estertores de su agonía, orgulloso y altivo, para proclamar al mundo su nervio y su fe.

Las leyes suntuarias que había promulgado Felipe II, el holgorio y el gran número de días festivos que la Corte imponía, acarrearon la miseria y el dolor de los hogares. Fray Angel Manrique dice que España había

---

[1]) LUDWIG PFANDL. — *Introducción al Siglo de Oro,* pág. 32.

perdido en esa época (principios del siglo XVII) siete de las diez partes de su gente. La población cifrábase entre los cuatro y seis millones de habitantes [1]).

Felipe III había hallado la monarquía «con muchas canas», dice Quevedo en *El Chitón de las tarabillas*. Y de la deplorable hacienda que dejó su padre, emite en la misma obra esta aventurada opinión: «Con el Escurial y otras niñerías la extremó más.»

Y a pesar de esa palpable decadencia, «cuando ya la vida inferior parecía secarse en todo el siglo XVII», como observa Farinelli, ¡cuán grande, cuán portentosa, cuán genial y prolífera era la producción literaria de nuestra Patria!

Característica fundamental del siglo XVII es el divorcio de las armas y de las letras [2]). Y ello es debido al dramático descenso de los valores militares. Ha llovido decepción en el ánimo aguerrido de los viejos soldados del César. Al fiero empuje, a la patriótica osadía y al nervio conquistador, sucédese el período de los reyes holgazanes. La espada declina, pero el cerebro persiste durante todo el siglo porque el acervo castrense es mucho más baladí y momentáneo que el intelectual. Cervantes vive del pasado. Lope lo quiere vivir todo. Son los últimos destellos del esplendor aunado de las armas y de las letras. Quevedo es ya del siglo XVII.

En ese ambiente de mezquindad y de desorden moral se desarrolló el espíritu de nuestro gran hombre.

[1]) MANUEL COLMEIRO. — *Historia de la Economía Política en España*. — Madrid, 1863. Vol. II, pág. 8.
[2]) G. DÍAZ-PLAJA. — *El espíritu del Barroco*.

La montaña de Burgos es solar de claras estirpes. El valle de Toranzo sonríe en la primavera poblado de galas bellísimas. Friolero, se encajona entre altas montañas nemorosas y siente sobre sí el palpitar de la vida eglógica de los villanos de Bárcena y Bejorís, desde aquel tiempo remoto en que los legionarios romanos sembraron de nombres eufónicos los rústicos poblados de sus fieros habitantes. Entre estos lugares tranquilos y de existencia patriarcal, emerge un altozano que se dice barrio de Cerceda. Hay un señor, en los albores del siglo XVI, llamado Pedro Gómez de Quevedo, «el viejo», que vive en él, retirado del mundo, en su casa fuerte adornada por un brillante escudo de armas. Prosapia ilustre, preclaros abuelos, caballeros cristianos que vagaron por todas las latitudes. Un Silvestre de Quevedo fué compañero del rey Alfonso VIII, el de las Navas, en sus empresas de Sicilia, y mereció ser inmortalizado por la ilustre pluma del Fénix de los Ingenios:

> Fija la vista en éste que, sin miedo
> puede ponerla al sol, por hijo propio
> del montañés Silvestre de Quevedo,
> y sus rayos seguir como heliotropo.
> Corona el timbre de la Cruz de Oviedo
> (que no es a su virtud blasón impropio)
> de plumas la celada; y las montañas,
> del claro resplandor de sus hazañas [1].

No lejos de este caserío existe, al otro lado del valle, el pueblecito de Villasevil, en donde vive María Sáenz

[1] LOPE DE VEGA. — *La Jerusalén Conquistada.*

de Villegas, de no menor alcurnia montañesa. Casa con Pedro Gómez de Quevedo, «el viejo», de cuya unión naciéronle Juan y Pedro, entre otros hijos.

Pedro Gómez de Quevedo ambicionaba una vida digna de sus blasones y rehusó la apacible existencia de la Montaña. A la sazón, ocupado el Emperador en sus empresas militares, gobernaba el reino su hija María. Gómez de Quevedo entró en la Corte con buen pie, y la ilustre princesa adscribióle a su servicio. De allí pasó a Alemania, no se sabe con qué ocupación, hasta 1578, en que servía a la cuarta mujer de Felipe II, doña Ana de Austria.

En Madrid conoció el hidalgo a María de Santibáñez, dama de la reina. Esta singular doncella procedía también del viejo solar montañés [1] y adoptó el segundo apellido de Villegas, por cuanto contaba entre sus antepasados a un Pedro Ruíz de Villegas, señor de Muñón y Caracena, Adelantado Mayor de Castilla, y a un Sancho Ruíz de Villegas, Comendador de la Orden de Santiago.

La ilustre cuna del escritor enorgullecerá a menudo a su pluma, y el viejo país de sus abuelos será recordado con el legítimo orgullo que públicamente ostentaron múltiples prohombres de nuestra Patria. «Decía el buen Iñigo López de Santillana — escribe Antonio de Guevara [2] —, que en esta nuestra España, que era peregrino o muy nuevo el linaje que en la montaña no tenía solar conocido.» En términos parecidos se pro-

---

[1] Fueron sus padres Juan Gómez de Santibáñez Ceballos, de San Vicente de Toranzo, y Felipa de Espinosa y Rueda, señora de grandes ejecutorias.

[2] FRAY ANTONIO DE GUEVARA. — *Epístolas Familiares.* (*Letra para el abad de San Pedro de Cardeña.*)

nunciará años después nuestro escritor, redactando con todo cariño un documentado opúsculo que lleva por título *Linaje de Villegas* y que presentará en la información de limpieza de sangre para solicitar el ambicionado hábito de Caballero de Santiago, vanagloriándose de la senectud de su clarísima estirpe, citada en varios instrumentos de gran prestigio histórico, como son el testamento de Alfonso X *el Sabio* ; la *Crónica* del rey Don Alfonso el Onceno ; la de Don Pedro ; el *Ordenamiento* y la *Crónica* de Enrique III ; la *Decendencia de los Girones* ; citando, además, conspicuos antepasados, entre los que descuellan un Pedro Fernando de Villegas, «que tradujo el Dante» ; un Antonio de Villegas, autor del famoso *Inventario,* y otros insignes prohombres que se destacaron en las Armas, en las Letras y en los Altares. Rubrica este escrito la siguiente décima compuesta por el propio Quevedo :

GRATIA DEI
Cruz negra, vanagloriosa,
Pero Fernández orló,
cuando en Navas de Tolosa
con su espada sanguinosa
los moros atravesó.
Y porque tanto valieron,
que a Castilla defendieron
los Villegas este día,
ocho castillos les dieron
según que el rey los traía.

Gómez de Quevedo y María de Santibáñez Villegas contrajeron matrimonio en 1577 [1]). En su descendencia se cuentan a Margarita, que casa con Juan de Aldrete

[1]) LUIS ASTRANA MARÍN. — *Ideario de D. Francisco de Quevedo.* Pág. 7, dice que se verificó en 1576.

y San Pedro, caballero santiaguista y caballerizo de Su Majestad ; a María, muerta en la infancia ; a Sor Felipa de Jesús, carmelita descalza, y a Francisco, el cual apeará el apellido paterno de Gómez [1]) y el materno de Santibáñez.

Francisco de Quevedo y Villegas nació en Madrid en 1580, en aquel año felicísimo en que el viejo duque de Alba entraba triunfalmente en Lisboa y hacía jurar por rey de Portugal a Felipe de Castilla.

Es decir, nació en el momento cumbre del Imperio español.

El sol alumbra las banderas castellanas de uno y otro hemisferio. Ningún monarca de todos los tiempos reinó sobre tantas razas y tantos pueblos. Quevedo abre sus ojos a la luz en los instantes en que los madrileños claman con regocijo: «¡Real, Real por don Felipe, Rey de Portugal!»

El 26 de septiembre es bautizado en la parroquial de San Ginés, según partida que transcribe Fernández-Guerra.

A los seis años el niño perdió a su progenitor, y la madre entró a formar parte de la servidumbre de la infanta Isabel Clara Eugenia.

¿Qué fué del Quevedo infantil? ¿Cómo se desarrollaron aquellos años oscuros? Seguramente que la falta del cariño paterno y la celosa salvaguarda de un alto

---

[1]) En algunos escritos, por ejemplo en *Inventivas contra los necios,* se firma Francisco Gómez de Quevedo Villegas.

caballero, el protonotario de Aragón don Agustín de Villanueva, familiar suyo, debieron influir en su carácter. Acostumbrado a desenvolverse en la soledad de su casa y en la sociedad de sus hermanos mayores, en un ambiente no próspero, el niño aprendió a luchar por sus propios medios : y de ahí su temperamento entre reconcentrado y amargo, duro y solitario, su visión pesimista de la realidad. La calle debía ser un vedado Edén. La amistad, algo fabuloso. En casa se hablaba de Sus Majestades con verdadera unción. Los desgraciados sucesos de su patria debieron exaltar la pueril imaginación. Dios, el Rey, el Diablo. Y luego Madrid, con sus fiestas callejeras, sus mascaradas, sus poetas, sus tocadores, sus bailarines, su mojiganagueros y sus corrales... La madre, de regreso al hogar, comentaría en la mesa el estupor palatino ante la infausta guerra con Francia, las osadías del corsario Drake, el dramático fracaso de la Invencible, las incursiones sangrientas de los Barbarroja y de Dragut...

No se sabe si fué un niño prodigio, aunque sus actos primeros nos le retratan con un carácter curiosísimo, complicado, entre díscolo y obediente, altivo y bravonel. Hay una circunstancia muy importante que influirá de una manera decisiva en su vida toda, y mucho más teniendo en cuenta su exprimido orgullo. Quevedo es cojo. Sus contados amigos se lo dirán cándidamente, intencionadamente, malévolamente. Es cojo y, como cojo, no podría ser caudillo de guerras infantiles, ni burlarse mucho de la fealdad, del desaliño o del carácter de sus camaradas.

El refugio — forzado o voluntario — del estudio fué decisivo en su vida. Su primer maestro parece haber sido el célebre agustino fray Alonso de Orozco, discípulo de Santo Tomás de Villanueva y predicador y consejero que fué de Felipe II ; varón de altísimas virtudes y uno de nuestros primeros autores místicos. El propio Quevedo declarará bajo juramento en el proceso de beatificación del «Santo de San Felipe» : «Mis padres me enviaban a él frecuentemente para que me instruyera en todas las virtudes.» Los suaves consejos de ese piadoso varón debieron modelar su espíritu y lo encendieron de amor hacia Dios. Una advertencia, una suave admonición, una palabra dicha oportunamente, influyen más decisivamente en el espíritu que todos los tratados de moral. Más tarde, recordando las palabras del místico, emprenderá la redacción de la *Vida de Santo Tomás de Villanueva*.

A los doce años ingresó como alumno de los Padres Jesuítas en el Colegio que más tarde fué llamado Imperial, y en el que recibieron enseñanza varones como Lope de Vega [1]) y Calderón de la Barca.

ALCALÁ Y VALLADOLID

Es preciso reconstruir a través de sus escritos, dados los escasos datos que poseemos de esa época, el tiempo nebuloso de sus años mozos.

El adolescente fué enviado a la célebre Universidad de Alcalá a los dieciséis años. Cursó latín, griego,

[1]) Puede consultarse : JUAN MILLÉ Y GIMÉNEZ. — *Lope de Vega alumno de los Jesuítas, y no de los Teatinos* (Revue Hisp. 1928. Tomo LXXII).

hebreo, árabe, francés e italiano. Sus maestros fueron Luis García, Felipe Morales, el doctor Vázquez, el doctor Mansilla, Pedro Ruíz Malo, el doctor Montesinos, el Padre Lorca y el doctor Thenas [1]). Las constantes citas en estas lenguas y su erudición nos dicen hasta qué punto llegó a dominarlas. Estudió también filosofía y teología. El 25 de marzo de 1599 aprobó las Artes.

En ese fructuoso período de su vida aprenderá a conocer la luz deslumbrante y eterna que despiden las amorosas palabras de los Padres de la Iglesia, y en la vehemente fantasía del muchacho nacerá aquel sublime anhelo, jamás debilitado, sino, por el contrario, pujante y prometedor de los más sazonados frutos espirituales, de internarse en los fragantes vergeles que cultivaron San Agustín, San Ambrosio, San Jerónimo, San Juan Crisóstomo y San Pedro Crisólogo. Lo demás — Tácito, Virgilio, Cicerón, Homero, Erasmo, Plinio, Teócrito — se lo dará la vida, se lo dará su predisposición estética, la curiosidad intemperante que le lleva al estudio tesonero y, sobre todo, su temperamento: Séneca, Tertuliano, Claudiano, Juvenal, Marcial, Petronio, Plutarco.

La Universidad es para él un ductor. No ha visto sabios aun, sino hombres que se despedazan entre sí por cuestiones de jerarquía. Pero el esplendor de la Ciencia palpita en aquellas viejas paredes. Allí está el espíritu del cardenal Cisneros. Nebrija preside los es-

[1]) Dice Quevedo en la *Respuesta de D. F. de Q. V. al padre Juan de Pineda:* «Yo profesé en la Universidad de Alcalá teología y filosofía, y estoy graduado; fueron mis maestros el doctor Montesinos y el doctor Thenas y el padre Lorca.»

tudios todos y su voz de ultratumba es la más recia invitación a comprar en su tienda Lengua latina y profundo humanismo. Catedráticos y alumnos evocan el paso fascinante por la Universidad del glorioso Santo Tomás de Villanueva, que ingresó de colegial en 1508 y fué Maestro de Artes en 1514 [1]).

Superó a todos en todo. En lo bueno y en lo malo. Su pariente y tutor remítele seiscientos ducados [2]) que el estudiante sabrá dispendiar con largueza. ¿Qué fuerza es capaz de refrenar la alegría cordial, la viva fantasía y los ímpetus ebriosos de la juventud? ¿Quién podrá consignar los yerros cometidos, las riñas estudiantiles, los paseos nocturnos, los devaneos amorosos de esa muchachada irreflexiva, de ardor invencible y apasionado, enemiga de la prudencia, que vive como los pájaros? Fernández-Guerra habla de un proceso seguido contra Quevedo por haber herido gravemente en duelo a un compañero a quien había soplado la dama. Por fortuna, la intervención del magnífico duque de Medinaceli liquida favorablemente el asunto. El ambiente regocijado de los escolares, el compadrazgo más extremado, las burlas a los novatos, las tretas picarescas refléjanse con trazo maravilloso en las páginas del *Buscón,* que es un pedazo de vida caricaturizada trasladada al papel.

[1]) «García, Tomás; más conocido por el Bachiller o el Maestro Tomás. Ha pasado a la historia con el nombre de Santo Tomás de Villanueva.» ANTONIO DE LA TORRE. — *La Universidad de Alcalá; datos para su historia.* (Revista de Arch. Bibl. y Museos, 1909. Vol. I, pág. 263.)
[2]) Los cobraba por libranza de su madre por conducto de un avariento que, según dice, tenía cuatro mil duros de renta *(Las Cuatro Pestes del Mundo. Avaricia.)*

No cabe duda de que a no ser por su afán por la cultura, el joven se hubiera perdido entre la hez de los viciosos, tahures, trapisondistas y parásitos. A pesar de su inquieta juventud, Quevedo triunfa. En los claustros complutenses su nombre resuena con simpatía y admiración en boca de profesores y alumnos. Aprueba al fin su Licenciatura y se decide a cursar Teología.

Adquiere gran reputación humanística. La base de sus futuros tratados filosóficos y morales se inicia en esas horas de premiosos estudios y de meditaciones abstrusas. Su erudición le abre puertas infranqueables. Se familiariza con los clásicos. Comienza sus traducciones de la Biblia, de Séneca, de Anacreonte y de Focílides. Habla varias lenguas. Es diserto. Escribe sus primeras poesías satíricas. Pocos ingenios habrá en España mejor preparados y dotados que el suyo.

En 1598 Felipe II sucumbe a su fatiga física y a sus dolores prolijos. España está de luto. De entonces acá la nación insigne que tantas tierras sojuzgó inicia su caducidad.

La Corte tendrá a Quevedo para satirizarla. Los privados de los Felipes gozarán con sus dichos salaces y sus frases ingeniosas, siempre y cuando no descubran alusiones personales en los regocijantes escritos.

Ahora bien: ¿cuáles y cómo eran sus primeros escritos? Indudablemente que la poesía fué la expansión inicial de su ingenio; a lo menos, su primera producción verdaderamente original, que debía alternar con traducciones universitarias y comentarios de textos clásicos. En 1599 escribe un soneto alabando a Lucas Rodríguez, autor del libro *Conceptos de divina Poesía*.

De 1603 son un soneto dedicado a *El peregrino en su patria*, de Lope:

Estábase la efesia cazadora [1]

la letrilla *Con su pan se lo coma,* la *Fábula de Dafne y Apolo,* y algunas otras poesías. En prosa, la producción de adolescencia (que corre profusamente en manuscritos, leídos y comentados hasta la saciedad y copiados con poco esmero) se reduce a trabajos de poca extensión y de corte satírico, que si bien acusan la falta de soltura y lozanía propias de un muchacho inexperto en la técnica literaria, no por ello dejan de tener una importancia suma por la riqueza de léxico, la gracia del chiste y un sello genuino de optimismo, que dejará a poco definitivamente debido a la tendencia moralizadora que presidirá todos sus escritos: tales son la *Genealogía de los modorros, Desposorio entre el casar y la juventud, Origen y definiciones de la necedad, Vida de la Corte,* etc.

El espectáculo de la sociedad de los Felipes le dió pie para escribir a los veinte años las famosas *Cartas del Caballero de la Tenaza,* que circularon manuscritas con gran profusión y éxito sin precedentes; curiosísima colección de veinticinco epístolas sazonadas de chispeante gracia y punzante ironía a una dama pedigüeña, cuyo primer título era *El Caballero de la Tenaza.* Esta obra no se imprimió hasta 1621 con el epígrafe: *Cartas del Caballero de la Tenaza, donde se hallan muchos y saludables consejos para guardar la mosca y gastar la prosa.* Su factura característica, la técnica del chiste,

[1] 1603, según Fernández Guerra; 1604, según Astrana Marín.

los primeros atisbos conceptistas, su maravillosa desenvoltura, su manera estilística, en fin, están ya definitivamente trazadas [1].

Redacta asimismo [2] la *Premática que este año de 1600 se ordenó para ciertas personas deseosas del bien común,* en la que combate el abuso de modismos que empleaban los malos escritores como muletillas; obra que quizá debió leer Cervantes.

Inducido el débil Felipe III por las carantoñas de su privado don Francisco de Sandoval y Rojas, marqués de Denia y primer duque de Lerma, que asumía la dirección de todos los negocios del Estado, no vaciló en cumplimentar, como el más fiel de los vasallos, los deseos del privado.

Y es que la Corte requiere fabulosos dispendios. El áulico servidor sabe buscar el oro con traza sin igual.

Dinero, dinero. En el casamiento del monarca con Margarita de Austria el valido dilapida la fabulosa suma de trescientos mil ducados, sin contar las joyas. Para dar pasto al holgorio cortesano, las ciudades españolas deben abonar un subsidio de dieciocho millones. El duque de Lerma consigue su propósito de hacerse necesario. El rey no ve el sacrificio de su pueblo, agotado, esquilmado, depauperado por los esfuerzos titánicos que ha debido hacer durante varias generaciones — hombres, sangre, dinero — para mantener a ultranza el rango político y militar desde los tiempos

---

[1] Parece que fué retocada por su autor en 1627, en vista de las estólidas interpolaciones del original. Merimée sólo conocía esta edición de 1627 y por ello dice que se imprimió en tal fecha.

[2] No la imprime; la primera obra impresa y autorizada con su nombre es el *Epítome a la historia... de Fray Tomás de Villanueva* (Astrana Marín, *Obras,* pág. V).

del Emperador. No ve que sus ministros engordan, que el exilio voluntario deja yermos los campos y que los judíos se enriquecen con los despojos de esos banquetes. Quevedo, que a la sazón se halla en la Corte [1]), comprende todo esto y se duele. En esa época nacerán los apuntes de muchos papeles satíricos que correrán subrepticiamente de mano en mano. Nadie quiere verse retratado en ellos. Todos se ríen a mandíbula batiente, pues nada regocija tanto a los espíritus bobalicones como el pretender descubrir la traza de un amigo, el gesto de un vecino poco simpático, ridiculizados en la sátira, en la que don Francisco es maestro. Y nadie, nadie se da cuenta de que Quevedo refleja en ellos la vida inútil y beocia de los españoles. Cuando nos está vedado el llanto, suele la risa mostrarse a veces con una mueca sardónica.

A primeros de 1601 la Corte se traslada a Valladolid. Es uno de los más pingües negocios de su majestad el duque de Lerma. Se sacrifica, vendiendo sus palacios a la Corona.

Posiblemente la madre de Quevedo y su tutor — casado con una prima del muchacho —, continúan adscritos al servicio de Palacio. Y allí va también, con un gran pesar en el alma.

El Quevedo de esa época nos le retratan sus escritos. No hay duda que tiene ambiciones, pues es poeta. Su carácter no gusta del trato superfluo, ni de la vacuidad de los caballeritos que envejecen bostezando en las antesalas de Palacio — «que se desaparecen en la profundidad de las reverencias, traen la vista arras-

[1]) Merimée dice que abandona la Universidad para unirse a la Corte. No la abandona, sino que acaba sus estudios.

trando por la tierra, y no hallan dignos los ojos de su cara de otra puntería que la de las suelas de sus zapatos» [1] —, en espera de una limosna del Rey. Estudia, estudia sin cesar. ¿No podría, cual otros mil de menor rango que el suyo, buscarse un acomodo en la política o en la administración? Sin duda que los defectos físicos ejercen en el hombre — y más si es orgulloso — una influencia decisiva, una especie de sorda amargura, de dolor escondido que torna misántropo al carácter apocado y malvado al hombre de pocos escrúpulos. No hay que olvidar que Quevedo es cojo. Ya dice él:

> En un pie tengo una falta
> resultas de un *quid pro quo;*
> que el medidor de la tela
> en él corta la dejó.

Pero Quevedo tiene un corazón noble y generoso y, además, un orgullo inmenso. Se burla con desprecio ostentoso de sus propios defectos para ganar la mano a los otros. Es para el pueblo un ilustrísimo bufón. Es, eso sí, un enfermo de gloria. Mientras los otros jóvenes de su clase viven en plena molicie, él se refugia en el estudio.

Francisco pierde a su madre, y desde entonces se hallará ausente de su alma todo afecto familiar, lo que le aísla más y más del mundo. Por intervención de la duquesa de Lerma se le concede un empleo en la Corte, con que cubre sus necesidades, permitiéndole dedicarse al trabajo.

Proyectos. Estudia en la famosa Universidad Santos Padres y Teología. El poeta se desenvuelve en un am-

---

[1] *Las Cuatro Pestes del Mundo. — Desprecio.*

biente favorable. El humanista se ve altamente halagado al recibir una carta del famoso Justo Lipsio (profesor que fué de las universidades de Jena, Leyden y Lovaina), en que llama a Quevedo *vir perillustri nobilissima stirpe et animo viro*. El sabio bruselense publica su libro *De Vesta et Vestalibus syntagma,* y Francisco se apresura a felicitarle en una carta escrita en latín. El profesor le contesta congratulándose de que le haya gustado el libro [1]). Quevedo sabe que su maestro es un devoto de Lucio Anneo Séneca [2]) y le escribe en estilo depuradamente senequista [3]). Tórnale a contestar el humanista belga animándole en la defensa de Homero contra la opinión de Escalígero [4]). La fama de Quevedo está consagrada. Es, según Lipsio, la gloria suprema de los españoles [5]).

Tiene 25 años.

Ya en las *Flores de poetas ilustres* de Pedro de Espinosa [6]) figuran poesías del vate madrileño, entre ellas la famosa letrilla:

> Poderoso caballero
> es Don Dinero.

[1]) «Mea de Vesta quod legisse te scribis et probasse, gaudeo...»
[2]) Lipsio publicó, además de varios comentarios de Séneca y de numerosas obras de filosofía estoica, *Animadversiones in Senecae Tragoedias.*
[3]) P. BURMANN. — *Sylloge epistolarum a viris illustribus scriptarum* (Leyde, 1724, vol. II.; J. Lipsii et virorum eruditorum ad eundem epistolae). Ref. de Astrana Marín. — *Obras,* pág. 1643.
[4]) Julio César Scalígero, médico y humanista que sostuvo disputas con Erasmo y Cardano, y prefería Virgilio y lo latino a Homero y lo griego. Quevedo le atacará en *España defendida y los tiempos de ahora,* diciendo que era un «hombre de buenas letras y de mala fe». Le tuvo inquina, además, por haber menospreciado las obras de Quintiliano, Lucano y Séneca.
[5]) «O magnum decus Hispanorum!», dícele en una carta escrita en 1605.
[6]) 20 de septiembre de 1603. Dedicadas a Alonso López de Zúñiga y Sotomayor, séptimo duque de Béjar. El colector dice que

El singular talento de Fran[...]
la admiración de los grandes y [...]
queños. La capacidad de trabajo [...]
hombres superiormente dotados que [...]
do con la potencialidad de su geni[...]
mole —. No sólo publicaba obras po[...]
se enfrascaba en trabajos políticos y fi[...]

Su actividad es proverbial en todo cu[...]
de. Como Lope, tiene tiempo para todo, [...] se le
atribuyen numerosas acciones peregrinas. La leyenda
es siempre generosa con los hombres extraordinarios.
Se ha dicho con poco fundamento que mató en duelo
a un cierto capitán Rodríguez, que se atrevió a qui-
tarle la acera [1]). Que tuvo lances sin cuento nos lo
advera su fama de espadachín, como veremos, a pesar
de su cojera.

Termina sus cuatro cursos de Teología y recibe
órdenes menores para consagrarse al sacerdocio. Ese
debía ser un deseo arraigado de su madre y aun de su
tutor.

¿Y él? Tal detalle es muy digno de tenerse en cuenta para aquilatar y comprender en lo posible aquel carácter de constantes y encontradas reacciones psíquicas.

¿Podría concebirse a Quevedo sacerdote? ¿Por qué
no? Aun cuando los tiempos de Juan Ruíz, de Alfonso
Martínez de Toledo y de Cristóbal de Castillejo eran

escogió las poesías de Quevedo de un cuaderno que compuso a
los diecisiete años, nota que estimo de gran importancia para
justipreciar su prodigiosa labor y, por ende, su popularidad. Astrana Marín (*Obras*, pág. V) dice que las *Flores* de Espinosa se
publicaron en 1605.

[1]) Menéndez y Pelayo en sus *Adiciones* demuestra la falsedad de ésta noticia facilitada por el sobrino y panegirista de don
Francisco, Pedro de Aldrete.

s, hay que confesar que nuestro hombre tenía predisposición para el sagrado ministerio; me: para la teocracia. Su vida toda, su obra, su crítica acerba de la mujer, su celibato mismo, su cultura patrística y escolástica y sus escritos de última hora acusan un marcado sello clerical [1]).

EL QUEVEDO DE ESA ÉPOCA

Ahora bien: ¿qué es la vida para Quevedo? ¿Qué es el mundo? ¿Y la amistad? ¿Y la justicia y el honor?

Quevedo es en esa época un carácter sumamente complejo que presenta perfiles destacados, además de las poderosas raigambres étnicas que le impelen y le dominan. Encontramos en él tendencias esenciales: una preocupación docta y grave; interés por los temas nacionales; ideas de lo que España es y de lo que puede ser. Su clara inteligencia llena de hastío y de indignación el alma rectilínea, pues no puede ver sin dolor cómo se deshace, molécula a molécula, la gigantesca columna del Imperio creado a costa de tantas energías. Y de ello surge una inmediata reacción: el sarcasmo, la crítica despiadada e implacable, la acerada burla.

La miseria y la estulticia gobiernan a España. Sólo se vive de recuerdos. Para dar pasto a la fiebre del lujo, el duque de Lerma, «hipócrita, charlatán y gazmoño, grande sólo en cuestiones de política casera» — según frase de Pfandl —, manda inventariar en el im-

---

[1]) «Su burla tiene siempre un agrio dejo de dómine». — UNAMUNO. — *Soliloquios y conversaciones (Malhumorismo)*. (Col. Austral, pág. 69.)

prorrogable término de diez días toda la plata labrada de las iglesias y de los particulares. Detalle elocuente. Pero es que la Corte necesita dinero, dinero. ¿Y de dónde sacarlo? Hay que insistir en ese tema porque toda la política de aquella época se mueve en torno de la misma preocupación. «La Corte pedía limosna de puerta en puerta», dice Lafuente. Y para ello se recurre a procedimientos desesperados: doblar el precio de la moneda de vellón; pactar con los judíos conversos, que prometen a la Corte la suma de 1.600.000 ducados a cambio de un Breve pontificio. La villa de Madrid ofrece 250.000 ducados y la sexta parte de los alquileres de las casas durante diez años, además de pingües dádivas al valido y a sus hijos, a cambio de la capitalidad. ¿Y cómo ha de reaccionar el «espíritu valiente» de Quevedo ante tanta abyección?

Otra faceta de su carácter es su soledad. Quevedo es un solitario. A pesar del torbellino de su vida, de su temperamento sensual — quizá debamos decir a causa de él, pues es sabido que el hombre entregado desde su adolescencia a los amores fáciles y puramente sexuales se muestra tímido ante la mujer honesta —, de su carácter franco e impulsivo y del trato incesante con gente de todo estado y condición, Quevedo se siente solo. Es un inadaptado. Solo en el torbellino de gente que no le comprende. Si se relaciona no es por solazarse en la sociedad de grandes y pequeños, sino para apuntar caracteres.

¿Y el amor? ¿Conoció Quevedo el amor puro y desinteresado? Quevedo esconde avaramente sus sentimientos más íntimos porque sabe que a nadie interesan. Quizá alguno de sus contados amigos, Villamediana o Francisco de Oviedo, por ejemplo, fueron los únicos a quienes abrió su corazón. En su obra apenas hallaréis rasgos de ternura y sacrificio, sino la pasión salaz escueta. Y el desengaño. Es posible que hubiera experimentado un fracaso muy doloroso y quizá algo de ello pueda colegirse de sus poesías amatorias.

Se muestra escéptico en amor.

> Esto es amor, y lo demás es risa,

dice en un soneto. Amor fácil y baladí, que no se adentra en el alma. Y en otro:

> Yo, para mí, más quiero una matrona
> que con mil artificios se remoza,
> y por gozar de aquel que la retoza
> una hora de la noche no perdona...

El eterno femenino es rasgo prevaleciente de su sátira. Dice:

> Piénsase la doncellita
> que me engaña, porque otorgo;
> sabiendo yo que es colmena
> catada de muchos osos.

Increpa al Amor diciéndole, con más amargura que regocijo:

> Ciego eres, Amor, y no
> porque los ojos te faltan;
> sino porque a todos cuestas
> hoy los ojos de la cara.

Escribe fulminantes diatribas contra el matrimonio. Se casará en la ancianidad, y su unión será un fracaso, precisamente por los prejuicios que alimentó en la juventud. En la sátira *Riesgos del matrimonio en los ruines casados,* tiene los siguientes hermosos tercetos:

> Antes para mi entierro venga el cura
> que para desposarme : antes me velen
> por vecino a la muerte y sepultura.
> Antes con mil esposas me encarcelen
> que aquesa tome ; y antes que Sí diga,
> la lengua y las palabras se me hielen.

Indudablemente que tamaña repulsión, puede decirse enfermiza, aun cuando es de tono humorista, ha de encerrar forzosamente el despecho de un fracaso profundamente sentido por su autor.

José María Salaverría ha tratado de explicar con agudeza y gracejo ese dualismo que informa el carácter quevedesco. Dice que don Francisco era un madrileño fácil, precoz, atrevido de palabra y obra, ingenioso y de pluma cascabelera e irreverente. «A pesar de su educación cortesana — escribe [1] — y de ser tan madrileño, manifiesta a cada paso venir de la montaña... Y por eso es Quevedo una personalidad tan doble, tan escindida y contradictoria... Lleva sobre sí esa fatalidad desconcertante de ser un día deslenguado y cínico como un bufón, y a la siguiente mañana grave y pensativo como un filósofo estoico, ponderador de la muerte como un místico, o preocupado de combatir a los enemigos de su rey como un encendido patriota.»

[1] José M.ª Salaverría. — *Quevedo.* — *Obras satíricas y festivas* (Clásicos Castellanos, vol. 56. Pág. 9).

Al trasladarse nuevamente la Corte a Madrid en el año 1606, Quevedo no puede dejar de manifestar la satisfacción cordial que le produce el cambio. Dice a la insigne ciudad castellana:

> No fuera tanto tu mal,
> Valladolid opulenta,
> si ya que te deja el rey,
> te dejaran los poetas...

En su querida villa natal parece que da comienzo a *Las Zahurdas de Plutón* y escribe numerosas poesías que aumentan superlativamente su fama.

Se relaciona con los ingenios de la Corte. Los consagrados, los inéditos, los fracasados. Miguel de Cervantes, a quien debe haber conocido en Valladolid en una época azarosa y deprimente para el glorioso estilista, acaba de publicar *El Ingenioso Hidalgo*, que causará a Quevedo gran sensación. Intimará con Alonso Jerónimo de Salas Barbadillo, muchacho arrebatado, dado a la sátira y al escándalo, que cual Quevedo cursó sus estudios en Alcalá y en Valladolid. Admirará al Fénix de los Ingenios, que vive en Toledo con su segunda mujer Juana Guardo, y hace frecuentes visitas a la capital. Quevedo es un muchacho impetuoso, atrevido, valiente. Conservamos una altanera carta de desafío al médico del duque de Lerma, Pedro Martín de Andueza, que es un *test* psicológico; desafío que le fué adverso, como reza otra carta a un personaje desconocido [1]).

El Madrid de Quevedo es una isla separada de Europa por millares de leguas.

La capitalidad ha transformado la fisonomía y el espíritu de los cortesanos; pero conserva a pesar de todo una idiosincrasia inconfundible. Castilla siempre está presente.

Cuando Quevedo entra en escena, el Barroco pide plaza, y se retuerce y se infiltra en todos los aspectos del arte.

Toros, saraos, teatros. Para el rico no hay vida mejor ni ciudad más asequible y edénica. Y para el pueblo, nada existe que aplaque sus dolores prolijos y el hambre más espantosa como las representaciones teatrales. «Asistían los españoles al teatro — dice el conde de Schack [2]) —, celebrándolo con su inteligencia perspicaz y magnánimo corazón, porque veían en él a sí mismos con perfección más ideal y más vivamente personificados, y porque, revestidas de imágenes atrevidas, admiraban las hazañas de sus antepasados y los sucesos más notables de su historia, y porque la realidad presente, como un espléndido panorama, se desenvolvía ante ellos en toda su inmensa extensión.»

Optimismo, bullanga. Jácaras y bailes al aire libre. Hasta la interminable cola de mendigos parece regocijada en este pandemónium dicharachero. En 1608 — 15 de enero — reina una alegría sin precedentes:

[1]) «Decidle (al duque de Lerma) que Quevedo va mejor del arañazo que le dió el gato de Hipócrates y Galeno..., pero aun no podré salir de mi cama en esta semana...»
[2]) CONDE DE SCHACK. — *Historia de la Literatura y del arte dramático en España*. Madrid, 1887, vol. V, pág. 253.

el príncipe Felipe es jurado por heredero del reino de las Españas. Preside las fiestas, en las que se derrocha el ingenio y la sal madrileñas, el duque de Lerma.

En las riberas del Manzanares se agolpa la gente para zambullirse en los charcos. El «río pequeño» es cantado por Lope, por Quevedo y por Góngora con hipérbole. Lope exagera por amor. Quevedo y Góngora por burla. El pueblo madrileño ríe, bulle, goza, critica y asiste a los corrales. Y va al río. Lope dice:

> Manzanares claro,
> río pequeño,
> por faltarle el agua
> corre con fuego.

Y Góngora:

> Manzanares, Manzanares,
> vos, que en todo el acuatismo
> Duque sois de los arroyos
> y Vizconde de los ríos...

Y Quevedo:

> Manzanares, Manzanares,
> arroyo aprendiz de río,
> platicante de Jarama,
> buena pesca de maridos...
> ... ...
> Llorando está Manzanares
> al instante que lo digo,
> por los ojos de su puente,
> pocas hebras, hilo a hilo.

Pero no hay goce sin dolor. La contrapartida es onerosa para el pueblo oprimido por tanta gabela. En las Cortes de Madrid se solicitan diecisiete millones de ducados.

Madrid tiene una muchedumbre de ociosos que viven del aire, toman el sol en la puerta de Guadalajara, chismorrean de política y de guerra y esperan la cotidiana comedia de Lope y el chiste de Quevedo.

QUEVEDO, TRABAJA

Las prensas madrileñas no cesan de lanzar a la avidez enfermiza del público hojas volanderas con sus letrillas, sus romances, sus jácaras y sus bailes.

Idea los *Sueños*: la gestación es laboriosa; el parto rápido y feliz. En 1606 prepara el *Sueño del Juicio Final*, dirigido al munífico mecenas conde de Lemos — a quien debió conocer en la Corte de Valladolid cuando en 1603 fué nombrado presidente del Consejo de Indias —, de grata memoria en los anales cervantinos. Un año después populariza *El alguacil alguacilado* y obtiene el privilegio para la publicación de *Las Zahurdas de Plutón, El mundo por de dentro y El entremetido, la dueña y el soplón*.

En 1608 enferma de cuidado y va a reponerse en un lugar de la Alcarria llamado Fresno de Torote, en donde contaba con parientes de su madre; admirable confín de la vida lugareña vivificado por el río Torote, afluente del Henares. Allí fortifica su cuerpo y su espíritu en largos paseos por la soleada vega poblada de riquísimos viñedos y de nervudos olivos. El pueblo se desvive por agradar al ilustre huésped. La sociedad lugareña busca, oficiosa, los medios más refinados para obsequiar al cortesano, cuya fama se agranda considerablemente en la fantasía de los que desconocen la triste realidad del bajo pueblo madrileño. Y del alto.

Las veladas que preside el escritor son largas y aburridas. Palabras, palabras. Los emperifollados hidalgüelos comentan la última gesta cinegética y la antigüedad de sus clarísimas estirpes. Quevedo bosteza.

De pronto pone la mirada de sus ojillos en las narices del cura párroco. Son unas narizotas descomunales que causan, por lo que se verá, profunda estupefacción. Quevedo, que es también narigudo, siente debilidad por ese ruidoso apéndice, como así lo constatan las muchísimas alusiones a lo largo de su obra. Al impenitente humorista le rebulle de nuevo la musa retozona. Y escribe con jocosa facilidad el celebrado soneto:

Erase un hombre a una nariz pegado,
érase una nariz superlativa,
érase una nariz sayón y escriba
érase un peje espada muy barbado.
Era un reloj de sol mal encarado,
érase una alquitara pensativa,
érase un elefante boca arriba,
era Ovidio Nasón más narizado.
Erase un espolón de una galera,
érase una pirámide de Egito,
las doce tribus de narices era.
Erase un naricísimo infinito,
muchísima nariz, nariz tan fiera,
que en la cara de Anás fuera delito.

En este lugar debió escribir o, cuando menos, pulir o terminar *Las Zahurdas de Plutón,* pues dice al final: «Acabé este discurso en el Fresno a postrero de abril de 1608, en 28 de mi edad.»

La Torre de Juan Abad es una villita radicada en el término de Villanueva de los Infantes, hoy provincia de Ciudad Real, en el antiguo camino de Madrid a Andalucía. Tierra bermeja, soleada y fría, en las laderas de Sierra Morena ; lugar amable en donde se alzan las aspas de inquietos molinos que recogen el agua de un río llamado Cañada-Santa María. Las liebres y las perdices abundan en sus jarales y a veces descienden de las cumbres corzos, jabalíes, algún venado y tal cual oso.

La Torre de Juan Abad debió alzarse en los tiempos lejanos de la Reconquista y más tarde fué frontera de los caballeros de Santiago con los de Calatrava. Guarda innumerables recuerdos de Quevedo, pues en ella pasó no pocos destierros, en ella trabajó mucho y en ella se preparó a bien morir.

Esa minúscula población, enclavada en medio de campos feraces bañados por el río Jabalón, perteneció desde tiempos antiguos al maestrazgo de Santiago, con dependencia del priorato de Uclés ¹), quedando en 1566 adscrita a Villanueva de los Infantes. En 1589 los vecinos trataron de independizarse y para ello libraron la suma de 2.000.598 maravedís, alcanzando ocho años después el privilegio, el derecho de horca y cuchillo y

¹) *Memorial de la adquisición del Señorío de la Torre* (FERNÁNDEZ-GUERRA. Vol. II, pág. 639 y sigs.). — GONZÁLEZ PALENCIA, *Pleitos de Quevedo con la villa de la Torre de Juan Abad* (Boletín Acad. Esp. Vol. XIII, págs. 495 y 600). — LUIS ASTRANA MARÍN, *El gran señor de la Torre de Juan Abad.*

otras franquicias y prerrogativas. Pero para satisfacer esa tan crecida suma tuvieron necesidad de tomar a préstamo 8.247 ducados, con hipoteca de cuatro censualistas.

La cantidad era excesiva en proporción a las rentas que disfrutaba. Poco más tarde los vecinos trataron de unificar los censos en una sola mano, y en 24 de noviembre de 1598 la madre de Quevedo, doña María de Santibáñez, adquirió por consejo de su pariente el protonotario de Aragón y con anuencia y ayuda de la Corte, el total de préstamos, cancelando las deudas. Es así como don Francisco, que no se constituyó en señor de la villa hasta 1621, poseía, con una anchurosa casa solariega, el derecho y las rentas de la Torre de Juan Abad. En aquel apacible rincón el escritor reúne valiosos manuscritos, libros y objetos de arte, de los que era un ardiente apasionado, y ve desfilar las horas más plácidas, más serenas y más fértiles de su existencia.

Allí está en el verano de 1608, enfrascado en cobrar los censos, pues su situación económica es apurada.

ANÉCDOTAS

Regresaba don Francisco a Madrid, cuando cerca de Argamasilla de Alba se le inutilizó una de las mulas, teniendo precisión de pernoctar en dicho pueblo. Invitado por el párroco, recogióse en su casa, faltándole tiempo a éste para dar la noticia a sus convecinos de la alta calidad del caballero que hospedaba. Bien pronto acudieron a saludar al famoso escritor las personalidades más relevantes del lugar.

Figurémonos la escena. Diez, doce empecatados y ociosos prohombres, comedidos en sus primeras palabras, iniciando y sopesando frases alambicadas, tupidas de autoridades. Tosecillas y carrasperas. De cerca, el escritor es como cualquier otro hombre. Más feo que algunos, todavía. Pero vive en Madrid, frecuenta el Palacio y la sociedad de los grandes. Charla y adulaciones. Cada cual trata de mostrarse discursivo y habilidoso. Se comprenderá fácilmente la situación regocijada del caballero madrileño en aquel ambiente pueblerino. Uno de los circunstantes le invita a que les demuestre sus celebradas facultades de improvisador. Vaya, don Francisco, una copla. El escritor no se hace de rogar y, ante la asamblea suspensa y admirada de «paniaguados, caprichosos, discretísimos y tiquitoques académicos argamasillescos»— como dice Cervantes — don Francisco, que evoca desde que entró en el pueblo la figura del Caballero Andante que no ha mucho recorre todos los campos del mundo, y que con seguridad ha visitado la célebre «casa de Medrano» [1]), improvisa el siguiente romance sobre el testamento de Don Quijote:

> De un molimiento de huesos,
> a puros palos y piedras,
> Don Quijote de la Mancha
> yace doliente y sin fuerzas.
> Tendido sobre un pavés,
> cubierto con su rodela,
> sacando como tortuga
> de entre conchas la cabeza;

[1]) No se me olvida que la prisión sufrida por Cervantes en esta cárcel y su comienzo en ella del «Ingenioso Hidalgo», fué desmentida por Apraiz y otros investigadores.

con voz roída y chillando,
viendo el escribano cerca,
así, por falta de dientes,
habló con él entre muelas...

La improvisación, cuando es corta, es trabajo sencillo para un poeta. Lo difícil está en la extensión, y mucho más en la perfección de este romance de ciento veinte versos. Desde luego, demuestra que conocía el «Quijote», pues recuerda numerosos pasajes, como la isla de Sancho, Rocinante, el moro encantado que le maltrató en la venta, los mozos de mulas, la Peña Pobre y los héroes de los Libros de Caballerías que cita en el texto Cervantes. El romance fué traducido al inglés por Mr. Gibson [1]).

*
* *

En Madrid solía acudir Quevedo a una tertulia literaria en donde se despedazaban honras y se discutía de versos, de mujeres y de toros. Más tarde pudo llamarse «El Parnaso» y «Academia Selvaje»; luego «El Parnasillo»; hoy nos son conocidas sin eufemismos con el nombre gráfico de «tertulias de café». Asistía a esas reuniones el caballero andaluz don Luis Pacheco de Narváez, «Maestro del Rey Nuestro Señor en la filosofía i en la Destreza de las armas», según firmaba; espadachín famoso, muy susceptible y bravonel, que acababa de dar a la estampa un libro titulado *Cien Conclusiones* sobre la práctica de las armas. Quevedo, que había leído detenidamente la obra, emitió un dictamen adverso sobre un determinado paso. Pacheco debió sen-

[1]) FITZMAURICE-KELLY. — *Historia de la Literatura española*, página 414.

54

tirse herido en su amor propio y en su honor profesional, y como Quevedo no era hombre paciente, ni mucho menos, le invitó a que pusiera en práctica el discutido asalto, venciendo rotundamente al airado contrincante [1]). De ahí nació una enemistad furibunda por parte de Pacheco, que se mostró irreconciliable, criticándole sin recato y pasándose al bando de sus poderosos adversarios, como veremos. Quevedo le paga en la misma moneda, y aun con creces. Le satirizará en *El Buscón* y en *Los Sueños,* y en el poema heroicoburlesco *Las mocedades y locuras de Orlando* le dirigirá estas dos octavas reales:

A las espaldas de Reinaldo estaba,
Más infame que azote de verdugo,
Un maestro de esgrima, que enseñaba
Nueva destreza a huevo y a mendrugo:
Don Hez por su vileza se llamaba,
Descendiente de carda y de tarugo;
A quien por lo casado y por lo vario
Llamó el emperador: Cuco Canario.
  Era embelecador de geometría,
Y estaba pobre aunque le daban todos.
Ser maestro de Carlos pretendía;
Pero por ser cornudo hasta los codos,
Su testa ángulos corvos esgrimía,
Teniendo las vacadas por apodos.
Este, oyendo a Reinaldos, al instante,
Lo dijo al rey famoso Balugante.

Extraña semejante anécdota si se tiene en cuenta que don Francisco era cojo y miope; pero aseguran su veracidad autores fidedignos. Sabemos, además, que

[1]) Parece que esa riña acaeció en una reunión en casa del conde de Miranda, según AMÉRICO CASTRO. — *El Buscón*. (Clásicos Castellanos.)

tuvo varios duelos, en uno de los cuales cayó herido. Desde luego, no podía tener tan acusados esos defectos físicos, al menos en su prima juventud, para contender con un maestro de armas tan acreditado como Pacheco de Narváez, y vencerle [1]).

En un libro antiguo titulado *Deleyte de la Discreción* hallo dos curiosas anécdotas que retratan la agudeza del escritor. Dicen así:

Llegó un poeta novel a leerle unos versos al discretísimo Quevedo, solicitando su aprobación. Oyóles, y dijo:

— Señor mío, si he de decir a vuesa merced mi sentir, no los entiendo; ¿qué quiso decir en esas coplas?

El joven poeta trató de explicar el contenido de las mismas, atajándole don Francisco:

— Pues si vuesa merced lo quiso decir así, ¿por qué no lo dijo?

En otra ocasión llegó el mismo poeta a mostrarle dos sonetos, escritos a un propio asunto, para que él aprobase uno de ellos. Oyó el primero andando, sin detenerse, y dijo:

— Mejor es el otro.

— Pues si vuesa merced no lo ha oído — objetó el poeta —, ¿cómo lo puede saber?

A lo que contestó nuestro hombre:

— Señor mío, porque ninguno puede ser peor que el que he oído.

Las numerosas anécdotas sobre Quevedo constitu-

---

[1]) En una carta a la condesa de Olivares, objeta: «Los que me quieren mal, me llaman cojo, siendo así que lo parezco por descuido, y soy entre cojo y reverencias, un cojo de apuesta, si es cojo o no es cojo.» Era patizambo.

yen un «corpus» que se ha ido repitiendo y deformando al compás de los tiempos y de las conveniencias de los editores sin escrúpulos. Quevedo aparece a los ojos del vulgo como un fantoche insolente, en ocasiones disoluto, inverecundo y perspicaz.

Las leyendas exageran, hinchan y deforman, como dice Giovanni Papini al hablar del Dante ; pero al mismo tiempo crean : «De una pompa de jabón, que no es nada, se puede, sin embargo, sacar una gotita de agua turbia y de un grupo de tradiciones sospechosas se puede obtener, con paciencia, algún pedacito de verdad.»

ACTIVIDAD LITERARIA

Uno de los períodos más lúcidos, más activos y fructuosos de la vida literaria de don Francisco es el comprendido entre 1608 y su ida a Italia en 1613. En esa época lucubra con infatigable empeño, ordena sus notas dispersas, hilvana sus pensamientos esparcidos en numerosos papeles y da cuerpo a sus apostillas al margen de múltiples lecturas de mocedad. Además, escribe copiosas obras poéticas, satíricas y filosóficas [1]).

El año 1609 es sumamente prolífico. Las prensas madrileñas trabajan incansables para él. En primero de julio termina la *Premática de las cotorreras* [2]), conocida también por la *Premática que han de guardar los hermanos comunes,* obra que muestra como ninguna el genio satírico del autor [3]). En la Torre de Juan

[1]) Véase la tercera parte de este libro.
[2]) En algunos ejemplares, 1.º de junio.
[3]) El prólogo ya es elocuentísimo : «A vosotras, las busconas, damas de alquiler, niñas comunes del trabajo, sufridoras, mu-

Abad ha terminado también las *Lágrimas de un penitente,* fruto de graves meditaciones, profundamente ascética, con que intenta erguir un valladar a los salaces ímpetus de la juventud. Sus actividades humanísticas se desarrollan asimismo traduciendo a Epicteto, a Focílides y a Anacreonte [1]), que dedica a don Pedro Girón con encomiásticos versos latinos de Tribaldos de Toledo y de Vicente Espinel, el cual dice:

Num fuit Anacreon noster Graecusve Quevedus?

Ayuda con su autorizado consejo al ilustre jesuíta P. Mariana en la corrección de los textos hebreos para la censura a la monumental edición de la Biblia Poliglota de Amberes, que el humanista Benito Arias Montano había emprendido en 1569, con la protección de Felipe II [2]).

Ingresó en la Cofradía de Esclavos del Santísimo Sacramento [3]), insigne congregación establecida en el Oratorio del Caballero de Gracia, a la que pertenecieron Lope de Vega, Miguel de Cervantes y otros famosos ingenios.

Como político se ocupa de numerosos asuntos de gobierno y redacta *España defendida y los tiempos*

jeres al trote, hembras mortales, recatonas del sexto, ninfas del daca y toma, vinculadas en la lujuria, que traducidas al castellano quiere decir cotorreras.» Esta *Premática* alcanzó un gran éxito en su tiempo.

[1]) Hay una carta de Quevedo en que remite la obra al duque de Osuna, fechada «de mi celda» a 12 de abril de 1609.

[2]) Se ve que trabajaba sobre textos hebreos, pues en *España defendida* verifica algunos análisis filológicos, no sólo de esta lengua, sino también de las siriaca, árabe y griega. Cita al P. Mariana tres veces en esta obra.

[3]) Fundada en 1613 por el P. Antonio Alvarado, en Valladolid, con el nombre de *Congregación de Esclavos del Santísimo Sacramento y de la Virgen Desterrada.*

de ahora de las calumnias de noveleros y sediciosos, obra de gran empuje, en la que pone todo su ardor patriótico, y quizá por eso mismo lamentablemente mutilada.

Impulsado en 1610 por las letras remisoras de la Sagrada Congregación de Ritos, que se expidieron para excitar la devoción hacia el nuevo Santo Tomás de Villanueva, y quizá instado por los familiares del prelado residentes en Villanueva de los Infantes, comienza una gran obra, que le desapareció al serle saqueados los papeles: *Vida de Santo Tomás de Villanueva.* También en este año solicitó la impresión de *El sueño del Juicio Final,* llamado en su primera redacción *Sueños y discursos de verdades descubridoras de abusos, vicios y engaños de todos los oficios y estados* ; obra que excitó la irritabilidad inexplicable del P. Antolín Montojo — que era, por lo visto, de carácter suave como un cardo —, el cual redactó en primero de mayo una rigurosa censura diciendo que don Francisco de Quevedo, «por ser servidor del Rey, es lástima se entregue a escritos que pueden hacer más mal que bien a quien los leyere, e inducir a errores, promoviendo dudas sobre cosas muy sagradas». Y más adelante arrecia el implacable censor: «O el autor se ha propuesto burlarse de las Sagradas Escrituras o las ignora... El estilo es chabacano e imprudente y escandaloso sobremanera, más propio de truhanes que de gente honrada y cristiana» [1].

[1] Dos años después el nuevo censor Fray Antonio de Santo Domingo suscribe una rectificación tan distinta como sospechosa, encomiando a Quevedo hasta lo indecible, sobre todo ensalzando la moralidad del *Sueño.*

Es de suponer el berrinche del autor ante una tan depresiva y malintencionada opinión, resultado sin duda de una maniobra de sus rivales. Quevedo se vengará cumplidamente difundiendo por todos los medios a su alcance los manuscritos, que obtuvieron un resonante éxito en toda España.

En este tiempo entabló relaciones de estrecha amistad con el ilustre don Pedro Téllez-Girón, III duque de Osuna, II marqués de Peñafiel, conde de Ureña y señor de Morón y Archidona, Caballero del Toisón; aguerrido militar, político sagacísimo, hombre de gran cultura y solicitado mecenas [1]), que acababa de llegar herido de las guerras de Flandes con fama auténtica y resonante. Se admiraron y se comprendieron al punto. Si bien el prócer español — el «gran duque», le llamaban sus contemporáneos — dispensó al escritor su valiosísima protección, éste le ayudó eficazmente en sus empresas políticas con su consejo y su arriesgada cooperación personal, dedicándole varios frutos de su ya maduro ingenio.

El biógrafo Tarsia se hizo eco de una leyenda inventada al socaire de la fama quevedesca; y tras él, Fernández-Guerra, Américo Castro, Merimée y Fitzmaurice-Kelly, entre otros, recogieron la especie, destruída por la investigación del señor González Palencia, de una estocada mortal inferida por Quevedo el día de Jueves Santo de 1611, estando en la iglesia de San Martín, a un caballero que se había atrevido a abofetear a una dama. La anécdota hubiera podido pasar por cierta, porque el escritor madrileño era capaz

[1]) Lope de Vega le dedicó *La Arcadia*.

de esto y de mucho más; pero sus consecuencias habrían sido muy otras. Según afirma el biógrafo napolitano, tuvo que refugiarse en Sicilia huyendo de la justicia, de cuya isla era virrey el duque de Osuna.

Ello no es cierto. No hay duda de que al salir Téllez-Girón en las galeras de don Pedro de Leiva en el mes de octubre anterior, solicitó la cooperación de su amigo, el cual debió acceder a sus requerimientos para su regreso de la Torre de Juan Abad, en donde estaba a últimos de 1612, según consta en la carta fechada en 12 de noviembre y dirigida a don Tomás Tamayo de Vargas, remitiéndole *La cuna y la sepoltura.* Y aun el 12 de abril de 1613 [1]) dedicó al Virrey *El mundo por de dentro,* y el 8 de mayo ofreció al cardenal-arzobispo de Toledo, don Fernando de Sandoval y Rojas *Las lágrimas de Jeremías castellanas, ordenadas y declarando la letra hebraica, con paráfrasi y comentario.* Asistió asimismo en Madrid a las sesiones de la academia «El Parnaso», también llamada «Academia Selvaje», que acababa de fundar don Francisco de Silva Mendoza, hermano del duque de Pastrana, y cuyo secretario era Lope de Vega.

De allí parte para sus posesiones, en donde ha de sufrir encontrados pleitos contra sus terratenientes y ha de hipotecar los propios del Concejo, que le adeuda la suma de seis mil reales. Ya se duele en un romance:

> Aquí cobro enfermedades.
> que no rentas ni tributos;
> y mando todos mis miembros,
> y aun destos no mando algunos.

[1]) En otros textos, 26 de abril de 1612.

Estos años son de gran actividad. El trabajo le absorbe por completo. En la soledad de su Torre puede leer, escribir y meditar mucho. Proyectos mil bullen en su cerebro: y así da a luz, como he dicho, *La cuna y la sepoltura,* cuyo título primitivo fué *Secretos de la verdad. Doctrina moral del conocimiento propio y del desengaño de las cosas ajenas,* advirtiendo que puede servir de introducción al *Manual* de Epicteto, y *Nombre, intento, recomendación y decencia de la doctrina estoica,* que demuestra la hondura de sus cavilaciones alrededor de los clásicos.

El satírico acredita también frutos acedos y regocijantes. Son ya famosas las *Cartas del Caballero de la Tenaza,* que corren por doquiera manuscritas. Escribe asimismo el *Memorial pidiendo plaza en una Academia.*

La producción de Quevedo, por lo que puede verse, es multiforme. No debía trabajar persistentemente en una sola obra, sino que escribía al margen de sus copiosísimas lecturas y de su estado de ánimo. Esa manera nos la referirá él mismo en los últimos días de su vida, cuando se hallará en la fría ergástula de San Marcos de León. Por ello no debe extrañarnos que al socaire de tan profundas elucubraciones hallemos el descanso, el juego, la banalidad, y junto a la severa admonición moral, el desenfado y la sal madrileña — como para favorecer copiosas digestiones — y el culto a las Musas. En 3 de junio de 1613 remite a su tía doña Margarita de Espinosa y Rueda las *Poesías morales y lágrimas de un penitente,* advirtiéndole que pretende, «ya que la voz de mis mocedades ha sido molesta a

¹) Se imprimió en 1630, en Zaragoza, por Pedro Verges.

vuesa merced y escandalosa a todos, conozca por este papel mis diferentes propósitos».

Tanto trabajo le acarrea una profunda depresión moral, que le obliga a retirarse a un lugar innominado de Sierra Morena, buscando el descanso y el olvido. Pero no puede sustraerse a las exigencias imperiosas de su Musa: allí escribe un bello romance que muestra su estado lánguido y mustio y que es muy parecido al de Lope de Vega: «A mis soledades voy»:

> Yo me salí de la Corte
> a vivir en paz conmigo,
> que bastan treinta y tres años
> que para los otros vivo.
> ¿Si me hallo, preguntáis,
> en este dulce retiro?
> Y es aquí donde me hallo,
> pues andaba allí perdido [1]).

De esa época son también las chispeantes *Premáticas del desengaño contra los poetas güeros,* curiosa invectiva contra los vates «chirles y hebenes», que incluyó en *El Buscón,* debidamente retocadas.

Ve el mal de España y procura satirizar las lacras sociales. Es una manera de moralizar, de levantar la dormida opinión y de hacerse con lectores poco preparados. Y peligrosa, claro está. Asiste a la ruina del agro español a raíz de la fulminante expulsión de los moriscos, que se apretujan en los puertos, temerosos de las iras confabuladas. Desaparecen los grandes centros de producción agrícola e industrial. Falta el pan.

El rey... caza.

[1]) Jusepe Antonio González de Salas. — *Parnaso Español. Musa VI.* También se imprimió, con muchas variantes, en *Romances de diversos autores* (Madrid, 1664).

Un cambio radical debía operarse en la vida y en las costumbres de don Francisco, que le acreditaría de político sagaz y de patriota insigne. Son años de descanso intelectual, pero de gran fatiga psíquica, de luchas encarnizadas y de peligros constantes. Gloriosos amigos, enconados y poderosísimos adversarios le reportarán emociones sin cuento. Los clarines de la fama exaltarán su nombre y le cubrirán de retoñados lauros ; pero, a la postre, el Desengaño urdirá su tupida tela ante los ojos deslumbrados del caballero español. Precisamente, pocos meses antes pone en boca del venerable anciano de *El mundo por de dentro* (dedicado al duque de Osuna), estas palabras sibilinas : «Estos rasgones de la ropa son los tirones que dan de mí los que dicen en el mundo que me quieren.»

Quevedo es requerido por su amigo el Virrey para que le ayude en sus empresas de gobierno y presida sus tertulias literarias que, a imitación de las del conde de Lemos y siguiendo los rumbos beneméritos de aquel rey magnífico que se llamó Alfonso V de Aragón, difundía la cultura patria en las soleadas tierras de Italia. Se conservan noticias bastante fidedignas de esa agitada época en las memorias del cronista Francesco Zazzera [1]).

---

[1]) FRANCESCO ZAZZERA. — *Giornali de Francesco Zazzera, napolitano, academmico otioso, nel felice gouerno dell'Eccmo. D. Pietro Girone, Duca d'Ossuna Vicerè del Regno di Napoli dalli 7 di Luglio 1616.* No he visto esta obra. Cito las referencias de Fernández-Guerra. Parece que este ejemplar se hallaba manuscrito en la Biblioteca del duque. Fernández-Guerra (Obra citada, pág. 631,

La política de Italia era a la sazón turbia y poblada de traiciones. Se puede actualizar el concepto que un historiador emite de la que precede al desembarco en Nápoles del citado rey de Aragón: «La verdadera política de aquella época, la dominante de una manera casi general, era no tener escrúpulos ni remordimientos, poner la vista en algún objeto y por sendas rectas o tortuosas encaminarse hacia él; buscar amigos a todo trance y destruir sin compasión a los enemigos; renegar al día siguiente de lo que se había jurado la víspera; cambiar a cada momento de aliados y adversarios; moverse de continuo por la posesión de un territorio o por el logro de una paga y poner constantemente a contribución y explotar sin entrañas las luchas y disensiones de los países codiciados» [1]).

La cautela y perspicacia de Quevedo habían de desempeñar un primerísimo papel al lado de su boyante amigo, que se apresura a recibirlo en Palermo con todos los honores.

Vivía en su palacio. Compartía su mesa. Asistía a las reuniones y festividades. Era el *alter ego*. En las suntuosas recepciones su musa fácil ponía sonrisas significativas en los temblorosos labios de las damas. Allí se granjeó la amistad de Hércules Branciforte, duque de San Juan — a cuyo hijo dedicó más tarde la *Cuarta*

nota b) dice que hay una copia contemporánea en la biblioteca del duque y otra más moderna en la Nacional. Además: DARU. — *Histoire de la Republique de Venice*. — RANKE. — *Conjuración de Venecia*. — QUEVEDO. — *Lince de Italia*. Las luchas entre los uscoques y los venecianos y sus consecuencias están minuciosamente consignadas en la primera parte de la obra de Quevedo: *Mundo caduco y desvaríos de la edad*.

[1]) JOSÉ AMETLLER. — *Alfonso V de Aragón en Italia y la crisis religiosa del siglo XV*. — Gerona, 1903, tomo I, pág. 44.

fantasma de la vida —, y de los espíritus más selectos del reino. Pero de pronto el vestiglo de la guerra vino a intranquilizar los ánimos. Veamos su origen.

El príncipe Carlos Manuel, duque de Saboya, casado con la infanta Catalina, hija de Felipe II de España, pretendía apoderarse de los dominios que nuestra Corona poseía en Italia, para lo cual solicitó una alianza con el monarca francés, que hizo fracasar la punta del puñal de Ravaillac. El nuevo soberano español — Felipe III — obligóle a abandonar sus propósitos de anexionarse la Lombardía. Pero al morir en 1612 Fernando IV Gonzaga, duque de Mantua, el inquieto príncipe acarició el proyecto de ensanchar sus estados a costa del Monferrato que, según su criterio, correspondía a su hija Margarita, viuda del duque mantuano, invadiendo aquel rico país y encendiéndose con ello una guerra cruentísima, con suerte fluctuante hasta que el Monferrato hubo de ceder a la presión incontenible de las tropas saboyanas. Felipe III exigió a Carlos Manuel que retirase sus ejércitos.

Y en este momento tan premioso entra en escena don Francisco de Quevedo. El duque de Osuna le encarga los asuntos políticos a realizar en Nápoles y en otros reinos italianos.

El tacto del caballero español es extraordinario. Vigila, transita, ve y obra con experiencia de viejo diplomático. Sus hábiles manejos hubieran llegado a arrebatar Niza al duque saboyano de no haber traicionado a su patria el gobernador de Milán, marqués de la Hinojosa, que firmó una afrentosa paz con Carlos Manuel por consejo de potencias extrañas, Venecia entre ellas. El nuevo gobernador del Milanesado, don Pedro de Toledo, proseguirá la guerra por orden de Felipe III hasta obligar al rebelde saboyano a firmar en 1617 la paz de Pavía.

Entretanto, Quevedo es el correveidile, el agente eficaz, el cauto embajador, callado y fiel, todo tensión constante, del duque de Osuna, verdadero torbellino de infatigables arrestos, tenaz hasta la muerte y peligroso enemigo de los enemigos de su rey y de su patria. La agudeza mental del escritor madrileño le sirve de mucho al magno don Pedro Téllez-Girón.

En medio de sus ajetreos políticos, Quevedo tiene tiempo de narrar las dramáticas vicisitudes de aquellos días en la preciosa obra *Lince de Italia,* en que advierte al soberano español los astutos manejos del duque de Saboya.

Es un verdadero lince.

Veamos cómo se desarrolló ese largo rosario de calamidades históricas.

QUEVEDO, EMBAJADOR

En el mes de agosto de 1615 la Junta Popular, presidida por Osuna, acuerda designar a Quevedo para que lleve al Rey las conclusiones aprobadas. La Junta confía algo más interesante al tacto exquisito del embajador, pues sabe que la política italiana es un semillero de discordias, de presiones adelinas y de hiperbólicas denuncias, y conoce, además, *ab initium*, las patrañas que pueden influenciar en el ánimo receloso del duque de Lerma, tanto más si van respaldadas por buenas cédulas monetarias.

Se entregó a Quevedo, como más tarde se supo, la cantidad de treinta mil ducados que había de distribuir a escote entre el valido, su secretario don Juan de Salazar, el Padre Aliaga, confesor del monarca [1]), el marqués de Siete Iglesias, el espía mayor y fiscal de los cohechos, don Andrés Velázquez, su propio tutor y pariente don Agustín de Villanueva y el tristemente célebre Rodrigo Calderón [2]): todo ello para que la ilustre camarilla del soberano mostrase buen ceño e inclinase el real ánimo hacia la política siciliana. No debía ser la vez primera que esos empecatados señores se hicieron pagar de tal guisa sus carantoñas al buen Felipe, el primer cazador del reino. La euforia del ministril adulador hace que el rey simple y bobalicón se crea un invencible Alejandro.

Quevedo recibió asimismo cinco mil ducados para gajes del viaje y dispendios particulares, y el 2 de septiembre embarcó en el puerto de Mesina, arribando felizmente a Marsella.

El viaje desde Marsella fué catastrófico y erizado de gravísimos peligros. A la sazón Francia andaba revuelta en luchas civiles, y al llegar a Montpellier fué detenido y preso por las tropas hugonotes «por haberles dicho que venía con despachos del rey Católico» [3]). Tres días estuvo en la cárcel, sufriendo además otras detenciones. Desde ese punto encaminóse a Toulouse,

---

[1]) «En la religión mañoso, en la privanza, molesto: fué lo que le mandaron» *(Grandes anales de quince días).*

[2]) Hombre cuya altivez, como dice Quevedo *(Grandes anales)* «le puso en cuidado, para proporcionar su persona con su fortuna, de buscar padre. Y así uno de los delirios de su vanidad y ambición, fué achacarse por hijo del duque de Alba viejo».

[3]) *Lince de Italia.*

pidiendo al magistrado de aquella ciudad un guía para que le condujese por lugares católicos hasta Aux.

Entró en España, en una de cuyas villas fronterizas (hay quien supone fué Zaragoza ; en este caso queda diluída la demarcación) adquirió un relicario «para festejar al Rey», llegando finalmente a Burgos, residencia temporal de la Corte. Allí cumplió su misión puntualmente. Fué el maná, el bienquisto, el personaje más importante, más solicitado y más adulado. Un Poderoso Caballero.

Las cartas de don Francisco al duque de Osuna me relevan de todo comentario. En la signada en 6 de noviembre de 1615, escribe : «Ya han dado al Secretario Salazar una sortija de quinientos ducados ; y si a vuesa merced le pareciere, le dé una cadena de otros quinientos.» En otra de 16 de diciembre opina el eterno socarrón : «Señor, según veo, adelante ha de haber tiempo de untar estos carros para que no rechinen, porque ahora están más untados que brujas» ; y termina con engallado empaque : «Más séquito tengo yo que un consejo entero.» En otra de 12 de enero de 1616 comunícale que juzga necesario comprar un relicario a la duquesa Isabel. En otra de 21 de febrero manifiesta : «El Padre Confesor es segurissimo amigo de V. Ex.ª i reconozidissimo a la oferta que V. Ex.ª le envio a azer desde Peñafiel cuando murió Javierre... i pienso que el duque de Vzeda i el trabaran sobre cual se a de mostrar mas apasionado de V. Ex.ª». En otra de 20 de junio, firmada en Cartagena [1]), advierte que ha gas-

[1]) En la postdata a una carta de 13 de abril, dice : «Yo me embarco en Cartagena por los vestidos que llevo». ¿A qué se referirá Quevedo ?

tado todo el dinero contra su voluntad, y que «ay muchos que tomen, nadie que lo merezca»'. Y continúa: «Di a Alonso de la Cruz otros quatrocientos ducados para su viaje», afirmando que está para partir. Es decir, que hasta en la misma galera que le conducirá a su patria adoptiva le sigue la cohorte de pedigüeños.

El Caballero de la Tenaza ha podido mostrarse espléndido con los dineros ajenos. Pero, ¡cuántas desoladoras consideraciones no ha debido hacerse de esa zozobrosa edad en que se liquidan las viejas prerrogativas que encumbraron a España, y de esa sociedad vanidosa y engreída que ha metalizado los sentimientos más puros, que eran blasones de los antepasados!... Con un caudal de tan triste experiencia Quevedo abrirá los ojos a la dura realidad y producirá sus obras acedas, llenas de honda amargura.

La actividad desplegada por el diplomático es tan grande, que nos es de todo punto imposible seguir sus pasos. Dice Juan Pablo Mártir Rizo que en esa época efectuó nueve viajes a España. Serán muchos menos, seguramente. Va a Milán, a conferenciar con su gobernador el marqués de Villafranca. Visita a Brindis. Recorre Italia como un caballero misterioso lleno de curiosidad para todo. Observa al desgaire con sus ojillos miopes. Ejerce asimismo una decisiva influencia entre los prohombres que trabajosamente gestan y alumbran la Paz de Pavía. Su fama de escritor corre parejas con sus habilidades cancillerescas.

Recién llegado a la Corte descubre el propósito del afable y paternal Gobierno de elevar a Téllez-Girón a la representación máxima de España en Nápoles. Hay que corresponder de algún modo a la largueza del prócer, que sabe conquistar el afecto con el lenguaje más elocuente e irresistible. La satisfacción del amigo leal no tiene límites. Despacha un correo para Sicilia, notificando al nuevo Virrey tan fausta nueva.

El 27 de septiembre de 1616 Téllez-Girón entra triunfalmente en la ciudad vetusta. El entusiasmo vibra en los labios de los napolitanos. Fe en España y en los altos destinos a que debe llevarlos el invicto y arrogante protagonista de tan titánicas hazañas.

Los asuntos del gobierno le absorben y le hacen pensar en la eficacia de la colaboración política y administrativa de quien, como Quevedo, ha sabido resolver tan puntual y lealmente los importantes negocios de su virreinato.

Quevedo triunfa en Madrid. Los salones le franquean las puertas. Poeta conspicuo de la Corte, es bienquisto de los potentes mayordomos, gentileshombres y familiares del soberano, mimado por las sonrisas de las descocadas camaristas, adulado por los incansables pretendientes que zanganean alrededor del Trono, soñando despiertos en los tesoros del Perú. Lope de Vega es su amigo fiel, el único a quien nuestro escritor confía las hondas preocupaciones que le acometen y los álgidos desengaños que recibe en esa embajada tan afanosa y lamentable. No escribe, no publica. Hace una visita fugaz a su querida Torre de Juan Abad. Viejos amigos, viejos y nuevos libros. De Italia ha traído admirables obras de arte.

Llega de pronto una misiva de Nápoles. Una súplica, que para él es una orden.

Parte.

....

A últimos de 1616 una larga teoría de soberbios caballos y barrocas carrozas atraviesa las bulliciosas calles de Nápoles presidida por don Pedro Téllez-Girón, camino de su magnífico Palacio, procedente del puerto. A su lado se yergue un desconocido caballero que según nos dice el cronista Zazzera con curiosidad patente, «hizo venir de España por la posta y a quien parece profesar tan alta simpatía, que sin él no se encuentra en modo alguno, de donde infiero yo que debe ser un personaje no menos ilustre por su nobleza y por su virtud y que llena completamente el delicado gusto de S. E.». La comitiva éntrase en palacio y, ante la nobleza reunida, el duque presenta a su Secretario en términos de acendrado afecto. Quevedo sonríe y recibe los plácemes de los cortesanos. Se siente optimista, pues sabe cuántas cosas pueden realizar las dos inteligencias puestas al servicio de la patria.

Quevedo se convierte en el consejero de Osuna. Si son prolijos los trabajos, la voluntad es acérrima e infatigable. Papeles, papeles. La Administración caía fuera de su órbita pasmosa. Pero se acomoda, se afana y se impone. En carta de 8 de febrero de 1617 le dice el capitán Camilo Catizón que reconoce en él a «un caballero de tan alto entendimiento y que está siempre a su lado». Su agudeza mental es tan famosa como su pluma. Hay noticias fidedignas de esa maravillosa eficacia y de sus resoluciones acertadas. Se asesora, inquiere y comprueba, arregla los desgobiernos. Por el diario de Zazzera se ve como se ocupa con minucia de viejo sabueso de los complejos asuntos del Virreinato, visitando cárceles, informándose personalmente de los delitos de los presos para aliviarlos en lo posible de sus cadenas. En octubre escribe a S. M. comunicándole «haber hecho un millón y más de presa». En 8 de febrero — 1617 — recibe un informe circunstanciado sobre la buena marcha de la milicia del reino de Nápoles y sobre la distribución de las fuerzas de mar y tierra en Calabria, Otranto, Bari y otros lugares estratégicos. Jorge de Oliste le comunica el 28 de abril el camino más fácil y más seguro de echar al turco de Europa.

Los patriotas españoles no podían ver con buenos ojos la competencia naval de la república de Venecia. Esta, por su parte, mostrábase celosa de la preponderancia hispánica en Italia y pugnaba por crearle un ambiente hostil. Eran dos fuerzas iguales en aquella península que se disponían a acometerse. Este es el origen de todas las guerras y no es posible inquirir de qué parte está la razón porque, biológicamente, la tienen los dos antagonistas ; humanamente no la tiene nadie. La lucha por los mercados ha empujado fatalmente, con las guerras consiguientes, el mundo hacia la Civilización. El concepto bélico no ha evolucionado una vírgula en todo el proceso de la historia, y el pensamiento del guerrero permanece siempre supeditado a las mismas ideas.

El duque de Osuna no podía estar ocioso ante la política de descrédito urdida por Venecia, que se llamaba a sí misma «reina de los mares y señora del Adriático» y amadrigaba sin recato, y aun ostentosamente, a los avechuchos que se escapaban de las cárceles del virrey ; por ello armó una poderosa escuadra a cuyo frente puso al valeroso capitán Francisco de Rivera, atacando infatigablemente durante muchísimos meses las flotas y las costas republicanas, so pretexto de castigar al turco. Diezmó asimismo a la escuadra de San Marcos cerca de Gravosa [1]) e incitó a los marinos uscosques [2]), de rapacidad inaudita y de crueldad refinada, para que hostilizaran a las naves rivales. Todo ello indignó sobremanera al pueblo veneciano, que trató de hundir al prepotente enemigo, excitando a la Lombardía en contra suya y denunciando a Felipe III falsos manejos egoístas de su Virrey.

Osuna se defiende devolviendo golpe por golpe, en un duelo a muerte implacable y cruel. Encarga a su amigo que visite al Santo Padre para desvirtuar en lo posible las fulminantes acusaciones de que es objeto, por lo que éste se apresura a salir para Roma, en donde puede admirar con unción las seculares ruinas de la Ciudad Eterna. Impresionado por la contemplación de tanta grandeza abatida, escribe el magnífico soneto, recordando un bello libro de versos que a la sazón debe leer [3]):

A ROMA SEPULTADA EN SUS RUINAS

Buscas en Roma a Roma, ¡oh peregrino!
y en Roma misma a Roma no la hallas:
cadáver son las que ostentó murallas,
y tumba de sí propio el Aventino.

[1]) «Con diez y ocho galeones esperó y rompió toda la armada veneciana, en número de más de ochenta velas; y a tener galeras consigo, se la llevara de remolco a Nápoles; y en Zara, lo que les fué de mayor daño, les tomó las mahonas, y en ellas todas las mercancías de Levante, interés que en el estado presente los enflaqueció de suerte que en Venecia se recelaba saco...» *(Mundo Caduco)*.

[2]) Los uscosques, «que es lo mismo que desterrados y fugitivos», eran unos croatas que huían de la tiranía de los turcos *(Mundo Caduco)*.

[3]) JOACHIM DU BELLAY. — *Le premier livre des antiquités de Rome...* París, 1562.

Yace donde reinaba el Palatino;
y, limadas del tiempo las medallas,
más se muestran destrozo a las batallas
de las edades que blasón latino.
Sólo el Tibre quedó, cuya corriente,
si ciudad la regó, ya sepoltura
la llora con funesto són doliente.
¡Oh, Roma! En tu grandeza, en tu hermosura,
Huyó lo que era firme, y solamente
lo fugitivo permanece y dura.

También compuso la magnífica silva titulada *Roma antigua y moderna* [1]).

Paulo V recibe a don Francisco con honores de Virrey y escribe al de Nápoles — 19 de abril de 1617 —, remitiéndose a cuanto le dijera de palabra el embajador [2]). De allí parte para España al objeto de desvanecer la complejísima maraña que amenaza el crédito de su amigo y protector.

CABALLERO DE SANTIAGO

Partió don Francisco de Nápoles el 20 de mayo del año 1617 con seis falucas armadas, desembarcando en Marsella, en donde recibió carta del capitán Vinciguera notificándole que el día 4 habían salido de Niza seis caballeros con ánimo de matarle, de orden del gobierno de Venecia. Juan Pablo Mártir manifiesta que le salvó la vida el duque de Alburquerque, gobernador y ca-

[1]) Tiene la misma fuente.
[2]) *Abbiamo inteso con nostro molto gusto quanto Don Francesco di Quevedo ci ha rappresentato in nome di V. Ecc....* Es ésta una carta escrita con gran tacto político, muy cauta, pero que deja entrever que el Santo Padre conocía los propósitos de atacar a Venecia.

pitán general de Cataluña, el cual le ofreció una escolta de caballería hasta dejarle en la villa aragonesa de Fraga. Quevedo era portador de trece millones para el monarca y de cincuenta mil ducados, amén de regalos valiosos para Uceda y para otros significados cortesanos.

El 24 de julio llegó a Madrid. La Corte pasaba el verano en Aranjuez [1]), y allá se dirigió a toda prisa, siendo recibido como a un embajador del Dorado. Inmediatamente sostuvo con el soberano una entrevista secreta de dos horas, que excitó la suspicacia de sus cancerberos, en particular de su confesor el Padre Aliaga.

¿Qué hablaron el Rey y Quevedo? ¿Por qué tanto interés en silenciar tales asuntos? ¿Fué a iniciativa de Felipe IV, o viceversa, el mantener secreta la conversación? Por la correspondencia cruzada con Osuna puede suponerse que nuestro hombre trató de esquivar — y lo consiguió de momento — las acusaciones dirigidas contra el Virrey, poniendo al soberano en antecedentes de la política y del estado de su hacienda en Nápoles [2]).

Es interesante aclarar este punto por las consecuencias que de ello sobrevendrán. En el Memorial de Chumacero [3]) se dice que el duque de Uceda ordenó a Quevedo — según propia declaración — que hablase en audiencia secreta con el Rey. Uceda, por su parte, declara «que lo que en esto pasó es que el dicho don

---

[1]) No en el Escorial, como dice Fernández-Guerra.
[2]) Desde luego, tenía tan amplios poderes de Osuna, que éste llegó a mandarle ocho firmas en blanco para lo que fuere menester (carta fechada en Nápoles, 12 de junio de 1617).
[3]) Fernández-Guerra. Ob. cit. Vol. II, pág. 635.

Francisco de Quevedo dijo a este confesante que había menester hablar a su majestad en audiencia secreta, porque lo pedían así las materias que traía».

El 12 de octubre escribió una carta a Osuna que refleja el asco que le inspiran los cortesanos más allegados a Felipe, explicándole cómo distribuyó el dinero: 4.000 ducados al duque de Uceda; 500 a Juan de Salazar; 2.000 para el presente que hizo al Rey, que no especifica; 1.500 para un pontifical de plata entregado, al parecer, al Padre Aliaga; 10.000 reales al marqués de la Laguna; 2.000 ducados a un marqués, que puede ser el de Peñafiel, hijo de Osuna; 300 a un fraile que no nombra; 400 que entregó al correo despachado para Nápoles; 2.000 a un personaje innominado; 263 reales para un correo, y 18.000 ducados «prestados al duque de Uceda». Esta carta figurará en el ruidoso proceso que se habrá de incoar poco después contra el valido y sus orondos camaradas.

Se quiso tachar a Quevedo de haber distraído parte de aquel caudal para adquirir bienes en la Torre de Juan Abad. Ese es el flujo y reflujo de la prevaricación: enturbiar, enredar cautelosa y disimuladamente para exonerar el peso de la falta. Lo cierto es que en la averiguación de los fraudes de la Real Hacienda de Nápoles cupiéronle, a título de recompensa, cincuenta mil ducados, según consta en carta del duque escrita al monarca, de fecha 20 de mayo de 1617, cuyo original tenía en su poder el sobrino de Quevedo [1]).

El monarca aprueba desde luego la conducta de Téllez-Girón, imponiéndose con suma complacencia de una

[1]) JUSEPE ANTONIO. — Prólogo a *Las tres últimas Musas castellanas*.

carta remitida por Osuna en la que le decía, refiriéndose a don Francisco: «Vuestra Majestad debe hacelle merced, pues cualquiera que se le haga, no trato de que la merece, sino del beneficio que resulta del servicio de Vuestra Majestad.»

A la carta de 27 de mayo de 1616 escrita por Osuna debía antecederle otra encomiando los eficientes servicios del literato madrileño, pues un Real Decreto promulgado en 25 de enero del mismo año prescribe los trámites para otorgarle una encomienda [1]), ofreciéndole además el Rey cuatrocientos ducados de pensión en Italia.

Felipe III agradece los desvelos de don Francisco. Está dispuesto a recompensarle con esplendidez. Trece millones merecen especial consideración. Escribe a Osuna — llámale «ilustre duque de Osuna, primo, mi virrey, lugarteniente y capitán general del reino de Nápoles» —, enalteciendo la conducta de tan fiel servidor. Y en su gratitud expansiva se dispone a agraciarle con el hábito de caballero de Santiago.

La Real Cédula fué expedida el 29 de diciembre de 1617, y el 20 de febrero del año siguiente, previos laboriosos trámites por parte de los informadores, el duque de Uceda, en nombre del monarca, invistió a don

---

[1]) Dice el Informe del Consejo, entre otras cosas: «Don Francisco de Quevedo Villegas refiere que es hijo y nieto de padres y abuelos que murieron sirviendo a la real corona de Vuestra Majestad; y nieto de doña Felipa de Espinosa, que sirvió a Vuestra Majestad desde que nació hasta que pusieron casa a Vuestra Majestad... Porque el Virrey de Sicilia muestra desear mucho que se haga merced a don Francisco de Quevedo, y se entiende que es noble y bien nacido, en calidad y razonable comodidad de hacienda, y le ayudan también los servicios que refiere..., parece que podría Vuestra Majestad, siendo servido, honrarle con un hábito de las tres órdenes militares de Castilla, que en su persona será muy empleado.»

Francisco del ansiado hábito en una solemne recepción celebrada en la iglesia madrileña de las religiosas descalzas Bernardas del Sacramento, fundación del privado. Quiso el de Uceda agradecer al escritor los desvelos que se tomó con motivo del enlace de su hija con el primogénito del duque de Osuna, marqués de Peñafiel, que se hallaba en inminente peligro de deshacerse debido a la ingerencia de una bellísima amiga del novio llamada «doña Julia», que nuestro hombre, como experto diplomático, hubo de sacar a la fuerza de Madrid [1]). La boda tuvo lugar el 11 de diciembre en la capilla real, siendo padrinos el monarca y la duquesa de Medina de Rioseco.

Pocos caballeros encuadrados en las Ordenes Militares supieron ejercer con tanto entusiasmo su alto ministerio. Quevedo se imbuirá de la función que le compete y no olvidará nunca el posponer a su nombre tan ponderosa dignidad en cuantas obras escriba; y todo cuanto saldrá de su pluma en tono serio adquirirá un sello característico de apología y defensa del Cristianismo y de sus principios. La conciencia de su elevación a tan ilustre rango habrá de causar en él un beneficio moral considerable, refrenando en gran manera sus naturales vehemencias y los juveniles impulsos de su corazón.

De 1617 es la *Política de Dios,* en su primera parte, que retocará en 1621. Quevedo, que había aprendido

[1]) Este hecho tuvo gran resonancia en España y fuera de ella. En el *Diario* de Zazzera se lee, al tratar del viaje de Quevedo a Madrid: «Dícese que tiene encargo de efectuar el ajustado casamiento del hijo de su excelencia con la hija del señor duque de Uceda; cuyo lazo está para romperse, por otros amores que tiene el mozo y haber discordias grandes entre los futuros suegro y yerno.»

mucho en estos años, fulmina sus más virulentas diatribas contra los ambiciosos que mancillan el ideal de la patria con el medro personal. Es, como dice Fitzmaurice-Kelly [1]), una abstracta defensa del absolutismo, exponiendo y censurando en ella las flaquezas y los abusos de la Administración española.

LA CONJURACIÓN DE VENECIA

Quevedo regresa a la corte de Nápoles en 1618 y es recibido solemnemente con honores de héroe nacional. Don Pedro Téllez-Girón lo ha dispuesto de esta guisa. Los cortesanos y el propio duque le saludan en el puerto, al descender de la magnífica galera que le trajo de España. Sobre el pecho ostenta la roja cruz de Santiago, que muestra con orgullo y que jamás abandonará.

Todo son plácemes y fiestas en su honor. Los rapsodas oficiales dedícanle sus cantos más vehementes y las mujeres sus más finas sonrisas, que el escritor sabe agradecer en lo que valen y en lo que prometen. El poeta alemán Carlos de Eybersbach le ofrenda una oda barroca. El conde Julio César Stella escribe unos versos alusivos a su nueva investidura, que dicen:

> Quevede, laevus, cui Cruce purpurat
> Rubente pectus. Militae sacrum
> Insigne, quae Divi superbit
> Clara patrocinio Jacobi...

[1]) Obra citada, pág. 410.

El poeta y humanista Miguel Kelker dedícale una elegía que empieza:

Quod nisi Moecenas aliquis favisset, abitat...

A la sazón traba amistad con los más preclaros ingenios de la corte napolitana, que conocen sus obras y las comentan con efusión. Se le traduce, se le imita, se le adula, se le mima. La Gloria, cuando se ofrece a los hombres, es como una mujer hermosa, cautivadora, ardiente e insatisfecha, que exige cada día más y más a quien la posee. Si la conquista es difícil, también requiere su arte y sus desvelos el conservarla palpitante y sumisa.

Las letrillas regocijan a la multitud. Los trabajos humanísticos le dan sólida fama. El cardenal Juanetín Doria, arzobispo de Palermo, le sienta a su mesa. Mariano Valguarnera, amigo del Papa Urbano VIII, traduce a sus instancias las odas de Anacreonte, «que las guarda en su museo Monseñor don Martín Lafarina de Madrigal» [1]). Un poeta desconocido le ofrenda una teoría de sonetos, en los que le llama «el más brillante ingenio de la gran España» y «el seductor de las Musas». Juan Perelio, secretario del duque de Módena, dedícale un poema en octavas reales, una de las cuales reza de esta suerte:

Quevedo è un sole, è sua penna un raggio,
Ch'ombre di sogni, horror d'abyssi indora;
Splende ove fere, è dove splende un maggio
Di Pindarici fior sparge, e colora;

---

[1]) TARSIA. — Ob. cit. (Ed. P. Mellado), pág. 51. — Éste fué quien facilitó a Quevedo la moneda que describe en el *Marco Bruto*.

Ne le carte, e ne marmi eterna il sagio
Di sue posthume glorie, i di tal'hora;
Scrive Quevedo, è l'inmortali, è belle
Perch'è Sol, note sue sono le stelle [1]).

Es de suponer que uno de los motivos del viaje de Quevedo a España fué el de exponer a S. M. un plan conscientemente meditado para abatir la preponderancia de la opulenta Venecia en el Adriático [2]), pues no creo posible que el Virrey de Nápoles obrara sin la aquiescencia de Felipe III en un asunto de tanta trascendencia y responsabilidad. También es muy probable que don Francisco significara al Rey en su audiencia la necesidad de guardar el secreto para no malograr la empresa, pues conocía sobradamente la doblez y la ambición enfermiza de la caterva de servidores que rodeaban el Trono. Y esto fué lo que perdió a tan insignes patriotas. El Rey, inconsciente y comodón — de «borroso» lo califica Salaverría —, olvidó los servicios de Osuna y los desvelos de Quevedo que, como dice Mártyr Rizo, «aumentó el real patrimonio en más de seiscientos mil ducados», y nada hizo por evitar la terrible conjura que sobre ellos se cernía.

Una época de intranquilidad y de peligros sin cuento nació para don Francisco, brazo ejecutor de la cruzada

[1]) TARSIA. — Obra citada, pág. 54.
[2]) Escribe Quevedo en el *Lince de Italia:* «Venecia, Señor, es el chisme del mundo y el azogue de los príncipes : es una república que ni se ha de creer ni se ha de olvidar ; es mayor de lo que convenía que fuese y menor de lo que da a entender ; es muy poderosa en tratos y muy descaecida en fuerzas.» Por lo que se ve, don Francisco conocía muy bien el poder y el estado de defensa de aquella nación, y aun el momento propicio para abatir su preponderancia.

contra Venecia que al parecer tramaban el duque de Osuna, el embajador español en Venecia, don Alonso de la Cueva, marqués de Bedmar, y el gobernador de Milán, don Pedro de Toledo, marqués de Villafranca. Se ha dicho que este último había de introducir en la perla del Adriático mil quinientos hombres — a quienes armaría Bedmar en el instante oportuno —, con la misión de incendiar los arsenales, apresar a los senadores y posesionarse de la ciudad en nombre de Felipe III. Entretanto la escuadra del duque desembarcaría sus tropas en las lagunas para asestar el golpe de gracia. Parece que Bedmar compró la lealtad del regimiento de Liewenstein y Nassau, cuya acción pasiva en el tumulto acabaría de desorientar a la población.

Esto parece. Bedmar, por su parte, niega rotundamente toda participación en tan nefasto sucedido en carta al marqués de Villafranca (2 de junio de 1618), diciendo «que es cosa tan ajena de la verdad, a lo menos en cuanto a mí, que jamás ha habido entre nosotros (refiérese a Osuna) una sola palabra sobre ella».

A tal punto se precipitan y entenebrecen los sucesos y los cronistas hablan y juzgan según les conviene. Se dice que hubo un traidor entre los conjurados y que la Corte española, ante el fracaso, ordenó se respetara a la Señoría. Posiblemente, al ver el sesgo que tomaban los acontecimientos, Felipe quiso adoptar una postura acomodaticia.

Pero ya era tarde. Quevedo fué de Madrid a Nápoles, de Brindis a Roma, de Milán a Venecia. En tanto, una abigarrada muchedumbre de conspiradores y de sediciosos se introducía furtivamente en la ciudad para alzarse en armas a la primera ocasión.

Esta parecía haber llegado ya. Quevedo entró en Venecia con las indicaciones precisas.

Pero la traición anida en los pechos nimios. Los mercenarios son de lengua floja y de corazón voluble. Sirven a varios amos y no tienen ninguno. El saqueo y la guerra son su ambiente y su ideal. El Oro es su dios. No hay que buscar en ellos ardor patriótico, lealtad procérica, espíritu de sacrificio. Osuna confió en ellos y esto le perdió. Conociendo el Consejo veneciano por una delación a tiempo el peligro que se cernía, el 14 de mayo lanza sus tropas a la calle con la consigna de matar a los extranjeros. El pueblo secunda con entusiasmo y la endiosada canalla da pasto a su voraz ferocidad. Corre la sangre con gran efusión. El corsario francés Jacques Pierre, al servicio de España, es de los primeros que sucumben. El general Pedro Barbarigo es arrojado al mar dentro de un saco. Las hogueras se multiplican y durante una terrible noche no cesan los venecianos de exterminar a cuantos creen enemigos de su patria. Se ha dicho, quizá con exageración, que el Consejo de los Diez mandó ahorcar y ahogar en los canales y lagunas a unos cinco mil extranjeros.

El marqués de Bedmar consigue escapar providencialmente de manos de las enfurecidas turbas que rodean el palacio de la embajada. Quevedo no tiene otro remedio que apelar a su imaginación y, disfrazándose de mendigo y gracias a la perfección con que habla el italiano, puede ganar el puerto y salvar la vida [1]).

Se buscó a Quevedo por toda la ciudad, afanosamente. Su nombre estuvo por mucho tiempo en labios de los venecianos. Al no poder hallarle, hubieron de conformarse con quemarle en estatua ante la iglesia de San Marcos, por decreto del Consejo de los Diez.

Comentando esa infortunada acción, rezaba años más tarde una terrible sátira contra Quevedo:

> ¿Y quién es aquel bergante
> que, heredero de alquiceles,
> los transformó en brocateles
> y se los dió a su informante?
> ¿Y quién es un ignorante
> cuya estatua allá en Venecia
> por una frialdad muy necia
> calentaron con seroja?
> —Pata Coja (2).

Se ha discutido mucho esta Conjuración y aun hoy no se ha podido esclarecer la verdad de lo que ocurrió. Por su parte, Quevedo redactó un memorial [3]) que trata de explicar los acontecimientos, afirmando que la república de Venecia compró con dineros y llevó a su servicio a dos franceses que estaban al servicio del duque de Osuna en Nápoles: el capitán Andrade, pe-

[1]) Dice Fitzmaurice-Kelly (ob. cit. pág. 409) que este complot constituye la trama del *Venice Preserved* (Venecia conservada), del dramaturgo inglés Thomas Otway (1652-1685). También el abate francés Saint-Real compuso una novela sobre el mismo asunto. Véanse los sabios juicios bibliográficos de Menéndez y Pelayo en la edición de Fernández-Guerra (Bibliófilos Andaluces). Vol. I, página 551 y sigs. (Notas y Adiciones.)

[2]) *Sátira contra D. Francisco de Quevedo...* (Bib. Menéndez y Pelayo).

[3]) FERNÁNDEZ-GUERRA. — Obra citada. Vol. II, pág. 646.

tardero, y Jacques Pierre, «llamado el bornio, corsario, bandido con pena capital de la propia república de Venecia» [1]), los cuales confesaron — quizá en el tormento, en donde se confiesa lo que quiere el atormentador — eran espías del duque de Osuna.

En realidad yo creo que sólo fué un alzamiento parcial o, mejor, un intento malogrado, a pesar del testimonio de varios prohombres, entre los que hay que destacar el del Cardenal-Duque, el del duque del Infantado, el de Agustín Mejía y el del marqués de la Laguna, que informan sobre la no ingerencia de Bedmar y dudan de que el duque de Osuna realizase tamaña conjuración.

La empresa, como dice Astrana Marín [2]), «no era temeraria, ni mucho menos criminal, como se ha escrito. Era un modo de combatir de que daba bien triste y elocuente pauta el astuto Estado». Era el mal de la época, la válvula por donde escapaban los humores marciales de los ambiciosos de gloria, de los indómitos capitanes españoles que tantos blasones conquistaron en los inmediatos siglos precedentes. Pero Venecia supo ser más astuta en esta ocasión y preparó hábilmente el despeño de Osuna.

Completa la declaración de Quevedo un documento del Archivo de Simancas publicado por Fernández-Guerra [3]), que dice, entre otras cosas: «Por orden de la república de Venecia, su residente en Nápoles compró con dineros y llevó a su servicio a dos franceses

[1]) *Carta a Felipe III.*
[2]) ASTRANA MARÍN. — *Obras,* pág. 1697, nota.
[3]) *Sociedad de Bibliófilos andaluces,* vol. I, pág. 239.

que estaban con el duque de Osuna...». Pero Quevedo soslaya siempre sospechosamente su tercería en la conjura contra Venecia.

El fracaso destempló los nervios de don Pedro Téllez-Girón, quien adivinó las durísimas represalias que el gobierno véneto exigiría del monarca español. Acaso en un instante de mal humor debió afear la falta de decisión de su amigo, pues nadie quiere arrostrar estoicamente los enconos de la malaventura como no tenga un espíritu tocado de la divinidad. Volar alto para caer. De ahí nació un sentimiento de animadversión entre los dos amigos, resultado de una explicación violenta. Con todo, Quevedo fué a España para deshacer las maniobras de los enemigos, cuyo embajador aseguraba al rey y a su valido la pretensión obsesiva del duque de Osuna, a todas luces infundada, de proclamarse independiente en el reino de Nápoles. ¿Y qué hizo Quevedo para conjurar el peligro? Aun suponiendo que hubiera apelado a los medios más expeditos, como es de suponer, recordando a los tornadizos palaciegos los servicios de Osuna, no hubiera podido enderezar el rumbo de aquel torrente de maledicencia y de resquemor que amenazaba destruir honras y vidas en su empuje irrefragable. Las caras opacas de los cortesanos eran para él de una elocuencia suma. En esta ocasión tan premiosa no traía consigo los recursos apodícticos de antaño. El hombre olvida con facilidad si no se le refresca la memoria con argumentos convincentes. Así, pues, don Francisco regresó a la ciudad de Nápoles a rendir cuenta de su infructuosa misión. Y la desconfianza del duque hirió tanto los sentimientos acendrados del amigo, que después de una amarga discusión abandonó Quevedo aquella Corte a cuya grandeza había sacrificado preciosas energías y años de trabajo.

Tamaña decisión debió causar un hondo pesar en la conciencia de entrambos camaradas, cuya entrañable cooperación jamás debieron romper en aquellos premiosos instantes, para cohonestar con más fuerza la acción política del virreinato, no tan sólo puesta en entredicho, sino mortalmente herida por las rabiosas saetas de Venecia; pero es difícil refrenar el corcel indómito de la soberbia en el espíritu altanero. No obstante, como diré, don Francisco antepuso su orgullo, que era inmenso, a sus deberes de amistad, que era todavía mayor.

En Madrid reina un ambiente hostil al duque de Osuna y al caballero santiaguista, que conoce las machaconas denuncias de Venecia. Sabe que el marqués de Bedmar ha salido indemne de las represalias con un nombramiento en Flandes. Las insidias se prodigan, los enemigos arrecian, envalentonados. Alguien debe pagar. Hay un silencio impresionante respecto a la suerte que pueda correr su antiguo amigo y protector. Sabe que se han impreso en Venecia raguallos en su contra... Pero don Francisco considera que en semejantes ocasiones debe dar el pecho, desafiar con un gesto altivo y con la gallardía que le brinda su personalidad ingente, la avalancha de ira, la corriente envidiosa de sus numerosos adversarios. Y así pasea por las calles de Madrid, desconocido de los grandes, temido de los rivales, adulado por el pueblo y admirado por todos.

En estos días intima con el gran dramaturgo valenciano Guillén de Castro, que desde hace poco reside en Madrid. Guillén de Castro pudo haberse relacionado con Quevedo por dos conductos: por Lope de Vega, gran amigo de entrambos [1]), y por el duque de Osuna, que le había colmado de favores [2]). Ambos comentarían el infortunio del ilustre amigo e intentarían vanamente contrarrestar los golpes que contra él se dirigían.

Quevedo abandona a Madrid y se retrae en el campo, reanudando su trabajo intelectual. En 1619 escribe un comentario bíblico: *La primera y más disimulada persecución de los judíos contra Cristo Jesús y contra la Iglesia, en favor de la Sinagoga,* que le acredita de antisemita. Está firmado en Naval Piloña, en 12 de marzo.

La república de Venecia insistía en exigir responsabilidades a los causantes de la supuesta conjuración, y por ello urdió un Memorial que encerraba verdades y mentiras. Denunció de nueva vez los deseos del Virrey de alzarse contra su propio monarca y erigir a Nápoles en Estado independiente; delató a Bedmar, afirmando que el gobernador de Milán había ordenado a la soldadesca incendiar los riquísimos arsenales; consignó los detalles de aquella noche terrible, y Quevedo no pudo escapar a gravísimas acusaciones.

[1]) En 1621 dedica a Marcela, la hija del Fénix, la edición definitiva de la «Primera Parte» de sus obras (Valencia, por Felipe Mey).

[2]) El 10 de mayo de 1619 Pedro Téllez-Girón y su hijo, el marqués de Peñafiel, concedieron a Guillén de Castro el usufructo, renta y aprovechamiento del cortijo y donadío de Casablanca (Andalucía), perteneciente a la Casa de Osuna (V. Said Armesto. — Don Guillén de Castro: «Las Mocedades del Cid». «La Lectura», 1934, pág. 20).

Los antagonistas arrecian. Valerio Fulvio publica un libro titulado *Castigo essemplare dei calunniatore,* del que dice Quevedo que está «escrito contra mi persona, con mi nombre propio, lleno de maldades y mentiras por vengarse de que dicen que yo y otros dos, por orden del duque de Osuna, tratamos en Venecia de saquearla u disponerlo: caso de que tuvo noticia el consejo de Estado y su majestad (que está en el cielo) por quejas de la república de Venecia, cuando castigó a Jaques Pierres» [1].

El Rey no vió otro camino para apaciguar la indignación de la endiosada Venecia que abrir un proceso a Téllez-Girón, nombrando instructor al cardenal don Gaspar de Borja [2]. Posiblemente Borja debió convencerse de la buena fe del gran duque, avalada por un patriotismo auténtico, y debió conocer en las declaraciones tomadas la aquiescencia del soberano en aquella fallida empresa. Pero hay cosas que deben olvidarse en bien de la patria, y la patria necesitaba una víctima de calidad. La suerte de Téllez-Girón estaba echada.

Quevedo rubricó su hidalguía con un gesto verdaderamente digno de un caballero español: olvidando el resentimiento que guardaba su alma, apresuróse a enviarle una misiva en la que le comunicaba el riesgo inminente.

Agradecido, Osuna emprendió el viaje a España, y la mano del prócer tornó a estrechar con efusión cordial aquella que fué pródiga y dura en beneficio de su dueño y de su patria. «Vino el duque echado de Ná-

[1] *Lince de Italia.*
[2] Hijo del duque de Gandía (San Francisco de Borja), arzobispo que fué de Milán, de Sevilla y de Toledo, Primado de las Españas y Presidente del Consejo Real y Supremo de Aragón.

poles — escribe don Francisco [1] — y a vista de toda España hizo conmigo más demostraciones de amor que nunca». Quevedo se envanece de ello, orgulloso de la amistad procérica de un hombre que en otro tiempo hubiera sido un esclavo de la Fama y carne de leyenda. «...Y tantas caricias — continúa [2] —, que hubo quien dijese que la desavenencia pasada había sido traza entre los dos ; y con estas acciones y favores decía que sólo yo le había dicho lo que si hubiera hecho, no se viera en el estado que lloraba. Y como le veían comer y andar siempre conmigo, y sólo asistir a mi casa, los que me habían descompuesto con él, temiendo que yo desobligado no le advirtiese de lo mal que le divertían sin remedio ni castigo, dejándole en manos de la persecución, o porque no viese la jente juzgado el pleito en mi favor, asiendo de los primeros achaques, me prendieron y desterraron.»

Un nuevo percance político vino a agravar la situación de estos caballeros. El duque de Lerma vaciló súbitamente ante el ánimo fluctuante del monarca, debido a una conjura dirigida por el propio hijo del privado, el duque de Uceda, de la que formaba parte principal el conde de Olivares y la reina, influída por dos personajes de gran predicamento en su ánimo : Sor Mariana de San José, Priora del convento de la Encarnación, y Fray Juan de Santa María, fraile descalzo de la Orden de San Francisco [3]. El duque de Lerma intentó evitar su ruina por todos los medios, creyendo que el más

[1] *Grandes anales de quince días.*
[2] Idem, íd.
[3] Julián Juderías. — *Un proceso político en tiempo de Felipe III* (Rev. de Arch. Bibl. y Museos. 1905. Vol. I, págs. 353-54).

expedito era solicitar del Papa Paulo V el capelo cardenalicio, que obtuvo, buscando, además, apoyo en su yerno, el magnífico conde de Lemos. Pero de nada le valieron tales estratagemas, y fué destituído sin apelación [1]. En unos momentos hundióse con estrépito toda aquella granjería escandalosa; pero tamaña confabulación sirvió para construir un nuevo templo a la Adulación alrededor del Trono vacilante.

Los cortesanos que acababan de sustituir a Lerma en la privanza del monarca mostráronse inabordables. Dice Luis de Góngora en carta a don Francisco del Corral, fechada en 7 de julio de 1620: «Aunque el Consejo de Estado desea hallar salida para favorecer la grandeza de aquella Casa, no puede todo lo que desea» [2]. El 10 de agosto escribe al mismo: «Las cosas del Duque de Osuna cada día se van empeorando» [3]. Pero no habla para nada de su particular enemigo don Francisco [4].

Al fin don Pedro Téllez-Girón, glorioso paladín de España, que paseó las banderas del Imperio por todos los mares históricos, fué despojado de sus cargos y prebendas y encerrado en las cárceles de la Alameda,

[1] «El 4 de octubre de 1618, hallándose Felipe III en el Escorial, mandó llamar a Fray Juan de Peralta, Prior del Monasterio, y después de hablar con él de diversos asuntos, le ordenó que fuese al aposento de Lerma y le dijese en su real nombre lo agradecido que le estaba a sus buenos servicios..., añadiéndole que, en vista de lo avanzado de su edad y de sus deseos repetidamente manifestados de retirarse a su casa, le daba permiso para ir a descansar de sus trabajos.» — JULIÁN JUDERÍAS. — Ob. cit., vol. II, página 365.

[2] *Obras Completas de D. L. de G*. Ed. de Juan e Isabel Millé. Madrid, Aguilar. pág. 1022.

[3] Idem, pág. 1027.

[4] Es curioso observar que en la copiosa correspondencia del Marcial cordobés, ni por asomo aparece el nombre de Quevedo.

como vulgar delincuente. Era el 7 de abril de 1621 [1]).
Los ministros del rey esperaban nerviosamente su
muerte para obrar en consecuencia.

Se ha discutido mucho la conducta del gran duque
de Osuna. Este problema no me afecta de una manera
directa. Lo que sí me interesa consignar, y creo que
en esto hallaré conformidad de opiniones, es que fué
un férvido patriota. «Amigo por natural inclinación
de la justicia — estimo el juicio de Lafuente bastante
completo —, pero enemigo de las trabas de los tribunales y de las leyes. Guiado más por el amor a la gloria
que por las reglas de la subordinación, obraba por sí
mismo, y hacía grandes servicios a su monarca, sin
que le inspirara respeto su rey.» Espíritu orgulloso,
ante las calumnias que se le atribuían y lo absurdo de
las mismas, optó por callar y rehusar a su defensa,
de lo que Quevedo se lamenta. Bien que hubiera sido
inútil. Hay que tener en cuenta que él hizo otro tanto
cuando fué encerrado en San Marcos de León.

Tan estrepitosa caída arrastró consigo a los amigos del inquieto duque. Fueron apresados un tal Oñate, que en Nápoles había sido Secretario de Correspondencia y en Madrid le servía de mayordomo; Apa-
ricio de Uribe, oficial mayor de la Secretaría en Sicilia
y en Nápoles; Sebastián de Aguirre, agente en Madrid de los negocios del duque, y otros. Quevedo fué
considerado como destacado cómplice. Reclamada su
presencia en Madrid por el instructor del proceso, fué
llevado a Uclés, que era la Casa de los Caballeros de
Santiago.

[1]) *Grandes anales de quince días.*

Se ha dicho que le encerraron durante seis meses en la cripta del castillo, y esto lo niega con sospechosa insistencia el panegirista de la Orden y cronista de la población, don Pelayo Quintero [1]). Debemos tener en cuenta la política dura y febrilmente endiosada de aquellos tiempos y los enemigos cordiales que don Francisco tenía. Pero sea como fuere, lo cierto es que no debía hallarse tan confortablemente instalado cuando el propio preso pidió se le cambiara de cárcel. Al fin llevósele a su Torre de Juan Abad. En tan predilecto refugio — «mi prisión y mi Torre», dice — planea, corrige y escribe numerosas obras. Refunde la *Vida de Santo Tomás de Villanueva* en un libro titulado *Epitome a la Historia de la vida exemplar y gloriosa muerte del bienaventurado fray Thomas de Villanueva, religioso de la Orden de San Agustín y Arzobispo de Valencia* [2]). Retoca el *Mundo caduco y desvaríos de la edad,* como también la *Política de Dios,* que dedicará al Conde-duque y se difundirá en numerosos manuscritos, cada vez más estragados, con erratas e interpolaciones extravagantes, y que no se publicará hasta 1626 en Zaragoza [3]). La dedicatoria a Olivares es corta y elocuente. El Conde-duque todavía no se ha desenmascarado y sus primeros actos merecen universal

---

[1]) PELAYO QUINTERO ATAURI. — *Uclés, residencia maestral de la Orden Militar de Santiago.* Madrid, 1904. Quevedo dice en los *Grandes Anales* que estuvo preso en Uclés «por orden del santo Rey que está en el cielo»; pero en una carta a Osuna (Desde la cárcel de Uclés, 25 febrero 1621), escríbele: «estoy preso con más rigor que ha estado caballero jamás, y cada día se ve peor mi carcelería».

[2]) Madrid, 1620. Ya he dicho que éste fué el primer libro que entregó por propia mano a la imprenta.

[3]) Por Roberto Duport; y no Dupont, como escriben algunos.

aplauso [1]). Escribe asimismo los *Grandes anales de quince días,* cruzando, además, numerosa correspondencia con viejos y nuevos amigos.

En 1621 adquirió el señorío de la Torre, que le ocasionó fatigosos trámites y no pocos disgustos. Dice Fernández-Guerra [2]) que la Torre le adeudaba la cantidad de 11.274 ducados de censos, por lo que don Francisco acudió al Consejo Real de Castilla pidiendo se enajenasen éstos para liquidación del débito. Ejerció de testaferro un gran amigo suyo, don Alonso Messía de Leiva, el cual se quedó con los bienes en un millón quinientos mil maravedís. Desde entonces el señorío le daba derechos de vasallaje y disfrutaba de una renta de mil quinientos ducados anuales.

A la sazón enferma de gravedad. Tantos ajetreos acaban con su salud. Moral y físicamente se encuentra vencido. Días grises, pesados, estériles, de depresión y de fiebre, colmados de hastío y de melancolía. Su espíritu orgulloso ha recibido un tan duro golpe con la prisión de su señor, que llega a dudar de todo y de todos. Aíslase más y más; tórnase hosco, ensimismado, pusilánime, misántropo, y la preocupación psíquica y la depresión moral que sufre llegan a enfermarle de cuidado.

Pero gracias a su extraordinaria fuerza de voluntad logra alejar el peligro. Séneca, a quien lee en aquellos días, es el médico que torna a su alma la paz de que tan necesitada estaba. Piensa en ir a restablecerse en el

---

[1]) Dice Quevedo: «Deseo a V. E. vida y salud, para que su majestad tenga descanso y felicidad sus reinos». Y firma: «Preso en mi villa de Juan Abad, a 5 de abril, 1621».

[2]) FERNÁNDEZ-GUERRA. — Obra citada. Vol. II, pág. 661.

Fresno, para cuyo objeto escribe al marqués de Villanueva del Fresno y Barcarrota [1]); suplica por mediación de Esteban Tofino a la Junta de Causas del Duque de Osuna le permita curar su enfermedad en su casa de Madrid o en Villanueva de los Infantes; pero, convaleciente aún, requiérese su presencia en Madrid, bajo fianza, por orden remitida al Gobernador del Campo de Montiel, para deponer en el formidable proceso de los duques caídos — Lerma, Osuna —, cuyo voluminoso mamotreto lleva ahora (*horresco referens*) el Fiscal del Consejo de las Ordenes y de la Junta (título abracadabrante, que bastaría por sí mismo a infundir pavor a otro espíritu que al de Quevedo), don Juan Chumacero y Carrillo, magistrado recto y tolerante, Consejero de Castilla y miembro de la Real Cámara a la sazón. Quevedo se topa con un enemigo implacable en el letrado que instruye el proceso, don Francisco de la Cueva y Silva. Se vengará cumplidamente de él en el *Sueño de la Muerte*.

Quevedo explicará poco después las causas de su encarcelamiento: «El achaque con que dió el Presidente color a mi prisión, fué que en mi casa estaba el duque de Osuna a todas horas y que yo le asistía a los gastos y fiestas con lisonja: dando a entender que mi parecer tenía la culpa de todo lo que le mormuraban.» Y en otro lugar, añade: «Las causas de mi prisión fueron más adentro, y para mí, si más honradas, menos remediables... Yo me hallé en estado que me atreví a

___

[1] Astrana Marín (*Obras,* pág. 1709, nota) sospecha con bastante fundamento que esta carta de Quevedo a su amigo Alonso Portocarrero, marqués de Villanueva del Fresno y Barcarrota, es apócrifa o, cuando más, un arreglo del siglo XVIII.

pedir mis causas, y no me las dieron, ni repararon en confesar que me castigaban de memoria.» [1])

Las declaraciones sensacionales de Quevedo levantan tempestuosas polvaredas. En la referente al negocio del supuesto cohecho, dijo al Tribunal que repartió bonitamente los ducados, tal como tenía encargado, «al duque de Uceda y al Padre Aliaga, por hombres que podían, y al uno por amigo y confidente, y al otro por amigo y pariente; a Agustín de Villanueva, porque era curador deste declarante, y también porque era amigo y confidente del dicho P.; a don Andrés Velázquez, por agente del dicho duque de Osuna, aunque sin salario; a don Rodrigo Calderón y a Juan de Salazar, porque había oído y era voz común que tomaban» [2]).

De todo este escandaloso proceso parece dilucidarse la acrisolada honradez de Quevedo. Así debió estimarlo el fiscal, puesto que permitió al escritor que regresara a su predio.

*
* *

De nuevo llegan sensacionales noticias a la Torre de Juan Abad: Felipe III ha muerto.

Reacción inmediata de Quevedo: ¿Quién será el nuevo valido?

Murió el Rey, según dicen los pícaros señores franceses, tostado por el calor de un brasero, «que el duque de Alba, gentilhombre de cámara, se negó a llevar de

[1]) *Grandes anales de Quince Días.*
[2]) *Memorial del pleyto que el señor D. Juan Chumacero y Sotomayor, Fiscal del Consejo de las Ordenes y de la Junta, trata con el duque de Vzeda.*

la estancia real porque esta función correspondía al duque de Uceda, como sumiller de Corps, el cual se hallaba a la sazón ausente» [1]).

Felipe III murió a las 9 de la mañana del 31 de marzo de 1621. «Trujo siempre — escribe Quevedo con su característica agudeza — mal segura salud y color sospechoso, y esta mala condición de humores se determinó en calentura, de que no se hizo mucho caso, pues a los reyes más los acaba la adulación de la cura y el halago de los remedios que el rigor de la enfermedad; y como las más veces los asiste la medicina con tanta maña como cuidado, esperan a que la enfermedad con el suceso les digan que se mueren, temiendo, si viven, quedar introducidos en mal agüero por anticipados. Por esto los reyes solos dos días están enfermos, el primero y el último.» Y concluye con finísima ironía el prisionero de la Torre de Juan Abad: «Murió padeciendo en un desconsuelo religioso lleno de verdadero dolor, que le sirvió de purgatorio visible y de ejemplo a los que le vieron.» [2])

Sólo en el último trance conoció a sus cortesanos. Dícese que amonestó al Padre Aliaga:

«¡Cuán mala cuenta habéis dado de vos y de mí! ¿Qué os parece en el estado que me tenéis, que me habéis engañado?»

Haciéndose el desentendido, Fray Luis de Aliaga habló de los medicamentos y de la buena fe puesta en sanarle, a lo que objetó el soberano:

«No digo de las medicinas del cuerpo, que de ésas ya no espero remedio, sino las del alma, que por vos

[1]) EDUARDO CHAO. — *Continuación de la Historia General de España, de Mariana.* — Madrid, 1850. Vol. IV, pág. 35.
[2]) *Grandes anales de quince días.*

cas piruetas del soberano. La seda y el oro, los rosados hombros y los escotes tentadores eran su obsesión. Se divertía ganando plazas fortificadas en los combates del amor. Tenía absoluta necesidad de un mayoral — llámese así, y llámese Olivares u otro cualquiera —, a quien confiar los engorrosos problemas del Estado.

Vivía en el Alcázar y en su casa de campo del Pardo, y hay que confesar sin reparo y sin hipérbole que ningún rey español supo dispendiar con más esplendidez el oro de sus vasallos. Creía sinceramente que Dios le había ceñido la corona en las sienes para ser feliz.

Quiero consignar un detalle elocuente que me relevará de toda disquisición de carácter histórico: en el año 1628, según Solórzano, entraron en España, procedentes de las Indias, 4.500.000 pesos de oro; en 1629, según Peñalosa, 4.200.000, y en 1644, según Pérez de Rocha, 4.800.000 [1]).

Felipe IV tenía a su servicio, desde que era príncipe heredero, a un mozo de sus años que pronto conquistó su voluntad hasta hacerse literalmente dueño de él.

Don Gaspar de Guzmán Acevedo y Zúñiga, tercer conde de Olivares, había nacido en el palacio de Nerón de Roma el 6 de enero de 1587, en donde su padre don Enrique, conde de Olivares, ostentaba el cargo de embajador.

---

[1]) Manuel Colmeiro. — *Historia de la Economía Política*. Madrid, 1863, pág. 434. En cambio, los favoritos se enriquecieron fabulosamente. Rodrigo Calderón tenía, al morir, dos millones de ducados; el de Lerma, cuarenta y cuatro. El secretario del monarca, Pedro Franqueza, conde de Villalonga, había acumulado un soberbio fortunón. Julián Juderías: *Un proceso político en tiempos de Felipe III* (Rev. A. B. M. 1906. Vol. I, pág. 5).

Estudió en Salamanca desde 1599 y fué un muchacho de despierta inteligencia, que adquirió sólida cultura.

Un hombre ambicioso con cultura suele ser, en política, peligroso.

Al morir su padre y su hermano primogénito, heredó el mayorazgo y los títulos anejos. Casó con doña Inés de Zúñiga, prima hermana suya, hija de un pundonoroso virrey del Perú. Al ser nombrado más tarde duque de Sanlúcar, se le distinguirá con el nombre de Conde-duque.

En 1615 entró al servicio del príncipe como gentilhombre, conquistando al poco tiempo su voluntad. Era avispado, sagaz, adulador. «Hombre de todos tiempos y de su negocio solo», dice Quevedo [1]). Poco escrúpulo y mucha cortesía. Y en el fondo, un orgullo indómito. Gustaba del arte y de la amistad de los artistas. Escribía versos y su prosa era tersa y limpia. Intimó con Pedro Pablo Rubens en su primer viaje a España, el cual pintó en 1626 una orla alegórica en claroscuro para encuadrar su retrato.

José Deleito describe su figura — en el declive físico, que es cuando adquiere su fama resonante — de esta guisa: «De complexión robusta y sanguínea, estatura no prócer, pero más bien elevada; ancho de cuerpo, cargado de hombros, de cabeza prominente, prematuramente calva que le hacía cubrirse con una muy poblada peluca negra; ojos vivos e inquietos de arrogante mirar; trigueña la tez, gruesa la nariz, abultado el labio inferior, algo hundida la boca, espeso bi-

[1]) *Grandes anales de quince días* (Ed. de 1636).

gote que se prolongaba hasta las orejas; perilla (que era entonces obligado adorno del mentón) no muy larga, pero ancha y abierta. En su madurez, la gota le obligaba a ir siempre apoyado en una muletilla.» [1])

Se ha discutido mucho el gobierno de este prócer, que fué grande a causa de la pequeñez de su amo. Se ha criticado con dureza, yo creo que con exceso, ya que sus detractores no han querido tener en cuenta un hecho de capital importancia: el estado corrupto de la Corte, desde el rey hasta el último vasallo, salvando casos excepcionalísimos. Pero tampoco estimo que el juicio de Marañón sea el más justo ni el de Fernández-Guerra sea el más serio. El Conde-duque fué lo que debía ser un valido de Felipe IV, pues, de ser de otra manera, la pintoresca caterva de palatinos le hubiera hundido sin duda en la impotencia. «Lo que es el conde de Olivares — escribe don Francisco en la edición de 1636 de los *Grandes anales* —, todos lo saben; lo que sabe ser, todos lo ven: hablar más en su persona parecerá más negociar que referir, y habrá ánimos tan ejecutivos que les parecerá tarde en advertirlo.» Su tragedia es la tragedia ancestral de los ambiciosos: una cautela solemne, un febril otear, una ambición inverecunda, un descoco en lo alto y una caída fulminante. «Sabemos — dice Marañón [2]) — que lejos de ser un tirano cerril, fué hombre de vasta ilustración, amante de las letras, pagado de proteger a los que las cultivaban, y entre ellos a quien, como Quevedo, pasaba

[1]) José Deleito y Piñuela. — *La España de Felipe IV.* — Madrid, 1928. Págs. 55-56.

[2]) Gregorio Marañón. — *El Conde-Duque de Olivares. La pasión de mandar.* Madrid, 1936. Pág. 122.

como uno de los ingenios más altos de su tiempo.» Esto está bien ; pero también sabemos de sus venganzas inicuas, de las sañudas persecuciones contra el duque de Uceda, el de Lerma, contra el Padre Aliaga — que no eran mejores que él — ; de las prisiones de que fué objeto el duque de Osuna, que amargaron sus días postreros, y de la muerte que dió a Rodrigo Calderón, todo ello escudado en su ingente poderío. Sabemos también algo de su enfermiza ambición y de su sed insaciable de poderío. Sabemos que fué cuanto quiso, y que pospuso a su nombre los títulos de Grande de España, Primer Ministro, Caballerizo Mayor, Gran Canciller de Indias, Tesorero General de Aragón, Adelantado Mayor de Guipúzcoa, Capitán General de Caballería, Duque de Sanlúcar la Mayor, Marqués de Eliche, Duque de Medina de las Torres, Conde de Aznalcollar, Comendador Mayor de la Orden de Alcántara, Alcalde perpëtuo de los alcázares de Sevilla, Fuenterrabía, Buen Retiro y Zarzuela ; y, en fin, dueño absoluto de los destinos de la nación.

Fué ni lo bastante grande para vivir humilde, ni lo bastante listo para eximirse de tan vacuo oropel, siendo lo que era : el amo. Fué, ni más ni menos, un hombre de su tiempo y de su reino. Tanta influencia ejerció en el ánimo del monarca, que llegó a compulsarle sus actos más nimios, instalándose en las habitaciones del palacio real destinadas a los herederos de la Corona.

Es preciso insistir sobre un punto del citado libro de Marañón, que nos afecta directamente. Dice este ilustre escritor (página 122) : «Sabemos también que Quevedo no fué el espíritu independiente, incorruptible y heroico de las buenas causas que, como contraste con Olivares, nos han querido pintar. La primera inexactitud de la leyenda que pasa por historia es que el Conde-duque perseguía a Quevedo para atraérselo y que la negativa altanera de éste fué la causa del rencor del privado.»

En primer lugar hay que dejar bien sentado que Quevedo no fué otra cosa — como Olivares, como el mismo Felipe IV — que un hombre de su siglo y de su reino. Tarsia se excedió hasta la ridiculez en sus alabanzas y nos quiso presentar al escritor como un modelo de integridad; y Fernández-Guerra siguió la misma ruta en determinadas ocasiones. En lo único que estaba don Francisco muy por encima de todos sus contemporáneos sin distinción, era en su cultura formidable, en su inteligencia diáfana, en sus profundos conocimientos humanísticos y teológicos y en esa poderosa llama de genialidad que lleva al hombre a sentirse un inadecuado, un inactual. El Genio nunca es de hoy, sino de la Posteridad. Para ella, que es la que juzga, vale más una página de sus *Sueños* que toda la Corte de los dos Felipes.

Pero Quevedo era, por otra parte, hombre de su siglo, y por sus venas corría sangre ardorosa y rebelde, y no podía eximirse del ambiente que le atarazaba con garfas de hierro a la dura y fatal realidad.

Así pues, ¿qué duda cabe que fué don Francisco el que hubo de rebajarse ante el privado? Hacer lo contrario hubiera sido falta de habilidad, estulticia, suicidio. Porque, ¿quién era Quevedo en aquel tiempo? Un perseguido, un desterrado, un presunto cadáver. ¿Qué tiene de extraño, pues, que el 5 de abril de 1621, en cuanto supo la muerte del rey, procurase su libertad enviando a la Corte su *Política de Dios?* Será después cuando en alas de su carácter altivo y violento, en un acceso de soberbia, se negará a colaborar con Olivares. Pero es que Olivares habrá dejado de ser el mismo.

Quevedo tiene ya gran experiencia. Ahora sabe que hay que adular al privado, so pena de excitar su peligrosa ira. Pero decidme, vosotros que le conocéis: ¿No hay una mueca de profunda ironía en su hinchada lisonja?

PRAGMÁTICAS, RÉPLICAS

Olivares pretendía reformar las decaídas costumbres de España imitando las disposiciones que promulgó el solitario del Escorial, y para ello creó una «Junta de Reformación de Costumbres» (enero de 1622), encargada de revisar las fortunas, de disminuir las pensiones excesivas, de reducir los empleos públicos, dictando asimismo medidas contra el lujo y la vagancia. Hay una pragmática acerca de los recién casados que debió causar no poca hilaridad en el ánimo zumbón de los madrileños. Proyectos. En ningún país como en España se han redactado tantos proyectos. Nuestros archivos están llenos de meritorios propósitos hechos, sin duda, de buena fe. País de ascetas y no de místicos, de medios, pero no de fines. Los meridionales son peritos en la legislación porque los propios legisladores ya cuentan con que la ley ha de ser soslayada por medio de ingeniosos recursos. La imaginación de los españoles es portentosa.

Desde la Torre de Juan Abad, en donde Quevedo se hallaba forzosamente recluído, dirigió al Conde-duque de Olivares la famosa *Epístola satírica contra las costumbres presentes de los castellanos,* en que aplaude con vehemencia estos deseos — proyectos — de moralizar y regenerar a los ciudadanos españoles:

> No he de callar, por más que con el dedo,
> ya tocando la boca, ya la frente,
> silencio avises o amenaces miedo.
> ¿No ha de haber un espíritu valiente?
> ¿Siempre se ha de sentir lo que se dice?
> ¿Nunca se ha de decir lo que se siente?

De 1622 es el *Sentimiento del jaque al ver cerrada la mancebía,* obra alusiva a la represión de la prostitución, y la *Carta de un cornudo a otro, intitulada el siglo del cuerno.* Antes de salir para Madrid, reclamado por el Fiscal, escribió la dedicatoria del *Sueño de la Muerte,* llamado después *Visita de los chistes,* pero retocado en esta fecha, pues habla de la muerte del Rey y ataca con frenesí de monomaníaco a su enemiga la república de Venecia.

La Junta que entendía en el proceso de Osuna insistía en mantener contra viento y marea el cargo de ser su amigo — único que podía hacérsele —, buscando una venalidad a la que con pomposa frase procuraban conceder gran trascendencia. Quevedo nos habla de las vitandas opiniones que sostenían en Madrid los discutidores de profesión, enfermos de logomaquia, y nos dice del gran duque que «sus servicios fueron tantos y tales que le acobardaron el premio y le solicitaron la envidia» [1]).

[1]) *Grandes anales de quince días.*

Acosan a don Francisco, que se revuelve como un león herido. Entre los enemigos corre la especie de que hay que condenar a entrambos caballeros. «Facilitó esa resolución — arguye Quevedo [1]) — y levantó esta cantera el presidente Acevedo, a quien yo era despreciable porque, siendo yo montañés, nunca le fuí a regalar la ambición que tenía de mostrarse por su calidad superior a los que en aquellos solares no reconocemos a nadie.»

Fruto de aquel persistente malestar es su prosa dura y pesimista, que culmina en el terrible *Sueño de la Muerte* (o *Visita de los Chistes*), firmado «en la prisión y en la Torre» a 6 de abril de 1622; visión que, desprendida de los ropajes más o menos festivos que la palian es, así, desnuda, una de las producciones más espantosas que ha producido el ingenio humano. El dolor concentrado del cautivo, las amenazas ultramundanas de Lucrecio, las fétidas purulencias de Job (*Pereat dies in qua natus sum...*) y la zarabanda repugnante de los muertos: ése es el tema.

La Junta que entiende en el proceso de Venecia ha de inhibirse, pues no halla cargos bastantes en su actuación. Quevedo se defendió con ahinco y los papeles que presentó demostraron su inculpabilidad. Hubo de satisfacer la cantidad de ocho mil reales que, según la citada Junta, pertenecían al duque. Olivares le otorgó la libertad, a condición de no acercarse a Madrid en diez leguas a la redonda.

[1]) *Grandes anales de quince días.*

Marzo de 1623.

Olivares ha escuchado al fin las extremosas jaculatorias del satírico madrileño y le levanta la prohibición. Sabe lo que vale y lo que puede, y procura atraérselo.

Madrid abre siempre su noble corazón a los hijos pródigos. Madrid, que tanto ha gozado con el cotidiano chiste quevedesco y que le admira y le ama, le recibe en triunfo, lanzando al aire las bulliciosas campanillas de sus risas, la sal de sus chistes, el donaire de sus versos festivos, sus jácaras, sus romances. ¡Cuántos amigos! La nieve de cuarenta años de desilusiones no ha apagado su aparente jovialidad. Pero sus agudezas tienen un fondo amargo que el pueblo no puede ver.

En este año ingresa en la Academia Mendoza, fundada por don Francisco Mendoza, secretario del conde de Monterrey, a la que concurren los escritores Luis Téllez, Alonso del Castillo, Andrés Claramonte, Luis Vélez, Juan de Espina, Salas Barbadillo, Antonio Mendoza, Alonso de Pusmarín, Lope de Vega y Gonzalo de Heredia.

Entra a formar parte de la servidumbre de Palacio. Los fantoches del valido le sonríen con indefinidas zalamerías, algo temerosos de sus aceradas rimas. El tiempo llueve olvido en el corazón de los que fueron sus enemigos.

¡Pero aun, aun se pudre en la cárcel, sucumbiendo a sus pesares, el gran duque de Osuna, su entrañable amigo! Y esto Quevedo no se lo perdonará nunca al valido y a los que le hunden en tan lastimosa lacería.

EL PRÍNCIPE DE GALES

Ya en tiempos de Felipe III se había concertado el matrimonio del hijo del rey de Inglaterra Jacobo I, llamado Carlos Estuardo, con la infanta María de Austria, que había de consolidar la paz entre los dos pueblos poco antes tan enemistados. La política inglesa hallábase a la sazón regida y fiscalizada por el conde de Buckingham, hábil y dinámico ministro que, cual Olivares, era el favorito del príncipe heredero. Por otra parte: la infanta española Isabel Clara Eugenia, gobernadora de los Países Bajos, y su consejero Spínola, insistían en aconsejar al Rey una mayor inteligencia con tan orgullosa y engrandecida potencia. Felipe IV continuó las gestiones matrimoniales con honrado interés, consiguiendo que el príncipe de Gales atravesase Francia de incógnito, entrando triunfalmente en Madrid acompañado del conde de Buckingham.

Los escritores del tiempo nos hablan de las suntuosas fiestas que se celebraron en honor del regio huésped, que venía a conocer a su futura esposa. Hubo mascaradas, certámenes poéticos, bailes de gala, representaciones teatrales y una fiesta de toros que tuvo lugar el 21 de agosto en la famosa Plaza Mayor madrileña.

Quevedo escribió varias composiciones con motivo de esa corrida. Lo son el romance *Las cañas que jugó su magestad cuando vino el príncipe de Gales,* en el que hay un retrato magistral del monarca ; las décimas *Fiesta de Toros con rejones al príncipe de Gales, en que llovió mucho,* y el romance *El juego de cañas primero, por la venida del príncipe de Gales* [1]).

En el certamen literario salió triunfante el poeta mejicano Juan Ruíz de Alarcón, cuyo éxito suscitó una regocijante batahola de acerados comentarios por parte de los poetas que constituían la Academia Mendoza, más por el carácter soberbio y altanero del corcovado ingenio — el que insultaba al público con el dicterio de «bestia fiera» —, que por la preferencia alcanzada con su poema, que contiene, según Quevedo, «metáforas de metáforas, enigma de enigmas y confusión de confusiones» [2]), disparándole todos ellos una sarta venenosa de flojas décimas. La de Quevedo dice :

> Yo vi la segunda parte
> de don Miguel de Venegas,
> escrita de don Talegas
> por una y por otra parte ;
> y así no queda obligado
> el Señor Adelantado,
> por carta tan singular,
> mas que a volver a quitar
> el dinero que le han dado.

[1]) «Comento contra setenta y tres stancias que Don Juan de Alarcón ha escrito a las fiestas de los conciertos hechos con el príncipe de Gales y la señora infanta María».

[2]) «Elogio descriptivo á las fiestas que la Majestad del Rey Felipe III (sic) hizo por su persona en Madrid á 21 de agosto de 1623 años, á la celebración de los conciertos entre el Serenísimo Carlos Estuardo, príncipe de Inglaterra, y la Serenísima María de Austria, infanta de Castilla» (*Comedias escogidas de Frey Lope Félix de Vega Carpio.* — B. A. E. tomo IV. Madrid, 1860). — Recogiólas por primera vez José de Alfay (Zaragoza, 1654). Las décimas llevaban el siguiente título : «Décimas satíricas a un poeta corcovado, que se valió de trabajos ajenos».

Tal derroche de oro fué baldío. El príncipe de Gales salió de España al parecer muy satisfecho [1]; pero bien pronto surgieron desavenencias entre Olivares y Buckingham que hicieron fracasar el enlace, a pesar de los buenos oficios de la Gobernadora de Flandes. Olivares, que era testarudo, dió una razón insuficiente, que ya estaba prevista: la diferencia de religión de los novios.

VIAJE

Por de pronto el valido teme una reacción inmediata del indignado monarca inglés y para ello prepara un viaje al objeto de inspeccionar las costas andaluzas, pues recela un desembarco. La expedición es de tal importancia que el monarca se digna formar parte de ella. Con el Rey van el Nuncio de S. S., cardenal Zapata, que acababa de regresar de su virreinato de Nápoles; el patriarca de las Indias; los condes de Barajas, de la Puebla, de Alcaudete, del Infante, de Santisteban, de Portalegre; el Conde-duque de Olivares, como Almirante de Castilla que es; el duque del Infantado y otros muchos, acompañados de tres escuadras de arqueros. Quevedo forma parte de la expedición.

En una especiosa carta del satírico madrileño a don Antonio Sancho Dávila y Toledo, III marqués de Velada, hermano político de Medinaceli, fechada en An-

[1] Fernández-Guerra (Biblióf. Andaluces, vol. I, pág. 113) dice que se llevó de España varios lienzos de los más grandes pintores del mundo.

dújar a 17 de febrero de 1624, podemos leer los pormenores de tan accidentado viaje: «...Yo caí, San Pablo cayó ; mayor fué la caída de Luzbel. Mis pies no han menester apetites para tropezar: soy tartamudo de zancas y achacoso de portante. Volcóse el coche del Almirante (íbamos en él seis) ; descalabróse don Enrique Enríquez ; yo salí por el zaquizamí del coche, asiéndome uno de las quijadas ; y otro me decía: «Don Francisco, deme la mano» ; y yo le decía: «Don Francisco, deme el pie». Salí de juicio y del coche. Hallé al cochero hecho santiguador de caminos, diciendo que no le había sucedido tal en su vida ; yo le dije: «Vuesamerced lo ha volcado tan bien, que parece que lo ha hecho muchas veces.» Pasaron Aranjuez, y en Tembleque el Concejo recibió a Felipe IV con una lucida fiesta de toros. «Su Majestad — escribe Quevedo — de un arcabuzazo pasó un toro que no le pudieron desjarretar.» De allí van a Madridejos, La Membrilla y Manzanares, en donde pernoctan. Las otras jornadas, siguiendo el viejo camino de Andalucía, son otras tantas festividades. Torre de Juan Abad, Villanueva de los Infantes, Santisteban, Linares, ven desfilar la lucida cabalgata de cortesanos que dan escolta al Rey de España [1]).

En su viaje escribió los cuatro bellísimos romances, que más parecen obra de Góngora, aunque en el cuarto y en la dedicatoria ataque el culteranismo.

[1]) «Jornada que Su Magestad hizo á la Andalucía, escrita por D. Jacinto de Herrera y Sotomayor, Gentil-hombre de Cámara del Señor Duque del Infantado». Barcelona, 1624. — Cítala A. F. SCHACK, *Historia de la Literatura y del Arte Dramático en España* (Madrid, 1887. Vol. IV, pág. 126, nota).

8

El de *La Fénix* [1]) empieza:

> Ave del yermo, que sola
> haces la pájara vida,
> a quien una libró Dios
> de las malas compañías...

El Pelícano:

> Pájaro disciplinante,
> que haciendo abrojo del pico,
> sustentas como morcillas
> a pura sangre tus hijos...

El Basilisco:

> Escándalo del Egito:
> tú, que infamando la Libia,
> miras para la salud
> con médicos y boticas...

El Unicornio:

> Unos contadores cuentan,
> cultísimo, aquí te espero,
> pues tú dijeras autores
> con sus graves y sus ciertos...

Estos cuatro romances llevaban por título *Remitiendo a un perlado cuatro romances,* y estaban dedicados al obispo de Bona, don Juan de la Sal, en carta de 17 de junio de 1624.

Quevedo continuó viviendo en la Corte, asombrando a todos por su actividad — social, cortesana, palaciana, amorosa, política; que no le impedía en modo alguno la literaria —, recluyéndose a veces por unos

---

[1]) En *La constancia y paciencia del Santo Job,* se halla un documentado estudio de esta simbólica ave, por la que siente Quevedo gran preferencia.

días en su posada de la calle del Niño, en donde tenía
— nos dice su testamento — «dos pares de casas» [1]).
Era el poeta de moda. Los cortesanos se disputaban
sus versos y sus chistes. Se le llamaba «El Caballero
de la Tenaza». Ningún apelativo que mejor le cuadrare.

AMIGOS

Amigos idos, amigos que se van, cuyo recuerdo evoca
días risueños de juventud y levantan pensamientos me-
lancólicos.

Tiene un concepto bastante escéptico de la amistad.
Quevedo cuenta con pocos amigos porque es un espíritu solitario y tímido, aunque de la lectura superficial de sus escritos parezca desprenderse lo contrario,
y la vida misma le ha abierto los ojos a la realidad. Por
ello dice en una ocasión: «Amigos de hierro, cuando se
apuran se pierden.» [2]) Y en otra: «El mejor caudal
de la vida es un buen amigo; bien tan raro, que ha de
ser único. Por esto le sucede lo que al fénix: todos le
alaban, y ni le vieron ni le vemos.» [3])

Quevedo cuenta con grandes admiradores, amigos
lejanos en el espacio y en el tiempo, los más devotos y

[1]) MENÉNDEZ Y PELAYO, en una nota al libro de Fernández-
Guerra (*Bibliófilos andaluces*, vol. I, pág. 141) dice: «Gracias al
ilustrado autor de las «Escenas matritenses», llámase «De Quevedo»
la calle del «Niño» desde 1848; pero la casa del poeta se puede
asegurar que ha desaparecido, conservándose únicamente la escalera
por memoria. Hoy se distingue con el número 7 el edificio que la
sustituye, según el mismo señor don Ramón de Mesonero Romanos,
y es el segundo a la derecha entrando por la calle de «Cantarra-
nas» o de «Lope de Vega».
[2]) *Epístolas a imitación de las de Séneca* (Epístola III).
[3]) Idem, íd. (Epístola LXXV).

los mejores. Amigos suyos somos nosotros y cuantos le amarán a través de su obra gigantesca, que aceptarán en lo que vale su sabio consejo y le consultarán en trances amargos, compulsando su actitud estoica ante las catástrofes que le acaecen, para buscar un lenitivo a los pesares.

En 25 de septiembre de 1624 fallece don Pedro Téllez-Girón, vencido y aniquilado por el infortunio. Osuna muere en medio de un silencio «oficial», olvidado de todos. Los azares de la política han acallado sus quejas amargas. Los escaladores de prebendas borraron su nombre de su recuerdo para no comprometerse. Sus amigos le borraron también por el mismo motivo, temerosos del ilimitado poder del Conde-duque, cuyos cancerberos tienen ojos aquilinos y lengua fácil y viperina. El gran duque, que engrandeció las tierras hispanas; aquel pasmoso caballero español de acrisoladas virtudes castrenses, símbolo de una Raza que no muere, se oscureció de pronto en el más negro de los crepúsculos. Quevedo le dedica este soneto, que es una de las más bellas composiciones que se han escrito en nuestra lengua y que titula: *Memoria inmortal de don Pedro Girón, Duque de Osuna, muerto en la prisión:*

Faltar pudo su patria al grande Osuna,
Pero no a su defensa sus hazañas;
Diéronle muerte y cárcel las Españas,
De quien él hizo esclava la fortuna.
Lloraron sus insidias una a una
Con las proprias naciones las extrañas;
Su tumba son de Flandes las campañas,
Y su epitafio la sangrienta luna.

En sus exequias encendió el Vesubio
Partenope y Tinacria al Mongibelo;
El llanto militar creció en diluvio.

Dióle el mejor lugar Marte en su cielo;
La Mosa, el Rhin, el Tajo y el Danubio
Murmuran con dolor su desconsuelo.

Aun en los postreros tiempos de su vida el agradecido Quevedo se acordará del magnífico guerrero, llamándole «victorioso honor de España, asombro de todos los enemigos de su grandeza, mortificación triunfante de los émulos a tan incomparable monarquía» (¹). En *La Hora de todos* se exalta en alabanzas al «incomparable virrey, invencible capitán general» ²).

Desde su más temprana juventud conquistó el corazón de muchos hombres significados en las Letras y en las Artes. Uno de sus más dilectos compañeros fué el escritor de origen flamenco Lorenzo Van der Hammen y León, nacido en Madrid en 1589. Fué secretario del arzobispo de Granada, Fray Pedro González de Mendoza, desde 1610 a 1616, obteniendo luego la vicaría de Jubiles, en la Alpujarra, en donde le visitó alguna vez Quevedo. En 1625 profesó de sacerdote y conoció muchas obras inéditas de nuestro polígrafo, influenciándose tanto en su prosa, que la *Casa de locos por amor,* por él escrita, se atribuyó a la pluma de Quevedo ³).

Intimó con el caballero aragonés don Alonso Messía de Leiva, a quien dedicó el *Cuento de Cuentos.* Don

¹) *Marco Bruto.* — Dice en este libro que había escrito una biografía titulada *Dichos y hechos del Excelentísimo señor Duque de Osuna en Flandes, Sicilia y Nápoles,* que le arrebataron los sicarios de Olivares cuando su prisión de San Marcos.

²) *El Caballero de Nápoles.*

³) Don Nicolás Antonio dice que Van der Hammen le aseguró que esta obra era suya (TICKNOR. — Obra citada, vol. II, página 418, nota).

Alonso era un apasionado de Quevedo y de sus obras, hasta el punto de servirle de testaferro para el referido pleito sostenido contra sus acreedores, y de editar por su cuenta en 1631 el *Cuento de Cuentos* y otros escritos recopilados bajo el título de *Juguetes de la niñez y travesuras del ingenio* [1]).

Amigos suyos fueron también Vicente Mariner, Bibliotecario del Escorial, latinista y helenista infatigable, «prodigio de actividad, de memoria y de mal gusto — escribe Menéndez y Pelayo en las *Ideas Estéticas* —, que tradujo él solo, ya en prosa, ya en verso, ya en latín, ya en castellano, la mitad de la literatura griega, incluso los escoliastas y los sofistas», y don Antonio Hurtado de Mendoza, quien le prestó eficaces servicios en las denuncias de sus adversarios ante el Tribunal del Santo Oficio. Era éste el poeta oficial de las fiestas reales del Buen Retiro y de los jardines de Aranjuez, y cooperó con Quevedo en las poesías insertas en sus *Obras líricas y cómicas, divinas y humanas,* que acusan influencias conceptistas, aunque su técnica es más culterana, llamándose a sí mismo discípulo de Góngora.

En la Corte hizo gran amistad con Mateo Montero, escritor al servicio del Almirante de Castilla, don Juan Alonso Enríquez de Cabrera, duque de Medina de Rioseco. Este Montero era más conocido por el sobrenombre de «Matamoros», y escribió, según Astrana Marín [2]), el libro de tauromaquia *Del arte de andar a caballo* (1635).

De su estancia en Italia conservaba Quevedo el recuerdo de relaciones cordialísimas. Con quien más se

---

[1]) «Es inexacto que haya edición alguna de 1629, como hasta aquí se ha venido sosteniendo» (ASTRANA MARÍN. — *Obras,* pág. VI).
[2]) LUIS ASTRANA MARÍN. — *Ideario.* Pág. 211.

comunicó fué con el humanista Antonio Amigo, cuyos
lazos de afecto, según escribe Fernández-Guerra [1]), aparecen consignados en un rico códice en vitela del siglo xv
que contiene las tragedias de Séneca y que se halla en
la Biblioteca del Escorial, con la siguiente dedicatoria
autógrafa: *Admodum illustri D. D. Francisco de Che-
vedo, Sancti Jacobi Equiti, trium linguarum peritissi-
mo, ac bonarum artium Patrono et Cultori eminen-
tissimo. Antonius Amico, CI. Messanensis L. Ann.
Senecae tragoedias has M. S. observantiae et benevo-
lentiae D. D.*

En su primera juventud fué camarada del celebrado
escritor satírico don Juan de Tassis y Peralta, segundo
conde de Villamediana, «una especie de místico Don
Juan Tenorio en lo procaz y desalmado, en lo fastuoso
y desprendido, en lo galante y pródigo» [2]). Los ruidosos escándalos que promovieron sus sangrientas sátiras
y sus acciones reprobables le ocasionaron la muerte de
un mosquetazo que le dispararon dentro de su carroza
el 21 de agosto de 1622. Parece que el asesino gritó:
«Es por mandato del Rey». La crónica escandalosa de
la época asegura que el principal motivo de su muerte
fué el de sus amores con la reina Isabel de Borbón.
Quevedo hablará de esta muerte en los *Grandes Anales
de Quince Días,* dedicándole un soneto y el intencio-
nado epitafio:

> Aquí una mano violenta,
> más segura que atrevida,
> atajó el paso a una vida
> y abrió camino a una afrenta.

[1]) Obra citada, vol. I. pág. XLIX, nota.
[2]) JOSÉ ORTEGA RUBIO. — *Notas biográficas acerca del Conde
de Villamediana.* (Rev. Contemporánea, 15 junio 1902. Pág. 704).

> Que el poder que osado intenta
> jugar la espada desnuda,
> el nombre de humano muda
> en inhumano, y advierta
> que pide venganza cierta
> una salvación en duda [1]).

Conoció y amó al gran Tirso de Molina, ya declinante y cargado de gloria, que acababa de llegar de la isla de Santo Domingo. Quizá intimaron en las sesiones celebradas en la *Academia Poética* de Madrid, que había fundado Sebastián Francisco de Medrano y a la cual acudía el ilustre mercedario en sus escapatorias de Toledo. Quevedo escribió una loa para su comedia *Amor y celos hacen discreto* y fué de los que sintieron profundamente su muerte.

En la Corte de Felipe IV trabó grandes amistades con artistas y con sabios: con el insigne pintor flamenco Pedro Pablo Rubens, que efectuó su segundo viaje diplomático a España en 10 de septiembre de 1628 y le aprovechaba para pintar, como hizo antaño por orden del duque de Mantua, Vicente I de Gonzaga, las «damas de calidad» de la Corte hispánica; con el eximio Velázquez, que era como un semidiós a la sazón y que hizo su retrato; con el protomédico del rey y de la infanta Isabel Clara Eugenia, el francés Juan Jacobo Chifflet, varón de cultura enciclopédica que sabía aquilatar el inmenso valor cultural de don Francisco, como atestigua la carta escrita al arzobispo de Patrás, Juan Francisco Bagni, que dice, entre otras cosas: *Don Francisco de Quevedo est un chevalier de S. Jacques,*

---

[1]) Las dos poesías se hallan en la *Adición a las Musas* (Biblioteca de Aut. Esp. Madrid, 1877. Pág. 480).

mieu amy et tres docte personnage pour un Espa-
gnol [1]) ; con el marqués Virgilio Malvezzi, que sirvió
de embajador cerca de Felipe IV con tanta fineza que,
según nos refiere el biógrafo Lorenzo Crasso [2]), *diven-*
ne uno de'primi benemeriti della Corte Cattolica, ri-
cevendo onori grandi per la sua Nascita, e per la sua
Virtù. Su famosa obra *El Rómulo* será traducida por
Quevedo por modo magistral.

Entre los ingenios madrileños o que habitaban en
Madrid, mantuvo afectuosas relaciones con Agustín Rojas Villandrando, de vida singular y novelesca, que
publicó *El buen repúblico* con un elogio de don Francisco ; con el malogrado poeta cordobés Luis Carrillo
de Sotomayor (a pesar de ser considerado erróneamente
como introductor del gusto culterano) ; con Tomás Tamayo de Vargas, a quien dedicó en 1612 *La cuna y la*
sepoltura ; con José Pellicer de Salas y Tovar, de fantasía volcánica, que comenzaba a despuntar como historiador y se dedicaba a escribir falsos cronicones ; con
Pedro Calderón de la Barca, recién llegado de Flandes, muchacho de grandes ambiciones y no menos eminentes dotes dramáticas, que le habían franqueado las
puertas de Palacio.

Conquistó asimismo la amistad del dramaturgo
Francisco de Rojas, ganándole la mano a Pérez de Montalbán. En 20 de agosto de 1643 Rojas fué propuesto
para caballero santiaguista ; pero uno de los informan-
tes, el doctor Alamo, su rival al parecer, tildóle de mo-

---

[1]) AMÉRICO CASTRO. — *El Buscón* (Clás. Cast. Pág. XIX).
[2]) LORENZO CRASSO. — *Elogii d'Huomini Letterati.* — Venecia,
año 1666, vol. I, pág. 365.

risco y de judaizante. Rojas bebió vientos y tempestades para obtener nueva información, nombrándose escribano a Quevedo [1]), quien parece logró influir con su dialéctica en el Consejo de las Ordenes Militares para obtener dispensa pontificia, ya que el dramaturgo tenía el impedimento de que su padre había sido escribano, concediéndosele al fin el ansiado hábito en 1646.

Será amigo de Guillén de Castro, devoto cual él del malogrado Osuna [2]), nombrado caballero santiaguista en 1623,

Otros amigos suyos fueron Mateo Alemán, Alonso Jerónimo de Salas Barbadillo y José de Valdivielso. El primero se dió a conocer en el año 1598 con un prólogo a los *Proverbios morales,* de Alonso de Barros [3]) e intimó con el escritor debido a ciertas concomitancias de carácter. Quevedo fué asiduo lector de Alemán y en ocasiones puede intuirse esa influencia. Con Salas, un año más viejo que él, debió fraternizar en la Universidad de Alcalá, en donde el futuro autor de *El curioso y sabio Alejandro...* — que tiene no poco de quevedesco — cursaba sus estudios durante los años de 1594 a 1598 [4]). Se ha pensado si Quevedo atacó a Valdivielso, capellán que fué de la capilla mozárabe de Toledo, en

[1]) F. Ruíz Morcuende. — *Francisco de Rojas* (Clásicos Castellanos, 1931, pág. 10).
[2]) Se ha dicho que al morir el duque, Castro encontró protección en el Conde-duque. Said Armesto (*Guillén de Castro,* Clásicos Castellanos, 1934, pág. 21) arguye que no existe documento que pueda demostrarlo. Hay que tener en cuenta que continuó siendo amigo de D. Francisco.
[3]) Samúel Gili Gaya. — *Mateo Alemán: Guzmán de Alfarache* (Clásicos Castellanos, pág. 15).
[4]) Francisco A. de Icaza. — *Salas Barbadillo* (Clásicos Castellanos, pág. 9).

su novela *El Buscón* [1]). Américo Castro [2]) afirma que «aunque nuestro autor pudo conocer algunas de las obras de Valdivielso antes de 1612, no creo probable atacara tan burdamente al suave poeta toledano, a cuya buena amistad alude en *La Perinola*.»

Tomás Tamayo de Vargas, insigne humanista, fué su amigo, quizá por la afinidad que ambos sentían por los trabajos de Justo Lipsio, por Séneca, por el estoicismo y porque eran apasionados lectores de Juvenal y Persio. Quevedo se puso a su lado en la ardorosa defensa del Padre Mariana contra los ataques del malagueño Pedro Mantuano a su *Historia de España,* que alcanzará gran difusión [3]). La cordialidad de este sabio hacia Quevedo se enfriará años después con motivo de la publicación de *La Perinola,* por haber sido aludido burlonamente en ella.

Los próceres dispensan al escritor madrileño eficaz y generoso afecto. Su obra toda y su numerosísima correspondencia están llenas de notas elocuentes.

De sus viajes a Italia conserva el afectuoso recuerdo de buenos camaradas, y en la patria cuenta con enemigos de sus enemigos, admiradores de su obra y defensores de Quevedo en la lucha por el Patronato de Santiago, destacándose el doctor Manuel Sarmiento de Mendoza, canónigo de la ciudad del Betis, a quien prologó don Francisco una obra titulada *Milicia Evan-*

[1]) Capítulo IX : «De lo que me sucedió hasta llegar a Madrid con un poeta».

[2]) AMÉRICO CASTRO. — *El Buscón* (Clásicos Castellanos, pág. 113, nota).

[3]) Véase A. GONZÁLEZ PALENCIA. — Bol. de la R. A. de la Historia. Vol. LXXXIV, cuaderno III. Marzo, 1924. Págs. 331-351.

gélica; Rodrigo Caro, el inspirado cantor de las ruinas de Itálica [1]), y los ingenios Juan de Robles, Juan de Salinas, Antonio Moreno y otros destacados artistas.

Pero los amigos más conspicuos que tuvo Quevedo, «los de las horas amargas», que acaso comprometieron su propia libertad por conseguir la suya, son don Antonio Juan Luis de la Cerda, duque de Medinaceli y de Alcalá, destacadísimo humanista y profundo conocedor del latín, del hebreo y del griego; Francisco de Oviedo, de quien hablaremos repetidas veces, y Adán de la Parra, abogado del consejo de la Inquisición de Toledo [2]). Los tres se desvivirán por conseguir la libertad de don Francisco y en los trances más amargos de la vida del escritor pugnarán por aliviarle los pesados vínculos a que le tuvo sujeto la rabiosa soberbia del Conde-duque de Olivares. Su amistad, que nació en la ardorosa juventud y se fortificó en la adversidad, es un elocuente ejemplo de interés y de sacrificio constantes que dice mucho en pro de esos caballeros.

CERVANTES, LOPE Y QUEVEDO

Estos tres nombres bastarían para encumbrar a nuestras Letras al primer rango de todas las literaturas.

[1]) En 1626 Rodrigo Caro escribe una carta a don Francisco explicándole una terrible inundación en Sevilla. Quevedo le dedicará en 1634 *Nombre, origen, intento, recomendación y decencia de la doctrina estoica.*

[2]) Hay que obrar con cautela respecto a la correspondencia entre Quevedo y Adán de la Parra, rechazada de rondón con el dictado de apócrifa. Yo creo que estas discutidas cartas, más que apócrifas, son arreglos hechos por alguna mano adestre, que bien hubiera podido pertenecer a Diego de Torres Villarroel o a algún otro escritor festivo del siglo XVIII.

Tres genios, tres monstruos.

Cervantes: monstruosidad en lo humano.

Lope: monstruosidad en lo prolífico.

Quevedo: monstruosidad en lo ingenioso.

Fueron amigos porque eran lo suficientemente grandes. Porque el sol no puede oscurecerse a sí mismo.

Es la trinidad del Siglo de Oro español. Cervantes crea la novela. Lope la dramática. Quevedo la sátira.

Estos tres colosos se admirarán mutuamente a pesar de sus diferencias temperamentales y del medio que les absorbe, ya que no en vano vivían, como hombres, entre los hombres. Tuvieron sus dimes y diretes, pues el genio es magníficamente infantil.

Se ha dicho que Quevedo escribió contra Lope el soneto que empieza:

—Lope dicen que vino. — No es posible.
—¡Vive Dios que pasó por donde asisto!
—No lo puedo creer. — ¡Por Jesucristo,
que no os miento! — Callad, que es imposible...

Asensio afirma que este soneto no es de Quevedo, sino de Cervantes [1]).

A pesar de la rivalidad que públicamente mostraron en ocasiones los dos ingenios, sobre todo hacia 1604, lo cierto es, como dice muy bien Juan Millé [2]), que en la intimidad de su corazón debía abrigar Cervantes sentimientos muy favorables con relación a Lope. Y viceversa.

---

[1]) José María Asensio. — *Cervantes y sus obras.* — *(Desavenencias entre Cervantes y Lope de Vega).*
[2]) Juan Millé y Giménez. — *Sobre la Génesis del Quijote.* — Barcelona, pág. 143.

Quevedo no cede a Lope en capacidad de trabajo, pues hay que tener en cuenta que la calidad de las obras del Fénix no requieren, ni con mucho, la preparación de las de nuestro escritor. Lope se deja llevar, sencillamente, del amplio vuelo de su genio. Quevedo no cesa de prepararse con abstrusas lecturas para alumbrar sus elucubraciones filosóficas y religiosas. Lope escribe lo que ve. Quevedo ve lo que escribe y torna a escribir lo que ha visto.

El carácter es también distinto y por ello los dos escritores se completan, mostrando las dos facetas señaladamente hispánicas. Lope es sencillo, pueril, crédulo. Quevedo es complicado, escéptico en cuanto a la vida y a los hombres [1]). El Fénix es afanoso, versátil y frívolo. El señor de la Torre de Juan Abad es terco, arrestado, tenaz y expedito en cuanto a sus ideas. El Fénix es vehemente porque su corazón está henchido de irrefrenables impulsos. Quevedo se siente siempre dominado por la razón y no se da fácilmente, sino que calcula, inquiere con la mirada aquilina de sus ojillos miopes y hurga en el corazón de los hombres y aun en su propio corazón, sacando consecuencias terriblemente decepcionadoras. Lope amó a la mujer ; la mujer está siempre latente en él y le inspira las páginas más hermosas. Quevedo la odió porque quizá un día amóla demasiado. Concuerdan, sin embargo, en la rebeldía propia del genio, en lo excéntrico de sus concepciones, en la travesura y en la singularidad.

[1]) «La melancolía, que a menudo afectó a su contemporáneo Quevedo, le es ajena ; su concepción del mundo y de la vida fué siempre optimista». ARTURO FARINELLI : *Lope de Vega en Alemania.* Barcelona, 1936. Pág. 128.

El alma española se refleja por modo maravilloso en tan pasmosa trinidad.

Quevedo admiró a Cervantes y fué su amigo, a pesar de la diferencia de edad. El año en que nace el polígrafo, el soldado de Lepanto regresa a la patria y está en Madrid, pobre y desengañado [1]. En *La Perinola* le llama «ingeniosísimo», y son frecuentes en toda ella las alusiones al inmortal autor del *Quijote,* amistosas y reconocidas. Hemos hablado del romance improvisado por Quevedo en Argamasilla de Alba. Quevedo ve el *Quijote* como lo vieron la inmensa mayoría de sus contemporáneos y como quizá lo había visto en su fase inicial el propio Cervantes. «El hondo Quevedo — escribe el señor Valbuena [2] —, agudo en su juicio valorativo de Cervantes, sólo veía, sin embargo, los aspectos externos de su gran obra. Así, para caricaturizar al dios Marte, le llama "Don Quijote de las deidades".»

Cervantes habla también de Quevedo en la *Primera parte* del *Quijote,* y en el *Viaje del Parnaso* escribe: «ese hijo de Apolo, ese de Caliope Musa».

El carácter es distinto, como el ambiente, como la cultura. Cervantes es un genio vagaroso, combatido por la fatalidad, en lucha constante contra la miseria y de condición autodidacta — no puede decirse que López de Hoyos hiciera de él un docto. Quevedo es sedentario; vive en un medio si no opulento, desenvuelto y heredado y tiene una cultura humanística. «En tanto que Quevedo tiene el espíritu de un escolástico, Cer-

[1] ASENSIO (JOSÉ MARÍA), — *Proemio al Quijote.* Barcelona. Volumen I, pág. 18.
[2] ANGEL VALBUENA. — *Historia de la Literatura Española.* Volumen II.

vantes, deambulador perdurable, tiene el alma abierta a todas las comprensiones.» [1])

Pero a veces concuerdan en el enfoque de los temas, en el pimiento irónico y humorista y en la poca importancia que dan al paisaje. Esta última circunstancia se da también en varios autores clásicos ; Homero entre ellos. Cervantes tiene en el *Quijote* una gran «potencia de visualidad» [2]). Quevedo en *El Buscón* da por descontado el paisaje porque sabe que su novela es para un público español, que le intuye : sabe que al pintar la venta, o el camino carretero, o el ancho campo de Castilla con detalles, es caer en redundancia, es motejarse de superfluo. Eso mismo le ocurre al *Lazarillo,* al *Guzmán,* al *Escudero Marcos de Obregón* y a la novela — por este motivo españolísima — *Gil Blas de Santillana.*

Como astro que refulge solitario y deslumbrante, Cervantes no se deja influenciar por la polémica suscitada a raíz del lenguaje natural y el artificioso. Es el punto medio, la sensatez de lo clásico e inmutable, aun cuando se muestra en ocasiones defensor de lo castellano frente a lo latino, contra la machacona pretensión de algunos humanistas intransigentes [3]).

[1]) AZORÍN. — *Clásicos y modernos,* pág. 120. — «Azorín» toma ese pensamiento de Menéndez y Pelayo (*Ideas Estéticas,* vol. III, pág. 479), al hablar del escolasticismo de Quevedo.
[2]) «Llega a tal punto que no necesita proponerse la descripción de una cosa para que entre los giros de la narración se deslicen sus propios puros colores, su sonido, su íntegra corporeidad» (ORTEGA Y GASSET : *Meditaciones del Quijote*). Lo mismo puede decirse de la novela de Quevedo.
[3]) En *La Gitanilla* búrlase del preciosismo de la época, citando frases culteranas, como : «El sol dorando cumbres y rizando montes...»

Lope de Vega defiende también lo natural porque es un fruto genuino de España ; pero le hace concesiones, cuando dice :

> No niego la exornación,
> ni las figuras las niego...

mas de seguida advierte :

> la moderación alabo
> y los excesos condeno.

Lo castizo, lo popular, lo secular español. Por ello, tanto Cervantes como el Fénix expresan sus simpatías por el conceptismo [1]).

Quevedo guardó siempre para el ingenioso hidalgo una devoción cordial, un respeto propio del discípulo, pues en ciertos aspectos de su obra lo es en realidad.

Respecto a Lope de Vega puede decirse que nuestro hombre lo conoció a fondo, ponderando sin reserva su obra y regocijándose ante la vida de torbellino de aquel pasmoso genio. Hay dos juicios exactos de don Francisco sobre una y otra. El primero dice :

> Cuando fué representante
> ɔrimeras obras hacía ;
> pasóse a la poesía
> por mejorar lo bergante.
> Fué paje, poco estudiante,
> sempiterno amancebado ;
> casó con carne y pescado,
> fué familiar y fiscal,
> y fué viudo de arrabal
> y sin orden ordenado.

En el prólogo de la comedia *Eufrosina* habla de las producciones dramáticas de Lope de Vega, «tan dignas

[1]) Véase el capítulo titulado «Su Estilo».

de alabanza en el estilo y dulzura, afectos y **sentencia**, como de espanto por el número, demasiado para un siglo de ingenios, cuanto más para uno solo».

Cuanto más para uno solo. Así le considera nuestro escritor ; como un astro que al nacer apaga la brillantez deslumbrante de los luceros.

Que esa amistad es recia nos lo demuestra entre otras cosas el que don Francisco no se molestara al verse imitado por el propio Fénix, sino que, por el contrario, debió sentirse profundamente halagado (pues hubiera reaccionado con un exabrupto muy suyo). El **auto** de Lope *La puente del mundo* comienza con la loa del *Escarramán,* la cual, «por increíble que parezca, es una trova *a lo divino* de la famosa jácara de Quevedo *Carta de Escarramán a la Méndez»* [1]).

En la aprobación del libro *Rimas Humanas* [2]) don Francisco alaba a Lope «cuyo nombre ha sido universalmente proverbio de todo lo bueno, prerrogativa que no ha concedido la fama a otro hombre». Y en la terrible *Perinola* se vanagloria de que el Monstruo de la Naturaleza le haya honrado en *La Jerusalén Conquistada* y en *El laurel de Apolo.*

La amistad de Lope hacia Quevedo fué debida en gran parte al rencor que sentía el dramaturgo madrileño por el «andaluz gigante» — justamente compensado —, pues sabía que éste y don Francisco eran antagonistas en muchos aspectos. Lope atacó el nuevo estilo de Góngora y el ingenio cordobés le dirigió tan

[1]) MENÉNDEZ Y PELAYO. — *Estudios sobre el teatro de Lope de Vega.* — *Madrid,* 1919, vol. I, pág. 96.
[2]) Madrid, 1634.

duras sátiras, que llegó a imponerle silencio [1]). Desde luego, si bien se desenvuelven dentro de su peculiar originalidad, siguen rumbos parejos en ocasiones. Quevedo halló en el jardín culterano flores fragantes que hubo de cultivar con esmero; Lope, en cambio, libó en todas las corolas.

La vida. En la vida los caminos son dispares también. Pero todo se supedita a un fin vehementemente deseado por el artista: su norte, su guía, su ideal. «La existencia de Quevedo — dícenos Sainz de Robles [2]) — es, cuando menos, tan intensa, tan cambiante, tan de acertijo y tan declarada como la de Lope. Quevedo *se desvive* en sí mismo.»

Lope siente por Quevedo tanta devoción, que incluso quiebra una lanza para defenderle de sus copiosos rivales. Asunto peligroso para el Fénix, pues los enemigos son poderosos y tienen gran predicamento en las alturas. Así dice en la *Epístola a don Lorenzo Van der Hammen y León*:

> ...Por mí, yo los perdono fácilmente;
> pero nuestro amigo, no, que es nuestro amigo
> de todos los ingenios diferente.
> ... ...
>
> Jamás hombre español templó la lira
> con mayor agudeza y hermosura;
> párase Apolo si templar le mira.

[1]) AMADOR DE LOS RÍOS. — *Hist. crít. de la Literat. Española.* Página 23. Era una obsesión la que tenía don Luis por Lope; mucho más que por Quevedo. «Consérvase aún el ejemplar de *La Filomena* que poseía Góngora con esta apostilla marginal hológrafa: «Si lo dices por ti, Lopillo, eres un idiota sin arte ni juicio». — FITZMAURICE KELLY. — Obra citada. Madrid, 1926, pág. 268. — Lope, que no tenía el espíritu descocado y zumbón de don Francisco, debió arrimarse a éste, escudándose así del ruidoso martilleo del cordobés.

[2]) SAINZ DE ROBLES. — *El otro Lope de Vega,* pág. 123.

Y más adelante:

Así nuestro Francisco, así sospecho
que perdona las míseras raposas,
por no ensuciar de baja sangre el pecho.

Presumen estas lenguas venenosas
erribar en los templos de la fama
del sano altar las opiniones diosas.

Dice Astrana Marín [1]) que en el tiempo de sus amores con Marta de Nevares, tres nombres ocupaban la imaginación de Lope: «Marcia Leonarda» (doña Marta), que era su musa; su odio, el loco «Marsias» (Góngora); su admiración, «Apolo» (Quevedo).

En cambio, don Francisco no se decide a emprender abiertamente la defensa de su viejo amigo de los ataques fulminantes con que le asaetean envidiosos ingenios, entre los que descuellan Armendáriz (1585?-1614), Rey de Artieda (1549-1613), Cristóbal Suárez de Figueroa (1571-1639?) y sobre todo Pedro Torres Rámila (1583-1658). El motivo de esa pasividad, que debió ser objeto de no pocos comentarios, puede colegirse del hecho que entre esos adversarios de calidad relativa contaba Quevedo con amigos particulares de la categoría de Juan Pablo Rizo. Y viceversa: el dramaturgo Pérez de Montalbán, discípulo y camarada de Lope, era, como he dicho, un celosísimo rival de Quevedo.

El Madrid literario del siglo XVII era un pandemónium de dimes y diretes, un disparatorio de inauditos dicterios, un hurgar en vidas ajenas, un regocijante comadreo.

[1]) LUIS ASTRANA MARÍN. — *Vida azarosa de Lope de Vega,* página 249.

Pero si tuvo amigos, ¿cuántos enemigos no contó don Francisco de Quevedo? El Cid ganaba batallas después de muerto y Quevedo las perdía. La procesión innumerable y espesa de los turbios, de los raídos de conciencia, de los vacuos, de los traidores, de los perversos de corazón, de los rastreros aduladores, de los que medran al socaire de la ley, de los enemigos del pueblo y del corazón humano, de los orgullosos y de los nimios, le odiaron con enfermizo frenesí. Y él lo sabía y se vanagloriaba de tal antipatía con desprecio ostentoso y burla mordaz, apretando contra ellos, como decía Forner, «los puños de su agudeza» [1]). De las muchas maneras que hay de moralizar, Quevedo empleó la más peligrosa, precisamente en aquella época desenfrenada en que España se hundía con rapidez en las simas de la vacuidad y del egoísmo. Quevedo había tomado el pulso a esos fantoches y conocía el mal de raíz. Sabía que la estulticia se burla de la admonición suave y de los tratados de moral, y no halló otro medio para conseguir su objeto que la ironía y la chacota en un estilo desenfadado y asequible al pueblo. Era, en realidad, el mismo sistema empleado por Lope: descender, descender siempre al nivel cultural de aquella sociedad ignorante. Todos cuantos se vieron esculpidos en las letras de bronce de sus eternos escritos (alguaciles, boticarios, avarientos, escribanos, astrólogos, corchetes, adúlteros, sastres, arrivistas, majaderos, por-

[1]) FORNER. — *Exequias de la Lengua Castellana.*

133

fiados, presumidos, capeadores, hipócritas, procuradores, sepultureros, alquimistas, médicos, validos, necios, mohatreros, aguadores, venteros, aduladores, cornudos, jueces, celestinas y mujeres feas) fueron los implacables pregoneros de su mala fama.

Es imposible contar, pues, el número de sus enemigos, que forman colas en el Tribunal de Radamanto para echarse sobre el demonio que anuncie el nombre de don Francisco de Quevedo y Villegas, cuando a sus puertas llegue, camino de la Inmortalidad. Me limitaré a citar sus adversarios preeminentes, atendiendo a su calidad: el primero, entre los primeros, el gloriosísimo

LUIS DE GÓNGORA Y ARGOTE. — ¿Por qué fueron enemigos Góngora y Quevedo? La rivalidad nació de la constitución diversa de sus espíritus y del choque cotidiano de sus técnicas. Los dos escribían letrillas y romances satíricos y versos de circunstancias. Si el pueblo solía preferir a Quevedo por la sal, la pimienta y el gracejo del chiste y porque Góngora no tenía la facilidad de su rival para publicar sus obras [1]), Quevedo reconocía en el fondo de su alma que el cordobés era más poeta que él. Combatía su manera y no podía sustraerse a la brillantez de las imágenes gongorinas, como lo demuestra este plagio:

> ...Yo lo refiero, que soy
> un escorpión maldiciente,
> hijo al fin de estas arenas
> engendradoras de sierpes [2]).

[1]) «Hasta que no dejó este mundo, sus obras no pasaron de la categoría de manuscritas». — EDUARDO JULIÁ: *Poesías de Góngora*. Madrid, 1929, pág. 9.
[2]) *Toros y cañas en que entró el Rey nuestro Señor D. Felipe IV.*

Por un camino parecido salían a cazar imágenes y golpes de efecto, y buscaban discípulos afanosamente, ávidos del aplauso, emperifollados de galas para llamar mejor la atención. Se repelían. Quevedo le dirigió agudísimos dardos, llamándole en unas décimas desvergonzadas «poeta de entre once y doce», o bien, aludiendo a sus plagios:

> Yo te untaré mis versos con tocino
> para que no me los roas, Gongorilla...,

refiriéndose a su ascendencia judaizante; y burlándose de la demasiada afición que por el juego sentía el vate cordobés, escribió el siguiente epitafio:

> Yace aquí el capellán del Rey de Bastos
> que en Córdoba nació, vivió en Barajas
> y en las Pintas le dieron sepultura...

Busca Quevedo la ocasión de satirizar a Góngora y a los culteranos. Hasta el final de su vida persiste en esa manía. Son rencillas *de oficio,* que degeneran en violentísimas polémicas:

> Hiciéraste tus coplitas
> una bueno y otra malo,
> y cuando van por aceite,
> cantáranlas los muchachos [1]).

En una ocasión Quevedo compra la casa en que vivía Góngora en la calle del Niño (hoy de Quevedo) y desahucia al poeta porque no puede pagar los alqui-

[1]) Miguel Artigas. — *Don Luis de Góngora y Argote.* Madrid, 1925, pág. 369.

leres. Este le dirige una acerada décima que entraña no poca amargura [1]).

Regocíjase Quevedo al leer los solapados ataques de Jáuregui en su *Discurso Poético,* cuando apunta «la molesta frecuencia de novedades», «el vicio de la desigualdad y sus engaños». En *La hora de todos* arremete contra el vate culto «que lee una canción cultísima, tan atestada de latines y tapida de jerigonzas, tan zabucada de cláusulas, tan cortada de paréntesis, que el auditorio pudiera comulgar de puro en ayunas que estaba».

Es famoso aquel soneto que empieza:

> Vuestros coplones, cordobés sonado,
> sátiras de mis prendas y despojos,
> en diversos legajos y manojos
> mil servidores me los han mostrado.

Góngora no se muestra menos solícito con el ingenio madrileño. Es hombre de grandes recursos y tiene también su musa respondona y avinagrada, disparándole aquella andanada de dicterios que rezan:

> Musa que sopla y no inspira...,

en que llama a Quevedo ladrón, y alude a su limpieza de sangre, motejándole de traidor.

Estos ya son tonos mayores. El público se regocija porque sabe que si Quevedo es cojo, no es manco. ¿Qué contestará don Francisco, el temible don Francisco? Las conjeturas son para todos los gustos. Quevedo, que

[1]) MIGUEL ARTIGAS. — *Don Luis de Góngora y Argote.* Madrid, 1925, pág. 191. También: *Semblanza de Góngora.* Madrid, 1928, página 60.

tiene la lengua suelta, dirígele aquella composición que empieza :

> En lo *necio* que has cantado
> y en lo largo de narices,
> demás de que tú lo dices,
> que no eres limpio has mostrado... [1]).

llamándole judío y otras lindezas por el estilo que harían enrojecer a una estatua. Y :

> Menos hombre, más Dios, Góngora hermano,
> no Altar, garito sí, poco cristiano,
> mucho tahur, no clérigo, sí harpía...
> ... ...

Al publicar Quevedo su *Anacreonte*, don Luis encuentra ocasión de atacarle, tachándole de «malos pies» y de «malos ojos» y burlándose de la Cruz roja del santiaguista porque sabe que quizá es lo único que verdaderamente puede herirle en lo más íntimo, dado el acendrado cariño que siente por la Orden. Le llama también borracho, «pedante, gofo», «muy crítico y muy lego», y aludiendo a su obra :

> Anacreonte español, no hay quien os tope
> que no diga con mucha cortesía
> que ya que vuestros pies son de elegía,
> que vuestras suavidades son de arrope... [2]).

La pena del Talión. En la puerta de Guadalajara y en las tascas madrileñas, en la costanilla de San Mar-

---

[1]) En otras ediciones : *En lo sucio*... (ARTIGAS, Obra citada, pág. 366). Quizá es mejor «sucio», en contraposición al «limpio», a que se refiere la falta de limpieza de sangre judaica o morisca. Véase también JUAN MILLÉ : *Notas gongorinas*. (*Revue Hispanique*, tomo I, LXV.)

[2]) Este soneto fué escrito entre 1609 y 1617.

tín y en las gradas de San Felipe, en las covachuelas y en los tenduchos, en los corrales y en las antesalas de Palacio, los virulentos papelotes se leen con gusto y se comentan con arrebato.

¿Hay más? Ahora le toca el turno al Marcial cordobés, que le encaja los sonetos:

... ...
La aurora de azabaches coronada... [1]).
... ...
Restituye a tu mundo horror divino...
... ...

y el romance escrito en 1610:

Aunque entiendo poco de griego,
en mis gregüescos he hallado...

¿Hay más? ¡Santo cielo, sí! Quevedo es un artillero impenitente. Se ha indignado porque Góngora hase atrevido a criticar su *Anacreonte* sin haberle leído. Si lo hubiera leído, desde luego, no habría escrito esos versos. Y no sólo se defiende a sí mismo, sino que tiene arrestos para erigirse en campeón de Lope, que Góngora ha enojado en la sátira. Y le llama «poeta de bujarrones», y

Caballero, porque nunca
has caído de tu asno,
escoba de la basura
de las ninfas del Parnaso.
... ...

[1]) Adolfo de Castro (B. A. E. XXXII, pág. 444), cree que **este soneto** va dirigido contra Quevedo.

¿Qué te movió a poner lengua
en dos ingenios tan raros
sin ser bacinas ni pullas,
que son vínculo a tus labios?
Y advierte que ni Quevedo
ni Lope harán de ti caso
para honrarte con respuesta,
que fuera grande pecado...

A raíz de la publicación de *Polifemo* y de *Las Soledades,* Quevedo guardó al principio un silencio que
debió llamar no poco la atención. Y no era para menos,
por cuanto había en tales poemas campo abonado para
sacar fructuosas consecuencias. Pero calló. ¿Comprendió que se hallaba ante dos obras definitivas? ¿Intuyó
la grandeza del genio gongorino a través de aquellos
vericuetos y estudiadas oscuridades? Ello no es probable, pues más tarde lanzará su libro *La culta Latiniparla,* dedicado exclusivamente a combatir el culteranismo. Calló seguramente por dos causas: la primera
porque Góngora hallábase ausente de Madrid a la sazón,
y la otra porque había alabado las obras de Luis Carrillo y Sotomayor.

Pero poco después se ceba en él. Le dice en una
ocasión:

...y solamente tú, Matús Gongorra,
cuando garcicopleas Soledades
franci-griegas latinas necedades... [1].

¿Pero es que siempre fueron enemigos? Hay, desde
luego, un motivo de rivalidad persistente, dado el carácter de entrambos; pero también pudo haber sido un
recurso para llamar la atención. Hoy se llama a esto

[1] En la sátira que empieza:
Alguacil del Parnaso, Gongorilla...

una forma cualquiera de publicidad. Los dos «poetas jabalíes», como dice Lorenzo Riber, se contemplarán con recelo, se admirarán con recato, se soportarán con resignación.

RUÍZ DE ALARCÓN. — Don Juan Ruíz de Alarcón y Mendoza era un hombre autoritario y orgulloso, profundamente amargado por sus defectos físicos, pues era jorobado de pecho y espalda. Desde 1600 que llegó de Méjico, paseaba con ridículo empaque su contrahecha figura por los corrales madrileños, mostrándose engreído y quisquilloso con todo el mundo y ostentando a cada punto sus manías aristocráticas. Este gran dramaturgo captóse bien pronto la antipatía de todos los ingenios de la Corte. Quevedo, que era de su misma edad, halló en su cuerpo y en su carácter una riquísima mina que explotar.

Es conocido el *Comento* que le disparó en 1623 con motivo de las festividades en honor del príncipe de Gales, en que Ruíz de Alarcón obtuvo el premio, y en su obra hay numerosas alusiones y dardos envenenados contra el ilustre mejicano. «Ayer — escribía don Francisco en una ocasión — se llamaba Juan *Ruíz,* añadiósele el *Alarcón* ; hoy ajusta el *Mendoza,* que otros leen *Mendacio...* ¡Así creciese de cuerpo!, ¡que es mucha carga para tan pequeña bestezuela! Yo aseguro que tiene las corcovas llenas de apellidos. Y adviértase que la *D* no es *don,* sino su medio retrato.» [1]

Tan implacable sátira no puede extrañarnos mucho al saber que en aquel tiempo los grandes ingenios es-

[1] Del referido *Comento...*

140

pañoles habían perdido el rubor. Parece que también es de don Francisco aquella célebre letrilla:

¿Quién es poeta juanetes,
siendo, por lo desigual,
piña de cirio pascual,
hormilla para bonetes?
¿Quién enseña a los cohetes
a buscar ruido en la villa? •
Corcovilla [1]).

JUAN PÉREZ DE MONTALBÁN. — La vida de este escritor madrileño no deja de tener originalidad. Había nacido en 1602 y las malas lenguas aseguraban que tenía ascendencia judía. Era hijo del librero Alonso Pérez y fué discípulo y confidente de Lope de Vega. Se sabe que estudió en Alcalá graduándose en Filosofía y en Teología, y que a los veintitrés años era presbítero. A los 17 comenzó a escribir para el teatro y quiso seguir el genio prolífico del Fénix, leyendo con tal asiduidad que, cual el hidalgo manchego, de poco dormir y del mucho leer se le secó el cerebro de manera que vino a perder el juicio durante un año. Y en los siguientes no anduvo muy cuerdo, pues murió loco en 1638. Era de un carácter atrabiliario, puntilloso y desconfiado, y la animosidad de Quevedo se fundaba en varias razones; la primera de ellas porque su padre habíale comprado la *Política de Dios* y se había negado a adquirir el manuscrito del *Buscón*; pero más tarde, ante el éxito sin precedentes de esta novela, compren-

---

[1]) Hartzenbusch (*Comedias de D. Juan Ruíz de Alarcón*, Biblioteca de Autores Españoles, Madrid, 1852, pág. 31) dice que esta sátira también se ha atribuído a Góngora.

dió el Alonso que había dejado escapar un buen negocio y emprendió una edición fraudulenta de la misma, siendo condenado por los Tribunales a instancias del autor. De ahí nació una enemistad personal con el hijo que, dicho sea de paso, era un férvido culterano. El sobrino de Quevedo asegura que el origen de la animadversión fué una disputa de entrambos en casa de un señor llamado Jerónimo del Prado sobre cuestiones de Literatura. No podemos saber qué hay de cierto en este respecto, pero sí podemos asegurar que Quevedo se sintió profundamente enojado por la publicación de *El Buscón*. Don Francisco no desperdicia coyuntura para vapulearle con todas las armas imaginables. Cuéntase que en cierta ocasión vió nuestro hombre a unos ociosos en la puerta de Guadalajara enfrascados en la contemplación de un lienzo de San Jerónimo azotado por los ángeles, y que al punto improvisó la siguiente redondilla, que se hizo famosa en los medios madrileños:

> Grandes azotes le dan
> porque a Cicerón leía.
> ¡Cuerpo de Dios, qué sería
> si leyera a Montalbán!

En su poema épico *Las mocedades y locuras de Orlando enamorado,* le dirige esta barroquísima octava:

> Doctor, a quien por borla dió cencerro
> Boceguillas, y el grado de marrano;
> Tú, que cualquiera padre sacas perro,
> Tocándole a tu padre con tu mano;
> Casado (por comer) con un entierro,
> Con que pudiste ser vieja cristiano;
> Que por faltarle en cristiandad anejo
> Fuiste cristiana vieja, mas no viejo.

En 1632 Montalbán publica una obra amazacotada y multiforme que tenía por título: *Para todos, ejemplos morales, humanos y divinos, en que se tratan diversas ciencias, materias y facultades; repartidos en los siete días de la semana,* en que pretende congraciarse con su enemigo, después de haber presionado al Tribunal de la Inquisición para que se prohibieran sus escritos, como así ocurrió en 1631. Pero toda treta es baldía para el espíritu suspicaz del escritor, que se halla en su justo centro lanzando estos sopapos literarios. Escribe *La Perinola* exclusivamente para atacar a Montalbán. Y le llama «calabaza», «doctor Montabanco»; y afirma que su padre «ha sido mesonero de comedias, novelas, chaconas y romances, y no ha vendido otra cosa que no haya sido la sedición de las buenas costumbres». Pero hay otra causa, además, que le impulsa a redactar este libro: es su vanidad herida. Compruébelo el lector: «Mas díganlo otros, que el Pérez no ha de perder por mí; aunque no me ha metido entre los ingenios, habiendo yo escrito dos villancicos y teniendo más ha de diez años el firme propósito de hacer una comedia y habiéndome honrado frey Lope de Vega en el *Laurel de Apolo* y en la *Jerusalén.*»

Montalbán pensó en vengarse cumplidamente de este rosario de insultos; y requiriendo la ayuda de otros enemigos de Quevedo, entre ellos el Padre Diego Niseno, provincial de San Basilio, y Luis Pacheco de Narváez, redactaron el sangriento *Tribunal de la Justa Venganza,* en el que le llamaban «Maestro de errores, Doctor en desvergüenzas, Licenciado en bufonerías, Bachiller en suciedades, Catedrático de vicios y Protodiablo entre los hombres». Analizaba el libro aspectos bufonescos de su vida ; criticaba su obra ; puntualizaba ruidosos y grotescos fracasos ; acusaba prolijos defectos ; denunciaba fantásticos atropellos, y le motejaba, en fin, de «patacoja» y de «derrengado». Era, como dice Amador de los Ríos, «un libro ciego, porque vendaba los ojos de sus autores la ira, que no les dejaba ver las faltas de su amigo, mientras en su rabioso despecho olvidaron que luchaban con un gigante, negándole de lleno todas las grandes dotes que le han conquistado alto asiento entre los ingenios de España» [1]).

OTROS ENEMIGOS. — Pacheco de Narváez, Maestro de Armas del Rey, no desperdicia ocasión de atacar a su mortal adversario. Es, podríamos decir, una enfermedad, la válvula por donde escapan sus malos humores.

La ofensa, en realidad, era demasiado grave para ser echada en olvido. En 1626 toma parte en la redacción de la *Apología del Sueño de la Muerte,* en que se llama a Quevedo «borracho, mujeriego, hijo de zapateros, estropeador del léxico». Más tarde (1630) dirige un largo *Memorial* al Santo Oficio denunciando la *Política de Dios* y los *Sueños,* acusándole de no estar versado en cuestiones canónicas y no ser graduado en Teología. Del libro *Política de Dios* dice «ques muy escandaloso, i que tiene muchas proporciones malsonantes, i otras opuestas a la Escritura sagrada», extendiéndose en consideraciones pueriles y aun ridículas que le dictan su rencor, afirmando, por ejemplo, «que así quiere que se entienda que se lo dictó el Espíritu

---

[1]) AMADOR DE LOS RÍOS. — Obra citada. Prólogo, pág. 26.

Santo» [1]). Ataca a *El Buscón* con diatribas del mismo calibre.

Líbrase nueva contienda entre Quevedo y sus querellantes, sin atender a la clase de armas que entran en liza. Regocijo y apuestas en los ociosos corrillos. Replica don Francisco y el escritor sevillano — ¡ son tantos ya! — don Francisco Morovelli de Puebla [2]) escribe las deletéreas *Anotaciones a la Política de Dios de don Francisco de Quevedo,* llenas de lugares comunes y de errores de bulto, no contestando Quevedo por lo chabacano y fútil del libelo. El Padre Pineda le ataca con redoblado ímpetu, rebatiéndole con su jugosa *Respuesta al P. Juan de Pineda* [3]) con tal acopio de datos y con tan agudas saetas, que el antagonista pierde el control de sus nervios.

Llueven invectivas. Las diezmadas huestes reajustan sus efectivos y tornan a la carga, todos a una. La *Venganza de la Lengua Española contra el autor del Cuento de Cuentos* es un inverecundo amasijo de dicterios que llenaría de vergüenza al escritor más avieso y lenguaraz. También el Padre Ponce de León trata el Cuento de «escandaloso e injurioso» [4]) ; pero Quevedo se revuelve y despedaza al contrincante.

El Padre Niseno - - «que hasta en el púlpito persiguió a Quevedo» [5] — emplea su barroca elocuencia

[1]) Dice el P. PEDRO DE URTEAGA en la *Aprobación* de la *Política de Dios:* «No me maravillaría que los momos críticos le quieran hallar notas de represión».
[2]) Y no el P. Pineda, como se dijo.
[3]) Publicado por ASTRANA MARÍN (*Obras,* pág. 799).
[4]) Este escrito influirá decisivamente en el ánimo de los calificadores del Santo Oficio, quienes al poco de publicada la obra se dispondrán a recogerla.
[5]) MENÉNDEZ Y PELAYO. — *Ideas Estéticas,* vol. IV, pág. 76.

en desprestigiarle. El odio de ese sacerdote es un odio enfermizo y repugnante, incomprensible en un ministro del Señor. No es precisamente envidia lo que siente el destemplado pater, sino que su carácter intemperante y susceptible no transige con el de Quevedo. Son almas repelentes cargadas de soberbia, que no pueden conjugar amistad alguna. Quevedo se ríe, extrema sus burlas, piruetea ante sus propios adversarios, y el padre palidece de rabia y pierde los estribos ; y habla, habla desentonado. Baste una muestra del elogio fúnebre del dramaturgo Pérez de Montalbán, donde dice de don Francisco : «El maldiciente, el ignorante, el émulo, el apasionado, el zoilo, el Aristarco no se encuentran en el catálogo de los hombres ; allá se hallarán en el libro de las sierpes, áspides, basiliscos, víboras y otras semejantes bestias viles y asquerosas gusarapas. Que quien peca como serpiente, quien muerde como víbora, quien inficiona como basilisco, quien apesta como áspid, quien tala como langosta, quien ensangrienta el fiero diente de la calumnia como tigre y león, allá se ha de buscar, si hallarse quiere, entre los brutos, bestias y animales ; pues en sus acciones tan vivamente los remeda, tan fieramente los imita.» [1]

Las alusiones eran tan duras porque Niseno hablaba encubiertamente ; pero en 1629 redacta una *Censura* [2] al libro de don Francisco titulado *Discurso de todos los diablos, o Infierno emendado,* en que analiza minucio-

---

[1] *Elogio Evangélico funeral: en el fallecimiento del Doctor Juan Pérez de Montalban, Clérigo Presbítero, Doctor en Sacra Teología, i Notario de Sancto Oficio de la Inquisición.* (Madrid, en la Imprenta del Reino, MDXXXIX.)

[2] Publicada por primera vez por don Luis Astrana Marín (*Obras,* pág. 233).

samente los «errores» y llega a decir entre otras cosas llenas de suculencia: «Juzgo que este autor es digno de enmienda; de que se prohiba escribir en todas materias; que lo que ha escrito se sepulte todo; que no se admita aún después de expurgado, pues dejar correr escritos corregidos, es privilegio de los que estándolo de lo que tienen contra fe y buenas costumbres, enseñan algo de lo que se debe saber y edifican los fieles. Pero los deste autor, cuando más azarandados, siempre son ofensa de los más principales estados de la República cristiana, enseñanza de todo mal, y pecar al pueblo.» [1])

No cesan los vitandos escritos contra nuestro satírico. Numerosas fuerzas se han coligado contra él. En 1630 se publica anónimamente *El Tapa Boca que azota. Respuestas del Bachiller ignorante a El Chitón de las Taravillas que hicieron el licenciado Todo lo sabe. Dirigidos a las excelentísimas señoras la Razón, la Prudencia y la Justicia*. De este mismo año son ciertos insultos del ayuda de cámara de S. M., Matías de Nóvoa y del P. Bartolomé de la Fuente.

El escritor Juan de Jáuregui no se recata en tratarle con desdén, pues Quevedo le ha despellejado en *La Perinola* y ha dilatado, a lo que parece, el ingreso del pintor andaluz en las Ordenes. Le mostrará su resentimiento en el *Antídoto contra las Soledades,* en la comedia *El Retraído* y en el Memorial al Rey, escrito expresamente para desvirtuar la *Carta a Luis XIII,* con juicios inanes, tachándole de ignorante y enmen-

[1]) A pesar de estas fulminantes diatribas, Quevedo hace justicia a su mérito, llamándole «gran padre» en la *Virtud militante*.

dándole la plana en cuestiones filológicas [1]). Asimismo la antigua amistad con el ingenio José Pellicer de Salas y Tovar trocóse en resquemor obsesivo por las burlas de Quevedo y de sus amigos (Lope entre ellos) del libro publicado en 1627 por Pellicer: *El Fénix,* en que precisamente llamaba a Quevedo «el doctísimo en todas las letras y en muchísimas lenguas». Pellicer se pasará a las filas adversas y le atacará en las *Lecciones solemnes a don Luis de Góngora* (1630).

Al publicar *La Perinola,* la indignación sube de punto, pues son muchos los fustigados en ese libro sin piedad alguna. Quevedo sacrifica una amistad en aras del chiste y del brillo personal. Por esto es el blanco de todos los malhumorados, el comodín de toda rabieta. Se le llama «cojo, capigorrón, borracho, ciego, pendenciero, mendaz, ladrón». Quevedo se ríe de todo. Se ríe con risa franca y estruendosa. Se ríe y se complace en ser vértice de todas esas iras, que aumentan su fama. ¿No es halagador que tanta gente de pluma se ocupe de él? Cuando pasa por la calle, cuando sale de Palacio, cuando entra en la iglesia, cuando cruza los corrillos de la ciudad, los niños, los próceres, las mujeres, los mendigos y los borrachos le señalan con el dedo.

Es Quevedo, Quevedo.
Ya dice en 1632:

> Muchos dicen mal de mí
> y yo digo mal de muchos;
> mi decir es más valiente,
> por ser tantos y ser uno.

[1]) José Jordán de Urríes. — *Biografía y estudio crítico de Jáuregui.* Madrid, 1889.

La fama puede ser auténtica o falsa, y quienes la otorgan pueden proceder de las altas esferas intelectuales o del bajo pueblo. Quevedo ha ganado esos laureles legítimamente en todas las clases sociales, y van adquiriendo proporciones extraordinarias fuera y dentro de Madrid, fuera y dentro de Castilla, fuera y dentro de España.

Ha publicado en este tiempo numerosas obras que obtienen un éxito definitivo.

En 1626 acompañó en calidad de cronista al Rey en su viaje a Aragón, para asistir a las Cortes. Barbastro, Monzón y Barcelona aplaudieron al gran ingenio, que formaba en el lucido séquito del monarca. Quevedo se acordará siempre de ese viaje fructuoso y lleno de íntimas satisfacciones, tanto más cuanto que también integran la regia cohorte dos ilustres y considerados amigos: el protomédico y humanista Juan Jacobo Chifflet y el historiador de Aragón Francisco Jiménez de Urrea [1]).

En Zaragoza don Francisco trató con el mercader Roberto Duport y con el impresor Pedro Verges sobre la publicación de la *Política de Dios, El Buscón* y los *Sueños* [2]), y en Monzón terminó el arreglo definitivo

---

[1]) Merimée dice erróneamente que Luis de Góngora tomó parte en el viaje real.

[2]) Salieron impresos en Barcelona y Zaragoza, 1627. La Carta al Duque de Osuna, remitiéndole *El mundo por de dentro,* está firmada en la Aldea, a 26 de abril de 1612. Las numerosas ediciones de estas obras se hallan consignadas en la de Aureliano Fernández-Guerra, mejorada por la del señor Astrana Marín.

del *Cuento de Cuentos*. Las numerosas reimpresiones de estos libros demuestran el éxito que alcanzaron ya en su tiempo. La obra del Padre Aliaga *Venganza de la lengua española* escrita en su destierro de Huesca con el seudónimo de Juan Alonso Laureles, «caballero del Hábito de Santiago y peón de costumbre, aragonés liso y castellano revuelto», como escribe en el prólogo, no hizo sino acrecer la fama y el éxito del libro de Quevedo en aquel reino.

Las prensas de Bélgica, Francia y Portugal publican numerosas traducciones con notas biográficas que tienen la virtud de zabucar por completo la personalidad física y moral del madrileño. Se le atribuían obras como *El perro y la calentura,* al parecer de Pedro de Espinosa [1]), varios capítulos de *Don Diego de noche,* de Salas [2]) y el folleto titulado *Al doctor Montalbán, habiéndole silvado una comedia,* posiblemente de Salas Barbadillo [3]). Nos son conocidos los juicios del protomédico Chifflet y de Vicente Mariner [4]), las alabanzas de los poetas italianos, las elocuentes cartas de Justo Lipsio. El doctor Morán escribe una obra titulada *Oratio pro nobili Francisco de Quevedo, equiti insignis ordini divi jacobi, domini villæ vulgo vocatæ de la Torre de Juan Abad.* El cabildo compostelano le llama «honra de aquel siglo y asombro de los pasados».

[1]) Fernández-Guerra. — Obra citada, vol. I, pág. 84.
[2]) Francisco A. de Icaza. — *Salas Barbadillo* (Clásicos Castellanos. Madrid, 1924, pág. 46).
[3]) Fernández-Guerra. — Idem, vol. I, pág. 87. — Desde luego, la crítica moderna ha pretendido restarle varias páginas discutibles, como, por ejemplo, la *Pragmática,* que algunos atribuyen con bastante fundamento a la pluma de Mateo Alemán, y algunas poesías.
[4]) En 1625 dedicóle el epigrama latino que empieza:
Musarum tu dives opum, tibi gaza redundat...

En 1627 redacta el *Prefacio de León de Castro sobre los profetas menores,* que fué traducido al francés, y termina *El entremetido, la dueña y el soplón* y la comedia *Cómo ha de ser el privado,* «estupenda pieza adulatoria que más valiera a su fama no haber escrito jamás» [1].

El 23 de mayo, domingo de Pentecostés, murió en su querida tierra cordobesa el príncipe de los poetas hispánicos, don Luis de Góngora. Quevedo hubo de quebrar su lira antigongorina y reconoció pública y generosamente el altísimo valor de aquel poderoso ingenio, columna más firme del ·Parnaso español.

Su valía, su poder en la Corte y su consideración social reveláronle del informe adverso del Santo Oficio, a pesar de que algunas obras caían de lleno en las severas admoniciones del Indice.

Los sahumerios son para todos los gustos: aduladores, rastreros, temerosos.

A raíz de la impresión de *El Sueño del Juicio Final* aparece este soneto, que Astrana Marín atribuye a Cervantes con bastante fundamento [2]. Dice así:

Del capitán don José Bracamonte.
Dialogístico soneto entre Tomumbeyo Traquitantos, alguacil de la reina Pantasilea, y Dragalvino, corchete.

Alguacil

Por el alcázar juro de Toledo,
y voto al sacro Paladión troyano,
que tengo de vengarme por mi mano
y hacer del otro pie manco a Quevedo.

[1] G. MARAÑÓN. — Obra citada, pág. 123.
[2] *Obras,* pág. 155.

Y yo a la santa Inquisición, si puedo,
le tengo de acusar de mal cristiano,
probándole que cree en sueño vano
y que habló con demonios a pie quedo.

Alguacil

Aquesto, Dragalvino, poco importa :
las verdades que dice tengo a mengua ;
saberlas todos, ésto me deshace
el alma y corazón.

Corchete

Su lengua corta,
y publicarlas no podrá sin lengua ;
que esto del murmurar la lengua lo hace.
Mas temo, si lo hacemos,
según su pico y lengua me promete,
que, fuera una, no le nazcan siete.

Todos los ingenios rivalizaron en halagarle, en mimarle, en sublimarle. José Pellicer de Salas y Tovar dedicóle un gran elogio en *El Fénix*. Manuel Sarmiento pidióle un prólogo para su obra *Milicia Evangélica* [1]). Prologó asimismo la *Eufroxina,* tradúcida del portugués por Fernando de Ballesteros y Saavedra. Fray Agustín Durán, de San Francisco de Salamanca, remitióle un sermón para que se lo corrigiera. Y el gran Lope de Vega, el gigante de su siglo, hubo de dedicarle en *El Laurel de Apolo* este juicio que vale por todos y que envaneció mucho a nuestro hombre :

[1]) Madrid, 1628, por JUAN GONZÁLEZ. El prólogo de Quevedo tiene por título : «A los que leyeren, a los que van, a los que envían».

Al docto don Francisco de Quevedo
Llama por luz de tu ribera hermosa,
Lipsio de España en prosa,
Y Juvenal en verso,
Con quien las Musas no tuvieron miedo.
De cuanto ingenio ilustra el Universo,
Ni en competencia a Píndaro y Petronio,
Como dan sus escritos testimonio;
Espíritu agudísimo y suave,
Dulce en las burlas y en las veras grave;
Príncipe de los líricos, que él solo
Pudiera serlo si faltara Apolo.
¡Oh Musas! dadme versos, dadme flores
Que, a falta de conceptos y colores,
Amar su ingenio y no alabarle supe,
Y nazcan mundos que su fama ocupe.

EL PATRONATO DE SANTIAGO

A últimos de 1617 tratóse de hacer compartir el patronato de las Españas a Santa Teresa, a pesar de que ya en los gloriosos tiempos del medioevo los encendidos conmilitones de la Cruz morían invocando el sacrosanto nombre del Apóstol. Hacía poco que se removían los huesos de la graciosa Virgen de Avila, y los Carmelitas descalzos y los Jesuítas no se atrevían a revocar decididamente el nombre de aquel Santo Patrón que era para la patria un símbolo de fe. Pero el 24 de octubre del referido año, el procurador de los Carmelitas descalzos fray Luis de San Jerónimo, solicitó del monarca el permiso para incorporar a Teresa de Jesús [1]) en el citado patronato.

[1]) No fué canonizada hasta 1622. Pero parece que la idea debió germinar en 1614, con motivo de las fiestas celebradas en la

Así lo concedió Felipe III, iniciando con este decreto una enconada lucha en toda España: Bien presto se alzó la voz protestataria de numerosos cabildos y gentes de calidad, y de ahí los «santiaguistas» y los «teresianos» que libraron batallas descomunales con la vehemencia propia de los españoles. Esto no se comprende allende las fronteras; pero es que la cálida sangre de nuestras venas hace latir con tal impulso el corazón, que se traduce en discusiones, verborrea y a veces en luminosa facundia.

En 1620 Felipe III ordenó a todos los prelados y cabildos que el 5 de octubre celebraran solemnemente la festividad de la beata como Patrona de España. Destacados paladines de la Iglesia y próceres de la Patria aprestáronse a defender sus respectivos puntos de vista. Declaráronse a favor del patronato de la monja de Avila, entre otros, el obispo de Córdoba; el canónigo y cardenal Alonso Rodríguez de León; el canónigo de la doctoral de Sevilla, Francisco Melgar; el catedrático de Salamanca, don Juan de Balboa Mongovejo; don Francisco Morovelli de Puebla; fray Francisco de la Concepción; Sor Beatriz de Jesús y el doctor León de Tapia.

Olivares y el Rey mostrábanse inclinados a este bando porque creían que con la innovación se acrecentaba la fe del pueblo. Con ello el litigio tomó caracteres épicos, de pugilato, abogando por la tradición inconcusa del Apóstol fray Pedro de la Madre de Dios; Pedro Losada y Quiroga, canónigo de Jaén; Francisco Lucio

beatificación, en que se celebró una justa poética, uno de cuyos jueces fué el duque de Osuna, y el Secretario, Lope de Vega. (Véase J. DE ENTRAMBASAGUAS: *Datos acerca de Lope de Vega,* Rev. Nac. de Educación, septiembre, 1942.)

de Espinosa y Fernando Mieres, entre otros muchos.

Felipe IV se pone decididamente de parte de los teresianos y a sus instancias el Pontífice expide en 31 de julio de 1627 un breve para que se cumpla lo acordado en favor de la ilustre fundadora de la Orden descalza, agriándose con ello la cuestión.

En esto surgió a la liza don Francisco de Quevedo, que abogaba por la tradición secular del Apóstol en su famosísimo *Memorial por el Patronato de Santiago y por todos los santos naturales de España, en favor de la elección de Cristo Nuestro Señor,* dirigido al Consejo Real de Castilla [1]).

Quevedo es caballero santiaguista — «que traigan la Cruz los que con su sangre la hacen roja» — y atacará a cuantos pretendan torcer los rumbos de la tradición más pura y genuina.

Un diluvio de anatemas cae sobre él, cobrando nuevos y prepotentes enemigos. El 14 de enero de 1628 se inicia el fuego graneado de la batalla antisantiaguista, enarbolando la bandera de vanguardia Jorge de Orea y Tineo, que le dirige una envenenada carta. El sevillano Francisco de Morovelli, hombre susceptible y amargado por el poco éxito de sus escritos («erudito barberil», le llama Astrana Marín), redacta una obra lamentable titulada: *Don Francisco de Morovelli de Puebla defiende el Patronato de Santa Teresa de Jesús, Patrona Ilustrísima de España* [2]), cuyos insultos y cuyas razones no merecen respuesta del madrileño. Juan Pablo Mártyr Rizo defiende a Quevedo de los terribles azotes que le dirigen sus enemigos personales escuda-

[1]) Impreso en Madrid, 1628.
[2]) Málaga, 1628.

dos en las filas teresianas [1]). Se le llama hereje, traidor, diablo e hipócrita pelagatos, buceando en su vida privada y apelando a bajos y manoseados procedimientos. En cambio, Quevedo recibe efusivos plácemes de las catedrales de Sevilla y de Toledo; de los colegios mayores de Alcalá, Salamanca, Uclés, Coria y Cuenca; de cabildos, prelados y personas de gran significación, alentándole en su empresa con melosidades recargadas de barrocos epítetos, llamándole «alférez del Apóstol» y «capitán para la batalla» [2]).

El *Memorial* refleja al polemista y al sabio y en cada línea aparece un ataque más o menos personal y un resentimiento patente por insultos que esta vez le han herido. Dícele en carta de fecha 18 de febrero el P. Francisco de la Concepción, prior del convento de San Hermenegildo de Madrid: «El estilo de su *Memorial* de vuesamerced bien descubre que va enojado; y así la turbación no le dejó ver algunas cosas que estuvieran mejor por decir, y informarse mejor de otras.»

Quevedo expiará el gesto tesonero que le ha dictado su conciencia de mílite del Apóstol. El haberse puesto enfrente del valido le cuesta una prisión en su Torre de Juan Abad en julio de 1628, enconándose más y más las relaciones al escribir contra Olivares el *Discurso de todos los diablos*.

En su retiro — su prisión y su Torre — trabaja con frenesí en múltiples actividades; lee, estudia, tra-

[1]) *Defensa de la verdad que escribió D. F. de Q. V. contra los errores que imprimió don Francisco Morovelli de Puebla,* 1628.
[2]) Cartas del cabildo de Santiago. ANTONIO LÓPEZ FERREIRO: *Historia de la Santa A. M. Iglesia de Santiago de Compostela,* Santiago de Compostela, 1907, vol. IX.

duce, aconseja, prologa, comunícase con sus amigos. Escribe sin cesar.

Insiste en la defensa del patronato de Santiago, dedicando al Rey *Su espada por Santiago, único patrón de las Españas, con el cauterio de la verdad, y la respuesta del doctor Balboa de Morgobejo del año pasado, al doctor Balboa de Morgobejo de este año.* Remite el ejemplar a Olivares por conducto del doctor Alvaro de Villegas, gobernador del arzobispado de Toledo, y éste le contesta en carta de 18 de mayo de 1628 advirtiéndole que no ha entregado el pliego «ni el Conde está bien en el caso, ni tienen razón los que le contradicen». La posición de don Francisco es, pues, sumamente peligrosa.

No contento con sus publicaciones, escribe en 1628 — 26 de marzo — [1]) una carta al Papa Urbano VIII, que influirá grandemente en la ulterior decisión pontificia.

De este tiempo debe ser un poema titulado *Contra el Patronato de Santa Teresa,* compuesto en 51 liras, en que trata de desagraviar al gran artífice de la Reconquista, diciendo con filial devoción:

> De viento lenguas, y de bronce labios,
> publiquen los agravios
> del gran Patrón de España,
> no pastoril espíritu de caña,
> pues ya ve vuestra esfera
> venera que ninguno la venera.

[1]) Aureliano Fernández-Guerra dice, por error, que fué en el mes de junio.

Ensalza la figura del Apóstol que saca, cual el Cid, a los españoles del cautiverio en que gemían, afirmando que no puede humillársele. Dice de Teresa:

> Que una Santa se ve con evidencia
> no querer competencia
> con un Apóstol santo;
> pues por ser grande en el terrestre manto
> y en el azul que huella,
> tiene los pies donde los hombros ella.

El tema es sumamente complejo por la dificultad que entraña el emitir comprometedores juicios personales de los que podrían echar mano sus enemigos y los calificadores del Santo Oficio. Quevedo, no obstante, afirma con machacona insistencia:

> Que aunque el Papa dió el Breve de su oficio,
> añadió: sin perjuicio
> del Apóstol sagrado;
> que siendo como lo es tan declarado
> y en daño de su espada,
> ¿quién duda que a Teresa no dió nada?

Quevedo va y viene de su Torre según el humor del Conde-duque y la fuerza desplegada por sus apasionados adversarios. Escribe a la sazón *De la tribulación y del remedio della; Premática del tiempo; Desvelos soñolientos y verdades soñadas,* y *Discurso de todos los diablos o el infierno enmendado* [1]). Sus enemigos denuncian en 1629 sus obras a la Inquisición; pero nada consiguen, pues Quevedo sabe contrarrestar felizmente los ataques. Por el contrario, los calificadores fray Diego del Campo y fray Juan Vélez de Zabala le conceden

---

[1]) Llamado también *El peor escondrijo de la muerte.*

la censura para que pueda editar en Madrid los *Sue-ños* [1]). A fines de este año dirígese a Villanueva de los Infantes, según consta en carta remitida a su amigo Alonso Messía de Leiva, en la que menta las peripecias de su viaje con una gracia inusitada, que demuestra un carácter regocijado, a pesar de tan ocasionados ataques.

Ante la presión incesante que ejercen los «santia-guistas» en el ánimo del Santo Padre, publica éste un Breve en 8 de enero de 1630, en que otorga definitiva-mente por único el patronato de España al Apóstol.

Quevedo ha triunfado plenamente.

AMISTAD EFÍMERA

El fallo del Papa acalló toda discusión, desconcer-tando a los adversarios de nuestro escritor.

Hay un súbito cambio de decoración. Desde la Torre de Juan Abad, Quevedo escribe al Conde-duque comu-nicándole cómo había dado fin a los veintidós pleitos que tenía y protesta de su lealtad, dando la culpa de sus ofensas a la inhabilidad de su pluma. Olivares, que es un cuco y un redomado político, contéstale diciendo: «Vuesamerced no me conoce bien, pues juzga lo que me dice. Yo dijera a vuesamerced lo que siento y a todos. Y con verdad, no puedo yo decir que vuesamerced no escribe bien, ni que hay otro que escriba ni tan bien... Vuesamerced no me tenga por desigual y asegúrese que le estimo mucho.» Y le encarga la redacción de un libro, tal vez el referente a la política de minas.

Olivares procuraba atraerse a don Francisco, pues a pesar de su ascendencia en el Trono, del invulnerable

[1]) JULIO CEJADOR. — *Los Sueños* (Clásicos Castellanos, volu-men XXXI, pág. 16).

predominio y de su omnipotencia política, sabía que como enemigo era temible, y como aliado, temible para sus enemigos. Recientes estaban en la memoria de todos los generosos y eficaces desvelos del polígrafo, prodigados hasta el sacrificio, para el mayor esplendor del virreinato de Osuna en tierras de Italia. Sus escritos políticos acreditábanle de astuto manipulador, de vidente excepcional y de juicioso encauzador. Conocía a España y los males de España, y sus remedios, y el livor y la rapacidad de sus ministros, y los escándalos de la Corte. Olivares lo sabía mejor que nadie. Pero no contaba con el carácter libérrimo del escritor.

Mas también era hombre práctico. Pudo regresar a su querido Madrid y entrar en Palacio. Olivares y Quevedo se congraciaron momentáneamente. Quizá hubo buenos propósitos por ambas partes ; pero sus temperamentos tan repelentes no podían conjugar amistad alguna.

Quevedo ve a los reyes y a sus servidores. Los poetas de palacio no cesan de entrelazar florecillas blancas de su ingenio. Los dramaturgos crean personajes de fantasía y príncipes quiméricos para entretener la ociosidad de los cortesanos. El gran Rubens está enfrascado en el retrato de don Juan de Austria, recién venido al mundo, hijo natural del monarca y de «La Calderona». La Corte brilla con resplandor auténtico. El oro, la gasa, la seda, las sonrisas cifradas, las músicas suaves, las flores y las joyas son sus preseas. Que gobiernen los ambiciosos que saben disimular sus preocupaciones y sus rapacidades. Que no enturbien la charca las ranas que croan indelicadezas. La musa de Quevedo y su juicio crítico, benévolo con los autores noveles, son solicitados, y sus versos y sus epigramas leídos y comentados con suma complacencia.

Censuras, aprobaciones, prólogos. Triunfa por doquiera. «Tiene coche de suyo, en que anda siempre, y pasea la calle Mayor y el Prado de Madrid, como los demás señores y caballeros.» [1])

Porque es un auténtico caballero. No necesita de las diecinueve torres de Lope, ni las ejecuciones que desesperadamente busca el corcovado Ruíz de Alarcón desempolvando viejas prerrogativas y sacando nuevas ramas al caduco y esquinado árbol de su estirpe. Tiene escudo de armas y pergaminos, y allá, en la severa montaña burgalesa, una vetusta casa solariega que vió florecer antaño una raza de pro.

Quevedo no puede refrenar la comezón innata de la burla, de la sátira, y lanza de continuo los agudos estiletes de su ironía. Así dice del privado en un romance:

> Para que el rey vaya solo
> le acompaña; que los reyes
> van solos con un criado
> mas que no con el pariente.
> Es privado que se atusa
> el séquito y las mercedes;
> que no recibe, ni toma:
> las muchachas se estremecen.
> Dícenme que no ha salido
> de entre plumas y papeles
> ha seis años, amarrado
> a los duros pretendientes.
> Tiene buen talle a caballo;
> es airoso con sainete:
> no pasa audiencia por él
> según lo bien que parece.

[1]) *Tribunal de la Justa venganza.*

Imprimió en Zaragoza *El chitón de las taravillas* [1]), contra los enemigos de Olivares y en favor de Felipe IV ; obra que trata de la baja de la moneda y del decantado arbitrio sobre las minas.

El Conde-duque mostraba públicamente su desencono hacia Quevedo y aun satisfacción con esa amistad que suponía definitivamente conquistada, dedicándose mutuos arrumacos. En 21 de julio de 1629 Quevedo le escribe una carta muy erudita, remitiéndole las obras poéticas de Fray Luis de León, y le dice: «Siempre ha escrito (vuestra excelencia) tan fácil nuestra lengua, y tan sin reprehensión como se ha leído en la instrucción que vuestra excelencia dió al duque de Medina de las Torres, su hijo ; tratado que justamente le mostró buen padre y buen maestro ; discurso que atesorarán las edades por venir, y que obedecerán en ellos los que en grandes lugares quisieren asegurar el acierto, y hacer bienquista la virtud eminente de la buena fortuna...» Influyendo en el ánimo del soberano, el ministro dispuso en 17 de marzo de 1632 fuera nombrado Secretario Real.

Plugo grandemente este cargo al escritor, por lo que se desprende de una carta a un duque — del Infantado o de Medinaceli —, agradeciéndole el haber contribuído a desagraviarle con este nombramiento [2]). Ello le obligaba a redactar informes, cartas y documentos

[1]) Las primeras ediciones que se conocen están faltas de portada. La del *British Museum* lleva una nota que dice: «Huesca, 1.º de enero de 1630». Astrana Marín (*Obras,* pág. 1774, nota) afirma que el librero Vindel poseyó un ejemplar de esta edición seguido de *El Tapa Boca,* Girona, 1630, en 8.º

[2]) «El Rey me ha desagraviado de mis largos cuan injustos procedimientos, haciéndome su secretario sin secretos, o como si dijéramos, de burlas.»

políticos e interesarse por los asuntos de gobierno. Naturalmente que sólo pasaba por sus manos — y sobre todo por sus ojos — lo que el Conde-duque juzgaba de muy poca trascendencia, como el propio Quevedo reconoce.

También se le ofreció la embajada de Génova, que renunció so pretexto de dedicarse a las Letras. Conocía sobradamente el carácter desconfiado y casquivano de su amo y sus funestísimas reacciones de mal humor. Un día aceptó una misión de responsabilidad cerca del gran duque de Osuna y aun guardaba en su alma la profunda amargura del desengaño al ver cómo pagaba la patria los sinsabores, desvelos y sacrificios de su celo. Además, quería plena libertad de movimientos. Y de conciencia. Renunció, como digo, a este cargo, «por el desasosiego que traen consigo semejantes materias».

En esta época escribió numerosas obras. En 1631, *La culta latiniparla; Libro de todas las cosas y otras muchas más;* la traducción de *El Rómulo,* del marqués Virgilio de Malvezzi [1]), los prólogos a la edición de Fray Luis de León, y de Francisco de la Torre. En 1632 redactó la primera parte de la *Vida de Marco Bruto* [2]) y la *Doctrina moral del conocimiento propio y del desengaño de las cosas ajenas* [3]) ; y en 1633, *De los remedios de cualquier fortuna. Libro de Lucio Anneo Séneca. Traducido con adiciones que sirven de comento* [4]), y *La Perinola.*

---

[1]) Según Astrana Marín, editado en 1632.
[2]) Impresa en 1644.
[3]) Astrana Marín niega esta cita de Fernández-Guerra, afirmando que la *Doctrina Moral* se imprimió en 1630.
[4]) Impresa en 1638.

En Palacio se celebran las agudezas del Caballero de la Tenaza. Sus anécdotas hallan eco regocijado en la familia real. Felipe IV favorece sus abundantes digestiones con la sal quevedesca. Olivares sonríe complacido y benévolo. Y todos los figurones de la Corte — príncipes, altezas, grandes, damas de honor, mayordomos, camareros, guardias de corps, alabarderos, bufones... — le ofrecen su sonrisa servil. Quevedo es el escritor de moda.

La Corte se divierte. Músicos y poetas se desviven por ofrecer a los soberanos los frutos más sazonados de su ingenio. Lujo y sonrisas, flores y perfumes, encajes y sedas, oro y piedras. En la noche de San Juan del año 1631, en los jardines del conde de Monterrey y del duque de Maqueda [1]) celebróse una suntuosa fiesta organizada por el Conde-duque. La compañía de Vallejo, de la que formaba parte su mujer, la famosísima comedianta María de Riquelme, y en un teatro que decoró y dirigió el marqués Juan Bautista, hermano del cardenal Crescencio, representó la comedia de Quevedo, escrita en colaboración con su amigo Antonio Hurtado

[1]) No, como dice Fernández-Guerra, en los Jardines Reales del Buen Retiro (Díaz de Escobar : *Historia del Teatro Español,* vol. I, pág. 219), aunque después rectifica (*Soc. de Biblióf. Esp.,* vol I, página 120, nota). — Astrana Marín (*Ideario,* pág. 210) afirma que los citados jardines se hallaban enclavados entre la carrera de San Jerónimo y la calle de Alcalá, donde estuvo la iglesia y casa de San Fermín.

de Mendoza [1]) *Quien más miente medra más,* hoy. perdida [2]), que obtuvo muy lisonjero éxito, durando la representación dos horas y media.

Contribuyeron al esplendor de la fiesta otros ingenios madrileños. Lope de Vega estrenó la comedia *La noche de San Juan,* que representó la compañía de Avendaño, farandulero famoso, y se cantaron jácaras y bailes del toledano Quiñones de Benavente. La noche discurrió plácidamente, entre banquetes suntuosos, bailes de disfraces y saraos elegantes, como un maravilloso cuento oriental.

SU CASAMIENTO

Una conjura contra Quevedo acaba de nacer del chismorreo palaciego y de la ociosidad de los corrilleros. Se quiere nada menos que acabar con el celibato del escritor. Las servidoras de Palacio insisten en que un hombre de su categoría y de su edad debiera darse a la casaca y no suscitar elocuentes y perniciosas habladurías.

Se ocupaban de él los impenitentes ociosos, los nobles currutacos, los guasones y las damas que conocían, de oídas o por propia experiencia, los escarceos libidinosos del poeta, sus paseos nocturnos ante las rejas de encopetadas señoras, el trafagar por puertas traseras de ostentosos palacios o el salir de madrugada de su posada de la calle del Niño fugitivas huríes envueltas en perfu-

[1]) No era burgalés, como se ha dicho, sino de Castro Urdiales, aunque su familia, como la de Quevedo, era oriunda de las montañas de Burgos. Era seis años más viejo que Quevedo y llegó a Secretario del Rey.
[2]) La cita por primera vez CASIANO PELLICER: *Tratado hist. sobre el origen y progresos de la comedia y del histrionismo en España,* vol. II, pág. 167.

madas gasas. Más de una solterona recalcitrante había
puesto las brasas de sus ojos en el escurridizo vate.

Pero Quevedo se mostraba rabiosamente inaborda-
ble, como galeón defendido por mortíferas culebrinas.
Era una conducta y una política, mucho más en quien
como él tanto había escrito contra el matrimonio. No
podían echarse en olvido sus regocijados versos:

> Dicen que me case:
> digo que no quiero;
> y que por lamerme
> he de ser buey suelto;

o bien:

> Esta conseja nos dice
> que si en algún casamiento
> se acierta, ha de ser errando,
> como errarse por aciertos;

o este cuarteto filosófico:

> Antiyer nos casamos; hoy quería,
> doña Pérez, saber ciertas verdades;
> decidme: ¿cuánto número de edades
> enfunda el matrimonio en sólo un día?

En la citada *Sátira del matrimonio en los ruines
casados* dice que prefiere desposarse con la muerte y
sepultura y vivir encarcelado con esposas antes que
tomar estado; y de la posible enemiga:

> Antes que yo le dé mi mano amiga,
> ne pase el pecho una enemiga mano
> y antes que el yugo, que las almas liga,
> mi cuello abrace, el bárbaro otomano
> me ponga el suyo, y sirva yo a sus robos,
> y no consienta el himeneo tirano...

Por lo que se ve es toda una posición, una vida de enemiga al santo yugo matrimonial. «Lo de casamiento, para los bobos», afirma. ¿Y cómo podría torcer el rumbo así emprendido con tan arraigada convicción? Por ello responde a una agudísima carta a la condesa de Olivares, doña Inés de Zúñiga y Fonseca, diciéndole con el Espíritu Santo: «La buena mujer, ¿quién la hallará?». Y expone sus opiniones sobre la esposa, que ha de ser noble y virtuosa. Pero, ¿quién la hallará? Y además: «Si hubiese de ser estudiada con resabios de catedrático, más la quiero necia.»

Ni fea ni hermosa, ni rica ni pobre, ni alegre ni triste; es decir, el «aurea mediocritas»: ¿quién la hallará? No pone estimación alguna en si ha de ser blanca o morena, pelinegra o rubia, niña o vieja, gorda o flaca. Quevedo no comprende el matrimonio. Eso es todo. Y cuanto más, si lo comprende, sabe que ha llegado tarde al himeneo, recordando quizá la respuesta que dió Diógenes al preguntarle qué tiempo era el más a propósito para casarse: «cuando mozo, temprano; cuando viejo, tarde».

Pero los conjurados, a cuya cabeza va la esposa del Conde-duque — casamentera ilustre — insisten, apremian, buscan, comparan, escogen. Don Francisco de Quevedo es un personaje tan mimado por la Corte, que todo el mundo se desvive por buscarle una mujer a gusto... de las entrometidas madamas de palacio.

Quevedo suponía bien que a su edad el matrimonio no le reportaría sino graves preocupaciones. El duque de Medinaceli, juzgando de buena fe que el nuevo estado seríale beneficioso, no ceja en su empeño de aconsejarle, por lo que se desprende de la correspondencia cruzada con el escritor [1]). Secundando los deseos de la Corte salió para Aragón y Cataluña, instándole el de Medinaceli a que visitase en Cetina a su parienta doña Esperanza de Aragón y Cabra, viuda de don Juan, señor de Cetina. Esta dama fué la elegida.

Don Francisco no pudo resistir a tantas presiones. No tuvo escapatoria posible. Hay refranes elocuëntísimos en nuestra lengua que hablan del poder incoercible de una dama que quiere algo.

Plegóse a su suerte y se sacrificó, quemando sus naves. Quiero decir que se casó. El novio contaba cincuenta y tres otoños; la novia, más de cincuenta.

Sus enemigos vieron la ocasión pintiparada para reírse a dos carrillos. ¡Quevedo casado! ¡El tundidor, el asestador, tundido y asestado con sus propias armas! Era un caso inaudito en los anales madrileños. La estupendísima nueva se difundió en la Corte con la misma rapidez que la llegada del turco a las costas de Andalucía. Florencio Janer [2]) transcribe el siguiente soneto, tan procaz como perfecto, lleno de maldad y de odio, sacado del libro *Poesías varias,* de Fosef Alfay (1654):

SONETO A DON FRANCISCO DE QUEVEDO

Si no sabéis, señora de Zetina,
Quién es teñido el setentón Quevedo,
Sabed que es un frisón que huele a pedo,
Y que de no comer caga canina.

[1]) El 20 de octubre de 1630 Quevedo responde al duque : «Yo me estoy soltero todavía». En 1.º de diciembre del mismo año torna a contestar a las insinuaciones del amigo ilustre : «Yo soltero». El 7 de diciembre le manifiesta : «Ayer me dió Asperilla parabién, sin saber yo de qué». Asperilla era un servidor de la Casa de Medinaceli que seguramente debió cometer la indiscreción de notificarle a Quevedo los manejos que llevaban a cabo en contra de su recalcitrante celibato.

[2]) FLORENCIO JANER. — Obra y lugar citados.

De cuero le dió a Góngora esclavina
Con cara de ahorcado a medio credo,
Que al mismo San Antón pusiera miedo
En la Pandorga de don Juan de Espina [1]
      Sayo de rúa en calvachín retablo,
Mugre inmortal y semicapro eterno,
Clérigo inglés, ingerto en cachidiablo.
      El cuerpo en vino, el alma en el infierno,
Y al fin, para figura de Juan Pablo,
Un pie de calzador y otro de cuerno.

Como había pronosticado, la unión fué un desastre. La primera dificultad hallóla en la rebelión de los tres hijos de doña Esperanza, que no quisieron convivir con su padrastro, marchándose el uno a Italia [2] y los otros con un tío suyo.

Quevedo se ha desenvuelto siempre en plena autonomía de movimientos, y el yugo matrimonial representa para él un gravísimo bochorno. Pero, ¿por qué se ha casado? ¿Qué ha resuelto con ello, sino dar pábulo a las habladurías de sus enemigos? El solterón empedernido comprende ahora muchas cosas — San Agustín ha dicho: «Siempre es tarde cuando se llora» —. Comprende demasiadas cosas: que no puede vivir como antes; escribir de noche y acostarse cómo y cuándo le place; deambular bajo la luz de la luna por las callejas madrileñas con amigos, o amigas; dispendiar su caudal en libros, en cuadros, en armas; recluirse en la soledad de su casa para meditar abstrusos problemas filosóficos. Además, tiene que pleitear por su mujer, según se desprende de varias cartas, una del gobernador

[1] «Un gran amigo de Quevedo, caballero montañés. Quevedo hizo de él una maravillosa semblanza en sus *Grandes anales de quince días*» (ASTRANA MARÍN: *Obras,* pág. 1828, nota).
[2] Capitán de infantería en el Estado de Milán.

de Aragón al duque de Medinaceli referente a la dote de la señora de Cetina, y cuatro del duque de Medinaceli al gobernador de Aragón sobre el mismo asunto. El hijo de doña Esperanza, don Juan Pérez Pomar Fernández Liñán de Heredia, pone pleito a su madre reclamando la renta que ésta le había asignado durante su viudedad [1]). En algunos de estos documentos y aun en publicaciones literarias, se firma «señor de Cetina», en donde se halla en abril de 1634, pues allí escribe — 5 de este mes — la carta nuncupatoria de la *Virtud militante,* a don Pedro Pacheco.

A los tres meses de matrimonio, pretextando urgentes trabajos, encamínase a la Torre de Juan Abad.

Se ha equivocado, aun cuando él no tiene la culpa. La culpa la tiene la Corte, que sin cesar ha insistido en casarle ; la tienen sus esclarecidos amigos, que creían favorecerle sinceramente ; la tiene también ese perverso anhelo zumbón que fluctúa en la conciencia de los españoles, deseosos de poner en ridículo al ridiculizador eterno, al implacable adversario del matrimonio. ¡ Y qué error tan funesto, qué debilidad tan endemoniada la suya ! Los adversarios ríen, ríen y vapulean lindamente al novio cotorrón. ¡ Quevedo casado ! Como clarines resuenan esas voces por los ámbitos madrileños.

Quevedo ha visto también su error : lo vió al instante de cometido. Comprende que no puede vivir en semejante coyunda. Un fracaso. Necesita libertad absoluta de movimientos. Medio siglo de celibato supone un gran caudal de egoísmo personal, excesivo amor propio

[1]) MENÉNDEZ Y PELAYO. — *Notas y adiciones a la edición de Fernández-Guerra* (Soc. de Bibliófilos españoles, vol. I, pág. 563).

para sujetarse resignadamente al pesado vínculo que las circunstancias le habían impuesto. Pero no es hombre que reflexione demasiado las cosas que le atañen personalmente, y decide adoptar la única postura que estima más factible en semejante situación. Lo diré rápido, al compás de sus actos. Jamás volverá a ver a su mujer. En 1636 los cónyuges se separan definitivamente.

La condesa de Olivares debe haber sufrido un berrinche mayúsculo, y desde entonces no cesará de intrigar en contra suya.

En la Torre trabaja con intensidad. Da a la estampa la *Introducción a la vida devota.*

AÑOS DE TRABAJO

Los más contumaces adversarios de don Francisco le atacan solapadamente, pues ni uno de ellos se atreve a afrontar con serenidad y gallardía el combate con tan terrible titán. Sin embargo, hay dos que por el caudal de odio que destilan emergen a considerable altura: y éstos son el dramaturgo Pérez de Montalbán y el Padre Pineda, los cuales pretenden que la Inquisición prohiba las obras publicadas hasta el año de 1631, en tanto no sean debidamente reformadas por su autor. Noticioso de sus manejos, Quevedo gana nuevamente la partida, encargando a su amigo el caballero aragonés don Alonso Messía de Leiva la edición de los *Sueños*; edición que vió la luz en Madrid en el mismo año de 1631 con el nombre de *Juguetes de la niñez y travesuras del ingenio,* con favorables censuras. No hizo otra cosa que trocar los títulos y variar algunas frases — quizá las

171

más ingeniosas — que adolecían de cierta promiscuidad peligrosa.

Cada éxito de Quevedo era motivo de irritación para aquellos picajosos rivales.

En 1635 apareció un libro signado por Arnaldo Franco-Furt titulado *Tribunal de la Justa Venganza. Erigido contra don Francisco de Quevedo, maestro en suciedades, catedrático de vicios y protodiablo entre los hombres.* Se editó en Valencia y causó gran indignación en los medios ecuánimes del Reino y de las Letras. El anónimo con que se encubrían los autores hizo sospechar no fuese obra de los jesuítas sevillanos, enemistados con el escritor a causa de la defensa que hizo de Santiago Apóstol. Pero bien presto se supo que los autores eran Pérez de Montalbán, el bilioso lopista ; el Padre Niseno, encalabrinado rival de Quevedo ; Luis Pacheco de Narváez, espadachín furioso y lleno de rencor, y cuatro escritores más de poca monta. Era una sátira personalísima, como puede comprobar el lector por el epitafio que escribieron para su sepultura : «Aquí yace don Francisco de Quevedo, mal poeta y peor prosista, lisonjero temporal, bufonador perpetuo, símbolo de la ingratitud y de la iniquidad, vano presumidor de ciencias (ignorándolas todas), graduado en torpes y deshonestos vicios, catedrático de la sensualidad ; cuya mordaz y satírica lengua dijo y escribió mal de todos y de todo, sin exceptuar lo divino ni lo humano. Oh, tú, que miras su infame sepulcro, huye de él, y ruega a Dios que le dé el castigo que merecen sus palabras, obras y escritos.» [1]

[1] OVEJERO (Ed. de la *Política de Dios,* pág. 5) y AMÉRICO CASTRO (El *Buscón,* pág. 15), creen que el libro es obra de Pacheco

La cruzada antiquevedesca hállase en su punto culminante. Un fuego graneado le llueve por doquiera. Se le silba con estruendo el entremés *Cariqui me voy, cariqui me iré*. Se le ataca en el *Mentidero de Representantes*. Nuevos enemigos salen a la liza — López de Aguilar, el licenciado Guijarro, Alonso Fernández de Liñán — para escupirle frescos y refinados dicterios. Un cierto Sebastián Pico publica *Desgracias importantes*, aludiendo a su matrimonio. Juan de Jáuregui, el famoso escritor sevillano avecindado en Madrid desde 1620, enemigo de Quevedo y de Góngora [1]), escribe la comedia *El Retraído*, tratando de ridiculizar *La cuna y la sepoltura.*

A pesar de su ánimo quimerista, tal cúmulo de dardos le deprimieron y le hundieron en un acentuado pesimismo. Eran ya demasiados años de persistente brega. Estaba fatigado, decepcionado. En 16 de agosto escribía al doctor Manuel Serrano del Castillo : «Señor don Manuel, hoy cuento yo cincuenta y dos años, y en ellos cuento otros tantos entierros míos. Mi infancia murió irrevocablemente ; murió mi mocedad ; y también falleció mi edad varonil. Pues, ¿cómo llamo vida una vejez que es sepulcro, donde yo propio soy entierro de cinco difuntos que he vivido?» [2])

En noviembre de 1635 atravesaba una crisis sentimental que se refleja en sus escritos. Retiróse a la Torre de Juan Abad en busca de la soledad reconfortante, del solemne silencio de su campiña y se entregó

de Narváez y que la erudición sagrada se debe al Padre Niseno.
[1]) Es sabido que en 1624 escribió el *Antídoto contra las Soledades.*
[2]) Dedicatoria de *Las cuatro pestes y las cuatro fantasmas de la Vida.*

al trabajo y a las lecturas predilectas. Redactó *La Virtud militante o Las Cuatro Pestes del mundo*. Esta obra la escribía despaciosamente, al margen de copiosas consultas. En carta al duque de Medinaceli de fecha 4 de febrero de 1636, decíale : «Yo estoy trabajando en la *Tercera peste del mundo,* que es la *Soberbia* ; y en ella relucen con oficio de joyas las palabras de nuestro San Pedro Crisólogo... Acabé la *Ingratitud,* que fué la *Segunda peste*... Faltará *La Avaricia.*»

Los años 1635 y 1636 fueron fecundos en obras serias y definitivas. Produjo el *Breve compendio de los servicios de don Francisco Gómez de Sandoval; Nombre, origen, intento, recomendación y decencia de la doctrina estoica,* que supone un conocimiento profundo de Séneca y de Epicuro ; *Carta al Serenísimo, muy alto y muy poderoso Luis XIII, rey Cristianísimo de Francia;* una *Historia latina en defensa de España y en favor de la Reina Madre,* de cuya obra sólo poseemos la referencia que nos da Tarsia ; la *Introducción a la vida devota,* impresa en 1635 en Madrid, y *La hora de todos y la fortuna con seso.*

Conservamos pocas noticias del año 1637, lo que hace suponer que su existencia se desenvolvió absorbida por el trabajo. Además, la atención española estaba fija en los acontecimientos bélicos contra Francia, impulsándole a redactar la *Relación de las trazas con que Francia ha pretendido inquietar los ánimos de los fidelísimos flamencos.* Los españoles viven una zozobra constante ante las prodiciones de Richelieu.

Así rezan los viejos tratados contemporáneos de historiadores de buena fe ; pero es lo cierto que la Corte no cesa de divertirse febrilmente. Un domingo, 15 de febrero de 1637, se celebró una suntuosa fiesta para conmemorar la elección de Rey de Romanos; al día siguiente iniciáronse otras que duraron una decena, en las que hubo, además de las consabidas corridas de toros, un certamen literario presidido por Luis Vélez de Guevara [1]); pocos después hubo máscara de los secretarios del monarca y de sus oficiales, saliendo más de doscientos disfraces, con fiesta de representantes y bailes populares; al siguiente, cañas de capa y guerra, corriéndose algunos toros; al otro, nuevas cuchipandas y fiestas de máscaras que precedían ocho carros triunfales [2]). Calderón de la Barca es el ídolo de la Corte. Francisco de Rojas triunfa ruidosamente representando algunas obras ante los Reyes, inaugurando poco después el Coliseo del Buen Retiro con su comedia *Los bandos de Verona*.

En este fructuoso año de retiro y de paz espiritual don Francisco redacta amorosamente la obra, hoy perdida: *Dichos y hechos del duque de Osuna en Flandes, España, Sicilia y Nápoles,* de la que conservamos este bellísimo fragmento, rosario de brillantes epítetos al hombre por quien sintió el mayor afecto de su vida: «Miedo del mundo, aclamación de las naciones, gloria de España, blasón de Flandes, freno de Italia, virrey de Sicilia y Nápoles, desengaño de Venecia, restauración del Imperio, recuerdo a Roma, amenaza a Francia, castigo a Saboya, ruina de los turcos, hoy cadáver de la venganza y de la invidia, que aun en ceniza le tienen y en el sepulcro le tiemblan.»

[1]) *Cartas de algunos Padres de la Compañía de Jesús* (Biblioteca Aut. Esp. Madrid, 1870, págs. 322-23).
[2]) Idem, íd., pág. 325.

Mientras los Reyes de España se divierten, el príncipe de Condé pasa el Bidasoa en 1638, ocupa Irún y el primero de julio pone sitio a Fuenterrabía con gran lujo de fuerzas.

La nación está en bancarrota.

MEMORIAL A FELIPE IV

La refulgente estrella de don Francisco camina hacia el ocaso con pasos precipitados. Se han coligado demasiadas fuerzas en contra suya y su defensa no halla eco en los salones frívolos de Palacio ni en el orgulloso corazón del Conde-duque. Quevedo está cansado, amargado. Los bruscos altibajos del favor y la persecución, como dice Antonio Maura [1]), «le han triturado su vida e influyen decisivamente sobre su pluma».

La Corte es un semillero de discordias. Vanidad y negligencia son su exponente.

«El Conde — escribe Quevedo, refiriéndose al privado — sigue condeando, que es su condición más análoga; hay, parece, nuevas odaliscas en el serrallo, y esto entretiene mucho a su majestad y alarga la condición del de Olivares para pelar la bolsa, en tanto que su amo lo hace con las pavas. Todos gruñen por esto y lo que vuesa merced sabe; pero los sabuesos desprecian a los perrillos y siguen adelante. Dios nos asista con pan y paciencia, y ruede la bola como no nos tope.» [1])

[1]) A. MAURA. — Discurso en memoria de D. Ernesto Merimée, 27 abril 1924.

[2]) JULIÁN JUDERÍAS. — *Don Francisco de Quevedo y Villegas: la época, el hombre, las doctrinas,* pág. 110. Por el estilo de este frag-

Un día Felipe IV encontró bajo su servilleta un largo memorial [1]) que comenzaba de esta forma:

> Católica, sacra, real Magestad,
> Que Dios en la tierra os hizo deidad,
> Un anciano pobre, sencillo y honrado
> Humilde os invoca y os habla postrado...

Circunstanciadamente, y con un dejo de profunda amargura, criticaba las acciones del gobierno y resaltaba los males que España sufría:

> En cuanto Dios cría, sin lo que se inventa,
> Demás que ello vale, se paga la renta.
> A cien reyes juntos, nunca ha tributado
> España las sumas que a vuestro reinado.
> Y el pueblo doliente llega a recelar
> No le echen gabela sobre el respirar...

Atacaba con dureza al Conde-duque de Olivares, diciendo:

> Un ministro en paz se come de gajes
> Más que en guerra pueden gastar diez linages...

Fracaso en todas las instituciones, en todos los estamentos. Gabelas, gabelas. En las Castillas y en Andalucía reina la miseria más espantosa. Los peces se mueren de risa porque no hay quien los pesque. Los pecheros están agotados. Todo aquel que no vive al modo de los logreros, se hunde en lamentable lacería. Ambición y egoísmo de los grandes. Decadencia. Una desmoralización absoluta:

> Los ricos repiten por mayores modos:
> «Ya todo se acaba, pues hurtemos todos»...

mento de carta, mucho me temo no sea apócrifa, como ocurre con otras varias, escritas en el siglo XVIII.
[1]) También se ha dicho que le halló escondido entre dos platos.

Fulmina diatribas, nunca tan ajustadas como en aquella tristísima época, contra los exagerados dispendios de la Corte:

> Crecen los palacios, ciento en cada cerro,
> Y al gran San Isidro, ni ermita, ni entierro...
> Al labrador triste le venden su arado
> Y os labran de hierro un balcón sobrado...;

todo ello escrito con una sostenida nota de amarulencia que deja el ánimo contrito y abatido.

Desde luego, aunque el *Memorial* no es un dechado de perfección, ni mucho menos, no deja de ser agudo y en ocasiones solemne e inspirado, y terriblemente mordaz.

Fué un estallido de indignación el que sufrió Olivares. La Corte se conmovió, o fingió conmoverse, hasta los cimientos. Los palaciegos, muchos de ellos interiormente regocijados por el espectáculo que se prometían, ecoaron con aduladoras soflamas y dramáticos aspavientos los airados extremos del Conde-duque y profirieron denuestos contra el atrevido autor.

¿El autor? ¿Quién podía ser? Sonó de improviso el nombre de Quevedo. ¿Quevedo? ¿Qué motivos había para que él fuéra, precisamente, el autor? Pero también, ¿qué motivos para que no lo fuera? La sospecha fué tomando cuerpo a medida que se consideraban las relaciones del escritor con el valido.

¿En realidad fué Quevedo el autor? Es, francamente, imposible atribuírselo y negárselo. Si bien emplea un léxico poco frecuente, hay en el *Memorial* conceptos y giros que pueden ser suyos. Desde luego, yo creo sinceramente que debe atribuírsele la paternidad.

Es curioso consignar hasta qué grado había descendido la dignidad palatina. Bien pronto los poetas moscardones se aprestaron a enristrar la pluma para conquistar el Trono. Lorenzo Ramírez de Prado, vate fracasado y excéntrico, a pesar de ser llamado por sus amigos «Justo Lipsio español» [1]), creyóse llamado a «desagraviar» a su monarca, escribiendo un deleznable *Memorial* que comenzaba:

> Católica, sacra, real Magestad:
> Quien esto os escribe os dice verdad...
> Ministro tenéis en quien sólo pudo
> Hallar vuestro reino defensa y escudo...
> Si imponéis tributos a vuestros vasallos,
> Justos son, pues fueron para sustentallos...

Otro poeta desconocido empuñó también las armas del torneo apologista y servil con las propias del autor, escribiendo una sarta anodina de pareados:

> Católica, sacra, real Magestad:
> Del orbe terror, de España deidad.
> Oíd de un vasallo que, en celo fiel,
> De vuestros elogios se teje el laurel...

Quevedo, pues. Nadie puso en duda la paternidad de la famosa composición. Pfandl dice que «fué descubierto por habladurías vengativas de una mujer ofendida» [2]). ¿Sería acaso una Margarita desdeñada por el gran satírico?

[1]) Perteneció al Consejo Supremo y Cámara de Castilla (GASPAR AGUSTÍN DE LARA: *Obelisco fúnebre, pirámide funesta a la inmortal memoria de D. Pedro Calderón de la Barca*. Bib. de Aut. Esp. Volumen VII). Debe ser Alonso y no Lorenzo, el humanista que concursó en la Justa Poética celebrada en 1614 con motivo de la beatificación de Santa Teresa, por cuyo motivo le tuvo ojeriza Quevedo. (Véase J. DE ENTRAMBASAGUAS: *Datos acerca de Lope de Vega*. Revista Nac. de Educación, septiembre de 1942.)

[2]) LUDWIG PFANDL. — Obra citada, pág. 307.

Toda la Corte se pone en conmoción. Quevedo, Quevedo. ¿Dónde está Quevedo? Se le busca, se moviliza contra él un ejército de corchetes. El rey pregunta al concuñado de don Francisco, don Martín Carrillo de Aldrete [1]), y este prelado responde al rey — léase Olivares — en 6 de diciembre de 1639 que «para poner en ejecución lo que vuestra majestad ha servido de mandarme esta mañana, tocante al negocio de don Francisco de Quevedo, es menester que vuestra majestad ordene al protonotario que escriba al conde de Oñate, de orden de vuestra majestad, para que dé una cédula mandando al prior de San Marcos reciba al caballero que por orden mía le entregase un alcalde de corte, y guarde la instrucción que con el preso se la entregare firmada de mi nombre, para que en León no haya dificultad en recibirle».

Astrana Marín [2]) estima que el pariente debió avisar a Quevedo; yo no lo creo así, en primer lugar porque hubiera hecho desaparecer los papeles comprometedores; luego porque el arzobispo de Granada conocía sobradamente las quebradizas iras de Olivares y a lo que se exponía; y últimamente, porque Quevedo ignoraba en absoluto qué cárcel habíanle destinado en Palacio, y aun que se hubiera dictado auto de prisión contra su persona.

DETENCIÓN DE QUEVEDO

El día siguiente de redactada esta carta (o sea el 7 de diciembre de 1639), don Francisco había ido a pasar

---

[1]) Era hermano de don Juan, esposo de la hermana de Quevedo, doña Margarita.
[2]) ASTRANA MARÍN. — *Obras,* pág. 1903, nota.

la velada en casa de su ilustre amigo y protector el magnífico duque de Medinaceli. La noche era glacial, y los dos caballeros se entretenían charlando, cómodamente instalados al amor de la lumbre. Medinaceli era un prócer muy distinto de la mayoría de los nobles españoles de su tiempo, pues no sólo expandía su protección a los poetas, sino que su munificencia material iba siempre acompañada de una preocupación estética, de un interés latente, de una cordialidad sin reservas.

La capital más alta de Europa tiene las noches de invierno tan crueles porque se siente abrazada por el álgido cinturón del Guadarrama, que tan genialmente pinta Velázquez. Quevedo y su amigo charlan de cosas agradables. Quizá han cenado copiosamente y el tibio ambiente del gran salón, magníficamente decorado con valiosísimos lienzos, reporta un suave optimismo en sus almas. Afuera, frío, nieve, llovizna.

Suenan en la noche fuertes aldabonazos en la puerta del palacio, que ponen en conmoción a la servidumbre y a los caballeros. Franqueada la entrada a la Justicia, que invoca sus prerrogativas con voz concisa y apremiante, penetran en el salón dos torbellinos en las escuetas personas de Francisco Robles y Enrique de Salinas. Son Alcaldes de Corte, investidos de poderes extraordinarios. Seguramente don Francisco, que se halla dispuesto a acostarse [1]) les saldrá al paso con su cachaza habitual, felicitándoles por su admirable información y aun se permitirá hacer constar, dirigiéndose

[1]) En cambio, en una carta del P. Sebastián González al P. Rafael Pereyra, de 13 de diciembre de 1639, dice : «...El jueves pasado fueron dos alcaldes de corte en casa del duque de Medina Celi donde se ospedaba d. fran.co de queuedo hallaronle acostado por ser ia tarde...»

a su amigo, que la justicia española nunca ha desmerecido de su fama tan reiteradamente probada.

Ahí está Quevedo. Ya se acostumbró a esperarlo todo, todo. Por de pronto, los Alcaldes de Corte, un poco desconcertados ante la admirable serenidad del ingenio, anúncianle que debe seguirles en calidad de detenido sin perder un instante. Se les advierte que llevan órdenes concisas, tajantes y rigurosas del poderoso señor a quien sirven.

No es necesario preguntar, pues Quevedo sabe de cierto que nada dirán. Dase preso. Ante el propio duque se aprestan a registrarle minuciosamente y le instan a seguirles, empujándole hacia la puerta. Más sorprendido que asustado, el escritor inicia una advertencia. Pero le ataja el tal Robles:

«Señor don Francisco, perdone; que ya sabe cómo son estas cosas.»

A lo que responde, instantáneo, nuestro hombre:

«Sí, señor; yo ya sé que estas cosas son como todas las demás.»

Tal es la prisa que llevan, que ni siquiera puede tomar la capa. Le impelen nerviosamente hacia un coche que espera en la puerta y que parte veloz hacia las afueras de Madrid.

Quevedo va poco menos que desnudo, arrostrando el aire de la sierra, tiritando en el coche. Escribirá más tarde el tormento de aquella misteriosa marcha, principio de un calvario mortal, corriendo hacia lo desconocido, «sin una camisa, ni capa, ni criado, en ayunas, a las diez y media de la noche» [1]). Dice en otra ocasión:

---

[1]) *El libro de Job.*

«Fuí llevado con tal desabrigo en mi edad que, de lástima, el ministro que me llevaba, tan piadoso como recto, me dió un ferreruelo de bayeta y dos camisas de limosna, y uno de los alguaciles de Corte, unas medias de paño.» [1])

El calvario de Quevedo es también costoso. Guadarrama, Escorial, Avila, Valladolid, Palencia... Nieve y frío. La venganza de Olivares es implacable. Pero ignora que la paciencia y el estoicismo de su enemigo no tienen límite.

Mientras Quevedo atraviesa la paramera de Avila, camino de la durísima prisión que le espera y en Madrid se comenta de mil maneras y en todos los tonos su misteriosa desaparición, el delegado del Conde-duque, Enrique de Salinas, éntrase en las habitaciones del escritor y recoge cuantos documentos, ropas, libros y muebles encuentra. Los papeles, preciosos manuscritos, cartas, apuntes, obras en ciernes, entre ellos el ejemplar original del agudísimo *Marco Bruto* [2]), desaparecerán en su mayor parte. Los muebles y los objetos se depositarán más tarde, tras minuciosos exámenes, en casa del amigo de Quevedo don Francisco de Oviedo, secretario del Rey.

[1]) Prólogo a la *Vida de San Pablo*.
[2]) Dice en el prólogo del *Marco Bruto:* «Este libro mío tenía escrito ocho años antes de mi prisión; quedó con los demás papeles míos embargados, y fuéme restituído en mi libertad». Jusepe Antonio de Salas afirma que se perdieron gran parte de sus manuscritos inéditos, especialmente poesías. Astrana Marín (*Obras*, págs. xv y 1049) publica *Consideraciones sobre el Testamento Nuevo y Vida de Cristo*, cuyo manuscrito le fué arrebatado en aquella ocasión. También le llevaron la obra *Dichos y hechos del duque de Osuna en Flandes, España, Sicilia y Nápoles* (A. RODRÍGUEZ VILLA: *La Corte y monarquía de España en los años de 1636 y 37*, Madrid, 1886).

Julián Juderías [1]) supone que la causa de la detención fué la publicación de *La isla de los Monopantos,* en donde hay terribles alusiones que, como sucede siempre en las sátiras, aumentan en razón directa del ánimo susceptible del lector. Gregorio Marañón cree, por el contrario, en un complot que tramaban ciertos agentes secretos en Madrid, en el que el Nuncio parece intervino directamente, y advierte que en una carta dice Quevedo: «Persuádome de que alguno me delató y que fué mi más familiar amigo.» [2]) «Me parece indudable — concluye Marañón [3]) — que el Conde-duque intervino desde luego, porque era su obligación, en la prisión de Quevedo; pero no por venganza personal, sino por razón de Estado que desconocemos todavía.» También se ha dicho que la causa se debe al *Padrenuestro glosado,* en que hay afirmaciones como ésta:

> Filipo que al mundo aclama
> Rey del infiel tan temido,
> despierta, que por dormido
> nadie te teme ni te ama:
> despierta, Rey, que la fama
> por todo el orbe pregona,
> que es de león tu corona,
> y tu dormir de lirón,
> mira que la adulación
> te llama con fin siniestro
> *Padre nuestro.*

Yo creo en todo y en nada, es decir, en una acumulación de hechos tales que colmaron la paciencia

---

[1]) J. JUDERÍAS. — *D. Francisco de Quevedo Villegas.* Madrid, 1923, página 163.

[2]) ¿Fué acaso este amigo renegado Lorenzo Ramírez de Prado, como se ha dicho?

[3]) Obra citada, págs. 126-129.

del Conde-duque. Estimo que debe descartarse la intervención de Quevedo en un complot de carácter político, pues nada lo justificaba. Dice en el *Libro de Job* que no supo por qué le detenían ; e insiste : «¿ Pregúntasme por qué estoy preso? Respondo que por lo que no sé ; y esto no puede ser poco, y debo de ser muy rudo, pues en tantos años no he podido saberlo.» Quevedo no sabe mentir y debemos dar a estas declaraciones toda su importancia. Si habla de un «amigo traidor» que le acusó al rey en diciembre de 1639, no sabe qué acusación hubo de dirigirle ; pero, desde luego, era falsa de toda falsedad. «Vino un día — escribe — rebosando su interior, comunicándome una ingratitud infamemente alevosa contra la persona a quien se debía todo. Advertíle con severa verdad de su descamino. Restituyóse a su cautelosa hipocresía y llamándome su remedio, su amparo, su padre..., fuése ; y sospechando que yo sería como él, y que en su acusación fundaría mis aumentos, imaginó contra mí una calumnia que obligase al príncipe me relegase a Córcega [1]), porque la distancia y prohibición del comercio asegurase los sustos de su conciencia.»

Estas últimas líneas, escritas con la solemne sinceridad del que ve abrirse a sus pies la sima inescrutable de la Eternidad, dilucidan las nieblas que se ciernen sobre una época turbulenta y profundamente dramática de nuestro escritor.

No creo, sin embargo, que deba agilitarse demasiado la imaginación para conocer el verdadero motivo que impulsó a Olivares a encarcelar a Quevedo. El Imperio

[1]) San Marcos de León. El príncipe es el Conde-duque. *Epístolas a imitación de Séneca*. Ep. LXXV.

español se desmoronaba con ruidoso fracaso. Vizcaya,
Aragón y Andalucía eran teatro de sangrientos motines.
El duque de Híjar y el marqués de Ayamonte habíanse
alzado en armas aprovechando la desmoralización de
la Corte. El duque de Berg tramaba un complot para
independizar a Flandes. América acariciaba ideas de
secesión. En 1640 Portugal y Cataluña iniciaban una
guerra henchida de odios vehementísimos que revestía
caracteres de gigantesca occisión. Olivares había perdido el control y la serenidad ante tal cúmulo de desastres. Debía apelar a radicales extremos para acallar a
sus incontables enemigos, entre los que se destacaba
a gran altura don Francisco de Quevedo.

La decadencia de los pueblos suscita el descontento ;
los hombres capacitados se retraen y rehusan codearse
con la ineptitud y el arrivismo, y hay que buscar a los
gobernantes entre estas últimas filas.

SAN MARCOS DE LEÓN

Quevedo y sus sayones llegan al fin, después de
crueles jornadas de viaje — cincuenta y cinco léguas
desde Madrid — al convento de San Marcos de León,
importante cenobio que era uno de los más privilegia-
dos de aquella época y cuyo abad, adicto a Olivares, ostentaba insignias pontificales, siendo entregado oficial-
mente al Prior.

Los frailes ofrécense solícitos y admirados, con-
templando con curiosidad infantil la figura avejentada
de aquel famosísimo caballero transido de frío, cuyos
chistes han llegado hasta las recónditas celdas conven-

tuales. Es el autor de las jácaras, de los regocijantes bailes, de las consabidas frases lapidarias, de los *Sueños* y del *Buscón*. Es «El Caballero de la Tenaza».

Quevedo no ha perdido su buen humor y se muestra conformado en la adversidad. Limítase a observar y a dejarse observar, pensando quizá con qué peregrina finalidad le habrá traído a San Marcos la pesadísima rabieta del Conde-duque. El fin se va viendo con precipitación ya excesiva. Ingresa en una húmeda celda y es encerrado en ella nada menos que con tres llaves.

El fino humorismo del gran estilista conmueve y regocija la minúscula población cenobítica y pone en los ojillos de los frailes jóvenes un brillo de aliento mundanal.

Aun cuando parece que la correspondencia cruzada con Adán de la Parra desde la cárcel es apócrifa, o apañada, no hay duda que la topografía de su prisión descrita en una de ellas es real. Consistía en una pieza subterránea, húmeda y oscura, de 24 pies de largo por 12 de ancho. Para entrar en ella había que pasar dos puertas, una en el piso del convento y otra al nivel de su celda, a la que se descendía por una estrecha escalera de veintisiete peldaños. Quevedo fué encerrado en ese sepulcro y amarrado con dos grillos, como el criminal más peligroso de España.

La cólera del Conde-duque al conocer el contenido de los papeles acentuóse superlativamente. El espíritu altivo no consiente en escuchar verdades que hieren su rabioso egotismo. Olivares leyó, además de algunas poesías satíricas alusivas a su gobierno y de otros enjundiosos escritos políticos, dos opúsculos que le afirmaron en su terrible vindicta : *Caída de su privanza y muerte del Conde-Duque de Olivares* y *Memorial de don Francisco de Quevedo contra el Conde-Duque de Olivares.*

La prisión de don Francisco causó no poca sensación en las tertulias y cotarrillos, en los palacios y en las reboticas capitaleñas, y aun en toda España. Hubo de transcurrir algún tiempo para que se supiera el paradero, llegándose a afirmar que le habían ejecutado [1]). Sus enemigos descansaron unos días con esas noticias, al cabo de los cuales, al saberle vivo y preso en San Marcos, tornaron a la carga con redoblados esfuerzos, diciendo que estaba en secreta inteligencia con el cardenal Richelieu [2]).

Los adversarios del privado debieron acusar a éste duramente, mientras que los de don Francisco pugnaron por hundirle más y más (y su afán crecía ahora con vehemencia, puesto que le sabían inerme y le creían abandonado a su desesperación), recabando del Santo Oficio la condena de sus escritos, cosa que no pudieron conseguir. El Inquisidor General don Antonio de Sotomayor hizo gran mérito de sus obras en el Indice Expurgatorio de 1640.

La prisión es dura, fría, tenebrosa. El rumor sordo del río que pasa junto a ella y que se filtra por las pa-

[1]) El *Libro de Job.* En los *Avisos Históricos,* de JOSÉ PELLICER DE SALAS Y TOBAR (*Semanario Erudito,* vol. 31), se dice : «Estos días ha corrido voz de que habían degollado a don Francisco de Quevedo... Yo no me persuado a tal, ni lo afirmaré hasta que se sepa muy de cierto». En 27 comunica que D. Francisco se halla preso en San Marcos.

[2]) De ahí surgió la ridícula especie de un complot de Quevedo contra el Estado, que aceptan biógrafos de la categoría de Gregorio Marañón.

redes le habla con elocuencia del Dolor y de la Muerte.
El recuerdo del amado Manzanares le hace escribir:

> Aquí, donde es año enero,
> con remudar apellidos;
> tan capona primavera
> que no puede abrir un lirio.
> A modo de cachi-diablos
> me cercan tres cachi--ríos:
> Orbigo, el Castro y Vernesga,
> que son de Duero meninos...

De ocho a nueve libras pesan sus grillos, que entonan sin cesar la lúgubre cantilena del penado.

Pero el temple de alma del recluso es más duro aún que sus vínculos. No le amilanan la falta de libertad, ni las incomodidades del tabuco, ni el frío leonés, ni su falta de salud creciente. Escribe, lee, medita. Es un inefable lenitivo. El estoicismo de Séneca vierte en su alma la ambrosía de la consolación. Traduce y comenta noventa epístolas del gran filósofo cordobés, que corren de mano en mano. ¿Todavía escribe Quevedo? «Si mis enemigos — dice [1] — tienen rencor, yo tengo paciencia. Pueden darme muerte; hazaña es de que se encargó desde que nací mi propia naturaleza. Si no me quejo de mí, que cada día acabo mi vida, menos me quejaré del que diere ayuda a lo que hago en mí.» Sólo puede detener su pluma el hielo de la muerte que le acecha. Y para ello le tienen allí encerrado. Si claudicara, si pidiera clemencia, ya sería otra cosa.

En enero de 1640 escribe a Pellicer, que es ya Cronista Mayor de Castilla y de Aragón y en este año lo

[1] *Epístolas de don Francisco de Quevedo.* Epístola II.

será de todos los reinos, que le han quitado la jurisdicción de la villa de Torre de Juan Abad.

¿Pero todavía escribe? A la sazón redacta *El martirio pretensor del mártir,* resultado de lecturas piadosas, y compone la bellísima silva, no exenta de alcance político:

> Oh, tú del cielo, para mi venida
> dura, más ingeniosa
> calamidad...

Sí, escribe; escribirá hasta en el último trance porque su arte es su vida, porque es el gran ahinco de su corazón. Cartas, cartas. En ellas resplandece la dignidad orgullosa del caballero caído, la valentía civil de que tan faltada está España.

El santo prelado que rige los destinos de la diócesis leonesa, don Bartolomé Santos de Risoba, le auxilia y le exhorta a redactar tratados piadosos para soportar su pena con más resignación, enviándole preciosos libros, atención que agradece en lo que vale y en lo que significa, remitiendo a su protector las primicias de sus trabajos.

Los días desfilan monótonos, iguales, oscuros, y Quevedo se siente un cadáver enterrado en vida. En una vida declinante y ahilada como la moribunda lucecita de su celda. A veces su integridad flaquea y el refugio de los muertos ilustres es endeble para desterrar de sí pensamientos bajos y lúgubres. Piensa en Dios, reza, reza sin cesar. Y reacciona. Sólo un gigante cual él puede enderezar un camino tan surcado de perdedores senderos.

1641. Lleva ya un año y diez meses de riguroso encierro. Frisa en los sesenta y cinco de existencia. Escribe al inexorable carcelero una carta llena de dignidad, en la que le dice que se halla «enfermo por tres heridas, que con los fríos y la vecindad de un río que tengo a la cabecera, no sin piedad me las han visto cauterizar con mis manos». No implora con el llanto ni con la adulación de las almas fláccidas: expone su miseria y protesta de su inocencia. Escribe al valido: «Ninguna cosa (dice Séneca consolando a Marcial) juzgo por tan digna de los que están en la cumbre, como perdonar muchas cosas y no pedir perdón de alguna... Yo pido a V. E. tiempo para vengarme de mí mismo»... Y añade con tristeza infinita: «Los que me ven no me juzgan preso, sino con sumo rigor ajusticiado: por esto no espero la muerte; antes la trato. Prolijidad suya es lo que vivo: no me falta para muerto sino la sepoltura, por ser el descanso de los difuntos. Todo lo he perdido. La hacienda, que siempre fué poca, hoy es ninguna, entre la grande costa de mi prisión y de los que se han levantado con ella. Los amigos, mi adversidad los atemorizó. No me ha quedado sino la confianza en V. E.» En otra carta al mismo confiesa sencillamente cuáles papeles son suyos: entre ellos el titulado *Consejos a un duque distraído,* diciendo que si ve en él su retrato, se alegra de haber sido tan fiel pintor; *La rebelión de Barcelona* («y lo siento por lo malo»); las *Torres de Joray* y el *Padre Nuestro glosado.*

A últimos de año fallece su mujer, doña Esperanza, abandonada de sus familiares. Don Francisco debe considerar cuánto daño infirió a aquella señora la incomprensible y ridícula decisión que adoptó, no se sabe a ciencia cierta con qué motivo: si para adular a la esposa del privado o para desvanecer con una campanuda rúbrica ciertas torcidas imputaciones de sus enemigos. Desde luego, este matrimonio fué el fracaso mayor que tuvo en su larga y movida existencia.

Pide en 1642 a los frailecitos de San Marcos, verdaderamente edificados por aquel carácter tan íntegro, que le permitan estudiar en el archivo del convento, y da a luz, tras ímprobas lecturas, la depuradísima *Vida de San Pablo,* en que se descubren terribles alusiones contra el privado. Apostilla asimismo la cálida *Vida de Marco Bruto,* una de sus mejores obras — yo la reputo por la mejor —, que cree perdida, pues se hallaba entre los documentos que le llevaron los sicarios del valido.

Medita, lee, sufre y calla, pues la religión le abre sus amorosos brazos. La sed de venganza huye de sí porque en su ascensión hacia las luminosas alturas, ve cada vez más nimios a los humanos. David le dice maravillosamente: *Mihi vindictam, et ego retribuam.* El tema de los *Sueños* — que él recordará hoy con sonrisa melancólica — adquiere primorosa actualidad. El temple de su alma se cifra y se muestra con suma nitidez en la declamación que hace en el comentario de la *Suasoria sexta* de Marco Anneo Séneca. Oídle y trocad el nombre suyo por el del orador romano: «Cicerón, ya no tiënes por la vejez edad en que vivir; ya no tienes para qué vivir, por falta de libertad; ni para quién, por falta de la república; ni con quién, por la de los buenos ciudadanos. Ya has vivido tu vida. ¿Quieres tú, rogando por lo demasiado, desacreditarla? Tu sangre derramada iluminará tus escritos; tus ruegos los borrarán.»

Quevedo, que ha sufrido el mal humano, demasiado humano, de la Inmortalidad, como la mayoría de los ingenios superiores, puede consolarse al contemplar al escorzo su vida intensa y pletórica, iluminada con destellos eternos. Se ha conquistado un puesto eminentísimo y nadie le abatirá de su pedestal. No debe borrar, como dice, sus escritos con los ruegos que el valido espera recibir para mostrarse magnánimo. La vida derramada iluminará también su obra. Ya no tiene para qué vivir, por falta de libertad, ni para quién, por la liquidación de los valores patrios.

Los amigos de Quevedo emprenden una cruzada en su favor. Adán de la Parra visita al Conde-duque y sigue la suerte de su viejo camarada [1]. Piden su libertad la hermana del escritor, sor Felipa de Jesús, carmelita descalza del convento de Santa Ana de Madrid, y el arzobispo de Granada, don Martín Carrillo de Aldrete, su concuñado, que tiene a la sazón gran predicamento en la Corte. Grandes de España y destacados próceres se preocupan por él, recibiendo innumerables expresiones de amistad que le confortan. El obispo de León tórnale a remitir preciosos libros y le elogia la *Política de Dios,* redactada con el corazón más que con el cerebro. El P. Pimentel cruza con el preso una copiosa correspondencia. El P. Mauricio de Attodo, lector

---

[1] Esta noticia, al parecer, no está probada documentalmente y se basa en una carta de Adán de la Parra a Quevedo, que se diputa como apócrifa.

de Teología en el Colegio de León, visítale a menudo y se interesa por su salud y por sus trabajos, dirigiéndole con su autorizado consejo por los abruptos caminos de la *Providencia de Dios,* cuya obra le dedica Quevedo. Afectuosos plácemes le dirigen también el duque del Infantado y su entrañable amigo Francisco de Oviedo.

En este tiempo redacta nueva carta al Conde-duque, llena de dignidad, manifestándole hallarse «ciego del ojo izquierdo, tullido y cancerado», insistiendo en la falsa delación del malvado amigo, quizá para esconder sus malévolos instintos.

Pero el indulto no llega...

Es de suponer la vida de dolor, de dolor físico y moral que sufre Quevedo en aquella cárcel. Allí sacia la sed de lecturas que le acuciaba ; y al compás de su amargura, del silencio de muerte que le rodea, de la incomodidad y de la victoria que acaba de obtener consigo mismo, dominando su irritación y constriñendo sus malévolos pensamientos de venganza, escribe obras definitivas, de profundo sentimiento ascético y filosófico. Del tiempo de su lobreguez material, pero de luminosidad espiritual, debe ser este magnífico soneto, que encierra todo su hondo sentir:

> Ya formidable y espantoso suena
> Dentro del corazón el postrer día ;
> Y la última hora, negra, fría,
> Se acerca, de temor y sombras llena.
> Si agradable descanso, paz serena,
> La muerte en traje de dolor me envía,
> Señas da su desdén de cortesía ;
> Más tiene de caricia que de pena.

¿Qué pretende el temor desacordado,
De la que a rescatar piadosa viene
Espíritu en miserias acuñado?
  Llegue rogada, pues mi bien previene;
Hálleme agradecido, no asustado;
Mi vida acabe, y mi vivir ordene.

Escribe, escribe fluentemente, desenconadamente, con consideración de sabio y de mártir, obsesionándose en el trabajo para olvidarse de sí mismo. ¡Cómo ha cambiado don Francisco de Quevedo Villegas! ¿Dónde están aquellos invencibles arrestos, aquel empaque orgulloso, aquella altivez innata que le conquistaron tantos adversarios?

Lee y apostilla el *Libro de los Jueces* [1]; se preocupa con patriótico celo de las adversidades que sufre España con motivo del desastre de Perpiñán, de los sitios de Lérida y Tarragona por los franceses, del posible socorro de las plazas en peligro inminente [2]; comunica al abad de la iglesia de San Justo y San Pastor de Alcalá de Henares, don Fernando de Ballesteros y Saavedra, que está escribiendo las *Vidas de los patriarcas fundadores de las religiones,* demostrando con ello cómo sabe aprovecharse de sus numerosas lecturas, proyectando a su margen múltiples obras que no llegaron a realizarse por falta material de tiempo.

En noviembre de este año notifica al Padre Pimentel el ingreso en San Marcos de su amigo Adán de la Parra, rigurosamente incomunicado en un calabozo por orden de Olivares.

[1] Carta del Padre Pedro Pimentel.
[2] Idem, íd.

Sus amigos insisten, doliéndose de su pasividad e instándole a que se defienda. No quiere cambiar un ápice de su conducta, no quiere truncar un pasado. Es el suyo un orgullo digno y majestuoso, íntegro y fuerte que arrolla y hunde al inexorable adversario.

Su maestro, el filósofo de Córdoba, lo había dicho maravillosamente siglos ha: *Quid est autem turpius quam senex vivere incipiens?*

CAÍDA DE OLIVARES

Las desafortunadas guerras de Cataluña, Portugal, Rosellón y Flandes, y los fracasos políticos que se apuntó Felipe IV debido al gobierno de su ministro, fueron causa de que el cegato monarca abriera los ojos definitivamente — o se los abrieran —, y que el privado perdiese terreno en el afecto de su corazón con rapidez vertiginosa, a pesar de su habilidad para sortear toda clase de tempestades áulicas. La reina mostróle públicamente su desdén, que llegó a convertirse en aversión enfermiza, resultado quizá de un sentimiento de celos ante la omnipotencia de aquel caballero cuyos vínculos con el Trono habían llegado a hacerse poco menos que indisolubles. Y día tras día fué creciendo un complot en las mismas habitaciones del monarca para acabar con ese poder avasallador.

La animadversión hacia el poderoso valido hizo que se publicaran numerosos libelos que le acusaban de la muerte del conde de Villamediana; de los destierros y desapariciones de grandes de España; del envenenamiento del infante don Carlos; de la solapada protección a los judíos; del hechizo del Rey (valiéndose para ello de las diabólicas artes de la famosa bruja llamada Leonorcilla), y de otros peregrinos cargos. Además, la Hacienda era un despilfarrado agonizante, y el castigado pueblo, hambriento y colérico, no se resistía a satisfacer impuestos, sino que ya no pagaba porque nada poseía, como no fuera su propia miseria. Poseía, sí, un caudal de malestar creciente, de amarguras y reconcomios propios de los desesperados y de los deshambridos. Y por ello la Corte no podía sostener su rango y los onerosos festejos con el oropel y la brillantez de otros tiempos.

Todo esto, unido a la antipatía que se había conquistado con su carácter voltario, hizo que al descubrirle vacilante en la sima por él mismo abierta, se formase una solapada coalición para derribarle de su privanza. Léase pitanza. En realidad empleáronse sus mismos procedimientos. Los conjurados, entre los que descollaba la nodriza del monarca, doña Ana de Guevara y la duquesa de Mantua, virreina que había sido de Portugal (expulsadas ambas por Olivares de la Corte), el arzobispo de Granada, fray Guillermo Albanell y los condes de Castrillo y de Paredes, patrocinados por la reina Isabel, intrigaron ahincadamente, no perdiendo ocasión de minarle el terreno.

El ánimo de Felipe IV era baladí, y el 17 de enero de 1643, sencillamente, como quien despide a un falderillo que le molesta, lo arrojó de su lado.

Fué un hundimiento total, físico y moral, el del orgulloso don Gaspar de Guzmán, Grande de España y Consejero de Estado, que fué cuanto quiso porque fué el amo indiscutible. En su «reinado» perdióse Portugal; la riquísima colonia del Brasil dejó de traer a

España sus tesoros, y nuestra patria se empobreció de tal guisa, que ya no era sino el cuerpo de aquel gigante que dominó al mundo, laso hoy y en dramática agonía.

El 23 salió sigilosamente de Madrid en un coche, temeroso de las turbas que vigilaban atentamente sus puertas para apedrearle, en compañía de su amigo el inquisidor Rioja y de su confesor Tenorio. Permaneció una breve temporada en sus posesiones de Loeches y el 12 de junio, de orden expresa del soberano, partía desterrado para la ciudad de Toro.

LA LIBERTAD. EL OCASO

El fiscal don Juan de Chumacero y Sotomayor — y no Carrillo, como alguien ha dicho —, Presidente de Castilla — y no Consejero —, está enfrascado en la lectura de encontrados dictámenes acerca de la imputación legal de culpabilidad de don Francisco de Quevedo Villegas. Enfrascado y desorientado, pues es sabido que los procesos, cuanto más importantes, más voluminosos, y cuanto más voluminosos, más complejos e indescifrables. Notas aclaratorias, declaraciones, apostillas, réplicas y contrarréplicas, testigos de cargo y de descargo, no hacen más que entenebrecer lo que, en realidad, es obvio y diáfano, y romper el hilo del asunto por la parte más débil. En el último de los últimos dictámenes emitido por el letrado don José González, toda la acusación que se hace contra el procesado no es otra que «se debían retirar de sus obras una sátira por ser contra de los religiosos, y otros cuadernos que intitula *Desengaños de la historia*».

El Presidente de Castilla, que sabe compaginar admirablemente las cuestiones fiscales con los vaivenes de la política, y que, además, es caballero santiaguista y devoto de las Letras, pone un comento a todo cuanto ha leído y que me interesa consignar. Dice, entre otras cosas de gran enjundia, que «antes supe en Roma — y lo dice en 1643, en cuya fecha regresó de esta capital, después de una permanencia en ella de diez años — y con más certeza después que llegué a esta corte, no fué don Francisco el autor de un romance a cuya publicación se siguió el prenderle».

El romance a que alude es, desde luego, el célebre *Memorial a Felipe IV*. Indudablemente que de haber existido un motivo más importante, el ilustre letrado no hubiera hablado únicamente de esa composición y, cuando menos, habría esbozado la causa específica, que Marañón atribuye a un complot político y la razón más elemental al cúmulo de fracasos del privado.

El fiscal continúa su informe lleno de preocupaciones por el insigne encartado: «...El preso lo está más ha de tres años; tiene muy cerca de setenta de edad, y tan lleno de achaques, que no se levanta de la cama, y se duda de su vida.» Y se permite al fin aconsejar al Rey la liberación de aquella ruina humana.

Es, en realidad, una ruina. «Notad, señor — dice Quevedo a su amigo Francisco de Oviedo — en estas pocas líneas mal apergeñadas, que la mano que las traza se halla tan helada, que apenas puede sujetar la pluma.» Y aun el día 8 de junio — el siguiente de promulgarse su liberación en Madrid —, dice en carta a su amigo

Diego de Villagómez, recién ingresado en la Compañía de Jesús: «Hoy cuento, señor don Diego, catorce años y medio de prisiones, y en la cárcel nueve heridas.»

El 7 de junio se firma la libertad de Quevedo y la de su amigo Adán de la Parra. Francisco de Oviedo se apresura a salir de Madrid para León, pues quiere abrazar cuanto antes al zaherido caballero. Él y el duque de Medinaceli son los únicos que no le abandonaron, abriéndole sus bolsas y sus brazos. Reconocido don Francisco, dedica a Oviedo el soneto que empieza:

> Así en España, octava maravilla,
> aplauso goces de tu ilustre gente,
> y por la sangre y obras eminente,
> pases a Presidente de Castilla...

También se muestra agradecido al duque, pues en la dedicatoria de la *Vida de San Pablo* a Juan Chumacero escribe: «Estuve preso cuatro años, los dos como fiera, cerrado solo en un aposento, sin comercio humano, donde muriera de hambre y desnudez, si la caridad y grandeza del duque de Medinaceli, mi señor, no me fuera seguro y largo patrimonio hasta hoy.»

Tullido, agotado, Quevedo emprende con Adán de la Parra el camino de la capital. Durante el largo e incómodo trayecto es saludado por los duques de Maqueda, de Nájera y del Infantado y escoltado por un grupo de caballeros que le aplauden y felicitan.

La entrada en su Madrid es apoteósica y debe causarle intensa emoción. El pueblo se muestra solícito, amable, orgulloso de tenerle. Es Quevedo, el agudo, el satírico, el poeta por antonomasia, el vencedor de su propia muerte.

Hay regocijo en la opinión capitaleña, alegría en todas las almas..., menos en la de Quevedo.

Desde Cogolludo, a donde ha ido a reponerse, escribe a Francisco de Oviedo una carta henchida de amargura y de presentimientos fatales. Este gran amigo le devuelve lo poco que ha salvado del naufragio: libros, libros queridos, libros tan releídos que guardan palpitantes huellas de su ardorosa juventud.

Don Francisco no puede estar ocioso porque durante su tornadiza existencia no le abandonó jamás la fiebre del saber, el anhelo de superarse, la afección siempre creciente por el trabajo intelectual. Así, pues, el poco caudal que se le restituye (junto con todas las dignidades) lo agota en las primicias de una edición que piensa publicar de sus obras completas, la cual lleva laudatorias censuras de don Diego de Córdoba y de don Antonio Calderón, arzobispo de Granada [1]). Recibe multitud de cartas y peticiones de los literatos y se le remiten poesías y libros con efusivas dedicatorias.

El camino de la gloria es costoso y erizado de perdedores senderos. Lope llegó a la cúspide de la Fama acosado por toda suerte de dolores y de tragedias familiares. Cervantes partió hacia la Eternidad zarandeado por los latigazos del hambre. Góngora murió torturado por sus enemigos. Quevedo considera quizá que el trabajo para llegar es demasiado arduo y no compensa la fatiga empleada. Eso sí: ¡cuánto ha gozado con sus lecturas, con sus prolongadas soledades, junto a sus libros amados!

[1]) Edición de sus Obras por MELCHOR SÁNCHEZ (Madrid, 1658). La edición definitiva de su tan copioso trabajo, que llevaba la licencia del Consejo de Castilla, no fué aceptada por los libreros, y sus preciosos manuscritos se esparcieron de nuevo.

Mal año el de 1644, primero de su libertad. En abril fenece en Madrid su amigo Adán de la Parra. Poco ántes ha muerto en Granada el gran humanista y entrañable camarada Lorenzo Van der Hammen y León, causando gran pesar a don Francisco; el cual, desde Toledo, a donde ha ido para recabar de la Justicia la devolución de su patrimonio, dirígese a la Torre de Juan Abad, en un viaje penosísimo. En noviembre escribe a Francisco de Oviedo: «En Toledo y en Consuegra me tuvieron por muerto y llegué a esta villa (Juan Abad) con más señales de difunto que de vivo.»

La enfermedad pone a prueba su paciencia y su resignación cristiana. Según nos dice su sobrino Pedro Aldrete, le salieron unos apostemas en el pecho de resultas de su prisión, que le hacían sufrir horriblemente. No podía escribir y para ello tenía que valerse de un criado.

El cerebro, sí; el cerebro es diáfano y perspicaz cual en la juventud. A pesar de sus dolores, en 22 de enero de 1645 dice en carta a Francisco de Oviedo: «De vuelta del carro remitiré a vuesamerced un pedazo en limpio bien escrito y apuntado, que en otro trozo irá, creo será cosa de estimación; en tanto que, a pesar de mi poca salud, doy fin a la *Vida de Marco Bruto,* sin olvidarme de mis *Obras en verso,* en que también se va trabajando.» Y aún en 12 de febrero del mismo año dice a Oviedo: «me voy dando prisa, la que me concede mi propia salud, a terminar la *Segunda parte de Marco Bruto* y a las *Obras en verso*».

En su Torre recibe Quevedo la sensacional noticia de la muerte del Conde-duque de Olivares acaecida en Toro el 22 de julio de 1645.

Se dijo que el antiguo valido había recibido una carta conminatoria del Rey, concebida en términos durísimos, amenazándole con abrir una información para exigirle responsabilidades por su gobierno. El orgullo del que fué árbitro de la política española por tanto tiempo, no pudo resistir ese nuevo golpe de adversidad. Murió aquel enfermo de egolatría y de ambición, que hasta en los postreros instantes de su vida había soñado en mandar, en ser el amo: su último cargo fué el de regidor de Toro.

Francisco de Quevedo no pudo menos de regocijarse ante la muerte de aquel que le había abierto las puertas del sepulcro. Esto no es noble ni cristiano, pero es profundamente humano. Decía a Oviedo en carta fechada en Villanueva de los Infantes [1]:

«Bien memorable día debe ser el de la Magdalena en que acabaron con la vida del conde de Olivares tantas amenazas y venganzas y odios que se prometían eternidad. Señor don Francisco, ¡secretos de Dios grandes son! Yo, que estuve muerto día de San Marcos, viví para ver el fin de un hombre que decía había de ver el mío en cadenas.»

Pero el ánimo descaecido del escritor madrileño ya no está para consideraciones mundanas. Ha muerto Oli-

[1] 1.º de agosto de 1645.

vares. Ese es el fin de todos los hombres. Que Dios juzgue sus actos. No tardará en seguirle don Francisco en esa senda de la que no se retorna.

Apostilló la muerte del Conde-duque un enconado romance que con error se dijo era de Quevedo, y que empieza:

> Hoy reina en toda la Corte
> generalmente una nueva,
> por ser tan buena, dudosa,
> que a ser mala, fuera cierta...
> ... ...

LA ANTESALA

A primeros de 1645 Quevedo va a Villanueva de los Infantes en busca de un médico que le alivie los terribles dolores que padece. «Aquí — escribe quien tanto se burló de los boticarios —, me he encontrado mejor acogida y un boticario amigo, docto y rico y buen cristiano, que son los tres fiadores de la verdad de los botes.» Está sumamente postrado y su temperamento fluctúa en las alternativas de la fiebre. La flaqueza supina le posee.

Vive en un cuartucho misérrimo: «un cuarto bajo, sin más luz que una ventanita» [1]).

En este año escribe su última producción poética [2]), la famosa canción que, al decir de su sobrino Pedro

---

[1]) AZORÍN. — *Clásicos y Modernos,* pág. 166). Alude a la visita que en 1903 hizo Azorín a Villanueva. — También *Al margen de los Clásicos,* pág. 157.
[2]) FLORENCIO JANER (Bibliot. de Aut. Esp. Madrid, 1877, pág. 243) cita un manuscrito del siglo XVIII que dice: «Ultima obra en verso del autor, en 1645, en que falleció».

tellana. «Podría ser que en Toledo me rehiciese» [1]). «Yo no deseo cosa como salir deste lugar» [2]). Proyectos, jaculatorias, ¡luminosos paisajes de aquella España tan amada, tan lejana ya!... Poco después de habérsele abierto una postema que evacua por cuatro partes y que le ha sumido en una gran debilidad, al iniciarse nueva mejoría, torna a escribir: «He determinado, en estando bueno, ir allá en la litera del señor Arzobispo, sin ser posible excusarlo; y desde allí llegarme, antes que cierre el invierno, a Sanlúcar, a besar la mano del Duque, mi señor.» [3])

Pero la debilidad apenas le deja tiempo para bucear en la noche de sus dolores un poco de luz y de espiritualidad. Destellos leves, ¡pero tan puros! En abril se le abre otra fuente en un brazo, siendo trasladado a una celda del convento de Santo Domingo. Seis días después, festividad de San Marcos, tiene unos vómitos continuados que le extenúan en tal forma, que el médico no le da diez horas de vida.

Apresúranse a administrarle los Sacramentos; pero todavía le salva su recia complexión.

Pasan los días. Y aun los meses. Quevedo resiste increíblemente. ¡Pero a costa de cuánto dolor! Hundido en el lecho, sin fuerzas para hablar, como un esqueleto viviente, espera la solución definitiva de tanta catástrofe.

La última carta que dictó está fechada en 5 de septiembre de 1645, dirigida a su fielísimo amigo: «Pocos renglones dictaré — dice — por quedar muy afligido

[1]) Carta a Francisco de Oviedo, 21 marzo 1645.
[2]) Idem, 13 junio y 20 junio 1645.
[3]) Idem, 6 agosto 1645.

y flaco sumamente de una disentería que me ha sobrevenido y no la puedo atajar. Vuesamerced me ha de encomendar a Dios, que es el mejor oficio de los amigos.»

El escritor había dispuesto ya sus últimas voluntades en la celda monacal de Santo Domingo de Villanueva [1]). El cuerpo debía ser inhumado por vía de depósito en la capilla mayor del convento y más tarde trasladado a la iglesia madrileña de Santo Domingo el Real, en la sepultura de su hermana. Quiso que acompañasen a su entierro las cofradías y conventos de la villa («que no eran pocos», objeta un antiguo libro de geografía peninsular) y que se celebrase una misa de «requiem» y ochocientas misas rezadas para el perdón de sus pecados. Dispuso en el testamento varias mandas e instituyó heredero universal de sus bienes a su sobrino Pedro Aldrete y Carrillo, a condición de que uniese a su apellido el de Quevedo y Villegas. Entre las joyas que menciona el testamento se destaca una que parece debió estimar en gran manera, quizá por ser recuerdo de algún prócer por quien don Francisco guardó entrañable afecto, consistente en una venera con una esmeralda «grande y rica» [2]).

[1]) AZORÍN (*Clásicos y Modernos,* pág. 166; *Antonio Azorín,* página 232 y *Al margen de los clásicos,* pág. 138) manifiesta que murió en una casa particular de Villanueva de los Infantes y no en el monasterio. En su obra *Sintiendo a España* (Barcelona, 1942, pág. 26), al hablar del maestro de Humanidades Bartolomé Jiménez Patón, dice que era «de Villanueva de los Infantes, el pueblo donde expiró Quevedo, en un humilde aposento, cuyas son las paredes que vieron meditar un día al escriba que abajo firma». Quevedo murió en la celda del convento de Santo Domingo de la referida villa.

[2]) Esta joya se conservaba todavía a principios de este siglo en poder de los décimos descendientes del escritor. FRANCISCO NAVARRO LEDESMA: *Venera perteneciente a D. Francisco de Quevedo Villegas* (Revista de A. B. M., 1900, vol. IV, pág. 513. Avalora el citado trabajo una fotografía de la meritada presea).

Estas últimas voluntades de Quevedo son un documento de gran interés para aquilatar el declive moral de un hombre altivo y engreído que se enfrenta con la Eternidad. El ánimo se halla dispuesto y la luz radiante de la razón triunfa una vez más de la materia inerte, lasa, vencida ya por el dolor. Quevedo se acuerda de sus amigos, de sus servidores, de sus libros y de todos aquellos objetos amados que fué recogiendo a lo largo de su atorbellinada existencia y depositando en su Torre de Juan Abad. Todo lo deja ahora para siempre; pero ansía que su esfuerzo no se pierda en la vorágine de las ambiciones humanas. Solicita un piadoso recuerdo de sus amigos y familiares, aquel que ha ingresado con pleno derecho en la Inmortalidad. Y para realizar esas aspiraciones consignadas, nombra albaceas testamentarios a sus amigos íntimos, el duque de Medinaceli y Alcalá, don Florencio Vera y Chacón, del hábito de Santiago y vicario general del partido de Villanueva de los Infantes, y su gran amigo don Francisco de Oviedo.

SU ÚLTIMA AGUDEZA

Quizá — mejor, con seguridad — Quevedo está cansado de aquella vida de sórdida lucha. En su cerebro, que hasta el postrer instante funciona con regularidad pasmosa, ha llovido desengaño hasta la saciedad. Sesenta y cinco años de brega dura e incesante contra la envidia y la mentira, entre el pueblo y el cortesano, entre el valido y el criado; sus continuas lecturas filosóficas y el lamentable espectáculo de la sociedad en que vivió, han vertido en su espíritu la inefable ambrosía de la consolación. Sólo los grandes saben morir adecuadamente.

Está amargado y duda de todo, menos de la Muerte, que le acecha. Y de Dios. Todo lo demás es nada. El clarividente espíritu de Séneca le auxilia en los solemnes instantes. Y el de Quevedo también.

Por doquiera rebullen sombras que le acosan, que le angustian y aniquilan. Está solo. No ha sentido jamás el tibio calor del hogar. Solo, en el umbral misterioso de la Eternidad.

El bajo pueblo le toma por un ilustrísimo bufón, por el monarca del chisme y del chascarrillo. Quien le conoce de oídas le juzga descocado, socarrón y decidor a sueldo. Es el gran Regocijante. «Esto lo dijo Quevedo... Esto es de Quevedo»... Nadie ha visto sus lágrimas. El llanto es para los pusilánimes, y Quevedo ha sido el corifeo de la Carcajada... Pero no cabe duda de que sus lágrimas, en esos luminosos instantes de recapitulación, cuando se está sobre el camino del que no se retorna, son amargas como el acíbar.

Todo vacila, todo se hunde y se desmorona a su alrededor.

Pero Quevedo debe conservar el gesto. Y lo único que persiste a través de tantos sufrimientos es su carácter íntegro, inasequible, insobornable.

Un gran consuelo alivia sus dolores prolijos: es el consuelo inefable del Genio, pues sabe que todo muere en él, menos su obra.

Llega al lecho el sobrino de don Francisco: un muchacho garrido, jovial y diserto que a la sazón estudia en la Universidad de Salamanca. Se siente orgulloso de la fama que su tío ha conquistado con sus escritos; le ama y le venera por valiente y por sabio. Pedro Aldrete trae a don Francisco delicados regalos de su pariente don Martín Carrillo, el arzobispo de Granada. Quevedo contempla con ojos turbios al heredero. ¿Por qué no habría tenido un hijo como aquel apuesto mancebo al que hubiera transferido con su sangre el calor de su espíritu y la grandeza de su corazón?

El cinco de septiembre requiere la presencia de su secretario, el licenciado Juan López, y le dicta algunas cartas. Tres días después son tales sus sufrimientos, que pregunta al médico que le asiste cuánto calcula le quedará de vida. Este vacila en responder. Quevedo apremia con energía. Entre hombres sobran los eufemismos. Quevedo torna a insistir y el médico se ve obligado a declarar que aun puede vivir tres días. Don Francisco replica:

«Ni tres horas.»

¿Qué siente dentro de sí que le haya impulsado a fijar un término a su existencia, que fué justo, por cierto? No es éste un caso infrecuente. A punto de descartarse de su envoltura carnal el alma posee una clarividencia ultraterrena. Quevedo morirá como hombre; y, como dice él, «trillado del paseo de las horas, sin que tenga culpa en mi acabamiento otra cosa que mi composición».

Las autoridades del pueblo pululan oficiosas y con afectada gravedad en torno del lecho del moribundo ilustre, que libra un terrible duelo con las ansias de la muerte. Alguien, del modo más solemne posible, le espeta un discurso de gran estilo, indicándole que sería cosa buena disponer el sepelio adecuado a su rango. Los circunstantes pueblerinos piensan con razón que no mueren cada día caballeros de tanta categoría en Villanueva de los Infantes. Susurra, cauto y oficioso — carraspera y frote de manos de ritual — el que lleva la voz cantante, diciendo que el escritor debiera indicar, como el más capacitado y el más interesado de los presentes en este asunto, la hora, las honras fúnebres y — ¿ por qué no, siendo precisamente Quevedo quien ha de ser enterrado? — hasta la música que debía rubricar con un responso artístico «ad hoc» el de tan insigne maestro. Al oír lo cual, Quevedo, espíritu eminentemente socarrón hasta en el último trance de su vida, se incorpora un tanto y objeta sentenciosamente:

«La música, páguela el que la oiga.»

Esta fué su última agudeza.

Don Francisco de Quevedo fué enterrado en el convento de Santo Domingo de Villanueva de los Infantes el 9 de septiembre en la capilla mayor de la iglesia. Sus huesos no se sabe dónde reposan. Según el testamento, el sepelio había de ser provisional. Pero allí quedaron y se perdieron, siendo confundidos por el sepulturero al verificar unos traslados y arrojados a la fosa común, según afirma el capellán del convento de las religiosas franciscas de Villanueva de los Infantes en su obra *Antigüedades de esta villa y campo de Montiel.*

Así, pues, sus cenizas, como las de Cervantes, las de Lope y las de otros ingenios ilustres, no han podido encontrar urna más adecuada que la tierra misma en donde se desenvolvieron esas flores tan perfumadas del Arte hispánico.

No quiero terminar esta primera parte de mi obra sin consignar, como digno colofón, una opinión del siglo XVIII que estimo la más acertada de cuantas se han emitido sobre Quevedo, precisamente en una época en que el autor parecía olvidado por la bambolina del Neoclasicismo. Es la de un espíritu afín, don Diego de Torres Villarroel, llamado el Cagliostro español, el cual dice en su libro *El Hermano Torres* (1733) : «Por bueno fué ajado ; por prodigioso, temido ; por sabio, padeció los disparates de los necios ; pero lo hizo tan feliz su filosofía y estoicismo, que aun conspirando toda la ignorancia, miedo, emulación y poca piedad de sus contrarios a destruirle su contento y tranquilidad interior, no pudo conseguir triunfo alguno de su paciencia : y fué el motivo que, como en sus obras reprendió los vicios, acusaba los desórdenes, y censuraba las cosas por dentro, cada uno de los que vivían entonces pensaba que hablaban determinadamente con él aquellas que llaman sátiras ; y así los tuvo a todos por enemigos.»

SEGUNDA PARTE

SU GENIO

SU FIGURA

Para estudiar el genio de don Francisco de Quevedo es preciso conocer muchas cosas: es preciso imponerse de las condiciones — morales, sociales, económicas — en que su carácter hubo de desenvolverse ; examinar el ambiente que le consolida en el espacio y en el tiempo ; investigar el complejo psicológico que se traduce de sus escritos y de las anécdotas ; enjuiciar sus estudios, sus costumbres ; consignar sus amistades y sus viajes, que modifican continuamente la concepción del mundo y de los hombres ; penetrar en el infortunio de su existencia, en el ardoroso bregar, en las alegrías y penas y, en fin, precisar y exhibir los diferentes estadios de su constitución física. Naturalmente que se nos escaparán de estas consideraciones aspectos numerosos e interesantes, por la falta de datos precisos y por no podernos inhibir congruentemente del peso de nuestra época, del ámbito en que vivimos ; y además porque la egregia figura del caballero español ha sido tan parabolizada y contrahecha por la leyenda, que es labor sumamente ardua el irla desbastando de los materiales impuros con que sus apasionados devotos, sus enemigos y los escritores de poco escrúpulo han ido acumulando.

¿Cómo era don Francisco de Quevedo? Su primer biógrafo don Pablo Antonio de Tarsia nos lo describe de esta guisa: «Fué don Francisco de mediana estatura, pelo negro y algo encrespado, la frente grande, sus ojos muy vivos; pero tan corto de vista, que llevaba continuamente anteojos; la nariz y demás miembros, proporcionados; y de medio cuerpo arriba fué bien hecho, aunque cojo y lisiado de entrambos pies, que los tenía torcidos hacia dentro; algo abultado, sin que le afease; muy blanco de cara, y en lo más principal de su persona concurrieron todas las señales que los fisónomos celebran por indicio de buen temperamento y virtuosa inclinación.»

Así como no se concibe al caballero manchego sin su Rocinante, o a Cervantes sin su mano inservible, no concebiríamos tampoco a Quevedo sin sus «quevedos» cabalgando aparatosamente sobre las formidables narices, que eran bien grandes, aunque Tarsia intente favorecerle. En los tres retratos más característicos que de él conservamos — el pintado por Murillo, el atribuído a Velázquez y el de la colección del duque de Wellington —, aparecen esos colosales armatostes que se aguantan milagrosamente sobre un apéndice descomunalmente aguileño.

En el cotejo de las reproducciones que se estudian en el presente volumen, intentaremos establecer los rasgos y las conclusiones siguientes:

1.ª *Retrato de Juan de Noort.* Fué ejecutado en el año 1628 [1]), para la edición del libro *Epicteto y Focilides en español.* Quevedo tiene 48 años y no usa sus

[1]) No en 1635, como afirma Florencio Janer.

«quevedos» ; pero a las claras se nota la miopía. Presenta larga melena, ojos grandes, nariz recta y larga, bigote de cuidadas guías y perilla.

2.ª *Retrato atribuído a Velázquez o a Van der Hammen.* Quevedo está en pleno vigor físico. Tiene el pelo intensamente negro, abundante bigote — de estructura parecida al del retrato del Conde-duque pintado por Velázquez — y minúscula perilla. Sus ojos son más bien pequeños, negros, vivos y de mirada penetrante. Manuel de Mesonero Romanos estima [1]) que su edad oscila entre los 43 y los 46 años.

3.ª *Retrato de Pacheco.* Ejecutado en 1626, en un viaje efectuado a Sevilla por el escritor madrileño. Insértalo su autor en la obra *Libro de descripción de verdaderos retratos.* Ostenta Quevedo un cuerpo muy robusto, corta melena, bigote no muy cuidado, ojos pequeños y nariz voluminosa y deformada.

4.ª *Retrato de la colección del duque de Wellington.* El tiempo no ha desfilado en vano. Representa un hombre que dejó hace tiempo la juventud y en cuyo semblante se ven retratadas graves preocupaciones. Debe tener más de cincuenta años, y el cabello que le pende sobre los hombros muestra las primeras canas. Lleva bigote y barba, más poblada en el mentón, como de un hombre que usó perilla y ha descuidado el barbero. Los cristales de sus «quevedos» son ahumados, y a través de ellos se destacan unos ojillos vivos e inteligentes. Tiene un aspecto de seriedad que contrasta con el retrato que se atribuye a Velázquez ; y no porque éste muestre lo contrario, sino porque se adivinan en el

[1]) MANUEL DE MESONERO ROMANOS. — *¿Cuál es el verdadero retrato de Quevedo?* (*Rev. Contemporánea,* 15-XII-1898).

que nos ocupa mayor ponderación y más experiencia de la vida.

5.ª *Retrato pintado por Murillo.* Quevedo muestra tener unos sesenta años y va completamente rasurado, circunstancia muy rara en su tiempo y muy digna de tenerse en cuenta. El cabello grisáceo y ligeramente ondulado le cuelga sobre los hombros y en el frontal esboza la calvicie. Tiene las cejas muy pobladas — «entristecido arqueo de cejas», dice la Pardo Bazán en *Los pazos de Ulloa* —. Sus ojos son grandes, negros y hermosos, la boca carnosa, la nariz aguileña. El rostro, que da la impresión del ave, patentiza un carácter decidido y una franqueza extraordinaria. Es el de un hombre inteligente, enérgico, que no gasta eufemismos y de un temperamento áspero y de pocos amigos. La contemplación de esa cara de angulosos perfiles revela un gesto de apatía o de indiferencia, resultado quizá de una amargura sufrida o sufriente.

6.ª *Busto de la Biblioteca Nacional.* Acúsanse en el rostro las arrugas de la ancianidad que hace mella en la complexión del cuerpo y en la expresión de la cara. La forma de la nariz — corta y achatada — difiere de otros retratos, como el labio inferior, el cabello muy ensortijado y la contextura de la frente, mucho más despejada. La mirada de sus ojos miopes fué hábilmente reflejada por el escultor. El busto ha sido descrito de la siguiente manera: «La cabeza... está llena de expresión y de vida... Quevedo muestra sobre cincuenta y cinco años. Su fisonomía es melancólica y severa, su crencha hermosa, el entrecejo muy pronunciado, el labio grueso; muchas y antiguas cicatrices marcan su despejada frente ; miran con indecisión sus ojos, propia de un corto de vista.» [1])

Ahora bien : ¿Cuál es el verdadero retrato de Quevedo ?

La confusión es suma si consideramos que los que representan mayor garantía de autenticidad — el de Noort, el de Pacheco y el busto de la Biblioteca Nacional, por tener fecha precisa y por proceder el último de la casa ducal de Osuna — presentan rasgos desconcertantes. ¿Cómo es posible que en dos años — 1626 y 1628 — Quevedo hubiera sufrido un cambio físico tan radical, como podemos comprobar con la simple comparación de los retratos de Noort y de Pacheco ?

En cuanto al retrato ejecutado por Murillo, o atribuído al gran artista sevillano, se han emitido opiniones en pro y en contra de su autor o del personaje allí pintado. Antonio J. Onieva dice [2]) que cuando Quevedo fué a Sevilla en 1626, Murillo tenía ocho años y Quevedo cuarenta y seis. Pero cabe preguntar dos cosas : ¿Por qué no puede ser otro pintor el autor de este retrato ? O bien : ¿Por qué no pudo Murillo haberlo pintado posteriormente en una visita de Quevedo a la ciudad del Betis ? Estimo que la atribución no debe haber sido hecha tan a capricho como pretende el señor Onieva, sino avalada por alguna razón de más peso que la de llevar el caballero sobre su aguileña nariz los descomunales «quevedos». Un estudio de la técnica del retrato nos daría pie para rechazar o confirmar la paternidad del ilustre autor de las *Concepciones*.

[1]) *Obras de D. Francisco de Quevedo.* Soc. Bibliófilo. Esp. vol. I, página 157, nota.
[2]) A. J. Onieva. — *Un falso Quevedo en el Louvre.* «Semana», 8-II-1944.

Desde luego, cabe afirmar que todos los retratos difieren considerablemente entre sí.

Mesonero Romanos aboga por el de la colección del duque de Wellington, y bien podría tener razón en ello, pues, comparándolo con el busto de barro cocido de la Biblioteca Nacional y con el ejecutado por Pacheco, se nota en ellos un mismo aire familiar. Creo que pueden ser de Quevedo los tres citados y que los restantes son de dudosa atribución. Colijo que el grabado de Juan de Noort debió hacerse de otro retrato más antiguo, quizá a indicación del propio Quevedo. Si ello no fuere así, deberíamos declararnos completamente vencidos en este intento.

El citado Mesonero Romanos se pregunta dónde está el auténtico lienzo de Velázquez, y para establecerlo le compara con una litografía de Vicente Camarón que lleva la siguiente leyenda: «Don Francisco de Quevedo, del cuadro original de don Diego Velázquez de Silva, de la colección de don José Madrazo, pintor de Cámara de S. M.», estimando que el original es el que posee el duque de Wellington, cuyo primer conocido propietario fué el gaditano don Francisco de Bruna en 1773, pasando luego a la colección de Lady Stuart, y posiblemente donado por Fernando VII al ilustre general. Además, la litografía de Vicente Camarón es distinta del lienzo velazqueño.

Hay otros retratos de Quevedo que son copia de los citados: el del pintor Alonso Cano, que figura en la edición del *Parnaso Español* de Jusepe Antonio González de Salas, dibujado por Salvador Jordán y grabado por Francisco Gazán [1]), y un grabado del artista Salvador Carmona, que se incluyó en el *Parnaso Español,* de López de Sedano [2]). Existe asimismo una estatua de Angel Díaz en que don Francisco aparece sentado con un libro en la mano.

Del año 1635 tenemos una preciosa indicación del propio Quevedo, que contaba cincuenta y dos, en la que se pinta a sí mismo de esta guisa: «Hanme desamparado las fuerzas, confiésanlo vacilando los pies, temblando las manos; huyóse el color del cabello y vistióse de ceniza la barba; los ojos, inhábiles para recibir la luz, miran la noche; saqueada de años la boca, ni puede disponer el alimento ni gobernar la voz; las venas para calentarse necesitan de la fiebre; las rugas han desamolado las facciones; y el pellejo se ve disforme con el dibujo de la calavera, que por él se trasluce. Ninguna cosa me da más horror que el espejo en que me miro; cuanto más fielmente me representa, más fieramente me espanta.» [3])

Sus defectos físicos contribuyeron a fijar el carácter del gran escritor. A lo largo de su copiosa obra hallamos constantes alusiones. Así en la contestación a Valerio Vicencio [4]) en *Su espada por Santiago*: «Dice

[1]) Lleva el siguiente dístico:

> *Si corpus Quevedo cupis, tibi praestat imago:*
> *Si exoptas animum, corpus, opusque dabit.*

[2]) *Parnaso Español. Colección de Poesías escogidas de los más célebres poetas castellanos.* Madrid, 1770.
[3]) Dedicatoria de *Las cuatro pestes del mundo.*
[4]) Seudónimo del carmelita descalzo fray GASPAR DE SANTA MARÍA (Gaspar León de Tapia en el siglo), autor de la sátira *Al poema delírico (esto es, lleno de delirios) de don Francisco de Quevedo contra el patronato de la gloriosa Virgen, Patrona de los reinos de Castilla por nuestro muy santo Padre Urbano, Papa Octavo.*

que soy cojo y ciego ; si lo negase, mentiría de pies a cabeza, a pesar de mis ojos y de mi paso.»

En el *Memorial de Don Francisco de Quevedo pidiendo plaza en una academia,* dice «que es corto de vista como de ventura..., rasgado de ojos y de conciencia..., negro de cabello y de dicha, largo de frente..., quebrado de color y de piernas, blanco de cara..., falto de pies y de juicio, mozo amostachado y diestro en jugar las armas».

Afirma en un romance en respuesta al duque de Lerma :

> El cojear en los versos,
> eso es, señor, retratarme.

Tenemos un pintoresco autorretrato escrito a los sesenta años, en que dice :

> De narices, no me quejo,
> que buen pedazo me dió,
> para que caballo fuera
> del espejo de Arión.
> La boca tampoco es rana,
> que si me río, por Dios,
> que del puente toledano
> parece el ojo mayor.

En las quintillas *Fiestas en que cayeron todos los toreadores,* termina con el rasgo consuetudinario :

> ¿ Y quién puede sino un cojo
> abogar por las caídas ? [1]).

[1]) Véase la consideración a su cojera en el capítulo titulado *Anécdotas* (Primera parte).

Pero el más interesante retrato lo pinta, burla burlando, en el poema *Sátira a una dama,* cuyos son estos
tercetos:

Es como tu linage mi cabello,
Escuro y negro; y tanta su limpieza,
Que parece que no has llegado a vello.

Es como tu conciencia mi cabeza,
Ancha, bien repartida, suficiente
Para mostrar por señas mi agudeza.

No es de tu avara condición mi frente;
Que es larga y blanca, con algunas viejas
Heridas, testimonio de valiente.

Son como tus espaldas mis dos cejas,
En arco, con los pelos algo rojos,
De la color de las tostadas tejas.

Son como tu vestido mis dos ojos,
Rasgados, aunque turbios (como dices),
Serenos, aunque tengan mil enojos.

Son como tus mentiras mis narices,
Grandes y gruesas; mira como escarvas
Contra ti, mi Belisa, no me atices.

Como tus faldas tengo yo mis barbas,
Levantadas, bien puestas: no me apoca
Que digas que hago con la caspa parvas.

Es como tú, para acertar, mi boca,
Salida, aunque no tanto como mientes,
Con brava libertad de necia y loca.

Como son tus pecados son mis dientes,
Espesos, duros, fuertes al remate,
En el morder de todo diligentes.

Es como tu marido mi gaznate,
Estirado, mayor que tres cohombros;
Que el llamarle glotón es disparate.

Como son los soberbios son mis miembros,
Derribados, robustos a pedazos,
Que causa el verme al más valiente asombro.

Como tus apetitos son mis brazos,
Flacos, aunque bien hechos y galanos,
Pues han servido de amorosos lazos...

225

Como tu alma tengo la una pierna,
Mala y dañada : mas, Belisa ingrata,
Tengo otra buena que mi ser gobierna.
Como tu voluntad tengo una pata,
Torcida para el mal ; y he prevenido
Que la sirva a la otra de reata...
Esta mi imagen es, y mi retrato,
Adonde estoy pintado tan al vivo,
Que se conoce bien mi garavato.

SU CARÁCTER

Sucede con Quevedo al revés que con otros genios universales (Dante, Shakespeare, Wagner, Beethoven, Velázquez, Greco...) que los biógrafos tratan *desde arriba, en grande*. Por lo que respecta al satírico madrileño, las anécdotas le han ido sujetando a ras del suelo. Quevedo pasa a los ojos del vulgo, y aun de cierto sector que no es vulgo, como un escritor aristofanesco, chistoso y socarrón, propio para favorecer las digestiones, porque sólo conoce de su obra la parte jocosa y porque él se ha llamado siempre a sí mismo «Padre de la Carcajada». Las «tejuelas picariles», que le colocó Gracián, los enemigos que tuvo aún después de muerto y sus lectores inmediatos, contribuyeron a crearle un ambiente disparatado. Quevedo es un hombre profundamente serio que quiere disimular su seriedad. Por ello notamos en sus obras, aun en las más hilarantes, un inconfundible dejo de melancolía, reflejo siempre de su carácter. El gran Torres de Villarroel afirma con visión aquilina que es el hombre más serio que tuvo y aun tendrá la nación.

El complejo psicológico de Quevedo, a pesar de los bruscos cambios que experimenta debido al diverso ambiente en que hubo de desarrollarse, tiene un diagrama que acusa una poderosa individualidad. Es, ante todo, un ejemplar de perfecto español ; y lo es por su fe monárquica ; por su celo religioso que le hace paladín de la Contrarreforma ; por sus reacciones ascéticas y sus rebeldías ; por el orgulloso sentimiento de independencia que le impulsa a sacrificarlo todo, aun lo más valioso ; por su anhelo de sobriedad ; por su espíritu de justicia, y por su acendrada rectitud.

Disiento del juicio emitido por don Antonio Maura [1]), cuando afirma que no es el escritor más a propósito para desentrañar el espíritu castizo de la literatura española. Da, para demostrarlo, razones inanes. Opina que le apartaron de ello la cultura humanística, moral, teológica y clásica, la mansión en Italia, los desvelos políticos y diplomáticos, el «apartamiento del contacto con las gentes de acá» ; y concluye que no tenía el sello privativo de nuestro genio nacional. ¿Por ventura los moralistas y teólogos españoles no representan el genio de la patria ? ¿Habrá que negar que existió un humanismo plenamente español ? Y aun cuando así fuere, ¿y las jácaras, los bailes, los entremeses y *El Buscón* no son genuinamente nacionales ; mejor, madrileños ? ¿Quizá Garcilaso o Cervantes no entrañan el genio nacional, habiendo vivido en Italia, como Quevedo, y aun por más tiempo ? Si hay un autor que esté en contacto con su pueblo, y sienta sus miserias, y comprenda sus

[1]) ANTONIO MAURA. — *Discursos conmemorativos. Discurso en memoria del hispanista D. Ernesto Merimée,* 27 abril 1924 (Colección Austral, págs. 203-4).

anhelos, y éste le comprenda y le celebre, ése es Quevedo. Don Antonio Maura — destaquemos, sin embargo, su dilettantismo en cuestiones literarias—no acierta a comprender los planos en que nuestro polígrafo se desenvuelve, ni la dualidad popular y culta — localista y popular, universalista y aristocrática, dice Dámaso Alonso [1] —, características de nuestro Arte.

Su carácter se desglosa en dos aspectos principales, con múltiples facetas: uno, peculiar, otro, literario; es decir, que sigue en su juventud los impulsos naturales, la rebosante fantasía que le acucia y le forja un mundo peregrino, el ímpetu irreprimible de sus años mozos, la creencia en unas aptitudes superlativas que ostenta con peligrosa jactancia, y la natural rectificación de conducta, el declive hacia la razón, cuyos imperativos sigue en la edad viril, a medida que la adversidad le va asestando sus duros golpes. No todos sus escritos reflejan el estado de su ánimo sino que, por el contrario, en muchos de ellos se nota como un prurito de celar sus propios sentimientos. Y sólo en este aspecto no es sincero. En ocasiones su risa es una mixtificación, es una mueca forzada que retrata una profunda amargura, un pesimismo reconcentrado: díganlo los *Sueños*. A veces es toda una posición ideológica — *Política de Dios, Marco Bruto* — ; otras la influencia de un estoicismo cristiano que ha adivinado cual inefable refugio entre las nieblas adelinas de su espíritu, y que sigue con hambre de paz interior ayudado por sus grandes amigos y maestros: Séneca, Demócrito, Epicuro.

[1]) DÁMASO ALONSO.—*San Juan de la Cruz.* Madrid, 1942, pág. 144.

Los rasgones atávicos le vinculan al pasado, por lo que muestra gran confusión de sentimientos. Su sátira, en el fondo (como su prosa seria, como su poesía toda), acusa un carácter acedo, y la hiel que destila es resultado precisamente de su concepción pesimista del mundo, de su visión clarísima de la realidad y del conocimiento de las flaquezas humanas. En su obra hay conclusiones desoladoras, pensamientos nihilistas y demoledores. La sociedad es mala por naturaleza, mostrando hacia ella un desprecio ostentoso. El mundo es una mixtificación constante, fruto de la rapacidad de los poderosos. Muchas de sus ideas aparecerán envueltas en ropajes más o menos brillantes, en escritores posteriores, aunque él tampoco es original en ellos.

Dice el desencantado poeta:

> Fuí bueno, no fuí premiado;
> y viendo revuelto el polo,
> fuí malo, fuí castigado;
> ansí que para mí solo
> algo el mundo es concertado.
> Los malos me han invidiado,
> los buenos no me han querido;
> mal bueno y buen malo he sido:
> más me valiera no ser.
> Esta es la justicia
> que mandan hacer.

Pesimista y leal consigo mismo, a cada instante reconoce sus copiosos defectos que no vacila en consignar con toda crudeza y detalle. Por eso puede ser tajante y duro [1]), y por eso mismo ha de ser su vida un dolor continuado. La Verdad por cima, ante todo, y sobre

[1]) «He dicho lo que he querido de todos» (*Los Sueños*. Dedicatoria).

todo, sin cortapisas, arrostrando las consecuencias: ésa es la faceta más rutilante de su carácter. Por ello puede decir:

> Pues sepa quien lo niega y quien lo duda
> que es lengua la Verdad de Dios severo,
> y la lengua de Dios nunca fué muda...

La juventud y el aplauso continuado le llevan a ser orgulloso, osado y bravonel. Escribe en una carta a Tamayo de Vargas, fechada en la Torre a 12 de noviembre de 1612: «Yo al revés, malo y lascivo, escribo cosas honestas; y lo que más siento es que han de perder por mí su crédito y que la mala opinión que yo tengo merecida ha de hacer sospechosos mis escritos.» Confiesa a cada punto que su vida ha sido escandalosa, estropeada por la sexualidad, con reacciones ascéticas y bruscos cambios de temperatura.

Esto es cosa corriente en la España de los Austrias. En la España creadora y creyente de todos los tiempos. Ardor en todo, en la punición y en el arrepentimiento. La sangre meridional hierve en las venas y la imaginación es un furioso vendaval. ¿Cómo hubiera sido posible la singular epopeya española en América, los titánicos esfuerzos en Africa, las luchas por la hegemonía europea sin ese aliento arrebatador del héroe que le impulsa a desafiar la muerte y despreciar toda suerte de peligros, y aun buscarlos? [1]). Así, pues, Quevedo, «el capigorrón, cojitranco, emperillado y melenudo don Francisco», como le ficha Sáinz de Robles,

---

[1]) En *España defendida* ensalzará el ardor inebriativo de los conquistadores, ganado por las descripciones que de ellos hacen nuestros cronistas.

no podía desmentir su idiosincrasia. Era un «pura sangre».

Era quisquilloso y en su juventud debió ser no poco pendenciero. Vehemente y osado en el hablar y en el ejecutar, pronto a la ira y a los arrebatos más fulminantes. En la conversación era diserto, gráfico, ameno, cáustico, y hablaba como escribía: al desgaire, sin eufemismos, arrobando a sus oyentes.

Le gustaba piropear a las damas que topaba por la calle con adjetivos subidos de tono y andaba de picos pardos con cotorreras y gente de mal vivir. No desdeñaba relacionarse con el bajo pueblo porque sabía que era uno de los resortes más seguros de su fama. Orgulloso hasta la enfermedad, no se doblegaba ante los poderosos.

Era soberbio, y se lo reconoce a menudo: «Más fácil es escribir contra la soberbia que vencerla.» [1]

Se siente profundamente patriota, y por ello puede decir al hablar de los males de España: «Mas no fuera yo español si no buscara peligros, despreciándolos antes para vencerlos después.» [2]

Tuvo siempre ahincadas manías de nobleza [3]. En ningún momento se olvidará de posponer a su apellido el título de caballero santiaguista y de Señor de la Villa de Juan Abad. Y aun tres años después de su

[1] *Las cuatro pestes del mundo.*
[2] *España defendida* («Al lector»).
[3] «Yo soy hombre bien nacido en la provincia... Soy señor de mi casa en la Montaña; hijo de padres que me honran con su memoria, ya que yo los mortifico con la mía» (*Carta a la condesa de Olivares*). Ya he dicho en la Primera Parte que escribió el *Linaje de Villegas,* quizá con el fin de solicitar su anhelado ingreso en las Órdenes, vanagloriándose de que los Villegas poseían quince villas y lugares y esclarecidos abuelos. En numerosas partes de su Obra habla con devoción del apellido paterno.

viudez, en el prólogo de la *Utopía* de Tomás Moro, se llamará pomposamente «Señor de Cetina».

A veces explota contra sus picajosos enemigos y contra sí mismo por haber hablado demasiado y demasiadamente claro. Refleja un trance adolorido esta autobiografía satírica y escéptica:

> Parióme adrede mi madre:
> ¡ojalá no me pariera!,
> aunque estaba cuando me hizo
> de gorja naturaleza.
> Dos maravedís de luna
> alumbraban a la tierra;
> que por ser yo el que nacía
> no quiso que un cuarto fuera.
> Nací tarde, porque el sol
> tuvo de verme vergüenza,
> en una noche templada
> entre clara y entre yema...

Tristeza, tristeza infinita, mezclada de admoniciones casuísticas y de arrebatos de ira, pues Quevedo, en lo más recóndito de su conciencia, y temiendo no se le suba este pensamiento recoleto, se considera un fracasado. Y dice de sus padres:

> Murieron luego mis padres,
> Dios en el Cielo los tenga,
> porque no vuelvan acá
> y a engendrar más hijos vuelvan...,

y de su malaventura:

> Tal ventura desde entonces
> me dejaron los planetas,
> que puede servir de tinta,
> según ha sido de negra.
> ... ...

Aguarda hasta que yo pase
si ha de caerse una teja :
aciértanme las pedradas,
las curas sólo me yerran...

La melancolía y el hastío a menudo le vencen, y
se retrae del bullicio cortesano en busca de la soledad,
que es, contra lo que el vulgo cree, el ambiente más
grato para él. Es en el silencio de los montes,

desde esta Sierra Morena,
en donde huyendo del siglo
conventual de las jaras,
entre peñascos habito...,

allí donde cada uno está reducido a sus propios recursos, donde se muestra, como dice Kant, «lo que se tiene
por sí mismo».

«Tenía del hombre de la capital — escribe Salaverría [1] — ese espíritu un poco quebrado, propenso a la
sorna y que nace naturalmente de estar, como se dice,
al otro lado de las cosas... Fácil, inteligente, precoz,
muy culto, atrevido de palabra y obra, ingenioso...
Pero no logra ocultar ese tirón que constantemente da
dentro de él la raza. A pesar de su educación cortesana,
palaciana, y de ser tan madrileño, Quevedo manifiesta
a cada paso venir de la Montaña... Por eso ha aparecido como un espíritu ambiguo... Lleva sobre sí la fatalidad desconcertante de ser un día deslenguado y cínico como un bufón y a la siguiente mañana grave y
pensativo como un filósofo estoico.»

Lo que más le impele y llena su espíritu y lo que
con más avaricia trata de ocultar es su sensibilidad,

[1] José María Salaverría. — *Quevedo. Obras satíricas y festivas*
(Clásicos Castellanos, Madrid, 1924, vol. 56, págs, 8, 9).

que hace de su alma un instrumento y un receptáculo finísimo de sus más nimias impresiones. Una lectura, la voz de un amigo, un público desdén hallan eco profundo en él. Aunque lo disimule, las reiteradas sátiras de que es objeto le hacen sufrir. Y las temibles reacciones le delatan, explotando con letrillas y bufonerías o con sátiras amargas como los *Sueños*. Miente con sin igual descaro cuando dice:

> Nunca he sabido topar
> un solo arrepentimiento;
> y el no conocer mis culpas
> es la causa de mis yerros.
> Si va a decir la verdad,
> de nadie se me da nada,
> que el ánima apicarada
> me ha dado esta libertad...
> Si gozques todos me ladran,
> yo quiero ladrar a todos;
> pues que me tienen por perro,
> mas yo los tengo por porros...

A veces las retorsiones conceptistas sirven para ocultar o desviar celosamente languideces sentimentales o reacciones psíquicas de amargo pesimismo: es, en cierto modo, la pirueta del bufón.

Pero quiero insistir en este punto. Es curioso observar que en los trances más agobiados de su vida sabe reaccionar con un rasgo satírico de altísima calidad. Su espíritu altanero le hace sonreír burlonamente en esos instantes decisivos en que el alma se encoge y salta con gallardía para que sus enemigos no puedan blasonar de la victoria. Esto no es nuevo en la humanidad, ni mucho menos. El sol radiante de estío lleva en potencia fulminantes tempestades, y es sabido que el bufón es tanto más gracioso y más feo en su carcajada cuanto más dolor siente en el alma. Ya dice el sobrino de Quevedo en el prólogo de *Las tres últimas musas* que en las prisiones primeras que hubo de sufrir en la Torre de Juan Abad escribió las poesías más burlescas de su vida. La insondable vanidad del escritor impulsóle a proseguir en sus sátiras, aun sabiendo los disgustos que le acarreaban y otros que le sobrevendrían, más duros y más terribles. Después ya fué una cuestión de honrilla puesta en entredicho, de dignidad profesional y de venganza lo que impulsó a su pluma a tan temerarios regodeos. Y su amor propio, con muchos resabios de soberbia y con decisión incansable (pues Quevedo no conoció ni el miedo ni la molicie), le hizo desafiar con ímpetu cuantas tempestades hubo de levantar, unas de carácter estrictamente personal, otras impelido por fines nobles y patrióticos. Nunca tuvo el Conde-duque un enemigo más constante ni un adversario más ocasionado la estulticia, la necedad, el egoísmo y las múltiples lacras sociales de que había enfermado gravemente España. Y fué el moralista, el fiero esgrimidor de verdades, el pregonero de todo escándalo y de todo fracaso y contra él se movilizó un ejército de enemigos y se esgrimieron centenares de plumas, a guisa de punzantes armas. Alguna vez, fatigado, pensaba esquivar el desenfrenado golpeteo. Decía en 1633 en carta a la condesa de Olivares: «He sido malo por muchos caminos; y habiendo dejado de ser malo, no soy bueno, porque he dejado el mal de cansado, y no de arrepentido. Esto no tiene otra cosa buena sino asegurar que ningún género de travesura me engañará porque todas me tienen, u escarmentado u advertido.»

Sus ideas políticas y religiosas eran sólidamente tradicionales: para él el español genuino era sinónimo de buen cristiano. Dígalo la *Política de Dios*. Profundamente celoso de las glorias del Imperio, era un encendido patriota que asistía al lamentable espectáculo de la liquidación de los valores hispánicos, y se indignaba, atacando el mal de raíz por todos los medios a su alcance.

Sus costumbres eran morigeradas, excepto una, propia de la juventud: la lujuria, que tuvo bastante arraigada. Aunque no excedió, ni con mucho, a la de otros ingenios.

Vivía en Madrid en una incómoda casa de su propiedad, y aun en su Torre de Juan Abad no disfrutaba del confort que su fortuna y su rango le permitían.

Era un temperamento versátil, desenvuelto y abandonado hasta para con su propia obra. Los genios muy prolíficos no pueden detenerse en su pasmosa carrera productiva, en la minucia y en los detalles. Debía leer los manuscritos, cada vez más estragados, en los que cada copista intercalaba ingeniosidades de su propia cosecha, y si don Francisco se molestaba por ello y hasta se proponía constreñir su obra en una edición definitiva, siempre tenía que abandonar su intento debido a sus constantes preocupaciones. Hasta muy entrado en años no se decidió a ello; pero tardíamente. «Los que se precian de vanos — escribe un amigo de Quevedo [1] —, y se pierden por andar impresos sus nombres, ya hubieran dado a la estampa estas vigilias (los *Sueños*);

[1] Carta de don Lorenzo Van der Hammen a D. Francisco Jiménez de Urrea, en la que le remite los *Sueños*.

pero su modestia no lo ha permitido, aunque con daño de su reputación.»

Tenía a gala ser moderado en el comer y beber. Dice en una ocasión: «Siempre he llamado, para guarecer, la dieta (esto es, comer en mi casa), a la sed y al hambre, médicos que andan al paso de la razón. No es mal arbitrio, en razón de medicina, el no beber lo que sea necesario arrojar.» [1] Es conocido aquel soneto que empieza:

> Comer hasta matar el hambre es bueno;
> mas comer por cumplir con el regalo,
> hasta matar al comedor, es malo,
> y la templanza es el mejor galeno...

Frecuentemente se desmiente en este respecto, y con los años le crece la obsesión del estómago, según consta en varias cartas al duque de Medinaceli, fechada una en Madrid, 4 de mayo de 1634 («Advierto a vuecelencia que yo me truje una docena de salsichas, y que están celestiales»); otra signada en la Torre de Juan Abad, 31 de diciembre de 1635 («No me olvidé este año de ser cocinero de vuecelencia...»); otra en la Torre, a 1.º de febrero de 1636 («Remito a vuecelencia en ese escaparate sesenta salsichas y dos liebres en cecina, invención mía, pero bien sabrosa...»); otra del mismo año y en 4 de marzo («Yo remití a las Carmelitas descalzas una sera con cien granadas agridulces y a Juan de Espinosa un serón en que iban un per-

[1] *Las cuatro pestes y las cuatro fantasmas de la vida.* No debía considerarse muy seguro de su sobriedad, cuando dice al duque de Osuna en carta fechada el 21 de noviembre de 1615, hablando del común amigo el marqués de Barcarrota: «Dízenme que estaua determinado a salirme a reziuir dos leguas con tales bebedores que perdiesemos el camino» (*Dos Cartas inéditas de Quevedo.* Rev. de A. B. y M., 1903, vol. II, pág. 179).

nil de tocino y dos lomos para un clérigo») ; otra a su magnífico amigo don Francisco de Oviedo, fechada en sus posesiones de la Torre de Juan Abad, a 14 de noviembre de 1644 («lo que de nuevo hay por acá es que yo he muerto dos puercos ; y entre chicharrones y morcillas y longanizas estoy preparando la mejor ortografía de las ollas»). Y aun, hundido en las angustias de la muerte, siente este afán intensamente, como consta en la carta que remite a Oviedo en 7 de febrero de 1645 : «Envióme cuatro bollos de muy buen chocolate, y un papel muy grande de tabaco.»

Extraordinariamente activo — llamaba al ocio «polilla de las virtudes» — era un lector empedernido, como veremos.

Sus escritos reflejan el carácter polifacético, que se muestra siempre como es : orgulloso, independiente, desconfiado y singular. Cuando escribe para sí es profundo, es genial, es erudito ; pero a veces rebaja su arte poniéndolo voluntariamente al nivel del pueblo inculto — el miserable, el acogotado ; el potentado, que vive en medio de su analfabetismo —, llamándose «hijo de sus obras y padrastro de las ajenas, cofrade que ha sido y es de la Carcajada y de la Risa» [1]).

EL AMOR Y LA MUJER

La posición de Quevedo en cuanto al amor y a la mujer puede ayudarnos a aquilatar las diversas manifestaciones de su carácter.

[1]) *Memorial de Don Francisco de Quevedo pidiendo plaza en una Academia.*

Quevedo es un escéptico en el amor. No ha comprendido jamás el alma de la mujer. La mujer está ausente de sus páginas; y cuando habla, accidentalmente, de ella, es para desprestigiarla. Los encantos del corazón femenino, su ternura, su sentimentalismo, son huertos cerrados para él. Esta incomprensión del alma de la mujer, ese concepto en ocasiones tan bajo, suele darse a veces en genios filosóficos profundamente pesimistas: Gracián, Schopenhauer, Nietzsche; hombres que, a pesar de su gran cerebro, vivieron divorciados de ella o bien por una timidez innata o bien por un defecto fisiológico. «Las mujeres — dice en el *Marco Bruto;* e igualmente hubiera podido ser el autor de estas líneas cualquiera de los filósofos citados —, las mujeres son artífices y oficinas de la vida, y ocasiones y causas de la muerte. Hanse de tratar como fuego, pues ellas nos tratan como el fuego. Son nuestro calor, no se puede negar; son nuestro abrigo; son hermosas y resplandecientes: vistas, alegran las casas y las ciudades; mas guárdense con peligro, porque encienden cualquier cosa que se les llega. Quien no las tiene, está a obscuras; quien las tiene, está a riesgo; no se remedian con lo mucho ni con lo poco». En otra parte del mismo texto escribe: «Es la mujer compañía forzosa que se ha de guardar con recato, se ha de gozar con amor, y se ha de comunicar con sospecha. Si las tratan bien, algunas son malas. Si las tratan mal, muchas son peores.»

Quevedo no supo reconocer el alto valor moral e ideal de la mujer. Y ello, ¿a qué es debido, precisamente en un espíritu de tanta clarividencia, tan curioso y tan ávido? A una prevención iniciada con seguridad en la primera juventud. Vamos a tratar de estudiar las causas de esta sospechosa reserva.

Físicamente Quevedo era un ser a quien las mujeres entregan con dificultad su corazón. El mismo se llama repetidas veces feo, cojo, ciego. En sus escritos, además, se trasluce una innata aprensión que debe ser fruto de su timidez.

¿Tímido Quevedo? Todo lo induce a creer así. Fué un solitario, un huraño, un recatado, a pesar de que la posteridad nos lo pinta con un carácter muy diferente. Lo único que contaba en él era la libídine, el amor desordenado y deshonesto — el «amor loco» del Arcipreste —. Pocas mujeres le amaron porque «daba miedo».

¿Y él? ¿Amó alguna vez con amor puro y vehemente? No hay duda de que en su adolescencia debió acariciar tan inefables sentimientos ; pero su obra y su vida nada nos dicen. ¿Y por qué tanto interés en silenciar sus devaneos moceriles, ahogando las voces del corazón? Ni él ni sus contados biógrafos, ni las noticias que más o menos directamente poseemos de sus relaciones sociales en Valladolid, Alcalá, Madrid e Italia, nos hablan apenas de sus amores. Si tuvo una pasión intensa de esta categoría, un amor ideal, platónico, es cosa que el propio Quevedo ha cuidado de esconder avaramente bajo una máscara de versatilidad, quizá para zafarse de la burla de sus adversarios ; tanto, que la posteridad no puede imaginarse a un Quevedo suspirante, lacrimoso y flébil, adolorido por los desdenes de una ingrata, perdidamente enamorado de una «Beatrice» pura y celestial con un amor que absorbe la vida toda.

En cambio, el amor sexual fué para él una pasión irrefrenable, un apetito voraz de la carne, y en éste consumió gran parte de su juventud. En su existencia vertiginosa figuran lances, desafíos, riñas y cuchilladas a causa de la mujer: no de una mujer [1]). Y aun de estas sangrientas rebatiñas tenemos exiguas y no indiscutibles referencias. Se ha hablado de la pendencia con un don Diego Carrillo cuando era estudiante en Alcalá referente al soplo de su dama, intercediendo por él otra dama, doña Catalina de la Cerda, mujer del favorito del Rey. Conocidos y novelados son los devaneos con la esposa del cortesano Menardini — que estaba al parecer al servicio del duque de Osuna —, a la que raptó, llevándosela a Ragusa, con gran escándalo de la nobleza napolitana. En Nápoles y en Génova los amoríos de Quevedo y de Téllez-Girón exaltan la vanidad de las damas y la preocupación de los maridos. En 1626 hay una Margarita que le enajena y que le lleva, como se dice hoy gráficamente, de cabeza. Esta Margarita (posiblemente una dama de la Corte) distraerá a don Francisco durante varios años y tal será el encono al verse pospuesta, que no sólo se unirá a sus enemigos sino que ejercerá decisiva influencia y quizá su seducción para que el inconstante caballero dé con sus huesos en la misérrima cárcel de San Marcos.

[1]) Dice FERNÁNDEZ-GUERRA en una nota a las *Cosas que se cuentan en la Corte* (vol. I, pág. 453): «Conozco papeles suyos muy privados, sacudiéndose de embestidoras y busconas, y de ellos hubo que fué origen de irritación y encrudecimiento en sus últimas persecuciones.» Y el sobrino de Quevedo declara: «Cuando mi tío estuvo en Nápoles con el Duque, se enamoró de la mujer de un señor de la Corte llamado Menardini; el cual, luego que lo supo, llevó a Ragusa a su mujer y le mandó a decir a Quevedo que otra vez respetase a las mujeres casadas. Quevedo le contestó mal; y a no ser por el Duque que medió en la controversia, hubiera un duelo. En Nápoles tuvo muchos lances amorosos, que me sé yo y callo; pero en todos fué caballero.»

Las poesías líricas (insertas en su mayoría en la Musa «Erato») nos muestran al rapsoda afectado por un amor más convencional que sincero. La lírica amorosa exige un amante torturado que externa sus sentimientos más puros; sentimientos que son de difícil improvisación, del mismo modo que el caballero Alonso Quijano buscaba un amor ideal para inmortalizar en él sus heroicidades. Cuando canta su pena «más rigurosa que Tántalo», o compara el Etna con las propiedades de su amor, o encomienda su llanto al Guadalquivir para que le lleve a Lisi, o bien cuando se lamenta:

> Los que ciego me ven de haber llorado,
> y las lágrimas saben que he vertido,
> admiran, de que en fuentes dividido,
> o en lluvias ya no corra derramado...,

el llanto no es llanto sincero: es un lloriqueo literario, porque es tema de rigor en la lírica amorosa.

Para Quevedo, acostumbrado al trato de hembras frívolas y de sentimientos superficiales, la mujer es el eterno enemigo. No obstante, en la *Vida de Marco Bruto* reconoce el poderoso influjo que ésta ejerce en la sociedad, constituyendo la familia.

Que Quevedo conoció el amor, no podemos dudarlo, porque no hay hombre sobre la tierra que no se haya embebecido en su agridulce anagogía. Yo no he visto en todas las literaturas una definición más completa y más bella que la que estampa nuestro glorioso autor en el siguiente soneto:

> Es hielo abrasador, es fuego helado,
> es herida que duele y no se siente,
> es un soñado bien, un mal presente,
> es un breve descanso muy cansado.

Es un descuido que nos da cuidado,
un cobarde con nombre de valiente,
un andar solitario entre la gente,
un amar solamente ser amado.
  Es una libertad encarcelada,
que dura hasta el postrero parasismo;
enfermedad que crece si es curada,
  Este es el niño Amor, este es su abismo.
¡Mirad cuál amistad tendrá con nada
el que en todo es contrario de sí mismo!

SU CULTURA

Trato específicamente de la cultura de don Francisco en el capítulo que titulo «Humanismo de Quevedo». Aquí sólo pienso exponer algunas consideraciones generales para enjuiciar mejor los matices de su carácter.

He de decir, ante todo, que Quevedo fué el cerebro mejor organizado que se ha conocido. Su capacidad de trabajo y su obra nos lo dicen elocuentemente.

Era un espíritu universitario casado con el pueblo. Lector empedernido. Lectura fabulosa, como comprobaremos en las Fuentes de su Obra. No hizo otra cosa que ir adornando incesantemente el formidable edificio de su erudición, que había construído en su juventud con materiales puros y eternos. Leía en casa, en la calle, en el coche, en la cama, en la mesa, en la cárcel. Nos refiere su sobrino en *Las tres últimas Musas* que mientras comía iba leyendo en un atril con dos tornos, y tenía una mesa especial con ruedas para leer en la cama.

Ciertamente, no se puede ser buen escritor si no se es buen lector. Díganlo Cervantes, Lope, Fray Luis, Herrera y con ellos todos los ingenios universales.

Poseía una riquísima biblioteca de cinco mil volúmenes [1]). «Su librería — estima Mártir Rizo — es de los libros más preciosos que hay en todas las facultades, no mamotretos, como dice Morovelli.» [2]) Su amigo Vicente Mariner escríbele en carta fechada en 1625 una cumplida alabanza a su biblioteca, cuyos términos transcribo en otra parte de este libro. Antonio Ponz asegura que se conservaba gran parte de ella en la iglesia del monasterio de San Martín [3]).

Dispendiaba la mayor parte de sus rentas, como los antiguos humanistas del Renacimiento, en la adquisición de costosos volúmenes y de manuscritos, buscados con afán. En el Prólogo de las *Obras* del bachiller Francisco de la Torre declara que halló el códice en casa de un mercader de libros que se lo vendió con desprecio, y en una carta al duque de Medinaceli (1635) manifiesta: «Hanme prestado un libro muy antiguo latino, sobre la escritura de un francés, con las mayores y más particulares alabanzas de la casa de Fox que se han visto.» Poseía, además, numerosos documentos de carácter histórico, entre los que se citan, por la estimación en que los tenía, una carta original del Almirante de Castilla a Carlos V y un libro del infante don Enrique de Villena, en el que se hallaba el tratado de la Gaya Ciencia [4]).

[1]) TARSIA. — Obra citada. ¿No será excesiva la cifra?
[2]) *Defensa de la verdad...*
[3]) ANTONIO PONZ. — *Viage de España,* vol. V. ¿Cómo es esto posible si el sobrino de Quevedo heredó el mayorazgo? Quizá Ponz debió ver algunos libros que leía don Francisco en los postreros tiempos de su vida, que ostentaban, como manifiesta, notas marginales del propio escritor y que se han esparcido por varias bibliotecas monacales y casas solariegas andaluzas.
[4]) Escribe al Excelentísimo Conde-duque de Olivares: «En mi poder tengo un libro grande del infante don Enrique de Villena, manuscrito, digno de grande estimación.»

En las notas personales de Quevedo [1]) se ve la constante preocupación que por los libros sentía. Dice en una: «Estos libros tiene el señor don Alonso Carrillo: Polibio, *Historia Iuris*; Palephatio y Alciato, *De legibus*; Lactancio Firmiano, *Luciani* «Dialogui». El *Tetragrammaton,* don Lorenzo Ramírez»; es decir, que éstos no figuraban en su biblioteca. En cambio poseía los siguientes, según se desprende de otra nota: «Dejo prestada a Sebastián Pérez la *Decendencia de los Girones*; y a don Alonso Carrillo la *Poética* de Scalígero, Píndaro en prosa, Anacreón y Asconio.»

Los escasísimos libros que de él conservamos están llenos de apostillas. Labor altamente meritoria sería la de ir consignando los volúmenes que le pertenecieron, algunos de los cuales indudablemente deben existir en bibliotecas públicas y privadas, con los que podríamos rehacer la figura espiritual de Quevedo y estudiar jugosos rasgos de su carácter.

Toda su obra está empedrada de citas sacadas de las canteras naturales, y muy pocas de segunda mano.

Poseía una inteligencia vivísima, que le hacía asimilar cuanto leía; y a su influjo escribía fluentemente, pero nunca abandonando su destacada personalidad.

Su obra demuestra el dominio que tenía de las lenguas muertas y vivas, especialmente del griego, del latín, del francés, del toscano y del portugués, como se manifiesta en toda su obra y en los tres sonetos que siguen, el primero de ellos, escrito en portugués,

[1]) Publícalas FERNÁNDEZ-GUERRA y las completa el señor ASTRANA MARÍN en sus citadas obras («Apuntes autógrafos», el primero, y «Apuntes particulares», el segundo).

a la canonización de San Raimundo, cuyo es este
cuarteto:

> Se casto ao bom Joseph nomea a fama,
> Só porque lá no meio da sua idade
> Unico exemplo foi da castidade,
> De cujo nome o sancto auctor o chama...;

el toscano, dedicado «A unos ojos hermosos que vió
al anochecer»:

> Diviso il sole partoriva il giorno,
> Languido nella tomba d'Occidente;
> Risorse dal sepolcro il lume ardente
> Di bionde stelle coronato intorno...;

y el dirigido al Cardenal Richelieu, en italiano:

> Dove Rucelli andate col piè presto?
> Dove sangue, non purpura conviene:
> Per tributario il fiume, il mar vi tiene
> I Rucelli nel mar han fin funesto...

Se relacionó íntimamente con el pintor flamenco
Pedro Pablo Rubens, que visitó dos veces la Corte
española en calidad de embajador, y con Velázquez,
quienes hicieron su retrato. Era un experto en obras
de arte y tenía gran predilección por los cuadros. Vicente Carducho, en sus *Diálogos de la Pintura*, citó
a Quevedo entre los aficionados que poseían muchos y
buenos cuadros [1]). De su testamento y codicilos se
desprende que poseía varios; y nombra particularmente un lienzo de San Jerónimo, otro de la Magda-

---

[1]) MESONERO ROMANOS. — Obra y lugar citados, pág. 454.

lena, un retrato de Juan Andrés de Oria y un cuadro de Cristo en la Columna [1]).

Su memoria era prodigiosa, como lo demuestra el hecho de que debido a sus viajes y a sus cárceles, no podía llevarse consigo el caudal de notas que poseía: papeles, papeles en varios arcones de Madrid y en la Torre de Juan Abad, de que nos habla en su testamento y que se perdieron desgraciadamente.

La consideración de los españoles a su cultura es patente y de ello hay numerosísimas referencias, como veremos. Quevedo recibe plácemes hasta de sus enemigos más acérrimos. Llueven epístolas laudatorias, dísticos latinos, florilegios de encendido barroquismo, peticiones de consejos y prólogos. Mariana no vacila en solicitar su ilustración. Quevedo tiene formada opinión de casi todos los sistemas filosóficos, y un juicio categórico de los autores clásicos. Véanse estos dos típicos ejemplos, de los que sacaré una conclusión estilística: «Catulo tiene sus errores, Quintiliano sus arrogancias, Cicerón algún descuido, Séneca bastante confusión, y, en fin, Homero sus cegueras, y el satírico Juvenal sus desbarros, sin que le falten a Egecias conceptos, a Sidonio medianas sutilezas, a Enodio acierto en algunas comparaciones, y a Aristarco, con ser tan insulsísimo, propiedad en bastantes ejemplos.» En otra ocasión escribe: «Sócrates, si crees a Aristófanes, era mentecato. A Platón llamaron el divino, y Aristóteles reprobó toda su doctrina; y la de Aristóteles Platón y, en nuestros tiempos, Pedro de Ramos y Bernardino

---

[1]) Es sabida la influencia que sobre su pluma ejerció la obra del pintor Jerónimo van Aken, llamado «Bosco», a quien cita en el *Buscón* y en *El Alguacil alguacilado*.

Tilesio. A Homero llaman Platón y Aristóteles padre de la sabiduría y fuente de la doctrina; y Escalígero y otros muchos le llaman caduco y borracho; y a ellos los tratan peor...»

Estos juicios críticos acusan dos aspectos de su personalidad: la serena y escueta discriminación del profundo humanista y sagaz crítico, y la jugosa retahila de conceptos satíricos, no exenta de profundidad y de mérito filosófico; es decir, lo serio y lo burlesco que conjugan las constantes fluctuaciones de su carácter.

¿Y las letras patrias? Basta leer *España defendida* para convencerse del acendrado amor, de la devoción mística que por ellas sentía. Cuando su juicio sereno se deja arrastrar por la vehemencia del fuego patriótico que le alienta, suele ser benévolo y aun obcecado. Siempre trata lo grande en grande. Admira el titánico esfuerzo de nuestros filólogos por la fijación de la lengua madre «y el rigor y diligencia con que se pulían las palabras y se facilitaba la pronunciación, cuando por mal acompañadas vocales sonaban ásperas u eran equívocos» [1]), desde los lejanos tiempos de don Enrique de Villena hasta los esplendores del Renacimiento. Cisneros, Nebrija, Erasmo, Vives son los semidioses fautores de nuestra Sabiduría españolísima. Siente una especial predilección por los brillantes consignadores de las glorias hispánicas del Imperio, y los nombres de Mariana, Alburquerque, Mármol, Cabeza de Vaca, Florián de Ocampo y tantos otros van citados en sus páginas con unción. Llama a Ambrosio de Morales «el cuidadoso», y escribe en una ocasión: «¿Qué Tito

[1]) Carta al Conde-duque.

Livio iguala a Zurita, cuya histo[...]
mundo, autenticada con su nombr[...]

La ciencia y el arte españoles [...]
Ensalza la figura de Fray Luis de [...]
en todas lenguas triunfan de vuestra [...]
Montano, a Rivadeneira, a Malón [...]
lares y poderosos a honrar una leng[...]
tos» [2]); a los filósofos, a los tratad[...]
patriótico orgullo: «¿Qué Horacio, [...] Propercio, ni
Tíbulo, ni Cornelio Galo, excedió a Garcilaso y Boscán? ¿Qué Terencio a Torres Naharro? ¿Qué Anacreonte iguala a Garci Sánchez de Badajoz? ¿Qué Pitágoras y Focílides y Teógnides y Catón latino no se
dejan vencer de las Coplas de Jorge Manrique, nunca
bastantemente admiradas de las gentes? ¿Qué tenéis
que poner en comparación con el divino Castillejo? ¿Qué
oponéis al doctísimo Juan de Mena, donde es gran negocio entenderle y difícil imitarle, y excederle imposible?» [3])

SU ESTILO

Es el estilo el exponente de la Eternidad. La exte-
riorización de esa «alma mater» y el juego de luces de las
actividades del espíritu, representan la máxima expresión de la individualidad. En el tiempo, en el espacio,
en la Raza.

Entre el siglo XVI, de gusto italianizante, y el XVIII,
de gusto francés, está el XVII, nacional y barroco.

[1]) *España defendida.*
[2]) Idem.
[3]) Idem.

mo nota Díaz-Plaja [1]), el arquetipo del Barroco es
ntelectual, cuyos primores son, según Gracián, enten-
imiento, agudeza, corazón, gusto, religiosidad. No se
puede decir, sin embargo, que Lope sea un intelectual
en el sentido estricto de la palabra. Quevedo, sí. Y Gracián. Y Góngora, en cierto modo. En término medio se
halla Cervantes. ¿Y qué resulta de ello? Que Quevedo y Góngora crean un modo peculiar de expresión.
Lope, en cambio, fluctúa. Cervantes se va hacia lo pre-
térito, lo clásico, lo renacentista, lo ponderado, lo
consagrado como arquetipo. Gracián aplaude lo nuevo
con vibrante aliento.

En ningún escritor como en Quevedo se da tan maravillosamente ajustada la célebre frase de Buffon. Es
un genio porque es original en los aspectos que lo informan: el fondo y la expresión.

Quevedo es el corifeo que guía los coros de esa
magna representación teatral llamada el Conceptismo;
la nueva modalidad literaria, la expresión artística que
han buscado con afán los escritores, desde los lejanos
tiempos del medioevo — «gran negocio es entender a
Juan de Mena, y difícil imitarle», dice en *España defendida* —, para crear una lengua literaria que satis-
ficiera plenamente las exigencias del arte. Toda tendencia nueva es fruto de ingenio. El genio, al dar a
luz su obra, no piensa en que crea algo nuevo e inmutable: lo nuevo es ingénito en él: no hace más que
reproducir su propia «alma mater». Es la posteridad
la que se da cuenta del alumbramiento y le sigue, alu-
cinada.

[1] GUILLERMO DÍAZ-PLAJA. — *El Espíritu del Barroco*, Barcelona,
1940, pág. 27.

El verdadero espíritu independiente, si busca modelos, éstos, como dice Julio Stenzel [1]) no le intimidarán y se fortificará en ellos y se sentirá digno de la tradición. «Desvelo por su mantenimiento y auténtica independencia de expresión vienen a ser lo mismo, ya que el lenguaje sólo *es* en *advenir* continuo, que sin cesar se consuma en los actos lingüísticos de la comunidad de la lengua» [2]). Quevedo obra independientemente, siguiendo su carácter original; por ello, por su espíritu libre ataca con tesón las «reproducciones» consagradas del lenguaje tradicional, las frases dadas, las expresiones vernáculas, y cree que el escritor ha de renovarse continuamente, creando, enriqueciendo la lengua madre para que no perezca en el mar de la vulgaridad. Esto le lleva al neologismo, para el cual toda palabra, o es, o puede ser en su pluma un neologismo [3]).

Los ingenios fluctuaban indecisos, hilando con hilo sutil en la tela de araña de su afán individualizador ese «algo nuevo», inefable y trascendental, ese «algo» inmanente que existía en potencia en la época de liquidación de viejos valores. Es lo mismo de todas las épocas: a la verborrea del Conceptismo finisecular, la reacción neoclásica; a la vulgaridad romántica de la decadencia, los alientos prometedores del Modernismo. El Arte es un Ave Fénix, que renace siempre de sus cenizas.

---

[1]) J. STENZEL. — *Filosofía del Lenguaje.* Madrid, 1935, pág. 167.
[2]) Idem, íd., pág. 167.
[3]) «El primer precepto de mi Retórica ideal es aquel que ordena que, bajo la pluma del verdadero escritor, toda palabra sea un neologismo... Así se cumple con Quevedo.» EUGENIO D'ORS: *El Valle de Josafat.* 1921.

¿Conceptismo? ¿Culteranismo? ¿Qué importa el nombre, si es ambiguo? Lo importante es la concreción, la consagración, el hecho real. Lo que contaba, realmente, era un noble afán de superación que flotaba en un barroquismo — así se ha llamado — intelectual y retórico. No, como se ha dicho, nacido precisamente de una corrupción del gusto. De aquí los numerosos tanteos, como el «eufuísmo», el «preciosismo», el «seiscentismo», etc. [1]); es decir, una modalidad que no nace precisamente, como afirma Arturo Farinelli [2]) en España, sino en Italia, «donde en la fecundísima época del Renacimiento, todas las corrientes literarias, buenas y malas, tuvieron su principio». Un Juan de Orozco intentó algo nuevo, según nos dice Gracián en la «Agudeza y arte de ingenio»; pero su obra no tuvo éxito inmediato y definitivo. Un oscuro poeta conquense, Miguel Toledano [3]) pudo llamar la atención con su *Minerva Sacra*. Un Jerónimo Cáncer [4]), ingenio barbastreño, colaborador en varias comedias con los dramaturgos de más predicamento, compuso también algún escrito que sus contemporáneos motejaron de «disparatado e inconexo». Un preceptor de Villanueva de los Infantes, Bartolomé Ximénez Patón [5]) redactó su *Mercurio Trimegisto,* «oráculo de todos los preceptores de la Mancha y del reino de Jaén»,

[1]) «Gongorismo y marinismo y eufuísmo son tres amaneramientos diferentes a que sin remedio tenía que llegarse en Europa, dado el nivel del progreso lírico. Los tres son frutos del barroco.» J. ORTEGA Y GASSET: *Espíritu de la letra.*

[2]) A. FARINELLI. — *Divagaciones hispánicas,* vol. II, pág. 87.

[3]) Véase R. SCHEVILL y A. BONILLA: *Poesías sueltas de Cervantes.* Madrid, 1922. La *Minerva Sacra* se editó en Madrid, 1616.

[4]) Muerto en 1655. Su musa es hermana menor de la de Quevedo.

[5]) Fué maestro de Villamediana, el poeta amigo de Quevedo.

como dice Menéndez y Pelayo [1]), que llamó poderosamente la atención del satírico madrileño y fué, según testimonio de Lope de Vega, el inventor del término:

> Gente ciega, vulgar y que profana
> lo que llamó Patón culteranismo.

En el fondo, el barroquismo no es otra cosa que la falta de unidad estilística, debido a la liquidación del pensamiento renacentista y al desvalecimiento de la comunidad nacional que experimenta la Patria al desvirtuarse el anhelo imperial. «La ley de la unidad estilística — escribe Gebhardt [2]) — rige en cuanto rige la unidad de una época, es decir, en cuanto los pueblos aparecen reunidos por la comunidad de cultura en comunidades supernacionales.»

El afán que había inquietado siglos antes al infante don Juan Manuel, el «hablar escuro» [3]), incitó también a Góngora: Y la «manera» de Quevedo nació además de representar una oposición cultural y temperamental, de una rivalidad innata. Quiso oponerse a la escuela que conquistaba adeptos de categoría, quiso rivalizar con él, quiso ser superior porque así lo creía sinceramente, siguiendo la corriente secular de nuestras Letras, «de juntar y unir los opuestos extremos del lenguaje más bajo con el más noble» [4]).

Los precursores del «conceptismo» son el obispo de Mondoñedo Fray Antonio de Guevara, cuyo *Menospre-*

---

[1]) MENÉNDEZ Y PELAYO. — *Ideas Estéticas,* vol. III, pág. 282.
[2]) CARLOS GEBHARDT. — *Rembrand y Spinosa* (Rev. Occid., 3-29, pág. 315).
[3]) En 1575 Argote de Molina edita en Sevilla *El Conde Lucanor,* que seguramente debió influir en el desenvolvimiento y triunfo de esas nuevas maneras.
[4]) KARL VOSSLER. — *Introducción a la literatura española del Siglo de Oro (Cruz y Raya,* 1934, pág. 28).

cio de corte y alabanza de aldea (Valladolid, 1539) bien pudo inspirar a Quevedo en la filosofía práctica de la vida, de sentido estoicocristiano, y cuyas demás obras ejercieron positiva influencia en la técnica del madrileño; el segoviano Alonso de Ledesma Buitrago [1]), que escribe *Conceptos espirituales* (1600), *Juegos de Nochebuena con cien enigmas* (1611), *Romancero y Monstruo imaginado* (1615-16) y *Epigramas y Hieroglíficos a la vida de Cristo* (1625), todos ellos intensamente barrocos, con prurito de extravagancias. Otro ingenio de gran prestigio en el alborear de la nueva forma y que leyó atentamente don Francisco de Quevedo, es Alonso de Bonilla [2]) en su *Nuevo jardín de flores divinas*. Otro fué el sacerdote valenciano Melchor Fuster [3]). Quevedo es quien le da cuerpo y le inmortaliza.

Para mayor claridad creo indispensable aquilatar la técnica de las dos escuelas, en cuanto me sea posible, pues debo advertir que muchas veces se confunden, dándose el caso de aparecer íntimamente trabadas no sólo en los discípulos de Góngora y Quevedo, sino también en los maestros y aun en los detractores del culteranismo — Lope en *La Circe* y Jáuregui en la traducción de *La Farsalia* — que no pudieron eximirse de su influencia. «Nada más opuesto entre sí que la es-

[1]) En los *Conceptos espirituales* habla LEDESMA de la «agudeza de los equívocos y la sal de los donaires». El concepto «agudeza» fluctúa ya como norma consagrada entre los ingenios de aquel siglo. Véase E. MERIMÉE: *La vie et les oeuvres de Quévedo*. París, 1886, página 332. También: C. PÉREZ PASTOR: *Bibl. Madrileña*, vol. II, páginas 203-340.

[2]) Nació en Baëza. El término «agudeza» se lo da Lope de Vega, en una alabanza exagerada. El *Nuevo jardín* se publicó en 1617 (GALLARDO: *Ensayo*, vol. II, pág. 108).

[3]) Autor de *Misceláneas predicables, políticas y morales* (Valencia, 1671).

cuela de Góngora y la de Quevedo — escribe Menéndez y Pelayo [1] —. Góngora, pobre de ideas y riquísimo de imágenes, busca el triunfo en los elementos más exteriores de la forma poética, y comenzando por vestirla de insuperable lozanía, e inundarla de luz, acaba de recargarla de follaje y por abrumarla de tinieblas. Al revés: el caudillo de los conceptistas no presume de dogmatizador literario; forma escuela sin buscarlo ni quererlo. Sigue los rumbos excéntricos de su inspiración, que crea un mundo nuevo de alegorías, de sombras y de representaciones fantásticas, en los cuales el elemento intelectual, la tendencia satírica directa, si no predominan, contrapesan a lo menos el poder de la imaginativa.»

La técnica de Góngora es meditada, es labrada a costa de no pocos trabajos, realizada a buril e iluminada por el resplandor del genio; busca en la grávida cantera de las lenguas viejas expresiones que rellena de luz vital, idiotismos resonantes, palabras inauditas o silenciadas; sus períodos son largos, amenizados con el hipérbaton y salpimentados de metáforas de difícil intelección; acumula numerosos elementos sensoriales, musicales y pictóricos, intentando grabar en el pentagrama las ricas y varias tonalidades de la expresión andaluza y de la lengua hispánica. Es, como dice Ovejero, «fría, afectada, superficial» [2]). Quevedo en cambio vierte en sus escritos el chorro libre de su ingenio. No busca: crea. Gracián define su manera de esta guisa y con frase *ad hoc:* «Una primorosa con-

[1]) Menéndez y Pelayo.—*Ideas Estéticas,* vol. III, pág. 478.
[2]) Ed. Ovejero y Maury. Prólogo a la *Agudeza y Arte de Ingenio* (Biblioteca Filosófica Esp. Madrid, 1929, pág. XII).

cordancia en una armónica correlación entre dos o tres cognoscibles extremos, expresada por un acto del entendimiento... Un acto del entendimiento que exprime la correspondencia que se halla entre dos objetos.» [1]

¿Y el concepto? Dice Pfandl que la palabra *concepto* significaba originariamente el esbozo, la idea, el aspecto intelectual, uno de los diversos puntos de vista que pueden referirse a un tema determinado; «pero a medida que aumentaba la afición a la agudeza del lenguaje, iba precisándose el sentido de la palabra *concepto,* hasta significar con ella la iluminación recíproca de dos ideas ingeniosamente ligadas o comparadas entre sí» [2].

La sutilidad, el ingenio, el doble sentido de la frase, las más insospechadas imágenes que surgen como una irisada explosión de posibilidades; la afectación, la antítesis, el equívoco, el paralelismo, la aliteración, el retruécano y todos los juegos posibles de la palabra, forman el oropel de esa tendencia. Dentro de la libertad en que se desenvuelve el espíritu del conceptista, hay una unidad relativa y un dominio de la alegoría y la fértil excentricidad. El denominador común es, desde luego, el nervio del artista. El insondable mar de nuestra lengua en que bucea Quevedo — quizá el más experto buzo de nuestro caudaloso léxico — le da margen para escribir de esta guisa; desentierra palabras que se caen de viejas — no extraídas, como Góngora y sus secuaces, de lenguas forasteras — y crea otras por derivación y por composición. Es un curioso res-

[1] GRACIÁN. — *Agudeza y A. de I.* Discurso II.
[2] LUDWIG PFANDL. — *Hist. de la Lit. Nacional esp. en la Edad de Oro,* pág. 275.

taurador del habla casera, villana, autóctona, y le agradan sobremanera las expresiones castizas de los artesanos, de los arrieros, de los labradores, de los ociosos de Madrid. Nervio acerado, videncia maravillosa, evento incesante. Es lo nuevo español en lo antiguo. Es, además, su temperamento, que presta color y sabor genuinos. Y cuando se da cuenta de ello, exagera la nota — «violenta y afectada», como dice M. y Pelayo [1] —, como, por ejemplo, en esta letrilla satírica:

> Toda bolsa que me ve
> tan honesta y tan bonita,
> me llama, no sé por qué,
> cuando tomo, Mariquita,
> cuando da, Maritomé.
> En casa del Florentín,
> tienda donde se regala,
> más le quiero Martingala,
> que no sin gala Martín...

Estas exageraciones escandalizaron a los espíritus ñoños y circunspectos, que juzgaban como estridencias de muy mal tono las distintas manifestaciones del genio. Ello se ha visto siempre en la historia del Arte: un nuevo estilo, para triunfar, necesita romper los pesados diques de la tradición. Y por ello Quevedo tuvo adversarios que creían de buena fe debía combatirse por patriotismo la heterodoxia de tan peligroso escritor; adversarios que se acrecieron en el siglo XVIII, el siglo de la medida y del compás. Mayans y Siscar confesará que no comprende a Quevedo en estas palabras que reflejan la posición estética del neoclasi-

[1] Cultura literaria de Miguel de Cervantes (Col. Austral, página 107).

17

cismo: «Y en lo que toca al estilo, tan propio y natural, que si por razón de los argumentos no hubiera afectado la vulgaridad, y por la grandeza de su ingenio la extravagancia del discurso, sería hoy el ejemplar primero de la elocuencia española.» [1])

«Lo que principalmente buscaba el conceptista al escribir — dice don Ramón Menéndez y Pidal [2]) —, era hacer gala de agudeza e ingenio ; por eso muestra gusto especial por las metáforas forzadas, asociaciones anormales de ideas, transiciones bruscas y gusto por los contrastes violentos en que se funda todo humorismo ; que humoristas son los grandes escritores de este siglo, Quevedo y Gracián. En estos autores geniales el conceptismo aparece lleno de profundidad, la frase encierra más ideas que palabras (al revés del culteranismo, que prodiga más las palabras que las ideas.» El conceptismo — intuye Díaz-Plaja — acepta de la metáfora el juego «intelectual» ; el culteranismo lo necesita para el enriquecimiento «sensorial» de la frase [3]).

Ello no empece, como ya tengo dicho, para que cuando le cuadre vaya al campo enemigo a disputar sus banderas. El espíritu de Quevedo es receptáculo en donde se fijan las expresiones más diversas. Es un fino catador de lo bueno y sabe reconocer e imitar lo inmejorable. Así, pues, nuestro escritor, naturalmente, y sin forzarse lo más mínimo, escribe a veces en tono culterano. En la siguiente letrilla se ve claramente la

[1]) GREGORIO MAYANS Y SISCAR. — *Oración en alabanza de las obras de D. Diego Saavedra y Fajardo.*

[2]) R. MENÉNDEZ Y PIDAL. — *Antología de Prosistas Castellanos.* Madrid, 1920, pág. 279.

[3]) G. DÍAZ-PLAJA. — *Historia de la Poesía Lírica Española,* página 171.

huella gongorina, además de una fortísima concordancia con las famosas décimas de «La Vida es Sueño», de Calderón, afiliado, como se sabe, al bando del cordobés :

> Dime, cantor ramillete,
> lira de pluma volante,
> silbo alado y elegante,
> que en el rizado copete
> luces flor, suenas falsete,
> ¿ por qué cantas con porfía
> invidias que llora el día
> con lágrimas de la Aurora,
> si en la risa de Lidora
> su amanecer desconsuelas ?
> Es un átomo de pluma,
> ¿ cómo tal contento sabe ?
> ¿ cómo se esconde en un ave
> cuando el contrapunto suena ?

Es culterano también el siguiente romance sobre el Manzanares, que escribió en la sombría cárcel de San Marcos pocos días antes de su libertad. Téngase en cuenta que lo compuso estando tullido y enfermo :

> En el ampo de la nieve
> dos Orientes encendidos,
> portento de hielo y fuego,
> non plus ultra de lo lindo...

Imágenes rutilantes, que bien pueden ser gongorinas, y aun modernísimas. Véase ésta, del romancillo *Ero y Leandro en paños menores* :

> Y rema contento
> mirando su cara,
> estrellón de venta,
> norte con quijadas...

Ahora bien, ¿de dónde viene esa aspiración por un arte nuevo y selecto? Viene, naturalmente, del espíritu de la época. A raíz de esa explosión europea — italiana, insiste Farinelli — de formas nuevas de expresión, sugeridas, según se ha dicho con poco fundamento, por la prosa nerviosa y trabajada de nuestro Guevara [1]), los escritores españoles pretenden — y lo logran — reformar el arte literario. El crítico Paul Thomas va muy lejos en sus apreciaciones al afirmar que los antecedentes del culteranismo son el conceptismo provenzo-catalán, el conceptismo del Petrarca y sus seguidores, las tendencias pedantescas de la erudición, el humanismo de Herrera. Keniston y Margot Arce creen que se inician en Garcilaso y se amplían en el jefe de la escuela sevillana. Estimo que ello es una aspiración natural y lógica, y que no hay que atribuirle tales antecedentes, sino partir del temperamento propio del escritor.

Claro está que desde que Juan Manuel aceptó la sugerencia del señor de Xerica, se inició en nuestra literatura un afán de crear una lengua para el Arte, un *sermo nobilis* completamente divorciado del habla popular.

Las dos tendencias no pueden delimitarse congruentemente, no tan sólo, como he dicho, entre los secuaces de Góngora y Quevedo, sino también entre los gladiadores de ese combate. Paravicino, por ejemplo, tiene influencias de las dos, y Baltasar Gracián no sabe

[1]) FARINELLI (*Divagaciones hispánicas,* vol. II, página 89) dice a este respecto: «No hay quien ignore que las obras del obispo de Mondoñedo tuvieron inmensa popularidad en España y fuera de España. Pero, ¿quién creerá seriamente que las traducciones inglesas de Guevara originaron los estragos del eufuísmo?»

decidirse a ciencia cierta. «La confusión y algarabía fué tal — dice Miguel Artigas [1] —, pasados algunos años, que nadie se entendía en lo de ser o no ser culto.»

Más que un duelo entre Quevedo «conceptista» y Góngora «culterano», ha de decirse que fué el suyo un antagonismo nacido de dos temperamentos repelentes. Ya hemos visto las sátiras que se disparaban continuamente.

Sus ideas estilísticas, como las de Lope y las de los genios señeros, se pluralizan y se difunden en los innumerables planos que adopta su producción. Por ello el lector de poca experiencia creerá ver contradicciones, cambios de conducta, cuando no son otra cosa que manifestaciones genuinas de su espíritu formidable. En la carta al Conde-duque [2] cree que la dicción no se ha de desautorizar con lo vulgar ni hacerse peregrina con lo impropio. Propugna por la sencillez que tanto admiraba en Séneca, de quien transcribe el pensamiento siguiente: *Irridenda facundia, quæ rem non explicat, sed involvit* [3]. Ideas de Lope, que tampoco las cumple; y de Cervantes, que las cumple al pie de la letra. El escritor «no ha de afectar la noche en sus obras» [4].

Pero es que el rayo superior que ilumina el día espléndido del genio, suele deslumbrar a veces a los lectores. Dice con Aristóteles que «la virtud de la dicción

[1] MIGUEL ARTIGAS. — *Semblanza de Góngora*. Madrid, 1928. Página 41.
[2] 21 de julio de 1629.
[3] «Se ha de menospreciar la facundia, que antes envuelve la sentencia que la declara.» SÉNECA: *Epíst. XXII.* Carta al Conde-duque, 7 diciembre.
[4] Carta al Conde-duque, 21 de julio de 1629.

ha de ser perspicua, no humilde» [1]; y con Demetrio Falereo, autor muy de su gusto: «Conviene que sea la dicción... exquisita, inmutable y no demasiado vulgar; así tendrá amplitud y dignidad.» Y después de aducir numerosos testimonios de peso (Erasmo, Marcial, Estacio, Horacio, Espinel), concluye: «De suerte que no sólo es reprehensible escribir escuro, sino poco claro.»

Ahora bien: ¿cuál es el estilo de Quevedo?

Tú, lector, que ya conoces una pálida referencia de la vida de torbellino de ese gran solitario, podrás juzgar la gran dificultad que hay de justipreciar su estilo. Perdona, pues, si este estudio aparece amazacotado y en muchas ocasiones difuso y artificioso.

Si te adentras en la lectura de su copiosísima obra, verás la serie innumerable de planos en que se desenvuelve su arte, debido a plurales influencias. Al lado de pensamientos profundos, expresados con la concisión senequista [2]), se encuentran pasajes ampulosos y recargados de galas; junto a elucubraciones metafísicas expresadas con evidente austeridad y laconismo, vacuidades y chanzas y notas al vuelo puestas con desgarro al margen del libro de la vida, que tan profundamente conocía. El concepto trabajado, la idea concisa, el fondo satírico y humorista se aúnan a veces con la simple fantasía artística. A menudo explota en continuados retruécanos y violentos exabruptos. Retuerce y tornea las ideas que suben, suben en gracio-

---

[1]) (Poética). *Idem. Id.*
[2]) *(De Elocutione). Idem. Id.*
[3]) «Nada más seco y rígido», dice AZORÍN (*Clásicos y modernos*, pág. 120). La sequedad y rigidez de Quevedo es cuando trata asuntos *ad hoc;* es decir, secos y rígidos.

sas espirales, como columnas salomónicas, para sostener el rutilante palacio de su fantasía conceptista; y al lado de párrafos sin artificio retórico se halla un empalagoso torbellino de aliteraciones, asonancias, antítesis y engendros léxicos inagotables, pues Quevedo domina todos los recursos lingüísticos. A veces es plástico, marmóreo, inmutable. No hallaréis en él la insinuación y la intencionada reticencia. Es claro, contundente en sus ideas. En las obras serias fatiga el exceso de erudición. Hay, sin embargo, una nota predominante, un refinamiento de la abstracción, como decía don Marcelino [1]), una especie de escolasticismo trasladado al arte, que da a sus escritos un carácter especioso y exclusivo. Desde luego, el sello de su personalidad, su «manera» se destacan ante los ojos del lector asiduo.

Como su vida misma — voltaria, fugaz, intensa, de encontradísimas reacciones —, así es el estilo de Quevedo: siempre original y matizado, siempre genial. En la juventud se sentirá influenciado por el torbellino y por el vértigo, por el estudio y por el paisaje que le rodea, buscando sus asuntos en el acervo inagotable de aquel pueblo senil de las tabernas, tarugos y baratillos, que satiriza; depúrase luego con sus lecturas, sus viajes, sus amistades selectas y crea un estilo propio, el estilo inimitable de Quevedo — porque Quevedo no puede imitarse, sino ecoarse: en su vida y en su obra —, formado de los más contrarios aspectos, desde la sencillez ática de sus prosas costumbristas y la tersura y brillantez de sus cartas, a la forma ambagiosa, llena de elipsis, de frases cortadas y de

[1]) M. Y PELAYO. — *Ideas estéticas,* vol. III, pág. 479.

imágenes rotundas, como cantiles berroqueños que sostienen el complejo edificio de su producción. Su estilo se amolda por modo maravilloso con los diversos estadios de su carácter, que van desde la impetuosa juventud hasta la dolorosa realidad de la vejez enferma y lacerada por sinsabores innúmeros, llena de reacciones ascéticas, de quejidos y de amarulencia contagiosa. Hay que tener en cuenta que don Francisco se desdice siempre de sí mismo, se multiplica y se escinde, se hincha y se ahila, fluctuando al socaire de sus lecturas y de los ajetreos de su vida [1]). No puede sujetar su temperamento. Pero ¡cuán propio, cuán genuino este Quevedo! Sus escritos proclaman su nombre a la faz del mundo. El sello es diáfano, inconfundible e indeleble.

Quevedo toma un vocablo — a veces se encapricha: «facinoroso», «novelero», «pantasma», «cofrade» —, juega con él y lo pone del revés y del envés y extrae su jugo vital y de él saca fertilizantes conceptos, como se saca el agua de un manantial, con que vivifica el período, salpicado de deslumbrantes imágenes. Este procedimiento, que luego emplearán otros escritores — Unamuno, entre los más acreditados [2]) —, lleva a la paradoja y es de gran efecto y de mayor fuerza polémica, siempre que se domine la lengua. Sócrates usaba este medio resolutivo para inclinar a su campo al antagonista. Lo inesperado, lo chocante y muchas

---

[1]) «Exuberancia de equívocos y malicias, tanto en sus versos como en su prosa, una tendencia a dejar correr la pluma por dondequiera que le llevasen los bríos de la imaginación». R. SELDEN ROSE : *Prólogo a la ed. del "Buscón".* Madrid, 1927, pág. 7.

[2]) «Como buen español — dice UNAMUNO —, doy en conceptista.»

veces lo desconcertante—aparentemente disparatado—,
está en la agilidad del uso de especificativos y epítetos.
El concepto es como una faceta que brilla y rebrilla
según le dé la luz, con oriente diverso. El concepto es
en Quevedo como el iris: rutila, no en un sentido pre-
ciosista, pues está muy lejos de ello, sino cualitativa-
mente. Véanse unos ejemplos sacados del *Marco Bruto,*
el libro, a mi entender, que con mayor justeza retrata
la superación conceptista del autor:

«Más provechoso es al príncipe el que le da cuidado que el que se le quita; porque, siendo cuidado el
reino, le quita el reino quien le quita el cuidado.»

....

«Dios que cuida de las dolencias de los reinos, los
produce por medicina; porque el vasallo que aborrece
en el príncipe lo que le hace aborrecible, no aborrece
al príncipe, sino a quien le aborrece; quien le acredita
la licencia que se toma, se toma licencia para decir
que le da lo que le quita.»

....

«Prevengo a los que aun no son, para que sepan
ser a costa de los que no son como debían ser.»

Obliga a releer y a meditar lo releído, porque en el
recodo de una palabra juega al escondite la luz del
pensamiento con la de elementos pictóricos y musicales, formando un contraste inesperado. Ningún escritor
más animado ni más palpitante. «El defecto que a veces
echa a perder su estilo — opina el señor Menéndez
Pidal [1] — es la exageración del ingenio, la originalidad extravagante, la oscuridad del concepto. Se do-

[1] M. Pidal. — Obra citada, págs. 279-80.

blega a los caprichos de su imaginación, lo mismo la sintaxis que la significación de las voces.» En las obras serias es «fríamente sentencioso», según frase de Quintana. Es grave, amargo en ocasiones. Siempre extremoso y falto de sobriedad, siempre enérgico y realista, contundente hasta la exageración, contraponiendo unos conceptos a otros como en un habilidoso juego de espejuelos. En ocasiones, al lado de una serie de cláusulas superpuestas y desmenuzando una idea, aparece una síntesis, una palabra que encierra un profundo pensamiento. Hay mucho en su prosa de construcción latina, particularmente el estilo cortado, que no le viene de Tácito, ni de Juvenal, como afirma Cejador, sino de Quevedo. Todo lo más siente la influencia de Séneca en el repetir un vocablo a lo largo de un discurso con insistencia machacona. Este procedimiento, que suele ser de gran efecto si sabe prodigarse en los pasajes oratorios, el mismo Quevedo nos confiesa le viene de Séneca [1]).

Como un paisaje variado es su prosa, porque así es su temperamento — hervores veraniegos, galas de primavera, sequedades de otoño, algideces de invierno —, receptáculo de los más encontrados sentimientos. Su riqueza de léxico — hay que repetirlo muchas veces — es inconmensurable. Y los epítetos surgen espontáneos, numerosamente, como rutilantes haces que tornasolan el pensamiento. Véase, por ejemplo, este pasaje de *El entremetido, la dueña y el soplón,* en que un diablo dice a la Dueña: «¡Oh sobrescrito Bercebús, pinta de satanases, recovera de condenaciones, encañutadora de miembros, encuadernadora de vicios,

---

[1]) *De los remedios de cualquier fortuna.*

endilgadora de pecados, guisandera de los placeres, lucero de los diablos mundanos.» A veces aparecen los esdrújulos, como procesión interminable de disciplinantes que arrastran estruendosas cadenas: «...Llévanlos a la cárcel, ahórcanlos; si son monederos falsos, quémanlos: predícanlos, previénenlos, confiésanse; sálvanse.»

En las obras festivas resplandece el genio y la comicidad inigualada de don Francisco. Domina el habla popular y el lenguaje de germanía — ese «lenguaje de matones y gente fanfarrona», que decía Nicolás Antonio —. Hace gala en ellas de un vocabulario extensísimo, a veces tosco y grosero y maloliente, y en las décimas tituladas *Búrlase de todo estilo afectado,* confiesa con estudiada candidez efectista:

> No me va bien con lenguaje
> tan de grados y corona,
> hablemos prosa fregona
> que en las orejas encaje.
> Yo no escribo con plumaje,
> sino con pluma, pues ya
> tanto bien barbado da
> en escribir al revés.
> Oyeme tú dos por tres
> lo que digo de pe a pa.

A veces explota en un chorro maravilloso de imágenes deslumbrantes, como en esta descripción de *El mundo por de dentro*: «Los cabellos martirizados hacían sortijas a las sienes; el rostro era nieve y grana y rosas, que se conservaban en amistad, esparcidas por labios, cuello y mejillas; los dientes trasparentes; y las manos, que de rato en rato nevaban el manto, abrasaban los corazones.»

267

Quevedo se adueña de la imagen y juega con ella y la ensarta en la irisada pedrería de sus escritos más puros. Todo flúido, todo terso, natural, ingrávido. Y sumamente jocoso cuando se propone hacer reír. Así dice de Alejandro que «era muy gótico de espaldas». Del rey de España, «que tenía deseos delincuentes», al matar a un toro bravo desde una ventana de palacio, como ya tengo dicho. El Manzanares es:

> muy hético de corriente,
> muy angosto y muy roído,
> con dos charcos por muletas.

Y en otro romance dice del mismo:

> En verano es un guiñapo,
> hecho pedazos y añicos;
> y con remiendos de arena
> arroyuelo capuchino.

Al capón le llama «tiple de plumas»; a la risa de su amada, «relámpago de púrpura»; a las piedras preciosas, «enredos resplandecientes y embustes de colores»; al ruiseñor, «flor con voz»; al queso, «cecina de leche».

Muchas de las greguerías de nuestro Ramón se han fabricado en esa cantera prodigiosa e inagotable.

¿No es una greguería llamar a los huevos frescos «globos instantáneos»?

¿Cómo escribía Quevedo?

Su obra filosófica requiere una gran preparación, una lectura vasta y profunda y una meditación laboriosa alrededor de los problemas más candentes de la vida. Es un observador minucioso del alma humana y los resortes de su técnica están en los contrastes de la misma, en el choque de las pasiones. Desde luego, el leer y compulsar textos antiguos escritos en lenguas clásicas — manuscritos los más, polvorientos y seculares, encerrados en los viejísimos arcones de conventos madrileños y leoneses —, supone una atención fatigosa y constante y una vocación inquebrantable que sólo pueden llevar a cabo espíritus llenos de voluntad y de disciplina [1]). Creo yo que entre una y otra elucubración y como para distraerse y a veces «jugar», se desarrolla toda su obra festiva, que sale sin esfuerzo alguno, *calamo currente*. Estas obras apenas debían ser retocadas y aun releídas, pues no se explica que en un poeta que dominaba la técnica dejase a veces de corregir versos defectuosos que cualquier neófito en la materia puede compulsar.

Su dominio de la lengua le lleva constantemente al neologismo. Así, por ejemplo, de *guedeja, guedejó* [2]); de *culto, cultipicaña* [3]), *cultiniparla,* en varias ocasiones ; de *embeleco, embelecar* [4]) ; de *antaño, antañarse* [5]) ; de *Bernardo* (del Carpio), *abernardarse* [6]) ; de *suegro, ensuegrar* [7]) ; de *cabello, cabellar* [8]) ; de *nariz, desnarigado, narigano, narigudo, narigotas,* en numerosas partes ; de *calva, calvatorias* [9]), y otros infinitos a lo largo de su obra, particularmente la satírica. Le

[1]) Consúltese las FUENTES, que van al final de la obra.
[2]) Romance : «En el retrete del mosto...»
[3]) Id. : «En que encarece la hermosura de una moza».
[4]) Id. : «Allí van nuestros delitos...»
[5]) «La Hora de todos y la Fortuna con seso».
[6]) Idem, íd.
[7]) Romance : «Padre Adán, no lloréis duelos...»
[8]) Id. : «Varios linajes de calvos...»
[9]) Id. : «Un mono, que aunque traslado...»

gusta neologizar con palabras extranjeras para buscar un mayor resorte comicista. Así, de *Borgoña, borgoñar* [1]; de *monsieur, monsiurísimo* [2]; de *Cambray, cambrayes* [3]; de *Francia, desfranciar* [4]; de *sardes, sardesco* [5].

Puede decirse sin temor a exagerar que es el escritor que más domina el castellano, cuyas voces va a buscar en las comarcas más recoletas de España y de más arraigada tradición lingüística. Entre centenares de palabras que ha desenterrado o rehabilitado Quevedo, puédense citar: *gorguz, naterón, orozuz, galalón, penengue, coque, aladar, masicoral, tabanco, coroza, roznar, achocar, burato, jamugas, osquillo, cholla, morra, buz, desviñar, luqueque, pelamela,* etc.

Quevedo no se fija en la parte ortográfica. Su desaliño es tan extraordinario como comprensible: extraordinario por su profundo conocimiento de la lengua y su competencia filológica; comprensible, dado su carácter difluente. En los manuscritos ológrafos se ven palabras escritas de esta manera: *l'alma, decender, herror, muii, juiicio, juiizio, ruiido, cuiidado, avilidad, efeto* [6]), *frási, frásis, inoscencia, oprobrio, sepoltura, vescar, vorrasca, avito, astío, abitación,* etc. Claro está que muchas de estas grafías defectuosas no se deben a Quevedo sino a los amanuenses y a los transcriptores

---

[1] Romance : «Estábame en casa yo...
[2] Id. : «A Marica, la Chupona...»
[3] Id. : «Fulanito, citanito...»
[4] Id. : «Con mondadientes en ristre...»
[5] Id. : «Tres mulas de tres doctores...»
[6] Quevedo escribe *efeto, dotrina, dotor,* es decir, al modo tradicional castellano, tal como se pronunciaba en su tiempo ; y lo hacía precisamente para huir de la etimología y de la afección desmedida por los latinismos, que tanto preconizaban los culteranos.

de sus manuscritos. Fernández-Guerra nota [1]) la división antiortográfica de las siguientes palabras: *cobarde, mue-rte, nieg-as, sabid-uría,* etc., no observando regla alguna respecto a las letras mayúsculas y a la puntuación, lo que hace sumamente difícil la interpretación del texto.

Fitzmaurice-Kelly observa con razón que no hay en Europa hombre más original que Quevedo. Con ser tan vario, con ser tan vasto, el lector que sólo le conozca someramente le distinguirá entre todos. Hay quizá otro como él: Baltasar Gracián.

No quiero terminar este capítulo sin transcribir este valioso juicio de Menéndez y Pelayo [2]): «Aquel gigante espíritu no pertenece a ninguna escuela, forma campo aparte, y si en las ideas tiene algo de todos, porque fué un gran removedor de ideas, en el estilo no se asemeja a nadie. Los ingenios que en algo se le parecen son de temple muy distinto... La moral de sus tratados es rígida e inexorable como la de Séneca o Epicteto; sus «Sermones estoicos» recuerdan los de Persio; su sátira ardiente, cruda y sin velo, reproduce las tempestades de Juvenal; los cuadros picarescos diríanse hijos de la pluma de Petronio; los *Sueños* son fantasías aristofanescas más bien que imitaciones de Lucano. Pero el estilo no es de Séneca, ni de Epicteto, ni de Persio, ni de Juvenal, ni de Aristófanes, ni de Petronio; es un estilo aparte, en que las palabras parece que están animadas y hieren siempre con espada de dos filos; en que las frases saltan, corren, juegan y tropiezan unas con otras.»

[1]) Obra citada, vol. II, pág. 166, nota.
[2]) MENÉNDEZ Y PELAYO. — *Horacio en España,* vol. II, pág. 103.

Baltasar Gracián vino al mundo cuando Quevedo tenía veintiún años. Es decir, que cuando el famoso jesuíta aragonés comenzaba su carrera literaria, don Francisco era un titán glorificado por una fama legítima y altisonante. Pero no pudo intimar con él, porque al llegar Gracián a Madrid en 1640 [1]), Quevedo sufría prisión en San Marcos de León. Por ello no extrañará que a pesar de ser un ferviente admirador de don Francisco y un discípulo, sólo le cite ocho veces en su extensa obra, de tanta trascendencia para el estudio de las nuevas corrientes literarias: *Agudeza y Arte de Ingenio,* que publicó en el año 1642.

Gracián fué amigo de muchos amigos de Quevedo, entre ellos de don Antonio Hurtado de Mendoza, con el que trabó íntima relación en 1640, y debía conocer las andanzas infortunadas del insigne satírico madrileño, a quien admiraba sobre todo por su obra seria, por la poética y por los *Sueños,* pero a quien no podía mostrar públicamente su devoción, pues en aquellos tiempos la política española era febrilmente, descaradamente endiosada y sectaria.

En 1637 Gracián había publicado *El Héroe* que, como se sabe, pone por tipo del buen gobernante nada menos que a Felipe IV.

Don Francisco pasa por el portaestandarte del Conceptismo; pero como hemos visto en sus escritos no es igual, ni mucho menos. En realidad, la escuela no

[1]) Entró en la Corte el 14 de abril.

la hace el genio, sino sus satélites. El genio crea la luz, orienta y, como genio que es, huye de toda norma. Si bien fué consagrado por Quevedo, no habría formado escuela sin discípulos destacados que le apostolizaran. Los astros refulgen solitarios por un breve tiempo lanzando su luz propia por los ámbitos del mundo, formando el núcleo de un sistema más o menos importante según el valor de su rutilación. No hubiera triunfado, por ejemplo, la escuela sevillana con Mal Lara y Girón de no haber existido Herrera; pero tampoco se hubiera consagrado definitivamente sin la presencia de Medina, de Baltasar del Alcázar, de Juan de Arguijo, de Rodrigo Caro, de Jáuregui, de Francisco de Rioja y de otros poetas afectos al brillante estilo del cantor de la condesa de Gelves. Por lo mismo, se hubiera hablado de Góngora, poeta, de Quevedo, poeta, pero no del culteranismo ni del conceptismo.

Hay que hacer constar, pues, que no fué don Francisco quien hizo triunfar la nueva tendencia literaria, sino la eminente personalidad de Quevedo difundida en su obra. El verdadero definidor y vulgarizador — si así puede decirse — y el más fiel y genial discípulo es Baltasar Gracián, que en ocasiones llega a superar al maestro. La *Agudeza y Arte de Ingenio* es la preceptiva [1]); las páginas de *El Criticón* son, al decir de Díaz-Plaja, «glosas marginales a la obra quevedesca» [2]).

[1]) «Conceptista sobre todas las cosas, nos dejó su preceptiva en ese libro...». SALVADOR PARGA PONDAL: *Marcial en la Preceptiva de Baltasar Gracián* (Rev. A. B. M., 1930, pág. 221). Igualmente se producen EDUARDO OVEJERO: *Prólogo a "Agudeza"* (Madrid, 1929, página XII). JOSÉ MARÍA DE COSSÍO (*Notas y estudios de crítica literaria. Siglo XVII*, pág. 59) emite contraria opinión.

[2]) GUILLERMO DÍAZ-PLAJA. — *El espíritu del Barroco*, pág. 53.

«Gracián — escribe Karl Vossler [1]) — fué el maestro del remisivo estilo literario llamado conceptismo, que no era una invención suya, pero que desarrolló con método y elucidó didácticamente en su tratado *Agudeza y Arte de Ingenio*... Su peculiar método no consiste en haber usado el estilo conceptista..., sino en haber logrado adueñarse por completo de este estilo literario, en sí tan lleno de artificio. En la mayoría produce el conceptismo un efecto de desmesura y afectación, o bien un efecto divertido y cómico, fatigoso siempre a la larga. En Gracián, por el contrario, es siempre sugestivo y se convierte, al cabo, en natural y necesaria andadura de su pensamiento.»

En realidad, Gracián tiene rasgos definidos de las dos escuelas, y su *Agudeza* no muestra señaladas preferencias. Se halla en el punto medio, en la cumbre del barroco; pero su cultura humanística hace que, admirando a Góngora, siga más a Quevedo estilísticamente. Ya dice Farinelli [2]) que Quevedo hubo de fecundar con sus escritos el genio natural del moralista aragonés, y añade: "No se ha de considerar a Gracián como representante del «culteranismo», según erróneamente se ha creído, sino como el jefe de los «conceptistas»." [3]) Quizá el crítico italiano exagera un poco la

[1]) KARL VOSSLER. — *Introducción a Gracián* (Revista de Occidente, septiembre, 1935, pág. 333).

[2]) A. FARINELLI. — *Consideraciones sobre los caracteres fundamentales de la Literatura española (Gracián y la Literatura áulica en Alemania)*. Vol II, págs. 107. y 114. Puede consultarse también: N. J. LIÑÁN HEREDIA: *Baltasar Gracián, 1601-1658*. Madrid, 1902; A. COSTER: *Baltasar Gracián, 1601-1658* (*Revue Hispanique*, 1913, XXIX).

[3]) Insiste MENÉNDEZ Y PELAYO en este respecto (*Id. Estét.* II, páginas 522-523): «No es de ningún modo una retórica culterana; es precisamente lo contrario: es una retórica conceptista, un tratado de preceptiva literaria, cuyo error consiste en haber reducido todas las

tendencia del escritor jesuíta. Gracián sólo tiene un guía, un faro, un norte : la agudeza, que es, como dice muy bien el señor Allué [1] «potencia de ahondar en el fondo de las cosas ; y del profundo conocimiento de éstas inducir relaciones, al parecer extrañas, pero casi siempre exactas».

Las figuras de Gracián y de Quevedo se contraponen en todo. Son dos temperamentos tan dispares, que parece que entre ellos median profundas simas de siglos. Quevedo es de raza latina. Gracián tiene sangre judaica [2]. Quevedo es franco, sencillo, rectilíneo, aun a costa de perjudicarse. Gracián es retraído, complicado, tortuoso. Gracián es más filósofo, más recio en sus pensamientos, pues sabe embridar el corcel de su fantasía y someterlo a serenas reflexiones y a costa de no pocos trabajos de orfebre. lanzar al mundo sus páginas admirables y profundas. Quevedo es más hijo de su época, más esclavo de su temperamento y, como más genial, abarca con exceso, llegando en ocasiones a desparramarse en verbosidades más o menos bellas y en opiniones más o menos peregrinas.

Hombre Gracián sin pasiones y sin pensamientos personales — según nos dice Coster, amargado, enfermo —, acicalaba su prosa sin premiosidades. Cuando llegó a la vida literaria, el culteranismo y el conceptismo eran dos gigantes briareos que libraban batallas descomunales. Su espíritu se influenció naturalmente

cualidades del estilo a una sola, todas las facultades que concurren a la producción de la obra artística a una sola también. Es el código del intelectualismo poético.»

[1] Miguel Allué Salvador. — *La técnica literaria de Baltasar Gracián* (Curso monográfico celebrado en honor de B. G., Zaragoza, 1926, pág. 169).

[2] G. Díaz-Plaja. — *El espíritu del Barroco*, pág. 86.

de esas modalidades expresivas y fué el preceptista, si preceptiva puede llamarse al libro rotulado *Agudeza y Arte de ingenio* [1]), que estudia con un lujo excesivo de detalles y de subdivisiones molestas la infinita variedad de los estilos y pone en esas páginas amazacotadas una interminable serie de ejemplos literarios, desde el medieval Juan Manuel a Góngora, pasando por una larga lista de empalagosos poetas aragoneses embriagados por la anagogía de aquellas palabras mágicas que no acaban de comprender: «agudeza» y «concepto». Y aun cuando admira a Góngora, y a pesar de tener un carácter opuesto al de Quevedo — cuya vida debió ser en opinión de Gracián un cúmulo de errores —, sus preferencias están por el segundo [2]). Para Gracián, Herrera es un precursor del conceptismo, que es viejo como la vieja España. El concepto y la agudeza son la aristocracia de la humanidad. «Entendimiento sin agudeza ni conceptos — arguye [3]) — es sol sin luz, sin rayos, y cuantos brillan en las celestes lumbreras son materiales con los del ingenio.» Dentro de esta manera distingue la agudeza de artificio: sutileza del pensar — Quevedo —, y agudeza verbal: la palabra — Góngora —, haciendo de ella fastidiosas divisiones y aduciendo ejemplos poéticos de autores latinos y españoles. Apostilla de Quevedo la *Canción a la muerte de Carrillo y Sotomayor*:

> ...cuya corriente breve restauraron
> ojos, que de piadosos la lloraron,

(1) Publicado en 1642 con el título de *Arte de Ingenio*, y en 1648 con el de *Agudeza y arte de ingenio*.

[2]) La «Entrada al mundo», de *El Criticón*, es un eco de *La Providencia de Dios*.

[3]) *Agudeza y Arte de Ingenio*. Discurso I y siguientes.

y varias estancias del mismo para demostrar la agudeza de semejanza, a la que don Francisco es aficionado en extremo, como también pondera la extremada sutileza al hablar de Dafne:

> si no fueras tan hermosa,
> por la noche te tuviera
> ... ...
> y en ir delante tan bella,
> nueva aurora parecía,

alabando sus prontas retorsiones, sus continuados y graciosos equívocos, su fina ironía, su exageración poética, las suspensiones y dubitaciones y el énfasis con que escribía.

Gracián no sólo consagra el Conceptismo, sino que le da vida duradera. El y Quevedo son los prosistas más nerviosos, originales y destacados de nuestras Letras, aparte de Cervantes.

VIS CÓMICA Y SATÍRICA

«Estas hojas de Quevedo — escribe Gracián — son como las del tabaco, de más vicio que de provecho, más para reír que para aprovechar.»

Quevedo se burla de todo y de todos. Por burlarse, se burla de sí mismo. Es una medida saludable. Se llama «poeta de cuatro ojos» y resalta a cada paso sus defectos físicos. En 1632 escribe el soneto que dice:

> ...pues unos somos ciegos y otros cojos,

y reconoce en un romance:

> Dióme el León su cuartana,
> dióme el Escorpión su lengua...

La comicidad de Quevedo es fruto de una atención minuciosa y constante del espectáculo de la vida. ¡Y qué no había que ver en aquella época! A veces reacciona con una simple carcajada. Otras se indigna y fustiga con vehemencia. En muchas ocasiones es implacable y cruel y se recrea en acumular dicterios sobre sus víctimas.

Quevedo era un observador empedernido. Debía apuntar cuidadosamente todo cuanto veía de chocante y de ridículo. No hay sino hojear las *Premáticas y Aranceles Generales* y leer las curiosísimas observaciones acerca de los que hablan consigo mismo; de los que asientan los pies por las hiladas y ladrillos al caminar; de los que van tocando con la mano las paredes; de los que brujulean los naipes, etc.

Quevedo no es siempre original en estas producciones regocijantes, y tenemos que retrotraernos a los preceptos y exhortaciones políticosociales y a las ponderadas reglas de urbanidad, ya serias, ya burlescas, que desde el Renacimiento se prodigaron con inaudita fiebre. Así la obra de Gracián Dantisco *Galateo Español* — traducida del *Galateo,* del moralista italiano Messer Giovanni della Casa — le sugerirá no pocas ideas estampadas en sus obras festivas. El capítulo de Gracián Dantisco *Qué cosas se deben evitar,* contiene prevenciones sobre el escupir en alto y sobre el sonarse mirando después el pañizuelo, consignadas en las *Premáticas y Aranceles generales.* El titulado *De los que se dan a la poesía sin tener partes bastantes,* le inspirará las *Premáticas del desengaño contra los poetas güeros.*

Uno de los resortes comicistas de Quevedo estriba en el contraste inesperado, cuanto más chocante mejor, pero no disparatado. Eso es, naturalmente, técnica sabida, como también el sentido profundamente humano que preside sus escritos. *Il n'y a pas de comique en dehors de ce qui est proprement humain*, dice Bergson. Pero lo raro en el ingenio madrileño estriba precisamente en la sal con que sabe aliñar ese contraste. Su mejor secreto radica en la insensibilidad que acompaña la risa quevedesca y en el profundo conocimiento de la lengua.

Véanse unos ejemplos:

«Otrosí, por las muchas iras, enojos, escándalos, venganzas, muertes y traiciones que en bandos y parcialidades suelen suceder, vedamos todas las armas aventajadas y dañosas, como son pistolas, espadas, arcabuces y médicos.» [1] Es decir, que al final de un período suele aparecer el rasgo satírico, la palabra-clave, que todo lo supedita al fin chistoso.

Otro ejemplo:

«Item. Mandamos que puedan cualesquier de nuestras justicias prender a cualesquier personas que toparen de noche con garabato, escala o ganzúa, o ginovés por ser armas contra las haciendas guardadas.» [2]

Otra típica muestra del chiste quevedesco:

«Los alemanes no tienen en su enfermedad remedio, porque su dolencia y achaques solamente se curan con la *dieta*» [3]), que tiene una clara alusión política.

A veces el contraste es gradual:

«El que tiene manos muy grandes tendrá grandes dedos, y diez uñas en entrambas; y el que tuviere

[1] *Premáticas y aranceles generales.*
[2] Idem. íd.
[3] *La hora de todos y la Fortuna con seso.*

mucha mano, privará ; y muchas manos, será valiente ;
y por el contrario.» [1]

En ocasiones el chiste es complejo :

> El que con una quijada
> mató tantas mil personas,
> si fué de suegra u de tía,
> lo mismo hiciera una mosca.

Acusada sensación pictórica sugiere el que reza :

> Doña Alcalchofa compuesta
> a imitación de las flacas,
> basquiñas y más basquiñas,
> carne poca y muchas faldas.

De una mujer sumamente flaca, dice :

> ¿ Pues qué ha de hacer con huésped tan enjuto ?
> Que le preparen tumba en un cañuto [2].

Le agradan sumamente los juegos de palabras :

> Sacó luego unos cabellos,
> entre robles y castaños...

La dificultad más grande para todo escritor festivo
estriba en ser cómico sostenidamente, en no decaer y
en ensartar las sutilezas, gracias y paradojas con arte.
Quevedo es maestro insuperable en ello. A veces el
chiste, con ser grosero, es fruto bien maduro que en-

[1] *Libro de todas las cosas y otras muchas más.*
[2] Adviértase la misma idea en la redondilla de Lope de Vega :

> Doña Madama Roanza
> tan seca y flaca vivía,
> que mandó su señoría
> enterrarse en una lanza.

cierra honda filosofía y un gran conocimiento de la sociedad: Véase:

«Item, porque es bien dar algún alivio a los maridos en abono de las mujeres, declaramos que dan éstas a aquéllos tres días o tres noches buenas, que es la del desposorio, la primera vez que paren y cuando se mueren.» [1])

Quevedo es un escritor profundamente español. El anecdotario madrileño archiva los temas más diversos y especiosos en todos los aspectos de la vida: lo difícil es escogerlos y desarrollarlos. Continúa la gloriosa tradición que nace en Marcial y se entronca con el arcipreste de Hita y el de Talavera, y que recogerán Cadalso, Torres Villarroel, Miñano y sobre todo Larra, con un sentido más sombrío y pesimista. Todo él es castizo, popular, casero, tradicional, llano y asequible al pueblo y al señor. «Con Marcial — escribe Sánchez Alonso [2]) — tiene grandes afinidades, no sólo en sus sátiras, sino también en el chiste exento de intención satírica... Sin embargo, tales semejanzas son más debidas a parentesco espiritual que a deliberado propósito de utilizarle. Ello mismo, en menor proporción, puede decirse de Petronio.»

No puede escapar fácilmente a su formidable bagaje cultural y por ello ha de recurrir a los grandes satíricos de la antigüedad que ha traducido, comentado y gozado numerosas veces desde que fué estudiante en Alcalá. Marcial es un maestro simpático y regocijante que le presta el pimiento de su «satura» hispa-

[1]) *Premáticas y Aranceles generales.*
[2]) B. SÁNCHEZ ALONSO. — *Los satíricos latinos y la sátira de Quevedo.* Obra y lugar citados, pág. 38.

norromana. Aun en sus obras serias le cita y le alaba. Luciano, Plauto y Terencio, Juvenal y Petronio se hallan también en su librería en lugar eminente, como asimismo figuran los satíricos medievales, la sátira social y política, tan rezumante de españolísimas sales. Entre los inmediatos y contemporáneos no hay duda que hubo de leer atentamente al italiano Trajano Boccalini (1556-1613), de estilo atrevido y conceptuoso y de temperamento parecido al suyo ; la *Cita de Godoy,* que con el nombre de «El Bachiller de Arcadia» escribió el magnífico señor don Diego Hurtado de Mendoza [1]) ; el *Libro de los chistes,* de Luis de Pinedo [2]) y toda la literatura festiva contemporánea, que no era poca.

Los rasgos satíricos son muy espontáneos y en ellos se ven reflejados los prepotentes enemigos que contaba. Tiene pasajes que debían hacer saltar de sus casillas a los retratados. La Cámara Real suele aparecer entre tenuísimos celajes, pintando, por ejemplo, con mano maestra, las laboriosas digestiones del «potentado» (Felipe IV), que «estaba espumando en salivas por la boca los hervores de las azumbres», y las alabanzas de los servidores «a cada disparate y necedad que decía». Habla también de «un lisonjero que procuraba pujar a los otros en la adulación, mintiendo de puntillas» (el Conde-duque). Escribe contra los matones, los gandules, los politicastros, los ambiciosos, los que fingen méritos, y siempre aparece el moralista, como observa

[1]) Véase A. Paz y Melia. — *Sales españolas.* Madrid, 1890, página XXI.
[2]) *Liber facetiarum et similitudinem Ludovici de Pinedo et amicorum.*

el gran amigo de Quevedo, don Miguel de Unamuno [1]). Toda la vida social desfila por su obra en un cortejo guiñolesco de personajes. A veces es una crítica acerba, durísima, que pone al descubierto una llaga escondida con vergonzante rubor. ¿Cuántos disgustos no debieron ocasionarle las dirigidas al Conde-duque de Olivares y a sus amigos? ¿Acaso ignoraba los peligros a que se exponía? Pero era un «espíritu valiente» y sabía que sus escritos, si no eran un cauterio radical, eran al menos un freno para evitar mayores purulencias.

En el fondo es un escéptico, un amargado y un pesimista, pues sabe que el mundo no va a progresar con tratados de moral y suaves o enérgicas admoniciones. Por ello se produce de esta guisa. Siglos después otro gran satírico, Voltaire, expresará este mismo pensamiento que tanto complacía a Kant: *Nous laisserons ce monde ci aussi sot et aussi méchant que nous l'avons trouvé en arrivant.*

IDEAS POLÍTICAS Y SOCIALES

Todos los escritos de Quevedo, tanto los festivos como los serios, encierran una honda preocupación; preocupación que a veces se traduce en airadas invectivas o en sátiras cruentas e implacables que le acarrean no pocos disgustos.

Es, desde luego, el primer disector del alma humana del siglo XVII. Minucioso, ahondador, más parece el

---

[1] «Y no hay nada menos humorístico que la sátira áspera, pero clara y transparente de Quevedo, en la que se ve el sermón en seguida.» UNAMUNO: Prólogo de *Niebla.*

suyo en ocasiones un trabajo de laboratorio, de un experto histólogo que busca el bacilo para asegurar la curación del cuerpo enfermo. «Su obra gigantesca — dice Díaz-Plaja [1] — no sólo es el más completo repertorio de las ideas y de las formas del seiscentismo español, sino por su genial capacidad de condensarlas en síntesis fulminantes.» Repertorio de ideas, eso sí: archivo del pensamiento, haces de luz deslumbradora; pero todo a chorro, numerosamente, con poco sistema. Lope está siempre presente. Por ello pudo decir, excediéndose en su apreciación Américo Castro [2] que lo que nos hace ser un poco severos con él «es que no hay junto a estas manifestaciones acerbas una idea reconstructora».

No creo con «Azorín», que busque tan sólo lo periférico, sino que, por el contrario, inquiere en lo hondo, en lo denso, aunque no posea un carácter permanentemente especulativo; otras veces, para no fatigar con exceso, sabe colorar sus preparaciones. Las diversas clases sociales se fijan dentro de un prodigioso marco de observación, fruto de un estudio clarividente, y son verdaderas fichas psicológicas del siglo XVII. El historiador y el sociólogo encontrarán en los *Sueños*, pongo por caso, un mundo de realidades y de problemas a estudiar. ¿Puede afirmar, en verdad, «Azorín» que no tiene originalidad, que no tiene hondura ni trascendencia? [3]).

Quevedo es un amargado. Se ríe de todo. Se ríe para no llorar.

[1] G. Díaz-Plaja. — *El espíritu del Barroco,* pág. 52.
[2] Américo Castro. — Conferencias en el Centro de Estudios Históricos. Madrid, 1932.
[3] Azorín. — *Clásicos y modernos,* págs. 168 y sigs.

Sus obras tienen un denominador común: el acendrado patriotismo que le decide a escribir verdades. Le duele España, como le dolía a nuestro Unamuno — que tiene con Quevedo no pocos aspectos comunes — ; esa España desventurada que caía sin freno en la molicie y en el descrédito. Ya en septiembre de 1605, o sea cuando Quevedo contaba veinticinco años, escribía al insigne humanista Justo Lipsio lo siguiente: «En cuanto a mi España, no puedo hablar de ella sin dolor. Si vosotros sois presa de la guerra, nosotros lo somos del ocio y de la ignorancia. En vuestras tierras tenéis soldados, y en ellas se agotan vuestros tesoros; aquí somos nosotros los que nos agotamos. No hay nadie que hable, pero hay muchos que mienten.» Que mienten y otras cosas peores:

> Este mundo es juego de bazas,
> que sólo el que roba triunfa y manda...

Sobre este mismo tema se expresa en el romance:

> Ahito me tiene España,
> provincia, si antes feliz,
> hoy tan trocada, que trajes
> cuida y olvida la lid...

Manipula en esa gran alquitara en donde hierven las pasiones sin freno de los españoles, y sabe extraer la quintaesencia de la Raza.

España. España. Pero, ¿dónde está España?

La verdadera patria es hoy una posibilidad desesperada, un melancólico recuerdo. Antaño fué una realidad pasmosa y única. El mar era un lago resplandeciente y sumiso. El sol era un eterno día. Resonaban nuestros fonemas en las más remotas latitudes del orbe y el César abandonaba la lengua del Lacio para emplear la vernácula de los españoles en sus trascendentales parlamentos... Hoy es un planeta que yerra por los espacios recibiendo la luz de astros deslumbrantes. Siente bullir en su cabeza el odio a los privados, a los políticos ambiciosos, a la vacuidad moral de la Corte, mostrando un desprecio ostentoso hacia los majagranzas y los aduladores que zanganean por el Trono en busca de prebendas. España está ausente. Pero en el fondo de su alma abriga la convicción de un renacimiento político. Sueña en una coordinación de las altas fuerzas que animan a la Patria, desplazada en empresas ajenas y descabelladas. Dice en *El Padre Nuestro*:

> ¿Qué fué lo que remediaron
> en tus manos y en tus tierras
> tanto número de guerras?

España es pobre. En Andalucía la gente «anda sin zapatos».

> Si aquí viene el oro, y todo no vale,
> ¿Qué será en los pueblos de donde ello sale?

España es habladora, verborrera. España agota sus energías en banalidades. «¡Qué ocupadas están las Universidades en enseñar retórica, dialéctica y lógica, todas artes para saber y decir bien! Y, ¡qué cosa tan culpable es que no haya cátedras de saber hacer bien, y donde se enseñe!» [1] España es inculta, no trabaja por su propio bien, no siente el egoísmo práctico de las otras naciones. «Los maestros enseñan lo que no saben, y los discípulos aprenden lo que no les importa;

[1] *La cuna y la sepoltura.*

y así nadie hace lo que debía hacer, y el tiempo mejor se pasa quejoso y mal gastado, y las canas hallan tan inocente juicio como el primer cabello, y la vejez se conoce más en las enfermedades y arrugas que en el consejo y prudencia.» [1]

El concepto que le merece la sociedad es desolador. El alma de la Raza ha perdido la fortaleza y aquellas prerrogativas morales que tanto la encumbraron entre las naciones más aventajadas del mundo. Y el mal no está en las clases humildes, en el pueblo zaherido y esquilmado, sino en las altas esferas de la sociedad, en la Corte, en el Trono. Ignorancia, ambición, estulticia. La nobleza española, salvo excepcionalísimos casos — Medinaceli, Lemos, Sessa... —, es analfabeta y se hunde en un mar agitado de ambiciones. La Corte es un semillero de discordias, un nido de aves de presa. ¿Dónde están aquellos hombres ecuánimes, aquellos varones de pro, orgullosos de su estirpe, que tanto enaltecieron a la Patria con sus virtudes procéricas, sujetos siempre a las severas reglas del egregio honor castellano? Dice en el *Epitafio* a la duquesa de Nájera:

> Tú que ves a la nobleza de España sin lustre,
> a la grandeza sin sus blasones,
> llora el siglo huérfano de tantas virtudes.

Fitzmaurice-Kelly nota [2] un pasaje de un soneto en que don Francisco prevé la infausta suerte de las colonias hispánicas:

> Y es más fácil, ¡oh España! en muchos modos
> que lo que a todos les quitaste sola,
> te puedan a ti sola quitar todos.

[1] *La cuna y la sepoltura.*
[2] FITZMAURICE-KELLY. — Obra citada, pág. 411.

Sus ideas políticas y sociales se desarrollan ampliamente a lo largo de su obra. Pero, fundamentalmente, destácanse tres: la *Política de Dios,* la *Vida de Marco Bruto* y las *Sentencias.*

Quevedo es un espíritu patriota, misoneísta y, por ende, tradicionalista. Está por encima de la política, y cuando interviene en ella, fracasa, porque es todo lo contrario de un político. Tiene un profundo conocimiento de las veleidades del pueblo. De todos los pueblos de todos los tiempos. Dice en el *Marco Bruto* que «es condición del pueblo aborrecer al que vive, y echarle de menos en muriendo: siendo así que las alabanzas y los elogios magníficos solamente los merecen las desdichas y las sepulturas».

Su doctrina política puede resumirse en la siguiente frase lapidaria: «El rey bueno se ha de amar; el malo se ha de sufrir.»

Quevedo no se mantiene del todo firme en sus ideas sobre los derechos del pueblo. «La libertad se perpetúa en la igualdad de todos, y se amotina en la desigualdad de uno» [1]), afirma. Pero este pensamiento democrático, que más parecerá hijo de la Enciclopedia, tiene su contrapartida: «Es violenta siempre la victoria, porque la da la mayor parte: vence el número y no la razón. Este riesgo tienen las juntas populares, que las convoca el primer grito, y las arrebata cualquiera demostración. En ellas tiene más parte el que se adelanta, que quien se justifica.» [2]) Dice en otra ocasión: «Es el pueblo como los desvergonzados, que no admiten medio entre el temor y el atrevimiento: o teme o

[1]) *Vida de Marco Bruto.*
[2]) Idem.

hace temerse ; én esto es muy cruel, en aquello es muy civil. El que no se gobierna por razón, aprovecha más aquel castigo de donde saque escarmiento.» [1]) Sus ideas gubernamentales no están ni con la soberanía popular ni con el absolutismo regio : están simplemente con la Razón, con la humanidad, con la «política de Dios» ; es decir : una utopía. Su pensamiento fluctúa, por otra parte, al compás de sus lecturas y al contacto de la sociedad. El, que se siente aristócrata, ama al pueblo que le aplaude y le mima, comprende su miseria y comparte su dolor, conoce sus arrebatos y sabe de la peligrosa tragedia de sus sangrientas explosiones. «Es la plebe pólvora en cohete, que tocada levemente de cualquier chispa, le sube con bravatas de rayo, le ostenta en los confines de las nubes estrella y le hace descender, confesando en ceniza las ridículas bravatas de su papel.» [2])

Muéstrase enemigo del tiranicidio, pero se contradice a veces, con todo y saber cuán funesta hubo de ser la declaración del Padre Mariana. Y en *La hora de todos* deja escapar esta declaración rotunda : «Es más fácil matar al tirano que sufrirle.»

Pero, ¿y cuando la tiranía la ejerce el ministro? El caso de España es típico ; típico por el monarca y por la situación especial de la Corte. El valido es un hombre avispado que considera al rey sin competencia gubernamental y sabe que él u otro han de empuñar las riendas de ese corcel de sangre ardiente y rebelde, noble y altivo, osado y generoso, que es España. La tiranía aquí son las circunstancias, la decadencia física,

[1]) *Sentencia* núm 361.
[2]) *Vida de San Pablo Apóstol.*

289

la lógica y fatal depresión que sucede a todo período de esfuerzo gigantesco.

Como Gracián, el ideal de su príncipe cristiano es Fernando el Católico, según declara en la *Cuestión Política* de la *Vida de Marco Bruto*; el rey clarividente que supo posponer las exigencias de su corona y la tradición de su pueblo al imperio histórico de la unidad hispánica. Dice Quevedo del magnate: «Este rey miraba por sí consigo mismo: quien vía su letra, juzgaba que no sabía escribir; quien la leía, que él solo sabía leer y merecía ser leído. Pensaba con tantos consejos como potencias: no emperezaba las determinaciones con bachillerías estudiadas o inducidas; lograbalas con atención toda real; sabía disimular lo que temía, y temer lo que disimulaba.» Es decir, un político sagaz.

¡Ah! Pero, ¿dónde están aquellos monarcas de espíritu rectilíneo, austeros y cristianos, que se desviven para conquistar la mayor grandeza de la patria? La realeza se fué para siempre con la muerte del prudente Filipo II; y ¡cuán preocupado, cuán doliente, cuán hondo y cuán terriblemente irónico es el siguiente soneto en que combate el mal gobierno de su nieto!

> Los ingleses, señor, y los persianos
> han conquistado a Ormuz; las Filipinas,
> del holandés padecen grandes ruinas;
> Lima está con las armas en las manos.
>
> El Brasil en poder de luteranos;
> temerosas las islas sus vecinas;
> la Valtelina y treinta Valtelinas
> serán del turco en vez de los romanos.
>
> La Liga, de furor y astucia armada,
> vuestro Imperio procura se trabuque;
> el daño es pronto y el remedio es tardo.

Responde el Rey : «Destierren luego a Estrada,
llamen al Conde de Olivares *Duque,*
case su hija y vámonos al Pardo.»

La grandeza de España es la grandeza del pueblo.
Cuando el pueblo se halla depauperado, la patria lan-
guidece y está en trance de morir. Hay que explotar
los recursos de la patria y no desperdigar preciosas
energías en empresas descabelladas y quijotescas.
«Cuanto mejor y más cerca ser Indias que buscarlas.» [1])

Los enemigos de España acechan y es preciso desen-
mascararles. Es preciso también buscar la cabeza va-
gabunda de Armando Richelieu para raparle las barbas
y los arrestos. ¿Qué alma mezquina y desatinada pudo
proclamar la especie de que don Francisco de Quevedo atentaba contra la integridad de la Patria? ¿Acaso no escribió, con el corazón más que con la cabeza,
La rebelión de Barcelona, los tratados apologéticos y
políticos, las cartas, las poesías que ensalzan su gloria
y truenan contra nuestros contumaces adversarios? La
España defendida es un mojón inconmovible. Erígese
en capitán de las milicias que combaten las descaradas
pretensiones de anexión y obtiene triunfos que resuenan como clarines de voces eternas. Defiende a su
patria en la admirable *Carta a Luis XIII* respondiendo
a las insidias de los que cándida o malévolamente creen
en las patrañas urdidas por la leyenda negra, como un
pulpo de mil tentáculos que corroe la integérrima epopeya de nuestros valerosos aventureros en Ultramar.
El orgullo de ser español se adhibe en toda su obra y

[1]) *Vida de Marco Bruto.*

es el blasón que más le envanece y más le alienta en sus empresas sociales y políticas. La vida privada de don Francisco, y la pública, su moral y sus ambiciones, pueden apostillarse y criticarse desde numerosos puntos de vista y discutirse hasta el fin de las edades como temas sugestivos a desarrollar en las cátedras; lo que es inconmovible en él, lo que no puede discutirse en modo alguno, es su celo patriótico.

Recuerda con melancolía los anhelos imperialistas de los primeros Austrias y ello le sirve para moralizar. El rey es el amo, pero también es el primer servidor del reino; que el reinar es tarea; que los cetros piden más sudor que los arados, y sudor teñido en las venas; que la corona es peso molesto que fatiga a los hombros del alma primero que las fuerzas del cuerpo; «que los palacios para el príncipe ocioso son sepulcros de una vida muerta, y para el que atiende son patíbulo de una muerte viva» [1].

Erasmo ha dicho: «Gobernar es vigilar los intereses públicos y descuidar los propios». Y es cierto: el verdadero patriota no busca en la Patria una postura acomodaticia, sino que sabe aprestarse para los sacrificios más dolorosos que aquélla pueda exigir en todo momento de peligro. Llamarse patriota en tiempos de euforia es cosa sencilla y de poco valor; en los desastres, en las angustias, en los trances amargos es precisamente cuando faltan a la interminable lista la inmensa mayoría de los que no eran otra cosa que vociferadores.

[1] *Política de Dios*. Segunda parte, cap. XIII. Trata del gobierno del rey, de sus deberes y derechos, en las *Sentencias* 193, 233, 251, 252, 257, 261, 276, 280, 290, 334, 377, 378, 519, 585, 601, 686, 723 y 879.

La vastísima cultura de Quevedo ; su poderosa capacidad de asimilación ; el caudal de memoria que demuestra en su obra ; la independencia moral que disfruta y que le da una objetividad casi perfecta para la valoración y la exégesis ; el carácter rabiosamente libre de toda presión, que tiene a gala ostentar ; su afán por la lectura y la novedad, dentro de lo más puro español, y la clara concepción de nuestros valores, además de su gran experiencia en las cosas del mundo, hacen de él un crítico sagaz y de mérito.

No es, sin embargo, un crítico, como decimos ahora, profesional, ni él nunca gustó de serlo. En la actualidad hubiera sido un periodista excelente y el primero de nuestros publicistas.

Quevedo había bebido en todas las fuentes : era versado en humanidades, y esto lo demostramos en el capítulo siguiente ; conocía el Arte, la Política, las Ciencias ; estaba preparado para enjuiciar las ideas y el arte de su tiempo.

Sabido es cómo defendió la tradición. Por ello no podía menos de combatir toda importación, por meritoria que fuere. Por ello atacó el gongorismo — naturalmente que no fué «por ello» solo, como se ha visto —, y en el *Libro de todas las cosas y otras muchas más,* en que hay una receta «para hacer soledades en un día», inserta varias locuciones extraídas de canteras forasteras.

En cuanto trata de enemigos sus juicios críticos son parciales y vehementes. Pero también, como opina justamente Amador de los Ríos [1]) «no solamente es acertado, sino que pulveriza con gran copia de razones y donosas burlas los errores y aun desvaríos de Montalbán». De Montalbán y de otros ingenios que ponderaban por todo lo alto las agudezas culteranas.

Sus prólogos demuestran el profundo estudio que ha hecho del autor a quien prologa. Así, por ejemplo, es magnífico el juicio breve y conciso que emite de la *Utopía* de Tomás Moro, traducida del latín por Jerónimo Antonio de Medinilla y Porres. El criterio de Quevedo — lo escribió en su Torre, a 28 de septiembre de 1637 — es una página de antología y un dechado de política y de erudición y al mismo tiempo un ejemplo continuado de prosa conceptista. He aquí una clara muestra de estos tres aspectos : «Yo me persuado que fabricó aquella política contra la tiranía de Inglaterra, y por eso hizo isla su idea, y juntamente reprehendió los desórdenes de los más Príncipes de su edad. Fuérame fácil que quien léyere este libro la verifique con esta advertencia mía : que quien dice que se ha de hacer lo que nadie hace, a todos los reprehende ; esto hizo por satisfacer su celo nuestro autor... Escribió poco y dijo mucho. Si los que gobiernan le obedecen, y los que obedecen se gobiernan por él, ni a aquéllos será carga, ni a éstos cuidado.»

Enamorado de la forma y del fondo austero y genial de las poesías del maestro Fray Luis de León, decidióse a editarlas, impulsado por dos fines : rendir tri-

---

[1]) AMADOR DE LOS RÍOS. — Obra citada, pág. XXVI.

buto de admiración a la ingente labor del agustino y
oponer un valladar a la estrepitosa invasión del culteranismo. Posiblemente escogió para ello un libro dilecto, muy manoseado por él (el libro que tanto había
gustado en sus fructuosas horas de recreación espiritual, pero incompleto y lleno de errores) que le había
facilitado un amigo suyo y del gran Justo Lipsio, don
Manuel Sarmiento de Mendoza, magistral de Sevilla
y varón de profundísimos conocimientos clásicos, dando
a la imprenta las *Obras propias y traducciones latinas,
griegas y italianas. Con la paráfrasi de algunos Psalmos y capítulos de Job. Autor el doctísimo y reveren-
dísimo padre Fray Luis de León, de la gloriosa orden
del grande y patriarca San Agustín. Sacadas de la
librería de don Manuel Sarmiento de Mendoza, canónigo de la Magistral de la Santa Iglesia de Sevilla.
Ilústralas con el nombre y la protección del Conde-
duque, gran Canciller, mi señor. Con privilegio. En
Madrid. En la Imprenta del Reino. Año de MDCXXXI.
A costa de Domingo Gonçález, mercader de libros.* La
obra llevaba aprobaciones de Valdivielso y de Van der
Hammen, y se encabezaba con dos discursos. El que
antecede a la edición del lírico agustino está excesivamente recargado de erudición. Quevedo nos quiere demostrar con citas de Séneca, de San Jerónimo, de
Erasmo y de otros veintidós sabios, que conoce la filología, la retórica y las literaturas clásicas, y además
que es un buen crítico, todo ello expuesto en una breve
disertación. Es, dice Menéndez y Pelayo, un relato so-
porífero, «cosido de retazos de Aristóteles, el falso Demetrio Falero, Petronio Arbitro, Erasmo y otros autores innumerables, bien traducidos y bien entendidos,

es verdad, pero innecesarios para probar tan evidentísima sentencia como ésta: «La locución esclarecida »hace tratables los retiramientos de las ideas, y da luz »a lo escondido y ciego de los conceptos.»" [1])

En este mismo año de 1631 edita Quevedo las poesías del bachiller Francisco de la Torre. La publicación fué un lamentable error. Por lo que dice en el Prólogo, encontró un manuscrito en casa de un librero madrileño y se apresuró a darlo a la imprenta con el título de *Obras del Bachiller Francisco de la Torre. Dalas a la impresión D. Francisco de Quevedo Villegas, caballero de la Orden de Santiago. Ilústralas con el nombre y la protección del excelentísimo señor Ramiro Felipe de Guzmán, duque de Medina de las Torres, marqués de Toral, etc. Con privilegio. En Madrid, en la imprenta del Reino. Año de MDCXXXI.*

Dice en el *Prólogo* que no ha podido averiguar su patria y deduce que vivió antes que Boscán. El manuscrito que encontró tenía una aprobación de Alonso de Ercilla, y el nombre del autor «estaba borrado con tanto cuidado, que se añadió humo a la tinta. Mas los propios borrones, entonces piadosos con las señas, parlaron el nombre de Francisco de la Torre». No obstante, Quevedo abriga ya dudas sobre el verdadero autor, pues dice: «Y lo que más admira, y se puede contar por milagro del ingenio, que el corriente de los versos, la blandura, la facilidad, no esté achacosa con algunas voces ancianas y que después ha desechado la

[1]) Son bastante mejores los juicios que emite en la carta al Conde-duque de Olivares al remitirle las obras de Fray Luis de León (Madrid, 21 de julio de 1629); verdadero estudio crítico avalorado con numerosas autoridades. Me remito a ella en varios pasajes de esta obra.

lengua.» Opina que Fernando de Herrera, «doctísimo y elegantísimo escritor», tuvo por maestro a este poeta y trata de demostrarnos algunas correspondencias de léxico y técnica.

Estas poesías, que se encierran en un pequeño volumen en la edición príncipe [1]), causaron gran impresión y fueron atribuídas al propio Quevedo por un sector intelectual, siendo objeto de apasionadas discusiones que no cesaron hasta nuestros tiempos. Así, en 1753, José Luis Velázquez, autor de los *Orígenes de la Lengua Española,* publica una segunda edición a nombre de don Francisco de Quevedo. Por su parte, Leandro Fernández de Moratín dice en carta a su amigo Juan Bautista Conti [2]) al comentar esa atribución: «Lo que puedo decir a usted como opinión mía (que usted apreciará en lo que valga), es que las citadas obras ni son del bachiller de la Torre, poeta del siglo xv, ni de Quevedo, a quien don Luis Velázquez las atribuye, apoyándose en razones más ingeniosas que sólidas.»

Más tarde, el gran poeta y crítico don Manuel José Quintana niega la paternidad de Quevedo, pero no se permite opinar más explícitamente [3]) ; y así lo estiman también «Pedro Estala» [4]), y Wolf [5]). Ticknor [6]), espíritu perspicaz y autorizado, se deja llevar de la co-

[1]) Hay una valiosísima edición en facsímil de la «Hispanic Society of America».
[2]) LEANDRO FERNÁNDEZ DE MORATÍN. — *Epistolario.* 8 de enero de 1788.
[3]) MANUEL JOSÉ QUINTANA. — *Poesías castellanas,* Madrid, 1807.
[4]) Su nombre era Ramón Fernández. Fué un humanista del siglo XVIII, editor de las poesías de Rioja y de los Argensola, traductor de Sófocles y de Aristófanes y autor del libro *Colección de Poesías Castellanas* (Madrid, 1808).
[5]) WOLF. — *Anuario de Literatura.* Viena, 1835, vol. 69, pág. 189.
[6]) TICKNOR. — Obra citada, vol. II, pág. 409 y siguientes.

rriente velazqueña y atribuye a Quevedo las referidas poesías, avalándose, además, en las opiniones de Sedano en su *Parnaso Español* ; Baena, en *Hijos de Madrid* ; Luzán, en su *Poética,* y Bouterweck en su *Historia.* Pfandl [1]) opina que la edición fué considerada como de Quevedo hasta los tiempos de Quintana [2]).

Pero lo cierto es que Quevedo confundió lamentablemente al bachiller [3]) Francisco de la Torre con Alfonso, muerto casi dos siglos antes. Pronto se conoció el error, y el enemigo de Quevedo, Pérez de Montalbán se cuidó de propalarlo a los cuatro vientos. Quevedo, como observa Fitzmaurice-Kelly, por primera y última vez en su vida vióse reducido al silencio. El error fué descubierto por Faria y Sousa en sus *Comentarios a Camoens.* Dicen los señores Hurtado y González Palencia [4]) que Lope de Vega, que había conocido a Francisco de la Torre, no dijo nada quizá por deferencias con Quevedo, a causa de las riñas de éste con Montalbán. Con todo, la opinión crítica en el frontispicio de las citadas poesías es sagaz, ajustada y competentísima.

En toda su obra hállanse numerosos juicios sobre literatura, política, filosofía ; las apostillas, máximas

[1]) PFANDL. — Obra citada, pág. 15.

[2]) Véase la biografía de A. FERNÁNDEZ-GUERRA (Discurso en la Academia Española, 1857). También : CRAWFORD : *Francisco de la Torre y sus poesías* (Homenaje a Pidal, II, pág. 431).

[3]) Todavía el editor de las *Poesías de D. Francisco de Quevedo* (Madrid, 1830. Imprenta Ramos), al insertar las Poesías del Bachiller Francisco de la Torre, dice en una advertencia (vol. I, página 300) : «...Su verdadero autor se ignora ; muchos son de la opinión de que es el mismo Quevedo ; pero otros sostienen lo contrario, y cada uno da razones a su favor. Yo, sin meterme en si es o no su autor, no hago más que publicarlas, y los literatos juzgarán lo que mejor les pareciere.»

[4]) *Literatura Española,* pág. 317. Véase FERNÁNDEZ-GUERRA. — Obra citada, vol. II, pág. 491, nota.

y comentos de sus lecturas forman un tesoro imponderable de ideas dignas de ser estudiadas. Además de las obras que enjuiciaré en la tercera parte de este libro, puso un prólogo a *El buen repúblico* de su amigo Agustín de Rojas ; emitió dictamen sobre las *Obras* de Pedro Mateo, historiador francés, vertidas al castellano por Juan Pablo Mártir Rizo con el título de *Historia de la prosperidad infeliz de Felipa de Catanea* [1]) ; redactó otro prólogo de grandes vuelos filosóficos a la obra de don Manuel Sarmiento de Mendoza — ilustre traductor del Tasso — *Milicia Evangélica,* que don Francisco titula *A los que leyeren, a los que van, a los que envían* [2]). El escrito para la comedia portuguesa *Eufrosina,* traducida por don Fernando de Ballesteros Saavedra [3]), tiene rasgos senequistas y pensamientos sutiles. El de la *Utopía,* del inglés Tomás Moro, vertida por Jerónimo Antonio de Medinilla y Porres [4]), es, como digo, un bello ejemplo de prosa conceptista y de agilidad mental, que demuestran un conocimiento poco común de las literaturas extranjeras. Las observaciones hechas a otros autores son muy hábiles y objetivas [5]). Son interesantes también las notas

[1]) Madrid, 1625, por Diego Flamenco.
[2]) Madrid, 1628, por Juan González.
[3]) Madrid, 1631, por la Imprenta del Reino.
[4]) Córdoba, 1637, por Salvador Cea.
[5]) Otros trabajos críticos de Quevedo son : Prólogo a *Arte de Ballestería y Montería,* por ALONSO MARTÍNEZ DE ESPINAR (Madrid, 1644, Imprenta Real) ; *Comento de León de Castro sobre los Profetas menores; Censura a El Fénix y su historia natural,* de JOSÉ PELLICER DE SALAS Y TOVAR ; apostillas a las *Obras completas,* de LUCIO ANNEO SÉNECA ; *Aprobación de los Avisos para los oficios de provincia,* de MIGUEL MORENO ; censura a *El mesón del mundo,* de FERNÁNDEZ DE RIBERA ; aprobación de las *Rimas de Tomé Burguillos* (Lope de Vega) ; aprobación de la parte XXI de las *Comedias de Lope de Vega;* censura del *Compendio geográfico,* de GONZÁLEZ DE SALAS.

marginales a las Poesías de Herrera [1]), que reflejan a maravilla su estado de ánimo en el momento de leerlas, su carácter y su cultura. A veces, para desmentir un juicio que juzga erróneo, dice gráficamente: «Miente el idiota», «Mientes, idiota». Subraya largos pasajes, o pone «ojo» a otros que estima interesantes; corrige versos defectuosos, sobre todo el «adonde» y el «do», y halla bellos neologismos e imitaciones de Homero.

HUMANISTA Y FILÓSOFO

El brillante humanismo de Quevedo se consagra ya en su primera juventud en las aulas de aquella gloriosa Universidad complutense que le abrió los ojos del espíritu, y más tarde en la de Valladolid, que acabó de encauzar sus estudios en el abundoso río de los sabios españoles, que desde el fértil siglo xv no cesaron de rendir tributo a las esplendorosas ideas renacentistas. La sombra de Cisneros preside sus primeros pasos en la famosísima Universidad, extendiéndose luego su cultura hacia el campo de la crítica — Vives, Erasmo, los Valdés —, de la poesía — petrarquistas, tradicionalistas y las escuelas de eterna fragancia que inmortalizaron Fray Luis de León, Fernando de Herrera, los Argensola —, de la ascética y de la mística, y sobre todo de la erudición. Conoce a los grandes latinistas y helenistas Ginés de Sepúlveda, Gaspar Cardillo, Pedro Martínez Brea, Pedro Simón Abril, Miguel de Pa-

[1]) Publicadas por el señor Astrana Marín (*Obras, 1587*) *Apostillas de mano de Quevedo a la obra Poesías de Herrera.* Sevilla, 1619, por GABRIEL RAMOS VEJARANO.

lacios, Sebastián Fox Morcillo, El
Matamoros...

Quevedo era un humanista al estil[o]
con un doble carácter de esoterismo y
es decir, profundo y recoleto, reserva[do]
blico seleccionado y cada vez más esc[...]
llano, para descender hasta el pueblo. [...]
compagina estas dos cualidades que con[...] personalidad y hacen de él una de las figuras más originales y curiosas de España. Su obra entera propala
además su pensamiento filosófico y la influencia de
los grandes genios de la Antigüedad, especialmente de
Séneca, como veremos en el próximo capítulo. Quevedo
es un estoico, pero también se halla afectado por el
epicureísmo. Epicuro y Aristipo son maestros dilectísimos de quienes recaba consejo y auxilio en las encrucijadas psicológicas de su movida existencia.

Lo antiguo en lo nuevo. Quevedo sabe revestir las
pieles patriarcales con el palio flotante y el ropaje
suelto y gracioso de los romanos. Esta es otra cualidad relevante de que está nutrida su labor. Mejor que
una cualidad, debería decir, sin embargo, una conducta propia de la idiosincrasia española, pues es difícil
encontrar en nuestra tierra, como dice Farinelli, espíritus inclinados a la meditación firme y perseverante.
Y mucho más en un carácter de tantas facetas como
el de Quevedo.

Su afán está en el estoicismo cristiano. Y es que
a veces su fe flaquea y su poderosa inteligencia le
lleva a bordear los peligrosos abismos de la Duda; por
ello se refugia, asustado de sí mismo, en la voz suasoria
de los Padres de la Iglesia. La Sagrada Biblia le alien-

reconforta y le hace ser más comprensivo y más humano con los defectos de sus coetáneos. Sin ese freno eficaz, ¿a dónde hubiera llegado la sátira terriblemente aceda de don Francisco de Quevedo?

Sobre su conciencia campea la amada sombra de Séneca. Séneca el triunfante, Séneca el amargo, Séneca el sombrío, enlutado con los adelinos ropajes del dolor. Cual el Virgilio del Dante, el filósofo cordobés es su ductor, su maestro, su amigo. Como Dante mismo, lamentará que genio tan insigne no haya nacido bajo la égida del Cristianismo.

Luego, sus lecturas absorbentes, vastas. Ha leído a Demócrito Abderita [1]), quien le dice que los placeres de los sentidos son fugaces y tornadizos y que no representan la felicidad, que, por el contrario, debe hallarse en la paz perenne del espíritu; que no hay que apasionarse por nada — *nihil admirari* —, desechar el temor y la esperanza y la intranquilidad. Es fiel a la doctrina del filósofo griego — tan cercana a la epicúrea —, hasta en el odio al matrimonio, que es un tema que empleará Quevedo en tono de burla, pero que entrañará siempre una posición ideológica de gran fuerza. Epicuro le dirá también [2]) que existe la Providencia y que hay que buscar el Ideal en la propia suficiencia, advirtiéndole cómo deben reprimirse las pasiones, abstenerse, renunciar a lo vacuo de las cosas externas. Marco Aurelio le invitará a meditar que tiene predefinido el término de la vida en un tiempo acotado y a despreciar el vil cuerpecillo, que no es otro que una

[1]) Cítalo en *Las Zahurdas de Plutón.*
[2]) Su pensamiento fluctúa en toda la obra, conociendo los cinco libros que Arriano escribió comentando su doctrina.

crasa sangre, unos huesecillos y un tejedillo de nervios, de pequeñas venas y arterias. Séneca es, por cima, su arquetipo.

La filosofía le viene impuesta por las circunstancias de la vida. Perseguido, atacado, encarcelado, el solitario Quevedo reacciona buscando consuelo en esa moral resolutiva de las prolijas cargas de la vida, dentro del más puro casuisticismo cristiano. Es un pesimista sin otras luces que las del consuelo en la muerte. Un profundo ascético [1]. El tema de la muerte es la *ficelle* ininterrumpida a que apela como a un recurso próximo y definitivo, ardientemente deseado. He aquí su pensamiento constante: «Empieza el hombre a nacer y a morir; por esto cuando muere acaba a un tiempo de vivir y de morir.» [2]

En su juventud Quevedo no pasa de un humanismo prodigioso que con los años va declinando hacia un filosofismo excesivamente recargado de citas. Es un escéptico en cuanto a los valores mundanos [3], puesto que su cultura y su inteligencia están muy por encima de las de sus contemporáneos españoles. En cuanto a los valores divinos, es un férvido creyente que ni por asomo intenta discutir los misterios de la Religión. Proclama su fe y su acatamiento en cuantas ocasiones puede, y ni en los trances más rigurosos de su vida flaqueará aquélla un instante.

Escribe *Epicteto y Focílides en español con consonantes,* traduciendo el *Commonitorio* del primero y el

[1] «El grave y agrio D. Francisco tenía más de escritor ascético que de otra cosa.» UNAMUNO: *Soliloquios y Conversaciones (Malhumorismo)* (Col. Austral, pág. 69).
[2] *La Cuna y la Sepoltura.*
[3] «En el fondo, desprecia la ciencia humana, como Montaigne» (MERIMÉE: Obra citada).

Manual del segundo [1]). Demuestra en el Prólogo una vasta preparación humanística; preparación que no se improvisa. Dice que el libro «no es lección para entretener el tiempo, sino para no perderle». Atribuye el *Carmen Admonitorium* a Focílides, contra la opinión de José Escalígero y de otros sabios. Toda su humanísima filosofía se reduce a repetir esta frase: «Enseña a sufrir». Quevedo sabe de ello porque ha sentido los dardos del dolor, y en su soledad acongojada se consuela con este amigo delicado y discreto. Es libro para los que sufren, es medicina del alma. El espíritu baladí no le comprenderá. «Vivamos — dice — con todos, mas para nosotros, pues moriremos para nosotros. Vivamos no sólo como quien cada instante muere, y cada día puede morirse. Vivamos no con ansia de vivir mucho, sino bien. Ocupémonos en prevenir la muerte, no en rehusarla.» Tonos sombríos, vespertinos, expresivos y profundos como la realidad de la vida misma. Desde el Eclesiastés hasta Séneca ésta ha sido la más bella aspiración de los grandes hombres, pues como dicen los estoicos, muchos por la ignorancia murieron antes de que empezaran a vivir. Afirma como buen cristiano lo defectuoso de la obra y lo provechosa que hubiera sido convenientemente guiada por la luz de Jesucristo.

[1]) La obra (ed. de 1635) se titula: *Epicteto y Phocílides en español con consonantes. Con el origen de los estoicos, y su defensa contra Plutarco, y la defensa de Epicuro, contra común opinión. Autor don Francisco de Quevedo Villegas, Cavallero de la Orden de Santiago, Señor de la villa de la Torre de Juan Abad. A don Juan de Herrera, su amigo, Cavallero del Avito de Santiago, Cavallerizo del excelentísimo Conde Duque y Capitán de Cavallos. A costa de Pedro Coello, Mercader de Libros*. No obstante, como hemos visto, dedícalo en 1609 al duque de Osuna.

Para su traducción del *Epicteto y Focílides* — «desaliñada y prosaica», como dice acertadamente Fernández-Guerra —, ha visto el original griego y las versiones latina, francesa, italiana, y las castellanas de Francisco Sánchez de las Brozas y de Gonzalo Correas, afirmando que la de este último es bastante defectuosa, siendo por el contrario la de Sánchez «docta y suave», analizando y enmendando entrambas con el cotejo del original. Parece seguir, además, la versión de su amigo y maestro Justo Lipsio.

La traducción del *Phocilides* va precedida de una exigua nota biográfica a la que sucede una procesión amazacotada de endecasílabos.

Obra de gran humanista y de poeta es el *Anacreon castellano, con paraphrasi y comentarios,* y su segunda parte: *Paraphrasi y traducción de Anacreonte según el original griego más corregido, con declaración de lugares dificultosos,* en la que se firma Francisco Gómez de Quevedo. La primera parte constituye una biografía sacada de los IX libros de Lilio Gregorio Giraldo, que tiene por título *Historia de los Poetas,* corregida y aumentada «con autores y conjeturas»; conjeturas llenas de habilidad que demuestran un sólido conocimiento de la antigüedad griega. Cada poesía que don Francisco vierte al castellano lleva un comentario. La obra está llena de agudezas filológicas, estudios métricos y establecimiento de textos, todo ello avalorado por cuarenta y ocho autoridades [1]).

[1]) Hay citas de Ovidio, Marcial, Homero, Virgilio, Hesiodo, Aristóteles, Propercio, Julio Scalígero, Plutarco, Teócrito, Focílides, Píndaro, Henrico Stéfano, Cicerón, Estrabón, Opiano, Sófocles, Agatón, Ateneo, Teofrasto, Dioscórides, Aquiles Estacio, Tertuliano, Francisco de Rioja, Plinio, Xenofanes, Platón, Remi, Velau, Catulo,

20

Uno de los libros españoles más sabios de su tiempo — yo me atrevo a decir el más sabio —, es el titulado *España defendida, y los tiempos de ahora de las calumnias de los noveleros y sediciosos* [1]. Quevedo pretendía escribir una obra definitiva y por ello se preparó con ingentes lecturas. Quiere defender a su patria atacada y escarnecida en el extranjero. Es fruto de una labor trabajosa y difícil y de un minucioso cotejo de textos los más diversos [2]. Estudia raíces

Muretto, Camaleón Heraseota, Bayfio, Francisco de Aldana, Petronio, la Biblia, Elías Andrea, Ennio, Enrico Stefano, Sexto Pompeo, Apuleyo, Leucipo, Filón, Gregorio Nacianceno, Erasmo, Silvio Lucilio, Diógenes Laercio y José Scalígero.

[1] Publicado por el crítico norteamericano Selden Rose y por Astrana Marín, a la vista del borrador original.

[2] Cita a los autores siguientes: Acciacolo; Aeliano (*Variae Historiae*, lib. XIV, cap. 36); doctor Aguiar; Alabastrio (*Declaraciones analíticas*); Alburquerque; Bernardo Alderete (*Origen de la lengua castellana*); Amiano Marcelino; Anacreonte; Francisco Arias; Juan Anio; Antonio Augusto (*Itinerario*); Argote de Molina; Aristóteles (*Política*); Ausonio; Avieno; Luis de Avila (*Comentarios de las guerras de Alemania*); Juan Maico Belgico (*De la admirable antigüedad de los reyes de Alemania*); Jerónimo Benzón (*Nuevas historias del Nuevo Mundo, de las cosas que los españoles han hecho en las Indias Occidentales hasta ahora y de su cruel tiranía entre aquellas gentes*. Ginebra); Peranton Beuter; Bocio; Boecio; Boemo (lib. II); Boscán; Brocense (*Paradoxas*); Cabeza de Vaca; Calvino; Angelo Caninio (*Instituciones siriaicas*); Isaac Casaubon; Castillejo; Hernando del Castillo (*Historia...*); Catón; Catulo; *La Celestina*; Cicerón (*A Atico*); Ciézar; Cleomedes (*De circulis celestibus*); Roberto Constantino (*Lexicon*); Cornelio Galo; Dante (*Convivio*); Demóstenes; Diodoro; Dionisio Afro; Dion Crisóstomo (*De Fortuna*); Erasmo (*De pronunciación*); José Escalígero; Esquines; Estrabón (lib. III); Eusebio (*Cronicón*); Gonzalo Fernández de Oviedo; Focílides; Fonseca (*Amor de Dios*); Fray Domingo de Baltasar (*Compendio de algunas cosas más notables de España*); Galeno; Garci Sánchez de Badajoz; Gregorio García (*Orígenes de las Indias*); Garcilaso; Juan Bautista Giraldi; F. López de Gómara (*Historia general de las Indias*); Goropio Becano; Jerónimo Gudiel (*Compendio de Historias y Antigüedades de España*); Granada; Heliodoro (*Teágenes y Clariquea*); Herodoto (*Melpómene, Euterpe*, lib. II); Herrera; Hesichio; Hipócrates; Homero; Horacio; Hortensio; Huarte (*Examen de Ingenios*); Illescas (*Pontifical*); Isócrates; Jeremías (*Threnos*); Jorge Manrique (*Coplas*); Josué (13, 3, cap. II); Juvenal (Sátira XII); *Lazarillo de Tormes*; León (*Nombres de Cristo*); Duque

griegas, hebreas, siriacas, latinas y árabes, para inquirir el origen y la etimología de nombres históricos y geográficos y para demostrar la pasmosa antigüedad de España, cuyas excelencias describe con pluma maravillosa, influenciado posiblemente por las descripciones que de ella hacen San Isidoro y Alfonso X, con las que yo encuentro un raro parecido, al consignar particularmente la topografía, la abundancia de sus semillas, la riqueza de sus mieles, de sus vinos, de sus aceites. El aventajado discípulo de los humanistas más preclaros del Renacimiento aparece en sus páginas, con derroche de erudición. Labor ardua, meditada, pero de poca consistencia científica: atisbos geniales de modernidad al analizar las voces antiguas de España, combatiendo la peregrina leyenda que pretendía esclarecer, *ore rotundo,* y como por ensalmo, su origen,

de Lerma *(Lágrimas y desesperaciones);* Lipsio; Gregorio López Madera *(Monte Santo);* Lucilio; Lutero; Malón de Chaide; Manilio (Lib. IV); Mariana; Luis del Mármol *(Hist. de la rebelión y castigo de los moriscos de Granada);* Mejía, Melanchton; Mena; Bernardino de Mendoza *(Teórica y práctica);* Gerardo Mercator *(Menor Atlante);* Ambrosio de Morales *(Notas a Eulogio Cordobés);* Alonso Morgado *(Historia de Sivilla);* Mosquera *(Conquista de las Azores);* Moya; Mureto; Navarrete; Nebrija; Agustín Sebastián Neucaeno *(De las letras, voces y acentos hebreos);* Nonio *(España);* Florián de Ocampo; Jerónimo de Oliva; Orfeo *(Himnos de Pan. Himnos);* Ortelio; Padre Cabrera *(Sermones);* Padre Maluenda *(De Paraíso);* Padre Roa *(Vida de la Condesa de Feria);* Palaephatio *(De non credendis historiis);* Paracelso; Petronio; Píndaro; Pineda; Pitágoras; Platón *(De las leyes);* Plauto *(Rudens,* II acto; *Poenulo);* Plutarco *(De Fluminibus et montibus);* Andrés de Poza *(Del antiguo lenguaje de España);* Prisciano; Propercio; Quinto Curcio; Pedro de Ramos; Reinoso *(Vida de Pío Quinto);* Miguel Ricio; Rivadeneira; doctor Rosal *(Origen de la lengua castellana);* Salmo 107; Salustio; San Agustín; San Isidoro (San Isidro, dice); San Jerónimo; San Pablo; Sempronio; Solino; Sosthenes *(Cosas de Iberia);* Tácito; Tarrafa; Teognides; Terenciano Mauro; Terencio; Tibulo; Roberto Ticio; Bernardino Tilesio; Tito Livio; B. Torres Naharro; Isaac Tzetzos; Vergara; Veroso; Virgilio *(Georgicas);* Zárate; Zurita *(Anales de Aragón).*

y que aceptaron cándidamente historiadores de la categoría de Florián de Ocampo y de Diego de Valera («Lastimoso en su crédito», dice de éste). Verifica un análisis filológico de las voces ancestrales, de la palabra «España», basándose en numerosas autoridades — aun cuando se muestra escéptico respecto a ese procedimiento, tan ambagioso en su tiempo [1] —. El estudio de la lengua vernácula se halla numerosamente enriquecido de ideas ajenas, entre las que sobresalen las de Bernardo de Alderete y Gregorio López Madera, a quienes prodiga grandes encomios, con mucho también de su propia cosecha. Algunos de sus juicios son naturalmente erróneos por el prurito que tiene de alambicar, de jugar con el concepto y de sostener a ultranza su orgullosa personalidad. Sigue la evolución de la lengua romance hasta llegar a los tiempos modernos y luego pasa a tratar del estilo de los más eminentes escritores hispánicos: los historiadores de Indias, tan pródigos como discutidos; los oradores; los místicos; los numerosos poetas, con rectos, objetivos y aventajados juicios sobre el estilo de cada cual y con una exposición que recuerda mucho la factura de la *Carta Proemio* del marqués de Santillana.

Y siempre, en todo momento, España, la de los grandes hechos, la de los altos destinos. Cuando se enciende en patrióticos hervores, raya en la sublimidad: «Como Dios de los Ejércitos, unas veces nos amparó, y éstas fueron muchas, con nuestro Patrón Santiago; otras con la Cruz, que, hecha a vencer la misma suerte, sabe dar vida a todos los que, como

---

[1] Dice de las etimologías que «las más veces son obra del ingenio y no testimonio de la verdad».

estandarte de Dios, acaudilla. Milicia fuimos suya en las Navas de Tolosa. La diestra de Dios venció en el Cid, y la misma tomó a Gama y a Pacheco y a Alburquerque por instrumento en las Indias orientales para quitar la paz a los ídolos. ¿Quién sino Dios, cuya mano es miedo sobre todas las cosas, amparó a Cortés para que lograse dichosos atrevimientos, cuyo premio fué todo un Nuevo Mundo?...»

El libro es como una miscelánea y contiene una serie de ideas poco trabajadas que escribió para desarrollarlas ulteriormente; tanto es así que en el final de este proemio denso y erudito en su mayor parte, el fondo y la forma flaquean evidentemente. Quizá tuvo prejuicios al releer lo escrito, o bien le fatigó el pensar que el trabajo merecía muchas horas de estudio y que el tema prístino se desparcía por sendas cada vez más divergentes. Ya dice al principio: «Parecerá que quito en esto maliciosamente mucha honra a mi patria», al desvanecer numerosas leyendas aceptadas por eminentes autores.

Desde luego, este borrador merece un estudio detenido y prometedor de preciosas conclusiones. Bastaría por sí solo a encumbrarle en el primer lugar entre los humanistas de su tiempo.

Escribe *Nombre, origen, intento, recomendación y decencia de la doctrina estoica,* que es un luminoso tratado en el que analiza el carácter y las distintas manifestaciones del estoicismo desde los primeros discípulos del Pórtico. No le interesan de una manera inmediata los aspectos estoicos referentes a la Lógica y la Física; la primera porque está lejos, por su carácter, de las discusiones retóricas y dialécticas y porque no pudo o no quiso inmiscuirse en los anticuados estudios sobre la Gramática y la Poética clásicas; la segunda por el hecho de que, como buen cristiano, rehusaba adentrarse en las elucubraciones monistas y del panteísmo teleológico. Le interesaba únicamente la Ética patrocinada por Zenón, por Cleantes, por Crisipo y por Séneca en particular. Quevedo sigue en todo los senderos fijados por la ortodoxia y repugna los estudios que ya en su tiempo se dirigían a fundamentar las nuevas teorías del deísmo o religión natural [1]), como una lógica herencia del Renacimiento. Da del estoicismo una definición especificativa: «Las cosas se dividen en propias y ajenas; las propias están en nuestra mano, y las ajenas en la mano ajena; aquéllas nos tocan, estotras no nos pertenecen, y por esto no nos han de perturbar ni afligir; no hemos de procurar que en las cosas se haga nuestro deseo, sino ajustar nuestro deseo en los sucesos de las cosas, que así tendremos libertad, paz y quietud; y al contrario, siempre andaremos quejosos y turbados; no hemos de decir que perdemos los hijos ni la hacienda, sino que los pagamos a quien nos los prestó, y que el sabio no ha de acusar por lo que sucediere a otro ni a sí, ni quejarse de Dios...» Trata de probar el origen remoto de esta doctrina y para ello pone el ejemplo de Job, varón dilectísimo por las altas virtudes de su lamentable existencia. Exalta el desprecio con que miran los estoicos

[1]) Posiblemente conocía Quevedo la ruidosa obra de Herbert de Cherbury (1582-1648) *De veritate* (París, 1624), que fué el banderín que enarbolaron los nuevos afiliados, vehementemente combatida por la Inquisición. La otra obra de este autor inglés *De religione gentilium* es poco probable que la hubiera leído, pues la edición más antigua conocida es la de Londres, 1645.

las cosas que están en ajeno poder; el vivir con el cuerpo, mas no para el cuerpo; el contar por vida la buena, no la larga; el vivir para morir y como quien vive muriendo. Rehabilita las máximas epicúreas sobre el placer, que para el filósofo griego es la virtud, la ciencia, la perfección: es decir, Dios; hace suyos los preceptos de Epicteto, buscando afanosamente el ideal humano en la propia suficiencia, propugnando un ascetismo natural, renunciando a las cosas externas del mundo como caducas y despreciables. Y al llegar a lo que él llama «escándalo de la seta», o sea a la paradoja de que le es decente y aun forzoso al sabio darse la muerte, advierte que no la acreditaron, como se dijo, ni Sócrates ni Séneca, pues los dos estaban condenados a morir, concluyendo que esta paradoja es un error y valiéndose para destruirla de la autoridad del propio Séneca, de Epicteto y aun del poeta bilbilitano Marcial.

Su competencia filosófica se patentiza en la larga lista que da de la descendencia estoica entre los griegos y los romanos. Cita la frase de San Jerónimo: «Los estoicos en muchas cosas concuerdan con nuestra doctrina»; y suscribe como discípulo de la misma, dentro de la fe católica, en primer lugar al glorioso San Francisco de Sales, terminando con estas sabias palabras: «Yo no tengo suficiencia de estoico, mas tengo afición a los estoicos: hame asistido su doctrina por guía en las dudas, por consuelo en los trabajos, por defensa en las persecuciones, que tanta parte han poseído en mi vida. Yo he tenido su doctrina por estudio continuo; no sé si ella ha tenido en mí buen estudiante.»

La carta escrita a su amigo y colaborador don Antonio de Mendoza, muestra también competencia filosófica y una afección devotísima por Epicteto, citando las reglas de conducta que, como dice Lucio Anneo Séneca a su discípulo Lucilio, están en la conciencia de todos los estoicos: el dificultoso navegar por los mares del vicio y el puerto salvador que acoge al que practica la virtud; el desprecio a la vida y a sus miserias, y la serenidad ante el trance fatal; la ruindad de los placeres que consumen al hombre y matan su alma con la más terrible de las muertes; la nadería de las cosas humanas, de las riquezas acumuladas a costa de privaciones físicas y de quebrantos de conciencia, etcétera.

Cita en ella a Job, a Séneca, a San Pablo, a Platón, a Mercurio Trimegisto, a Pero Augustino, al Eclesiastés; es decir, a aquellos varones que por su sabiduría o por sus virtudes alcanzaron predicamento entre los hombres. San Francisco de Sales, cuya obra traducirá con acendrado cariño, preside tan hondos estudios.

La *Defensa de Epicuro* es un alegato en favor de este sabio, valiéndose de testimonios de gran peso, gentiles y cristianos. Es una avalancha de autores que pregonan el valor y la extensión de sus lecturas. Demuestra asimismo que se halla impuesto del pensamiento de ese valiente defensor de la ataraxia, que busca el fin último en el placer, sinónimo de felicidad: Dios.

En 1613 escribió la obra titulada *Lágrimas de Jeremías* [1]). Es, ciertamente, un prodigio de erudición

---

[1]) La obra se titula: *Lágrimas de Jeremías castellanas, ordenando la letra hebraica, con paráfrasis y comentario en prosa y verso.*

que supone meditaciones vastísimas y tenaces cotejos. Si Lope de Vega admira por su fecundidad, Quevedo sorprende por el contenido, pues gran parte de sus producciones son necesariamente, como puede comprobar el lector menos competente, fruto de un trabajo de paciencia benedictina.

La gran preparación humanística está en todas sus obras, como demuestro en el capítulo dedicado a las Fuentes. Está en sus cartas. Está en los papeles sueltos que han ido saliendo a la luz. Todo ello nos demuestra el valor de sus lecturas, y por sus apostillas podemos anotar las preferencias que tenía.

Un cúmulo insospechado de planos se abre a la avidez del infatigable estudiante. Son libros en ciernes, ideas profundas que apunta para que no se le olviden, guiones de temas a desarrollar. Entre tanta nota acumulada aparecen destellos del genio y minucias de bibliófilo y de aficionado a las ciencias más diversas. Todo en él tiene interés primordial, menos la vulgaridad. Así estudia el significado latino de la palabra *arma* [1]), basándose en las acepciones que dan Virgilio [2]), César [3]) y otros autores modernos ; dilucida la interpretación de ciertos pasajes de Lucano [4]), de

[1]) *Papeles sueltos autógrafos.*
[2]) Cita a Virgilio en el *Lince de Italia, Las cuatro pestes del mundo, La Virtud militante, Constancia y paciencia de Job, El Sueño de las Calaveras, El martirio pretensor del mártir, Providencia de Dios, Al Excmo. Conde Duque, Apuntes autógrafos, El Chitón de las Taravillas.*
[3]) *De bello Civili.* Le cita en la *Carta a Luis XIII.*
[4]) Habla de él en *La rebelión de Barcelona, Apuntes autógrafos, Vida de San Pablo, Carta al rey Luis XIII, Descífrase el alevoso manifiesto... Las zahurdas de Plutón, Constancia y paciencia de Job, El entremetido, la dueña y el soplón, Epístolas de Séneca.*

Cicerón [1]) y de algunas frases latinas de Plauto [2]) que literalmente se usan en el mismo sentido castellano [3]) ; estudia las relaciones que guardan Zenón y Epicteto con el *Libro de Job,* demostrándolo comparativamente [4]) ; torna a justipreciar la obra de Lucano, combatiendo en varias ocasiones a Julio Escalígero, que en su *Poética* ataca al insigne vate cordobés y a todos los hispanorromanos ; pondera la formidable capacidad de trabajo de Daniel Heinsio y de Justo Lipsio ; emite juicios críticos agudos y escuetos en *La Perinola* ; habla de la poesía de su tiempo y muestra gran conocimiento de las escuelas poéticas que se disputaban la supremacía, al tratar de Boscán, de Garcilaso, de Fray Luis de León, de Fernando de Herrera, de Castillejo, de Francisco de Aldana y de otros ingenios [5]) ; de sus abundantes y poco escogidas lecturas históricas verifica unas listas de «Reyes, así verdaderos como fabulosos y dudosos de España», íberos, celtíberos, romanos [6]) ; de sus estudios filológicos, que jamás abandonó, ni aun en la época de su estancia en Italia con el duque de Osuna, deduce no pocas etimologías, que se difunden en la mayoría de sus tratados : así del hebreo «nadal», los latinos dicen «natare», nadar ; del hebreo «nubo», «fructificar», viene el latín «nubere», casar-

[1]) Coméntale en la *Carta al rey Luis XIII, Marco Bruto, Las cuatro pestes del mundo, Providencia de Dios, Epístolas a imitación de Séneca* y *Apuntes autógrafos.*
[2]) Le cita en *La Virtud militante* y en los *Apuntes autógrafos.*
[3]) *Papeles sueltos autógrafos.*
[4]) *Libro de Job.*
[5]) *Carta al Conde-duque, España defendida, Aprobaciones,* y numerosas obras en prosa.
[6]) *Apuntes particulares.* Adviértase que cuando cito los *Papeles sueltos* me refiero a la edición de Fernández Guerra, y cuando trato de los *Apuntes particulares* lo hago teniendo en cuenta la edición de Luis Astrana Marín.

se; del hebreo «nin», «hijo», el castellano «niño»; la
palabra «guhrraghanim» significa en caldeo «ranas» [1];
analiza textos griegos y hebraicos para aquilatar ciertas afirmaciones de San Jerónimo [2]), mostrando preferencia por los escritores latinos decadentes, quizá porque la época en que Grecia y Roma se hundían víctimas de sus desenfrenos, tanto se parecía al estado
depresivo de su amada patria. Dice a menudo — y en
particular en *Las cuatro pestes del mundo* y en *La
Providencia de Dios* (esto es, en sus obras de madurez) — «mi Séneca», «nuestro Séneca», «mi Lucilio»,
«mi Lucano» [3]), «mi Santo» (Crisólogo) [4]). Estudia con
pasión a estos autores dilectísimos y llega a identifi-
carse con su espíritu y con su estilo. Es su prosa la
de un latino que escribe en castellano [5]). Más que Juvenal, como opina Sánchez Alonso [6]), creo que su modelo constante es Séneca.

En el cerebro del artista y del intelectual que fué
Quevedo rebullían continuos propósitos, la mayoría de
los cuales sólo florecieron en esbozos no exentos de profundidad y galanura.

[1]) *Apuntes particulares.*
[2]) *Libro de Job.*
[3]) Tertuliano, en el libro *De Anima,* emplea ya este posesivo
para designar a los autores favoritos.
[4]) Siente gran predilección por San Pedro Crisólogo. Sólo en
la *Virtud Militante* tiene las siguientes citas: Sermones VIII,
XLVIII, LXVI, CI, CXXII y CLXIII, y su obra *De adversa valetudine.*
[5]) A menudo emplea el latín para citar autoridades, con un
prurito de erudición. El obispo Santos de Risoba, comentando la
Política de Dios, le escribe en carta de 25 de octubre de 1614 que
puede hacerlo muy bien en castellano, «costándole a usted tan poco
el traducirlos y sabiéndolo hacer con tanta gracia (cosa que aciertan
tan pocos)».
[6]) SÁNCHEZ ALONSO, B. — *Los satíricos latinos y la sátira de
Quevedo* (Rev. de Filología Española, vol. XI, pág. 30).

No cesaron aquí sus actividades humanísticas, sino que también desarrollólas, y muy copiosamente, en versiones de prosistas [1]) y de poetas clásicos, haciendo asimismo numerosas imitaciones de David, Salomón, Jeremías, Heráclito, Anacreonte, Esquilo, Focílides, Epicteto, Virgilio, Ovidio, Séneca, Marcial, Estacio, Juvenal, Lucrecio, Horacio, Propercio, Dante, Petrarca, Du Bellay y de otros genios, desgraciadamente desaparecidas en su mayor parte.

SÉNECA Y QUEVEDO

El espíritu equilibrado del filósofo cordobés se infiltra en el del escritor madrileño de una manera efectiva y permanente, arraigándose más y más con los años y con los turbiones de su agitada existencia.

¿Cómo es posible esta hermandad? El hilo que une tales caracteres es una decepción constante de la vida, una clara visión del mundo, una poderosa inteligencia encaminada a un fin parejo.

Su filosofía es, como observa el propio Séneca en la Epístola XVI a Lucilio, «la ciencia de la vida»; es decir, eminentemente moral, con la virtud por meta,

[1]) Efectuó, entre otras, las siguientes traducciones: en 1621, la *Carta del Cardenal César Baronio a Felipe III, tocante a la monarquía de Sicilia;* la carta que escribió Urbano VIII a Felipe IV en 1623, dándole cuenta de su asunción al Pontificado; *El Rómulo,* de MALVEZZI (1631); la *Introducción a la Vida devota,* de SAN FRANCISCO DE SALES (1633), obra de gran extensión, admirablemente vertida; las *Epístolas de Séneca,* de que hablo en el capítulo siguiente; una carta de Plinio. Puso un prólogo latino a la obra *Iuliani Caesaris in Regem Solem ad Sallustium Panegyricus,* de VICENTE MARINER (Madrid, 1625, por Pedro Tazo), lleno de erudición histórica. Tradujo asimismo la novela bizantina de Aquiles Tacio Alejandrino, titulada *Historia de los amores de Leucipe y Clitophonte,* que hemos perdido.

mostrando una completa indiferencia hacia los honores y las glorias mundanas y basándose particularmente en una absoluta austeridad y en la dignidad moral que preside todas sus acciones de senectud. En filosofía, como en la vida, Séneca no fué un estoico puro, ni mucho menos; antes bien mostró debilidad y flexibilidad de espíritu. Pero, ¿qué hombre, a no ser un santo escogido del Señor, puede exonerarse de las pasiones humanas?

Quevedo amaba el fondo y el estilo de Lucio Anneo: el fondo acedo, de repugnancia a la envoltura carnal, la nota de sabor epicúreo y de epicúreo convertido más tarde, con que ameniza sus pensamientos; el sentimiento profundo de dignidad humana y las dos premisas que desarrolla a lo largo de toda su obra, que son el *memento homo* de la filosofía estoica: el menosprecio a la muerte, que debe ser aguardada sin temor, y la virtud, que es el bien único, real del hombre.

En cuanto al estilo, Quevedo difiere en algunos puntos del preconizado por su maestro. Séneca recomienda el estilo sereno y calmoso, que deviene al compás de la reflexión ecuánime, moderando el uso de las metáforas [1]) y tan alejado de la afectación como del arcaísmo y del neologismo, de la hinchazón como de la sequedad [2]); y es sabido que Quevedo no sigue este camino medio, sino que se deja llevar frecuentemente en alas de su genio indómito, absolutamente libre de prejuicios.

En cambio coincide en otros aspectos con Lucio Anneo: en la poca consistencia del método; en el

[1]) Epist. Lucilio LIX.
[2]) Id., íd. CXIV.

follaje de digresiones que llegan a enturbiar el cauce de las ideas fundamentales; en su dilettantismo filosófico que les lleva a la vulgarización de ideas ajenas (ambos fracasan en la organización de un sistema de filosofía), y en las manifestaciones, quizá raciales, de su temperamento, más emotivo que racional.

En la técnica tienen bastantes puntos de contacto, como espíritus decadentes que son, buscando elementos léxicos en el lenguaje del pueblo, optando por la palabra incisiva, gráfica, y por la división de la cláusula. Los dos son eclécticos, de temperamento poco afecto a la especulación metafísica, empedrando sus exposiciones de ejemplos y de anécdotas: Séneca, de sus tiempos gentiles; Quevedo, de la historia cristiana. Ambos muestran — y de ello se envanecen con frecuencia — una gran libertad de opinión.

Amaba Quevedo la integridad moral del filósofo predilecto, su sabia estrategia, ya en la vejez rayana, para repeler los terribles zarpazos del monarca más abominado del mundo, y de los romanos todos, encenegados en la degradación moral y política. Como Séneca, dice que repugna las galas con que la vida se adorna, aun cuando, si no las busca, las acepta, por lo menos en su juventud. Es sabida la complacencia vanidosa con que se llama Señor de la Torre de Juan Abad, caballero del Hábito de Santiago y aun Señor de Cetina. Tan sólo es sincero cuando se halla frente a la Inmortalidad, desposeído de toda prebenda y de todo honor, encerrado en San Marcos de León. Sabemos cuán alta idea tiene de la amistad y cuánto se contradijo. Sus pasiones son demasiado fuertes para llamarse un estoico *ab ovo*. Si lo es, lo es forzado por la pesadumbre. En esto coincide, como veremos, con su maestro. Al final de su vida medita la doctrina senequista: elogio de la impasibilidad, invectivas contra las pasiones. No preconiza el suicidio porque es un cristiano convencido; pero el «dejar hacer», ya es, desde luego, un suicidio.

Séneca tiene cuatro períodos trascendentales en su existencia, que reflejan cuatro obras definitivas. Quevedo vive también cuatro momentos que hacen cambiar el rumbo de su carácter. El tratado *De constantia sapientis* está escrito cuando Julio Anneo, recién llegado de Córcega, experimenta los dolores del fracaso político. Quevedo llegará de Nápoles con el mismo desaliento, profundamente decepcionado de los hombres y, cual Séneca, despreciará los honores y se retraerá en la soledad de su Torre, que es su torre de marfil. Injuriado, vejado, amargado, hallará suprema consolación en la voz amiga: *Faveamus, obsecro vos, huic proposito æquisque et animis et auribus adsimus, dum sapiens iniuriæ excipitur* [1]). Como Quevedo, Séneca fué débil e inconsecuente en el destierro, y las carantoñas que nuestro hombre empleó con Olivares para trocar su disfavor, el filósofo cordobés las usó también, y aun aumentadas, con Polibio, el liberto de Claudio, lisonjeando a este poderoso privado del Emperador.

Después don Francisco triunfará y será amigo del Conde-duque, y entrará en la Corte, y será adulado, mimado, celebrado. También triunfó Lucio Anneo de Nerón, del cual fué maestro y ministro predilecto, co-

---

[1]) «Hagamos silencio, os lo ruego, y aprestemos el alma y el oído a esta doctrina que exime al sabio de la injuria» (*De Constantia,* X).

nociendo toda suerte de intrigas palaciegas en aquel pozo de vicios que fué la Corte romana. Optimismo, euforia, corazón ardiente, abierto a los más puros sentimientos: así lo refleja el tratado *De Clementia*. El momento crucial de la vida de don Francisco se refleja también en otro libro de Séneca, escrito con el alma embriagada de felicidad: *De tranquillitate animi*. Quevedo leerá sus brillantes pasajes y fortalecerá en él su espíritu, inspirándole no pocas ideas, que desarrollará en sus producciones de la época. *Tanto fortior, tanto felicior...* Pero luego, y precipitadamente, viene el fracaso, el vencimiento total. La fría cárcel de San Marcos de León. La inapelable sentencia neroniana. Bajo un sentimiento parejo en el autor y el lector, palpita vívidamente el famoso libro *De otio*. El sabio ha pasado del epicureísmo al estoicismo. Idéntica reacción, dentro de la fe de Cristo, se opera en el ánimo del discípulo madrileño. El refugio espiritual es un sedante de incalculable valor. Se ha asimilado tanto su doctrina y su factura estilística, que hay pasajes, como por ejemplo cuando trata de la ira en *La cuna y la sepoltura* [1]), que parecen fidelísimas traducciones senequistas [2]). Quevedo, que es un escritor hon-

[1]) Capítulo III.
[2]) Dice Quevedo en este tratado: «Es la vida un dolor en que se empieza el de la muerte, que dura mientras dura ella». Séneca escribe (Epístola LIII): «Erramus quod mortem indicamus sequi, cum illa et praecessesit et secura sit». Pregunta Quevedo: «¿Ya sabes vivir?»; y Séneca (Epíst. LXXVII): «Vivere vis: scis enim?». Objeta el madrileño: «Condenas a muerte al delincuente; ¿piensas que haces algo nuevo? No, que ya le tenía sentenciado la naturaleza»; consideraciones parecidas hallamos en la obra del cordobés *De Ira* (XLII y XLIII). Quevedo dice: «La ira es una breve locura y repentina» («Brevem insaniam», escribe Séneca, recordando a Horacio, en la epístola *Ad Pisones*, I, II: «Ira furor brevis est»); arguye el madrileño: «un olvido de la razón («ratione consiliisque praeclu-

rado, no vacila en declarar las fuentes en dónde va a apagar su sed, y continuamente habla de «mi Séneca», «nuestro Séneca». En la *Providencia de Dios,* en donde afirma que comunicó con San Pablo, hace la declaración siguiente: «No he podido dar a los ateístas y herejes tapaboca más afrentoso que éste con la mano de Séneca, filósofo gentil, sin baptismo, y maestro de Nerón (primer perseguidor en Roma de los cristianos entre los emperadores), y el más feliz ingenio y la pluma de mejor sabor que se reconoce por todos en aquellas tinieblas; tan útilmente modesto en su doctrina, que San Jerónimo le colocó en el catálogo de los escritores eclesiásticos y San Agustín frecuentemente le citó, y otros gravísimos escritores católicos» [1]).

Salvando las distancias de tiempo y de cuna coinciden en ciertas apreciaciones de la vida y en el enfoque de sus pensamientos. En ambos suele darse la nota anecdótica y costumbrista, amenizando la prosa pintoresca, llena a menudo de geniales destellos, de transiciones inesperadas. Son dos almas sufrientes, solitarias y combatidas, extraordinariamente sensibles, aunque las reacciones en ambas sean distintas. El tema escatológico las ensimisma, no en lo que tiene de sombrío y de misterioso, sino por el contrario, como ejemplo en la vida y premio para la posteridad. Hay tam-

sa», observa el cordobés); «se manifiesta en el centellear de los ojos» («flagrant emicant oculi»), «en el temblor de los labios» («labra quatiuntur»), etc.

[1]) ALFRED GUDEMAN (*Historia de la Literatura Latina,* Barcelona, 1930, pág. 238) escribe a este respecto: «Llegóse a creer que estuvo en estrecha relación con el Cristianismo, convicción que llevó a inventar una correspondencia epistolar entre él y el apóstol Pablo. Pero esta correspondencia es una falsificación tan absurda, que sorprende que todo un San Jerónimo la reputase auténtica, a menos que el deseo, padre de la idea, le hubiese enturbiado la vista crítica.»

bién una aspiración vehemente no expresada con palabras, pero que palpita en todas esas líneas: es el anhelo de inmortalidad; es ese sentimiento torturador que se refleja en las páginas de numerosos escritores. De Quevedo son estas líneas, que bien podrían atribuirse al genio hispanorromano: «Matarse por no morir es ser igualmente necio y cobarde. Es la acción más infame del entendimiento, por ser hija de tan ruines padres como son ignorancia y miedo. Sólo deseo saber dónde se halla el valor para matarse quien no le tiene para aguardar que le maten.» Y concluye con este pensamiento literalmente senequista: «Quien no ve la hermosura que tiene perder la vida por no perder la honra, ni tiene honra ni tiene vida.» [1]

La muerte está siempre presente, cautelosa, al atisbo de su presa. Acecha al hombre desde que nace: *Mors ad te venit.*

En la voluminosa obra de Quevedo titulada *Sentencias,* colegimos que no sólo tiene el fondo estoico del maestro, sino que también conserva la indeleble huella de su estilo, incluso en los ejemplos que aduce, casi todos sacados de la historia romana. El tema de la muerte, en particular. Asiente Quevedo: «Conviene vivir considerando que se ha de morir» (Epístola LXI de Séneca a Lucilio): «La muerte es siempre buena, parece mala a veces porque es malo a veces el que muere» (Epístola LXX). Al tratar de los sabios que disciernen y afrontan sus dolores sobreponiéndose a las desgracias, parece que traduce las Epístolas LXXI y LXXII; sobre la injuria inferida al sabio, refleja

[1] *Vida de Marco Bruto.*

pasajes del *De constantia sapientis*; sobre las máximas del gobierno de los reyes, transcribe ideas del tratado *De Clementia*. Y esa influencia se acusa todavía más en las Apostillas de mano de Quevedo a las obras de Lucio Anneo Séneca, que son devotísimos comentarios al margen del *De Benefitiis,* de varias *Epístolas,* del *De Clementia* y del *De Consolatione*. En el *Nombre, origen,* etc., dice Quevedo con nobleza genuina: «Séneca me ocasionó esta interpretación. El juicio es mío, las palabras son suyas; él las dice, yo las aplico.» [1] En la *Defensa de Epicuro,* que forma la segunda parte del citado libro, le llama: «¡Oh grande Séneca, que te precias de lo que te aprovechas, que nombras al autor ignorado [2] de la sentencia que te ilustra! Eres lo que se ve raras veces: fiel y docto.» En la *Vida de San Pablo* analiza las epístolas que se suponen cruzadas entre Séneca y el Santo.

Traduce el *De remediis fortuitorum* con el nombre de *De los remedios de cualquier fortuna. Libro de Lucio Anneo Séneca, con adiciones que sirven de comento, por Juan Martínez* [3]). Se ha discutido si es de Séneca esta obra, que cita Tertuliano en el *Apologeticus* con el título de *Ad Gallionem fratrem de remediis fortuitorum,* junto con las *Tusculanas* de Cicerón. Quevedo, que conocía las discusiones originadas en su tiempo, dice en el *Diálogo entre el Sentido y la Razón*: «Yo no

[1] En esta obra cita a Séneca unas cincuenta veces.
[2] Epicuro.
[3] Así reza la edición que consultó Fernández-Guerra. Astrana Marín da este otro título: *De los remedios de cualquier fortuna. Libro de Lucio Anneo Séneca, filósofo estoico, a Galión. Traducido por Francisco de Quevedo Villegas, Caballero de la Orden de Santiago, Señor de la Villa de la Torre de Juan Abad. Con adiciones suyas en el fin de todos los capítulos, que sirven de comentario.*

sólo afirmo ser de Séneca todas las sentencias y palabras, sino este mismo estilo: porque en Séneca hallamos, primero que en el Petrarca, el estilo de repentina palabra muchas veces, y consolarla y declararlo repetidamente de diferentes maneras.» Y en aras de este empeño exagera el estilo hasta el punto de que en un párrafo emplea la palabra «morirás» no menos de dieciocho veces. De esta misma factura es el Comentario que pone a la Epístola LXI de sus *Noventa epístolas de Séneca, traducidas y comentadas* [1]), glosando la exclamación que pone Lipsio a la misma: *O pulchram altamque epistolam!,* y la frase de Séneca: «No hay varón bueno sin Dios».

La admiración por el cordobés late en toda su obra. En la Musa *Polymnia* le dedica un soneto. El editor de las *Musas* afirma que los amigos de don Francisco le oyeron recitar varias veces de memoria la tragedia *Las Troyanas* [2]). Todas las *Musas* llevan como prefacio un fragmento en latín de Séneca.

Llega a ser tanta su devoción, que ama a los que le aman. De ahí nació su amistad con el famoso Justo Lipsio, exclamando en una nota puesta a la traducción que hizo de las citadas Epístolas: «¡Oh mi Lipsio, grande honra de Francia! ; tanto como España debe a Córdoba porque le dió a Séneca, te debe España porque se le resucitas y se le defiendes.» Analiza las influen-

---

[1]) Fuéronle arrebatadas junto con la *Vida de Marco Bruto,* y sólo poseemos unos fragmentos. Es de extrañar que no cite el autor del verso inserto en la citada *Epístola:*

Ouis deus incestum est, habitat deus

que es de Virgilio (*Eneida,* VIII, 352).

[2]) Prólogo de *Melpómene.*

cias ejercidas en otros escritores, aun los cristianos [1]), y aplaude los comentarios que le son favorables.

Por contra, odia a los que le odian. Quizá por ello atacó sañudamente al doctor Balboa de Morgovejo en sus luchas por el Patronato de Santiago (o quizá por ello precisamente le atacó el doctor, que conocía su devoción por el hispanorromano), revolviéndose contra su adversario, defendiendo a Séneca con ahinco y diciendo: «No es Séneca jurisprudente de pleitos ni de estilo forense y litigioso, mas eslo, y el primero, en el irrefragable conocimiento de la justificación y disposición de las costumbres. Y es tanta verdad ésto, que no hay ley ni autor de tan descarriada pluma y de parecer tan distraído en toda la inmensidad de los derechos divinos ni humanos, que contradiga algunas destas palabras referidas de Séneca.» [2]) Rebate, como hemos visto, las despectivas frases de Julio Escalígero y fulmina diatribas contra Marco Antonio Mureto, que se ha permitido desdorarle [3]).

La influencia de los doce *Diálogos* de Séneca [4]), que debió conocer por las luminosas traducciones de Justo Lipsio, descubridor de varios manuscritos, es, en Que-

---

[1]) Dice en la *Virtud militante (Soberbia)*, que las *Sentencias* del sermón CI de San Pedro Crisólogo «son literales de Séneca».

[2]) *Su espada por Santiago* (Tratado 3.º).

[3]) «No hago a Séneca teólogo cristiano; rescátole de filósofo necio y de la calumnia de Mureto» (*Epístola XLI de Séneca, Comentario*).

[4]) Según el Códice de la Biblioteca Ambrosiana de Milán, son los siguientes: 1.º *Ad Lucilium, quare aliqua incommoda bonis viris accidare, cum providentia sit (De Providentia)*; 2.º *Ad Serenum, nec injuriam, nec contumeliam accipere sapientem (De Constantia sapientis)*; 3.º, 4.º, 5.º *Ad novatum, de Ira libri III*; 6.º *Ad Marciam, de Consolatione*; 7.º *Ad Gallionem, de Vita Beata*; 8.º *Ad Serenum, de Otio*; 9.º *Ad Serenum, de Tranquillitate animi*; 10.º *Ad Paulinum, de Brevitate vitae*; 11.º *Ad Polybium, de Consolatione*, y 12.º *Ad Helviam matrem, de Consolatione*.

vedo, integral, no sólo en su directriz espiritual, sino en su propia vida privada. Así hallamos numerosas citas de sus tratados *De Ira* [1]), *De Clementia* [2]), *De Tranquillitate animi* [3]), *De vita beata* [4]), *De beneficcis* [5]), *De Consolatione ad Marciam* [6]), *De Consolatione ad Helviam* [7]), *De Providentia* [8]), *Quæstiones morales* [9]), y las *Epístolas* números I [10]), VI [11]), IX [12]), XIII [13]), XV [14]), XVIII [15]), XIX [16]), XXI [17]), XXII [18]), XXIII [19]), XXIV [20]), XXV [21]), XXXI [22]), XLVI [23]), XLVII [24]), LIII [25]), LXVII [26]), LXXIII [27]), LXXIV [28]),

---

[1]) *Descífrase el alevoso manifiesto... Nombre, origen...*
[2]) *Virtud militante.*
[3]) Idem.
[4]) *Apuntes autógrafos, Virtud militante, Nombre, origen...*
[5]) *Vida de San Pablo, Providencia de Dios, Su espada por Santiago, Apuntes autógrafos, Nombre, origen..., Virtud militante.*
[6]) *Constancia y paciencia de Job, Apuntes.*
[7]) Idem.
[8]) Idem.
[9]) *Providencia de Dios.*
[10]) *Epistolario.*
[11]) *Nombre, origen...*
[12]) Idem.
[13]) Idem.
[14]) Prólogo a *Eufrosina.*
[15]) *Nombre, origen...*
[16]) Idem.
[17]) Idem.
[18]) *Al Conde-duque de Olivares, A D. Antonio de Mendoza* (Cartas).
[19]) *Nombre, origen...*
[20]) Idem.
[21]) Idem.
[22]) *Providencia de Dios.*
[23]) *Nombre, origen...*
[24]) Idem.
[25]) Idem.
[26]) Idem.
[27]) *Política de Dios. Providencia de Dios.*
[28]) *Nombre, origen...*

LXXIX [1]), LXXXVI [2]), LXXXVIII [3]), CV [4]), CI [5]), CXV [6]), y CXV [7]).

Las publicaciones de Quevedo sobre este filósofo, por lo que respecta a nuestra patria, levantaron una polvareda de discusiones más o menos eruditas y sinceras. Séneca se actualizó pasmosamente. Se le comentó con pasión, se le rebatió con injustificado encono, como si el insigne cordobés hubiera sido un traidor a la causa cristiana, llegándose a motejar su filosofía de disparate, de blasfemia y de «palabra nefanda de Satanás». Las más destacadas y sesudas disquisiciones publicadas en este tiempo son las de Núñez de Castro [8]), las del humanista Ramírez de Albelda [9]) y la del no menos erudito·Juan de Baños [10]).

En sus escritos tiene a gala seguir al maestro predilecto, en el fondo y en la forma, particularmente en las horas de acerbo dolor, físico y moral, de enfermedad y de cárcel, cuando el alma se siente oprimida por el abandono y escucha el dulce aliento de una voz amiga.

Es sabido que murió como un perfecto estoico.

[1]) *Nombre, origen..., Virtud militante.*
[2]) *Providencia de Dios, Virtud militante.*
[3]) *Nombre, origen...*
[4]) *Virtud militante.*
[5]) *Apuntes.*
[6]) *Virtud militante.*
[7]) *Providencia de Dios.*
[8]) ALONSO NÚÑEZ DE CASTRO. — *Séneca impugnado por Séneca.* Madrid, 1650.
[9]) DIEGO RAMÍREZ DE ALBELDA. — *Por Séneca, sin contradezirse en dificultades políticas, resoluciones morales.* Zaragoza, 1653.
[10]) JUAN BAÑOS DE VELASCO. — *Lucio Anneo Séneca.* Madrid, 1670.

La fama de don Francisco se debe a diversas causas. Se debe al talento con que supo tratar los más variados asuntos, que le creaban públicos diversos ; se debe a la cruzada que emprendieron sus enemigos, lanzando contra él una lluvia de venenosos papeles ; se debe también a su considerable producción festiva que le conquistó devotos partidarios en todas las clases sociales, particularmente las populares ; se debe asimismo a sus poesías, ya que es un ingenio fino y elegante, así en lo lírico como en lo narrativo ; se debe a sus obras serias, filosóficas, de crítica y literarias, que le valieron la indiscutible admiración de los intelectuales, dentro y fuera de España y, en fin, a su vida singular, bulliciosa y dramática, y al resorte, hábilmente pulsado, del chiste gráfico y extremoso, apócrifo u original, que le acompañaba por doquiera.

En sus escritos (particularmente los de primera hora) se refleja una vanidad que no es otra cosa que deseo de fama. Ya desde su juventud se preocupa por ella. Así en la dedicatoria a don Pedro Girón de *El Mundo por de dentro* [1]) dice que no pretende de estas obras «más de que en este mundo me den nombre».

Corrían de él innumerables anécdotas que le pintaban con trazos hiperbólicos. En los corrillos de Madrid, en los salones de Palacio, en el campo y en la calle, celebrábanse sus agudezas y sus chistes, sus

[1]) Ed. de Pamplona, 1631, y M. S. de Lastanosa.

letrillas y sus sátiras. Los más distinguidos ingenios, y los más serios, reconocían su valía y le prodigaban encendidas soflamas. Así Lope de Vega decía de él en carta a un amigo: «...Ingenio verdaderamente insigne y tan adornado de letras griegas y latinas, sagradas y humanas, que para alabarle más, quisiera deberle menos.»

Es sabida la consideración que le conquistaron sus trabajos humanísticos entre los sabios hispánicos y extranjeros, y aun sus más acérrimos adversarios tenían que reconocer los primores de su inteligencia. Pérez de Montalbán, su enemigo número uno, con un gesto hidalgo que le honra grandemente, escribía en el *Para todos* la declaración siguiente: «...Ocasión grande para poder decir mucho del ingenio y letras de su autor, si con haberle nombrado no lo hubiera dicho todo.»

Quevedo pasea triunfalmente su figura por las ardientes tierras de España, dejando tras sí la aureola de los héroes. El duque de Lerma dícele:

> Lisura en versos y en prosa,
> don Francisco, conservad,
> ya que vuestros ojos son
> tan claros como un cristal...

Juan Pablo Mártir Rizo, biznieto del insigne humanista Pedro Mártir de Angleria, con quien debió intimar por el mutuo afecto que sentían por Lucio Anneo Séneca (cuya vida escribió Juan en 1625), afirma que su ingenio «fué conocido por milagro de naturaleza.» Antonio de Argüelles le llama:

> *Alta petis, saeculi decus, et gloria nostra.*

José Pellicer de Tobar, caballero santiaguista y cronista mayor del Rey, le ensalza en términos vehementes. El humanista valenciano Vicente Mariner, a la sazón (1625) tesorero del convento de Ampurias [1]), señálale en un epigrama griego el primer lugar en el Parnaso y le dice entre otras cosas enjundiosas: *Hoc igitur argumentum, charissime Quevede, tibi offero, Principem laudatorem Solis in magna tuæ præclaræ bibliotheca escrinia emitto, has laudes in sublimem tuarum laudum sphæram libentissime defero*, dedicándole, además, en 1626 el siguiente epigrama [2]):

> *Musarum tu dives opum, tibi gaza redundat,*
>   *Subditur et merito quisque poeta tibi,*
> *Et Famae te flatus agit, Musasque per astra*
>   *Attolis, medio tu sine lite sedes.*
> *Hispaniam linguarum Musarum fontibus auges,*
>   *Et certamen inis cum quibus alta petis.*
> *Lux mentis diffusa tuae serit ignibus orbem,*
>   *Atque inter cunctos primus es, altus ades.*
> *Aureus ore lepos, fundit tibi copia carmen;*
>   *Est doctum dulci quidquid ab ore fluit.*
> *Aeque et nomen habes Musarum, et gesta Maronis;*
>   *Proximus atque illi stant tibi serta sua.*

El doctor don Tomás de Agüero, de la Iglesia de Santiago, le confirma por «gran soldado del Apóstol, honrrado Montañés y afficionado del glorioso Patrón de España». En términos parejos se pronuncian Luis Tribaldos de Toledo, Cronista Mayor de las Indias; Jerónimo de Córdoba, por boca del Cabildo de Santia-

---

[1]) *Ampudia*, dice erróneamente el señor Astrana Marín (*Obras*, pág. 1733, nota). Fué el Convento de los Padres Servitas de Nuestra Señora de Gracia, antiguamente ermita de San Salvador, fundada con las piedras milenarias de la venerable ciudad de Emporion.
[2]) Referencia de ASTRANA MARÍN (*Obras*, pág. 1734, nota).

go, llamándole «honra deste siglo, milagro y asombro de los pasados» ; Francisco López de Zárate, que se declara su discípulo ; Francisco López de Aguilar Coutiño, exaltándole en una poesía con el dictado de «Delitius Phoebi» ; Bartolomé Ximénez Patón, que en su barroquísimo *Discurso de los tufos, copetes y calvas* (Baeza, 1639), encarece su genio portentoso y le llama «el docto e ingenioso» ; el gran humanista Van der Hammen, que le escribe con acendrados conceptos : «Quien como yo conociere a vuesamerced y le comunicase, quien profesase su amistad, confesara ser esto así ; y se admirará cada día más, hallándole tan universal en todas materias, y tan particular en cada ciencia o arte, que nadie juzga sino que nació solo para la que primero toma entre las manos, o que fué criado para todos» [1]).

Tomás Tamayo de Vargas pondera su labor humanística, lamentablemente truncada por habérselo llevado Osuna a Nápoles, «deseoso de que admiraran tan gran sujeto las naciones extranjeras, aunque el gran caudal y el celo de la religión de tan esforzado príncipe me persuaden que han de solicitar tan glorioso empleo a quien tiene tan fáciles las obras grandiosas como los deseos honrados» [2]).

Los poetas noveles inician su ascensión arrimándose a tan ingente figura. Quevedo es el patriarca nato de los autores madrileños. Llueven agasajos, mimos, ditirambos por doquiera, encendidos elogios puestos a crédito, peticiones de consejos, solicitudes de prólogos.

[1]) Carta en que solicita el juicio de Quevedo para la obra titulada *Don Felipe el Prudente,* impresa en Madrid, 1625, refutando la escrita por el historiador francés Pedro Mateo.
[2]) *Razón de su defensa de la Historia de Mariana.*

Quevedo no puede escapar a la humana vanidad de verse encumbrado a tal altura.

Lope y él son los hombres de más fama a la sazón, enaltecidos por el pueblo y por las clases elevadas.

Numerosas obras dramáticas y satíricas llevan en la portada la garantía de su nombre y suelen ser como las hermosas fachadas de los palacios barrocos, cuyos dueños han agotado en ellos todo el caudal. Por este motivo se creyeron de don Francisco algunas de las producciones del poeta sevillano Félix Persio Bertiso, que suponían un seudónimo del madrileño [1] : *La infanta Palancona, entremés gracioso escrito en disparates ridículos* ; *La peregrina del cielo,* y *Auto del Nacimiento de Christo Nuestro Señor y restauración del género humano.*

La gente quiere comerciar con la gloria de un poeta famoso, explotando su nombre. Quevedo, Quevedo siempre. De ahí las numerosas ediciones fraudulentas, plagadas de errores y de interpolaciones ridículas. Hay una *Premática contra el decir de las gentes y el murmurar de los castos* [2]), llena de sandeces y de incorrecciones sintácticas, con versos que nunca pudo escribir el ingenio madrileño, ni aun en los instantes más displicentes y desmazalados de su espíritu. Don Francisco es, además, un autor que deja profundamente grabada en todo cuanto redacta la impronta de su carácter, la luz indeleble de su genio.

Cuando muere, el juicio sobre él se sedimenta, libre

[1]) FRANCISCO RODRÍGUEZ MARÍN. — *La segunda parte de la vida del Pícaro. Con algunas noticias de su autor.* (Revista de Archivos, Bibliotecas y Museos, 1908).
[2]) *Premática contra el decir de las gentes y el murmurar de los castos, por don Francisco de Quevedo Villegas.* Gerona, 1661.

de presiones personalistas, y su fama se asegura, indecisa al principio, pero firme e inconcusa después, como un monumento secular que enorgullece a los españoles. Sucédense las ediciones hechas *pane lucrando*. El nombre de don Francisco es el comodín, la espada de Damocles, el coco, el condumio de los libreros y de los coplistas. «Es de Quevedo... Lo dijo Quevedo...». En 1662 publícase una obra titulada *Carta desconsolatoria desde la otra vida,* insulsa y pesada como su propio título [1]). Un año después sale a luz la *Acusación fiscal del lindo humor y gusto* [2]), por el estilo de la anterior. Romances, letrillas, jácaras, bailes, sonetos, silvas se barajan con las producciones del vate, haciendo sumamente difícil la exacta determinación de sus obras.

Las censuras de las que se reeditan son elocuente testimonio de tan alta calidad. En la edición de 1713 el jesuíta Juan Manuel de Arguedas objeta lo siguiente: «El coronista español maestro Gil González Dávila tiene por dichoso al rey y reyno que obrare por sus máximas políticas y cristianas. El ilustrísimo señor Arzobispo don Fray Cristóbal de Torres, de la esclarecida religión de Santo Domingo, aun dice mayores encarecimientos. Los padres Pedro de Urteaga y Gabriel de Castilla, de la Compañía de Jesús, le alaban sin reservas en sus escritos.»

[1]) *Carta desconsolatoria escrita desde la otra vida por don Francisco de Quevedo al padre Maestro fray Juan Martínez de Prado don Quijote de la Mancha original, que otros leen de Beltenebrós. Con un coloquio muy devoto al cabo al Rey nuestro Señor.* Madrid, 1662.

[2]) *Acusación fiscal de lindo humor y gusto; escrita por don Francisco de Quevedo y Villegas, contra algunos poetas de su tiempo, siendo sentenciados en el tribunal de Apolo a la casa de locos.* 1663.

Las obras ascéticas y morales de Quevedo, por la gallardía del pensamiento, la claridad de la exposición y la fuerza de su dialéctica, sirven de armas de combate que emplean los defensores de la Iglesia contra sus enemigos imbuídos de las ideas ultramontanas y de la corriente escéptica que trajo consigo un determinado sector renacentista. El misticismo ortodoxo, el Protestantismo y sus derivaciones, con sus caudillos, son despiadadamente combatidos por el esforzado mílite del Apóstol. Así, el padre Francisco Palanco dice en 7 de noviembre de 1713 que *La constancia y paciencia del Santo Job* «defiende la Divina Providencia contra el ateísmo», manifestando que el talento de Quevedo no tiene parigual. El 27 de julio de 1700 Fray Antonio Iribarren, en la Aprobación de la *Providencia de Dios* manifiesta que «las obras del admirable ingenio don Francisco de Quevedo habían de estar dispensadas de aprobaciones, poniendo solamente en la frente de ellas aquella inscripción del Evangelio: *Operibus credite*».

El siglo XVIII, tan parco en alabanzas de nuestra Literatura dorada, no olvida del todo a Quevedo y muchos de los que aparentemente le olvidan, le imitan. Y los que no le comprenden le critican. Gregorio Mayans y Siscar dirá de él «que así en lo serio como en lo chistoso, fué, si no igual, no muy inferior a los más célebres hombres que la antigüedad logró» [1]). Cadalso sentirá su influencia en la *Optica del Cortejo* y, sobre todos cuantos hablaré en el próximo capítulo, el gran Torres Villarroel afirmará en su *Vida* que sus autores

[1]) MAYANS Y SISCAR. — *Oración en alabanza de las obras de don Diego Saavedra Fajardo.*

predilectos han sido Santo Tomás, el Kempis, el padre Croset y don Francisco de Quevedo Villegas. Forner [1] le llamará «rápido, fecundo, pródigo en cosas y en modos de decir, agudo, conceptuoso, y tan versátil, que habiendo escrito en todos estilos, pareció nacido para cada uno».

Su figura es llevada también a las tablas. Eulogio Florentino Sanz escribió un insulso drama histórico titulado *Don Francisco de Quevedo* [2] de fondo filosófico [3], «falseando la visión del siglo XVII y acumulando crímenes y odiosidades sobre el tipo del Conde-duque [4]. Escosura estrena *La Corte del Buen Retiro* y *También los muertos se vengan* [5]. Bretón compone *¿Quién es ella?* [6], que se estrenó ocultando su nombre y cuyo éxito fué dudoso. Luis de Eguilaz presenta *Una broma de Quevedo* [7]. Serra es autor de *La boda de Quevedo* [8]. Francisco Botella y Andrés, *Una noche y una aurora* [9]. Antonio Hurtado estrena la chistosa comedia *Un lance de Quevedo,* que refiere la falsa hazaña de la iglesia de San Andrés, y la titulada *La muerte de Villamediana,* en que trata de este asunto refiriéndose a las cartas cruzadas con el amigo de Quevedo, Adán de la Parra.

[1] FORNER. — *Exequias de la Lengua Castellana.*
[2] 1848.
[3] P. BLANCO GARCÍA. — *La literatura española en el siglo XIX.* Madrid, 1909, vol. I, pág. 287. HURTADO Y GONZÁLEZ PALENCIA : *Historia de la Literatura española.* Madrid, 1932. Pág. 911.
[4] A. VALBUENA. — *Literatura Dramática Española.* Pág. 314.
[5] 1854.
[6] 1849.
[7] 1835.
[8] 1854.
[9] 1856.

Desde luego, la mejor obra inspirada en Quevedo es el drama histórico de Eulogio Florentino Sanz. Blanco García le dedica grandes elogios [1] (por cierto exagerados) diciendo entre otras cosas: «La misantropía de Quevedo no equivale al egoísmo; y si desdeña a los siervos del crimen y de la adulación, si se pone enfrente de las altaneras aspiraciones de un privado, esgrimiendo, más que ninguna otra, el arma de la burla sangrienta, también se rinde ante la inocencia coronada por la desventura. Estas dos fases del carácter de Quevedo se explican y completan mutuamente... Histórico por los personajes, este drama anunció entre nosotros una evolución artística, no siendo al cabo el personaje principal sino un instrumento por cuya boca habla el autor, vertiendo a raudales el desengaño y la misantropía.»

Todas estas obras no hacen sino empequeñecer, oscurecer y desvirtuar la figura del insigne escritor, cada vez más ahilada e irreal; pero adveran claramente que el interés que suscita no decrece un momento. Según nos dice Farinelli, el propio Larra tenía gran amor por Quevedo y pensaba dramatizar los sucesos y aventuras del satírico madrileño.

Fuera de España don Francisco se muestra como un caballero fantástico y legendario, espadachín impenitente y de grandes y sensacionales empresas amorosas y políticas. Así como Lope y Cervantes y Calderón fueron tan conocidos en Alemania (Goethe, Schiller, los hermanos Schlegel, Grillparzer, etc.), Quevedo apenas fué admirado, a pesar de las ediciones hechas en varias ciudades europeas, entre las que hay

[1] BLANCO GARCÍA. — *Obra citada*. Vol. II, págs. 217 y 218.

que citar las de Amberes (1700), Hannover (1704), Venecia (1709), Colonia (1711), Londres (1709) [1]), Edimburgo (1697 y 1798), París (1731, 1756, 1634 y 1686), Kiel (1822), y de otras ciudades, considerándosele un autor excéntrico, socarrón y de fantasía exuberante. Así, por ejemplo, en la obra *Voyages imaginaires, songes, visions et romans cabalistiques* [2]), se dice que *les œuvres de Quévédo lui ont acquis, en Espagne, la plus haute réputation. Il a eu l'avantage qui n'appartient guère qu'aux auteurs distingués, d'être traduit en plusieurs langues.*

Las andanzas de Quevedo y el remolino de su vida, sus obras serias y satíricas y las anécdotas que a su vera se han ido cerniendo, han contribuído a desdibujar su figura, preocupando grandemente a comentadores y biógrafos. Para el pueblo indocto, don Francisco es una especie de bufón a cuya fama hiperbólica se apela para hacerle protagonista de frases promiscuas y de chistes groseros. Los editores sin conciencia han abultado sus defectos, han contrahecho sus escritos, han inventado cuentos salaces y anécdotas de tono subido. «¿Acaso Quevedo — se pregunta Alomar [3]) —, el autor lapidario de la *Política de Dios y Gobierno de Cristo,* sabía que las generaciones futuras harían de él un héroe popular y romancesco, eterno burlador de toda lisonja, azote de palaciegos y cortesanos, una nueva encarnación del viejo Esopo o de Bertoldo?» En vida ya se hizo algo y sus enemigos pudieron des-

[1]) La edición más fiel que se ha hecho de Quevedo en lengua inglesa es *The Choice Humorous And Satirical Work* (Nueva York y Londres, 1926).
[2]) Amsterdam, 1787, vol. XVI.
[3]) GABRIEL ALOMAR. — *Verba,* pág. 43.

prestigiarle apelando a sus escritos satíricos y a los dardos de su literatura flageladora de vicios, de zoilos, de necios y de pedantes. Pero a Quevedo poco le importaba al parecer la opinión en que podían tenerle.

Dice «Azorín»: «La vida de Quevedo, sus infortunios, sus angustias, lo vasto de la producción de este ingenio, su trabajar infatigable, en fin, nos inspiran un profundo respeto.» [1])

Se ha hablado de él, pero no en tono mayor sino de corrida. ¿Por qué? Porque a causa de la potencialidad de su genio se difunde continuamente en múltiples planos; porque desconcierta al lector al descubrir de pronto en su obra satírica un rasgo profundamente serio, moral y filosófico, y viceversa; porque se desenvuelve con absoluta libertad de movimientos y huye de normas y de principios seculares; porque el retrato que hace de muchos vicios le hace antipático a los que todavía les poseen. Y porque se le desconoce. Los juicios de hoy son menguados e irresponsables en su mayoría. Se aventuran opiniones y se prodigan conceptos de cajón y la figura de Quevedo se cela en medio de lugares comunes, como, por ejemplo, éste de Baroja: «No tiene la gracia comprensiva y pérfida de Cervantes. Es un teólogo metido a chusco y un ingenio conceptuoso, amanerado y retorcido.» [2]) Por ello es necesaria y urgente una revisión de la obra quevedesca, combatir la desidia y la apatía que siente la crítica por uno de los escritores más genuinos de nuestra patria.

[1]) AZORÍN. — *Clásicos y modernos*, pág. 165.
[2]) PÍO BAROJA. — *La Caverna del Humorismo*, pág. 141.

Borges le juzga cabalmente: «Yo quiero equipararlo a España, que no ha desparramado por la tierra caminos nuevos, pero cuyo latido de vivir es tan fuerte que sobresale del rumor de las otras ciudades.» [1]

DISCÍPULOS

A la sombra de Quevedo gestóse bien pronto un movimiento literario cuya bandera adoptó los colores flamígeros del Conceptismo. Ese movimiento fué debido a varias causas: al afán de triunfar en un medio satírico y político que estaba por cierto muy abonado; a la secuencia ideológica de sus obras serias y filosóficas, y a la poderosa influencia que proyectó en las generaciones la singular manifestación de su genio.

Como poeta tuvo también admiradores y discípulos de calidad. «No es Góngora — escribe Díaz-Plaja [2] — el único poeta que sirve de modelo a esta serie de escritores barrocos del Setecientos; junto a él, y acaso con más relieve, destacaremos la influencia de Quevedo. Tanto es así, que la reacción neoclásica que ha de producirse seguidamente, ve en Quevedo un enemigo acaso más peligroso que el propio Góngora... Así en la sátira de Leandro Fernández de Moratín *Contra los vicios introducidos en la poesía castellana,* en la que sobre todo en lo que se refiere al teatro..., Quevedo es citado no menos de cuatro veces.»

Uno de los inmediatos discípulos de don Francisco es Luis Vélez de Guevara, imitando *El Buscón* en *El*

[1] BORGES. — *Menoscabo y grandeza de Quevedo.* Lugar citado.
[2] G. DÍAZ-PLAJA. — *La poesía lírica española,* pág. 230.

Diablo Cojuelo. Vélez, que es, como Quevedo, al decir de Bonilla San Martín, «un escolástico del idioma», tiene un temperamento muy similar al del escritor madrileño, aunque no le supera en cultura y saber humanístico. Hay en *El Diablo Cojuelo* evidentes trazas quevedescas, como son la *Carta de recomendación al cándido o moreno lector*; el desfile de personajes que el Diablo expone a Don Cleofás — letrados, escribanos, lindos, cornudos, brujas, taberneros, etc. — [1]), con los mismos resortes satíricos de los *Sueños*; las *Premáticas y ordenanzas que se han de guardar en la ingeniosa Academia Sevillana desde hoy en adelante,* y el *Pronóstico* [2]). En el tranco IV habla del *Buscón* y del «ingeniosísimo Quevedo», burlándose políticamente — quizá con adulación significativa — del espadachín don Luis Pacheco de Narváez.

Según opina el señor Rodríguez Marín, anotador de la novela del brillante ecijano [3]), «el desaforado poeta del tranco IV es pariente propincuo de otros dos muy conocidos en nuestra literatura: el de *El Coloquio de los perros,* de Cervantes, y el de la *Vida del Buscón,* de Quevedo». En este respecto colijo que más que con las precitadas obras, debe buscarse el parentesco con el *Quijote.* El «güésped» encarna a Sancho, al advertir al poeta — Don Quijote — que torne a su juicio, emitiendo razones perfectamente escuderiles.

Entre los más ilustres imitadores contemporáneos de Quevedo hay que citar en primer lugar al historia-

---

[1]) Tranco II.
[2]) Tranco X.
[3]) RODRÍGUEZ MARÍN. — *El Diablo Cojuelo* (Clásicos Castellanos, Madrid, 1941, pág. XXVII).

dor lisboeta don Francisco Manuel de Melo [1]), amigo
del escritor. El 4 de octubre de 1636 se pone a la censura de Quevedo en carta fechada en Madrid, cuyos
son estos términos halagadores: «Segunda vez suplico
a vuesa merced sea, o vara que me castigue, o escudo
que me defienda, porque sobre el voto de tan docto varón se affirmen mis desengaños o mis esperanças.»
Melo le dedicará también una epístola en tercetos, de
factura conceptista, que empieza:

> Quejas ya tanta vez disimuladas,
> bien lo sabéis, dulcísimo Quevedo,
> no hay pluma que las tenga bien cercadas...

afirmando rotundamente:

> Vos, que tan dulce cuanto doctamente
> siempre empuñáis la pluma contra el vicio,
> pues mi maestro sois, sed mi valiente.

El escritor portugués se siente influenciado por el
concepto y por la técnica brillante del madrileño, sobre
todo en su obra *Historia de los movimientos, separa-
ción y guerra de Cataluña* (1645).

El poeta valenciano Melchor Fuster [2]) fué un apasionado conceptista y un conspicuo defensor de Quevedo. También lo fué el orador sagrado Paravicino [3]),
a pesar de declararse acérrimo culterano y ser atacado
en *La Perinola* [4]). Alonso Jerónimo de Salas Barba-

---

[1]) 1608-1666.
[2]) Nació en 1608. Fué canónigo de Valencia y enamorado de
la prosa más retorcida de Quevedo.
[3]) Fray Hortensio Félix Paravicino y Arteaga, 1580-1633, era
un famoso predicador trinitario, amigo del Greco.
[4]) Dedicaróle Quevedo un hermoso soneto lamentando su
muerte.

dillo, aventajado y finísimo poeta, escribe una *Carta en que consuela Quevedo a un caballero, a quien la justicia le desterró la dama que tenía, vieja, flaca y pedigüeña* [1]).

El sacerdote murciano Salvador Jacinto Polo de Medina [2]), célebre por la sal de su ingenio y por sus brillantísimos epigramas, fué otro discípulo, por convicción y por temperamento, en cuanto se refiere a su poesía festiva y a sus obras *El Hospital de incurables, viaje de este mundo al otro* (1667), que refleja atentas lecturas de los *Sueños* [3]), y *Universidad de amor y escuela del interés,* también imitación de los mismos, incluso en el vocabulario. «Quevedo — escribe don José María de Cossío [4]) — debe ser el punto de partida...» Los temas predilectos del gran satírico son también favoritos de Polo de Medina, quien repite sus gracias con motivo de toda clase de defectos físicos que sirven de ocasión a hipérboles chistosas, que en Quevedo suelen ser pretexto de cruelísima sátira y en Jacinto de desinteresado juego de donaire. En su devoción quevedista llega hasta utilizar temas propiamente satíricos, y del todo disconformes con su temperamento literario, como si quisiera dejar memoria perpetua de su admiración por el gran satírico. Temas parejos los utiliza el sevillano Baltasar del Alcázar, coetáneo suyo,

[1]) Impresa en su *Don Diego de Noche.*
[2]) Murió en 1640. Agudísimo y muy experto en la poesía epigramática. Imitó varios romances burlescos de Quevedo y en sus parodias mitológicas se nota la reiterada lectura del poema *Las locuras y necedades de Orlando el enamorado.* Cervantes y Quevedo influyen en su prosa satírica.
[3]) Véase A. J. GONZÁLEZ. — *Jacinto Polo de Medina.* Murcia, 1875. Las obras de este autor pueden leerse en la B. A. E., XVI y XLII.
[4]) JOSÉ MARÍA DE COSSÍO.—*Notas de crítica literaria. Siglo XVII.* Madrid, 1939, pág. 174.

aunque tanto los poetas citados como los de todos los
tiempos beben en las cristalinas aguas de los epigramáticos latinos. Así el romance quevedesco que empieza :

> Una incrédula de años,
> de las que niegan el fué,
> y al limbo dan tragantonas,
> callando el matusalén...,

es el mismo asunto que refiere el graciosísimo Alcázar
en el famoso epigrama :

> En un muladar un día
> cierta vieja sevillana,
> buscando trapos y lana,
> su ordinaria grangería...

Marcial está siempre presente. Desde luego, era
español, como los españolísimos poetas citados.

Sor Juana Inés de la Cruz, la llamada «décima
Musa» y «Fénix de México», llevó a las ardientes tierras de América el eco sonoro de nuestro Quevedo.
No cabe duda que la insigne poetisa tuvo muy presentes las maneras gongorinas ; pero puede asegurarse que
sintió también afecto por el vate conceptista. En su
producción titulada *El Sueño* hay influencias cons-
picuas de los dos ingenios, aun cuando el Padre Diego
Calleja, en la *Aprobación* que hizo de sus *Obras* [1]) opine
que «el metro es de Sylva, suelta de tassar los consonantes á cierto número de versos, como el que arbitró
el Príncipe Numen de Don Luis de Góngora en sus

[1]) *Fama y Obras Posthumas, Tomo tercero, del Fenix de Mexico, y Dezima Musa poetisa de la America, Sor Juana Ines de la
Cruz, Religiosa professa en el Convento de San Geronimo, de la Imperial Ciudad de Mexico. En Lisboa, Por Miguel Deslandes. Año
de M.DCCI.*

Soledades: á cuya imitación, sin duda, se animó en este *Sueño* la Madre Juana» [1]. La obra titulada *Crisis sobre un sermón de un orador grande entre los mayores que la Madre Soror Juana llamó Respuesta,* tiene sin duda notables perfiles conceptistas. Preséntalos también el soneto que dice:

> Amor empieza por desasosiego,
> solicitud, ardores y desvelos:
> crece con riesgos, lances y recelos,
> susténtase de llantos y de ruego...

Y éste que empieza:

> Yo adoro a Lisi, pero no pretendo...

El editor de las *Musas* de Quevedo, Jusepe Antonio González de Salas [2], a pesar de tener un carácter opuesto a nuestro escritor: «tétrico de carácter — dice Menéndez y Pelayo en sus *Ideas Estéticas* —, enfático y sentencioso de estilo, algo misántropo y mal avenido con todo lo que le rodeaba», se dejó ganar en ocasiones del brillo de su fama y de los ambages y sutilezas de su prosa y compuso comentarios con rasgos, más que conceptistas, quevedescos; pero a su vez supo influenciar a nuestro hombre en no pocas actividades literarias y humanísticas, particularmente sobre la tragedia griega, sobre Séneca [3], sobre cuestiones de geografía antigua y sobre Marcial, Juvenal y Persio.

---

[1] El palpable barroquismo de Sor Juana está ya intuído en la Censura del Padre Juan Navarro Vélez (Barcelona, por Joseph Llopis, vol. II, año 1639). *Segundo Tomo de las Obras de Soror Juana Ines de la Cruz, Monja Profesa en el Monasterio del Señor San Geronimo de la Ciudad de Mexico.*

[2] 1588-1654.

[3] Publicó *Las Troyanas* del escritor hispanorromano, y la obra *Nueva idea de la tragedia antigua.* Hizo comentarios de Petronio,

Otros ingenios que escribieron más o menos directamente acogidos a su bandera son el conde de Rebolledo, Juan Martínez de Cuéllar (que aun cuando pertenece al siglo XVII publicó en 1747 *Desengaño del hombre en el Tribunal de la Fortuna,* profundamente quevedesco), Enríquez Gómez en su *Siglo pitagórico,* y Francisco Santos en todas sus obras.

El neoclasicismo rompió con el pasado español, tan lleno de virtudes raciales, y pretendió crear un remozamiento intelectual en detrimento de nuestra idiosincrasia. Los genios de nuestra Literatura fueron relegados, desprestigiados, zaheridos sin piedad. No obstante, hay escritores como el Padre Isla y Torres Villarroel que van a saciar su sed en la rebosante vena satírica de don Francisco. Torres Villarroel está profundamente imbuído de su obra, aunque él protestase de tal paternidad. En la *Vida* no se habla más que tres o cuatro veces de Quevedo, quizá para que no note el lector la tutoría directa. Psicológicamente, es un Quevedo redivivo. Fingió varias cartas, escribió *Sueños morales, Visiones y visitas de don Francisco de Quevedo por Madrid,* y la *Historia de las historias,* a imitación del *Cuento de cuentos.*

«Lo que sí es cierto — observa el señor Onís [1]) — es que los defectos de Quevedo, el retorcimiento de la forma y del concepto, están atenuados, por lo general, en Torres.» De su mejor obra, la *Vida,* lo más queve-

Pomponio Mela y Plinio, autores predilectos de Quevedo, bastante deficientemente, por cierto. «Admiraba a Góngora más de lo que fuera menester en un editor de Quevedo» (ASTRANA MARÍN: *Obras,* página IX).

[1]) FEDERICO DE ONÍS. — *Prólogo a la Vida* (Clásicos castellanos, página XXIII).

desco es el trozo quinto: *Sartenazo con hijos,* muy barroco, en que emplea sus propios términos y habla del polígrafo santiaguista («no está hoy el mundo tan abundante de Quevedos...») ; al final de este mismo trozo hay una regocijante diatriba contra los médicos que cuidan de su enfermedad, que parece arrancada de una página de los *Sueños.* Y no tan sólo hallamos en su prosa rasgos estilísticos que no dejan lugar a duda, sino que hasta en el vocabulario se asevera tal identificación. Véase: facineroso, disparatorio, trujimán, apatuscos, ganchoso, sartenazo, carirredondo, chanflón, remoquete, parola, chilindrón, etc. [1].

Otro imitador de Quevedo en el siglo XVIII es Nicolás Fernández de Moratín, en su ya mentada *Fiesta de toros en Madrid* y en su *Sátira III:*

> No callo, aunque me estés amenazando...

que es un remedo de la *Epístola satírica:*

> No he de callar, por más que con el dedo... [2].

Los poetas de la escuela salmantina — primera época — Diego González [3]) y el presbítero José Iglesias de la Casa [4]), maestro del estilo epigramático, eviden-

[1] «Tenemos por cierto que ninguno de nuestros nacionales ha llegado tan cerca de Quevedo» (pág. 322) «...Supo remedar su estilo con especial habilidad» (pág. 324). LEOPOLDO A. DE CUETO: *Historia Crítica de la Poesía Castellana en el siglo* XVIII. Madrid, 1893, vol. II.
[2] G. DÍAZ-PLAJA. — *La Poesía lírica española,* pág. 246.
[3] Agustino, muerto en 1794, natural de Ciudad Rodrigo. En él renace el estilo desenfadado de su coterráneo Cristóbal de Castillejo, maestro propincuo de Quevedo. Le imita en el celebrado soneto satírico que titula *A un orador contrahecho y zazoso.*
[4] Salmantino (1748-1791). Sus modelos preferidos son Góngora y Quevedo. Véase C. REAL DE LA RIVA: *Iglesias en Salamanca,* 1931. QUINTANA: *Introducción a la Poesía Castellana del siglo* XVIII. LEOPOLDO A. CUETO: Obra citada, vol. III, pág. 41.

cian reiteradas lecturas de nuestro satírico, cuya figura se va sutilizando y desapareciendo de la conciencia de los escritores en ese mar de aguas turbias que es nuestro prosaico siglo XVIII. El bibliotecario Gabriel Alvarez de Toledo escribe *La Burromaquia* imitando a Quevedo [1]). El bachiller Alejo de Dueñas [2]) publica un insulsísimo poema titulado *Danæ o la crianza mujeril al uso* [3]) que es un eco lejano de las obras jocosas de don Francisco. El terrible Vargas Ponce [4]), intransigente y demoledor, le seguirá también en varios pasajes de su obra, particularmente en *Proclama de un solterón* y en la sátira en verso titulada *Los ilustres haraganes, o apología razonada de los mayorazgos* (1813), en que se encuentran pasajes como el del paso de la laguna Estigia, que bien hubiera podido suscribir don Francisco:

> Por allí a comisión grave y secreta,
> Mintiendo tocas o disfraz humano,
> Iba el *Embuste* en manto de alcahueta
> La *Trampa* de alguacil, de vara en mano...

Pasada esa otra laguna Estigia del neoclasicismo, la presencia de Quevedo se robustece, aunque todo estudio que de él se hace es fragmentario.

De Mariano José de Larra, romántico quevedesco — en cierto sentido, y salvando todas las distancias de tiempo y de ideal — hasta nuestros días, pocos escritores festivos o humoristas habrá que no hayan recibido influencias más o menos aprovechadas: hallamos

---

[1]) G. Díaz-Plaja. — Obra citada, pág. 234.
[2]) Nació en Madrid, 1740.
[3]) Pamplona, 1787.
[4]) Natural de Cádiz (1760-1821).

huellas en el satírico José Joaquín de Mora [1]), en los romances históricos del duque de Rivas «por incidencia» — dice Valera —, en algunos cuentos de Antonio Ros de Olano [2]) que se relacionan con los *Sueños* [3]), en los escritos de Eusebio Blasco [4]), en Leopoldo Alas [5]), en Cavia [6]), en Miguel Ramos Carrión (quien a pesar de imitar a los franceses es un vástago del genial madrileño) [7]), en los innumerables cuentistas del siglo XIX, Valera y el P. Coloma entre ellos, que recogen numerosas expresiones castizas de inmenso valor. El espíritu inquieto del gitano García Lorca se contempla a veces en el luminoso espejo de sus imágenes. Véanse estos ejemplos:

A la encarcelada noche
llenan las hazas de grillos;
y merece estas prisiones
por ser madre de delitos.

... ...

[1]) (1803-1864), gaditano.

[2]) (1808-1887). Nacido en Caracas. Fué amigo y discípulo de Espronceda.

[3]) JOSÉ VALERA. — *Historia de la Poesía lírica en el siglo XIX*, página 119.

[4]) (1844-1903). Natural de Zaragoza. Es autor de obras bufas y de parodias de gran fuerza cómica, además de sus obras serias.

[5]) (1852-1901). Larra y Quevedo influyeron mucho en su obra satírica.

[6]) (1855-1919) «Blasco Ibáñez, en el discurso pronunciado en Zaragoza (año 1921) con motivo de la inauguración del busto de Mariano de Cavia..., sostuvo la tesis de que el periodista zaragozano era literalmente un legítimo descendiente de Quevedo.» MIGUEL ALLUÉ SALVADOR : *La técnica literaria de Baltasar Gracián* (*Curso monográfico celebrado en honor de Baltasar Gracián*. Zaragoza, 1926, página 180).

[7]) (1845-1915). P. BLANCO GARCÍA. — *La literatura española en el siglo XIX*. Vol. II, pág. 436.

> Como el muchacho en la escuela
> está en el monte el cuclillo,
> con maliciosos acentos
> deletreando maridos,
> ... ...

o esta redondilla impresionista:

> La llaneza de tu cara
> la vista equivoca, pues
> pasara por ser embés,
> si un ojo no la sobrara.

Nuestro Valle Inclán ha leído mucho a Quevedo, particularmente sus obras festivas, como también Gómez de la Serna y Pérez de Ayala. Hay pasajes en la obra del orfebre gallego, *El Ruedo Ibérico,* por ejemplo, que parecen calcomanías quevedescas: dígalo, si no, el capítulo xv de *La Hora de todos* en que, trocando los nombres alusivos del texto (Felipe IV, Olivares y sus servidores) por las marionetas isabelinas, podrían atribuirse indistintamente a los dos autores [1].

[1] Labor interesante a realizar es el estudio de la influencia quevedesca allende nuestras fronteras, particularmente en los países de habla castellana y portuguesa. En cuanto a esta nación, dice Unamuno *(Por tierras de Portugal y de España)* que el crítico portugués Ramalho Ortigão opina que el gran poeta Camilo Castello Branco procede, entre otros ingenios españoles, de Quevedo.

TERCERA PARTE

SU OBRA

SU OBRA [1])

El primer biógrafo de Quevedo, Pablo de Tarsia, da como impresas treinta obras, anunciando que están para salir las *Seis Musas* últimas de las nueve que se editaron en su tiempo. Afirma también que en el museo que de su tío conservaba Pedro Aldrete de Quevedo y Carrillo, se hallaban inéditas las *Flores de Corte* y *Las cosas más corrientes de Madrid.*

Las treinta obras publicadas en tiempos de Tarsia, son:

A. M. * 1. — *La Cuna y la Sepoltura.*

A. M. * 2. — *Introducción a la Vida Devota.* (Traducción).

3. — *De los remedios de cualquier fortuna.*

A. M. * 4. — *Virtud militante contra las cuatro pestes del mundo.*

A. M. * 5. — *Vida de San Pablo Apóstol.*

* 6. — *Compendio de la vida de Santo Tomás de Villanueva.*

---

[1]) Refiérome solamente a la producción en prosa de Quevedo. La poesía, la crítica, las aprobaciones, correspondencia y producción dramática van en lugar adecuado. El asterisco indica que la obra fué publicada también por Fernández-Guerra. A. M. son iniciales del señor Astrana Marín, cuya obra ha publicado asimismo.

Afirma Tarsia que a la muerte de Quevedo quedaron inéditas las siguientes obras:

31. — *Teatro de la Historia.*
32. — *La felicidad desdichada.*
33. — *Consideraciones sobre el Testamento nuevo, y vida de Cristo.*

A. M. * 34. — *Algunas epístolas, y controversias de Séneca, traducidas y ponderadas.*

35. — *Dichos y hechos del Duque de Osuna en Flandes, España, Nápoles y Sicilia.*

* 36. — *Algunas comedias, de las cuales dos viviendo el autor se representaron con aplauso de todos.*

37. — *Discursos acerca de las láminas del monte sacro de Granada.*

* 38. — *La isla de los Monopantos.*

39. — *Un tratado contra los judíos, cuando en esta corte pusieron los títulos que decían: "Viva la ley de Moisés y muera la de Cristo".*

40. — *Traducción y comento al modo de confesar de Santo Tomás.*

41. — *Vida y martirio del padre Marcelo Mastrillo, de la Compañía de Jesús.*

42. — *Historia latina en defensa de España y en favor de la reina madre.*

A. M. 43. — *Vida de Santo Tomás de Villanueva; la que va impresa en un compendio solo.*

* 44. — *Tratado de la inmortalidad del alma.*

* 45. — *Diferentes papeles muy curiosos de otros autores, observados y marginados por don Francisco.*

Aureliano Fernández-Guerra editó, además de las obras que llevan asterisco, las siguientes, muchas de las cuales son inéditas:

A. M. 46. — *Carta del Rey don Fernando el Católico al primer Virrey de Nápoles.*

A. M. 47. — *Mundo caduco y desvaríos de la edad.*

A. M. 48. — *Grandes anales de quince días.*

A. M. 49. — *Su espada por Santiago.*

A. M. 50. — *Lince de Italia, ú Zahorí español.*

A. M. 51. — *El chitón de las taravillas.*

A. M. 52. — *Breve compendio de los servicios de don Francisco Gómez de Sandoval, duque de Lerma.*

A. M. 53. — *Descífrase el alevoso manifiesto con que previno el levantamiento del duque de Berganza, con el reino de Portugal, don Agustín Manuel de Vasconcellos...*

A. M. 54. — *La rebelión de Barcelona no es por el güevo ni es por el fuero.*

A. M. 55. — *Panegírico a la Magestad del Rey Nuestro Señor.*

A. M. 56. — *Premáticas contra las cotorreras.*

57. — *Premática que se ha de guardar por los dadivosos a las mujeres.*

A. M. 58. — *Premáticas y aranceles generales, por don Francisco de Quevedo, poeta de cuatro ojos.*

A. M. 59. — *Premáticas del desengaño contra los poetas güeros.*

A. M. 60. — *Premática del tiempo.*

61. — *Invectivas contra los poetas necios.*

A. M. 62. — *Desposorio entre el casar y la juventud.*

A. M. 63. — *Origen y definiciones de la necedad.*

A. M. 64. — *Capitulaciones de la vida de la corte y oficios entretenidos en ella.*

A. M. 65. — *Capitulaciones matrimoniales.*

A. M. 66. — *Carta de un cornudo a otro, intitulada el siglo del cuerno.*

A. M. 67. — *Memorial de don Francisco de Quevedo pidiendo plaza en una Academia.*

A. M. 68. — *Carta a la Retora del colegio de las Vírgenes.*

A. M. 69. — *Cosas más corrientes en Madrid, y que más se usan.*

A. M. 70. — *Alabanzas de la moneda.*

A. M. 71. — *Confesión de los moriscos.*

A. M. 72. — *Gracias y desgracias del ojo del culo.*

A. M. 73. — *La constancia y paciencia del Santo Job.*

A. M. 74. — *Lo que pretendió el Espíritu Santo con el libro de la Sabiduría.*

A. M. 75. — *Homilia de la Santísima Trinidad.*

A. M. 76. — *Declamación de Jesucristo, Hijo de Dios, a su Eterno Padre, en el Huerto.*

A. M. 77. — *La primera y más disimulada persecución de los judíos contra Cristo Jesús y contra la Iglesia.*

A. M. 78. — *Censura del papel que escribió don Francisco de Morovelli de Puebla, defendiendo el patronato de Santa Teresa de Jesús.*

357

A. M. 79. — *La Perinola*.

A. M. 80. — *Epistolario*.

A. M. 81. — *Las tres últimas Musas castellanas*.

A. M. 82. — *Nombre, origen, intento, recomendación y descendencia de la doctrina estoica*.

A. M. 83. — *Defensa de Epicuro*.

A. M. 84. — *Anacreón castellano*.

A. M. 85. — *Lágrimas de Jeremías castellanas, ordenando y declarando la letra hebraica*.

Don Luis Astrana Marín publica, además, las obras siguientes:

86. — *Genealogía de los modorros*.

87. — *Premática de 1600*.

88. — *Carta a una monja* (inédita).

89. — *Tasa de las hermanitas del pecar* (inédita).

90. — *Premática y reformación* (inédita).

91. — *La hora de todos y la Fortuna con seso*.

92. — *España defendida, y los tiempos de ahora, de las calumnias de noveleros y sediciosos*.

93. — *Visita y anatomía de la cabeza del cardenal Armando de Richelieu* (inédita).

94. — *Relación en que se declaran las trazas con que Francia ha pretendido inquietar los ánimos de los fidelísimos flamencos...* (inédita).

95. — *La sombra de Mos de la Forza que se aparece a Gustavo de Horn...* (inédita).

96. — *Memorial al duque de Medinaceli*.

97. — *Declamaciones varias acerca de la vida y escritos de Cicerón*.

98. — *Comento crítico* (inédita).

Los manuscritos de Quevedo son copiosos por el hecho de que la mayoría de sus obras no se imprimieron hasta mucho tiempo después de ser escritas. Ello supone un cúmulo de errores, de interpolaciones y de lagunas, por lo que sería interesante el establecer los textos a base de los manuscritos y de las ediciones príncipe. De esos defectos de los manuscritos ya se queja el amigo de Quevedo don Lorenzo Van der Hammen en carta a Francisco Jiménez de Urrea: «Remito a vuestra merced esos *Sueños* del amigo, como le prometí; y le aseguro se pueden ahora leer sin escrúpulo, porque los he corregido por los originales que en mi librería tengo... Por ellos verá vuestra merced... cuán faltos están esotros, llenos de yerros, y con mil convicios... Cada uno ha quitado y puesto, según su antojo.»

Los manuscritos de Quevedo han sufrido no pocas adversidades. A su muerte se esparcieron, y sus arcones fueron saqueados repetidamente. Unos pasaron al conde de Salceda (*Lince de Italia*) ; otros al duque de Medinaceli (*Breve compendio de los servicios...*) ; otros a´ la Biblioteca del duque de Frías (*Política de Dios, Los Sueños*) ; otros al Secretario de Medinaceli, don Juan Vélez de León (*Noventa epístolas de Séneca*) ; otros a la Biblioteca de su amigo el duque de Osuna (*Grandes anales de quince días*) ; otros, como *De los remedios de cualquier fortuna,* después de recorrer varias Bibliotecas particulares, llegaron a manos del gran humanista don Bartolomé José Gallardo y finalmente a la Biblioteca Menéndez y Pelayo, de Santander. De otras obras, como *El Buscón,* se han encontrado varios ejemplares [1]) que han servido para dar una edición más depurada y completa. Buscaron con afán sus trabajos el insigne Agustín Durán, el cual copió no pocos manuscritos de su propia mano ; don Tomás Antonio Sánchez y don Juan Isidro Fajardo, ingresando casi todos ellos en los preciosos fondos de la Biblioteca Nacional.

También existen manuscritos en la Biblioteca Colombina, en la de la Academia de la Historia y en varias extranjeras, particularmente en la de Londres, según consta por varias referencias de Bartolomé José Gallardo. El desperdigamiento de las obras es tal, que aun en 1782 Juan de Santander escribe desde Madrid a su amigo Eugenio Llaguno: «Hoy (30 de octubre)

[1]) Manuscritos de D. Juan José Bueno, el de la Biblioteca Menéndez y Pelayo, el de B. J. Gallardo y el códice de la catedral de Córdoba.

he leído que los manuscritos de Quevedo, después de su muerte, pasaron por aquella ciudad (Benavente), donde se copió uno.» [1])

En el transcurso de estas páginas iré estudiando la formidable labor de don Francisco, procurando cotejar las particularidades sobresalientes de cada obra, ya que ni puedo, ni es mi intento tampoco, verificar una discriminación específica de todas ellas. También apuntaré las que han ido apareciendo, las que se han perdido, al parecer, definitivamente, y aquéllas respecto de las cuales se duda, con mayor o menor fundamento, sean de Quevedo. Para el mejor estudio de tan extensa labor — labor de años y de capacidades que brindo a los estudiosos de mañana —, dividiré la producción quevedesca en diez capítulos, que son:

1.º *Obras políticas.*
2.º *Obras ascéticas.*
3.º *Obras filosóficas.*
4.º *Obras de crítica.*
5.º *Obras festivas.*
6.º *Obras satíricomorales.*
7.º *El Buscón.*
8.º *Quevedo, poeta.*
9.º *Teatro.*
10.º *Cartas.*

OBRAS POLÍTICAS

Se ha dicho que don Francisco muestra en ocasiones una abstrusa dialéctica [2]). Cuando el tema es abs-

[1]) *Epistolario Español* (Bibl. de Aut. Esp. Madrid, 1870, página 201).

[2]) NARCISO ALONSO CORTÉS. — *Nieremberg. Epistolario* (Clásicos Castellanos, 1915, pág. 14).

truso o trata de defender una tesis con desgana, quizá
no se exprese con la agilidad que en la inmensa mayoría
de sus obras es característica; cuando domina el asunto
y se entrega a él con todas las potencias de su alma,
no hay escritor más diáfano y apodíctico. Yo veo en
él un artista genuinamente español de estilo dinámico,
diverso, con un ardor invencible y apasionado. Su originalidad es patente; huye de los tópicos morales y
trata a sus adversarios y a sus doctrinas con ironía
y burla mordaz.

Las obras políticas de don Francisco son libros que
no pueden leerse de corrida sino que, como los largos
viajes, hay que tomarse tiempo para descansar en cada
repecho, reponer el aliento y contemplar el paisaje.
Hay que tener un espíritu curioso y objetivo, escudri-
ñador, y hundirnos en sus densas páginas con ánimo
bien dispuesto. Como ya dije en otra ocasión, debe
amarse lo que se lee; tanto más cuanto que si lo que
se lee es de la categoría del *Marco Bruto* o de la *Política de Dios*.

Tanto en este capítulo como en los subsiguientes
abandonaré la pesada cronología, que nada nos dice
de positivo, y pasaré a estudiar las obras en orden a
su importancia.

El credo político de Quevedo está expresado en
cuanto a él, quiero decir subjetivamente, en la *Política
de Dios* y en el *Marco Bruto*; en cuanto a la opinión
ajena, objetivamente, muéstrase completamente identificado con la ciencia que atesora la obra *El Rómulo,*
del marqués Virgilio de Malvezzi que, según Gracián [1]), «junta el estilo sentencioso de los filósofos, con

[1]) BALTASAR GRACIÁN. — *Agudeza y arte de ingenio.* Discurso XLII.

el crítico de los historiadores, y hace un mixto admirado», traducida por Quevedo con gran cariño y encabezada con el insigne nombre de su amigo el duque de Medinaceli. Ya dice el traductor en el prólogo dedicado «a pocos», que «escribieron la vida de Rómulo, muchos, mas a Rómulo, ninguno». Algunos de sus argumentos los empleará como primerísimas armas en sus obras políticas, aun cuando también se inspirará en otros escritores italianos como Maquiavelo, Cardano, Campanella y Boccalini [1]).

*
* *

La primera manifestación de su genio político es la obra titulada *Política de Dios, gobierno de Cristo y tiranía de Satanás,* en dos partes. La primera parece que se inició cuando Quevedo contaba diecisiete años, y está inspirada en el espectáculo deprimente de la Corte, que naufraga entre validos, y que debía causar no poca impresión en un muchacho encendido en patrióticos hervores. Después, cuando subió al poder Olivares, lleno de buenos propósitos, y estando preso Quevedo en su Torre de Juan Abad, comprendió que su obra tendría una gran oportunidad para guiar al nuevo valido, dedicándosela. El éxito fué vario y la edición de Roberto Duport (Zaragoza, 1626), aunque deficiente y no reconocida por su autor [2]), fué bastante para aca-

[1]) Véanse las FUENTES.
[2]) «El librero Roberto Duport entregó a los moldes una de dichas copias con la advertencia de que la impresión no iba reconocida por Quevedo, extraña circunstancia, por cuanto aparecía en los prolegómenos una epístola de don Lorenzo Van der Hammen. ¿Sería esta impresión una especie de tanteo?». ASTRANA MARÍN: *Obras,* página 1706, nota.

bar con la lluvia de manuscritos. La edición completa de 1635 se titula : *Política de Dios y gobierno de Cristo, sacada de la Sagrada Escritura para acierto de rey y reino en sus acciones.* La primera parte de esa «silva de discursos sagradamente políticos», como dice el Calificador del Santo Oficio, Esteban de Peralta [1]), demuestra gran erudición [2]) y define explícitamente el propósito del joven autor, procurando ajustarse cuanto es lícito con el texto de los Evangelistas, «cuya verdad es inefable». Es decir, encamina a los gobernantes por el caudal sagrado de la Biblia ; fuente de aguas milagrosas que ha saciado la sed de justicia de no pocos legisladores y gobernantes. Siguiendo las huellas de los tratadistas italianos y de los españoles más destacados (entre los que descuellan Saavedra Fajardo y los padres Gracián, Mariana y Ribadeneira) acaricia la idea de forjar un príncipe políticocristiano, en contraposición con la realidad imperante. Es decir, que en ella se encuentra, como infiere Lorenzo Van der Hammen [3]), «una bien desseada y alta materia de Estado Christiano, en servicio de ambas Majestades, divina y humana : educación de Príncipes y exemplo de Superiores», dedicándole grandes alabanzas.

Sus modelos son en la tierra Carlos V y Felipe II. «Con vosotros hablo, los que vivís de hacer verdad falsa, como moneda, que sois para la virtud, y la justicia, polillas graduadas, entretenidos acerca de la men-

[1]) Aprobación de 26 de enero de 1626.
[2]) Hallamos citas de los autores siguientes : San Cirilo, San Juan, San Juan Crisóstomo, San Pedro Crisólogo, Pierio, Sinesio, Job, Isaías, Eclesiastés, los Proverbios, San Pablo, Génesis, San Jerónimo, Zacarías, Talmud, Sanhedrín, San Agustín, Terencio, Aristóteles, Séneca, Homero, Favorino y Santo Tomás.
[3]) Carta a Quevedo. Sin fecha.

tira, regatones de la perdición, que dais mohatras de desatinos a los que os oyen, y vivís de hacer gastar sus patrimonios en comprar engaños y agradecer falsos testimonios a los príncipes.» Es decir, los privados. Se dirige a los reyes en tono conminativo y les advierte: «Oíd, pues, reyes, y atended. Aprended los que juzgáis los fines de la tierra. Dadle oídos, vosotros, que domináis los ejércitos y os agradáis en la multitud de las naciones. Porque el Señor os dió el poder, y la fuerza os dió el Altísimo, que examinará vuestras obras, y escudriñará vuestros pensamientos. Porque siendo ministros de su reino, no juzgasteis bien, ni guardasteis la ley de la justicia, según la voluntad de Dios. Horrendo y presto aparecerá a vosotros, porque ha de ser durísimo el juicio de los que presiden. Al pequeño se le concede misericordia. Los poderosos, poderosamente perecerán en tormentos.»

La segunda parte, escrita en 1635, que salió póstuma, va dedicada al Papa Urbano VIII, llevando elogiosas aprobaciones de Jerónimo Pardo (Madrid, 1652) y de Pedro Ruíz de la Escalera (Madrid, 1655). Esa diferencia considerable de tiempo dará clara cuenta del espíritu variado que, dentro de la unidad de concepto, anima a la obra. Es, desde luego, más mesurada, más perfecta, más humana, pero también es menos lozana. Repite las ideas anteriores y le faltan, como dice Merimée, el plan y el orden. Es también mucho más barroca y asimismo cuenta con mayor erudición [1]). La

[1]) Cita a los autores siguientes: San Lucas, David, San Agustín, Salomón, Samuel, Homero, Símaco, Séneca, Fray Francisco Ruíz, Lucas Brugense, San Ambrosio, Prudencio, Salustio, Santo Tomás, San Cirilo, San Pedro Crisólogo, San Crisóstomo, San León papa, Marco Vigerio de Saona, Tertuliano, Juvenal, Polibio, Urbano II,

dedicatoria y la advertencia «A quien leyere» son un prodigio de escarolada prosa conceptista.

Procede de la siguiente manera: expone un pasaje bíblico y luego lo aplica a consideraciones políticas. Los comentarios a la vida de Jesús están tratados con un dramatismo sorprendente.

Con este libro, con esas severísimas admoniciones y con estas perspectivas tan poco halagüeñas, pretende Quevedo refrenar la amoralidad gubernamental de su tiempo, encaminar a la política por derroteros menos perdedores, propugnando por una moral más humanitaria y más cristiana. El soberano — dice — ha de gobernar reflejando a Jesús en sus obras. Las Sagradas Escrituras debían ser el Código fundamental del Estado. Amor. Paz. Justicia. El rey ha de sacrificarse por su pueblo, pues «el reinar no es entretenimiento, sino tarea»... «Rey que duerme, gobierna entre sueños.» Ataca despiadadamente a los malos ministros, a los procuradores de las comunidades en Cortes, a los gobernadores y a los validos, con alusiones directas a los Lerma y Uceda: «El buen rey no debe permitir que sus estados se gasten en hartar parentelas.» El buen rey — dice en el capítulo IV, inspirándose en la *Idea de un político cristiano* de Saavedra Fajardo — ha de cuidar no sólo de su reino y de su familia, «mas de su vestido y de su sombra». Debe castigar al consejero venal que pide para los pobres y los vende. Asimismo trata de las costumbres de los palacios, de los tributos e imposiciones, de la educación del soberano. En el ca-

Roberto Mónaco, San Cipriano, Antonio Panormitano, Antonio Rodríguez de Avalos, Erasmo, Paulo Jovio, P. Bartolomé Riccio, Gelasio I, San Gregorio papa, Enodio, Flavio Dextro y Valerio Máximo.

pítulo III se produce en tonos elevadísimos y patrióticos, emocionado por el recuerdo de la España que se
hunde sin remisión : «Sois rey grande y católico, hijo
del Santo, nieto del Prudente, biznieto del Invencible.
La monarquía de Vuestra Majestad ni el día, ni la
noche la limitan : el sol se pone viéndola, y viéndola
nace en el nuevo mundo...» [1])

Opina Valbuena que Quevedo «se sitúa en la línea
de tradición nacional, en contra del «Príncipe», neo-
pagano, situado más allá del bien y del mal, del rena-
centismo de Maquiavelo» [2]). La teoría que propugna
es una teoría teocrática que quizá le inspiró Santo Tomás ; es decir, que para él la soberanía existe en Dios
y se ejerce en su nombre por sus representantes, aun
cuando a veces suele contradecirse a lo largo de su
obra y aboga por la teoría legitimista. La lectura en
ocasiones se hace pesada por el exceso de erudición. Su
estilo es rebuscado, artificioso, elevado a veces y solemne, y contiene páginas tan profundamente acicala-
das y brillantes, que son muestras singulares de la
prosa del siglo XVII. Dice Torres Villarroel que este
libro «puede ponerse al lado de las más excelentes obras
de los padres griegos y latinos». En el fondo, como
opina el citado Borges, «pese a su bizarría varonil en
desbravecer ambiciones, no es sino un largo y enzar-
zado sofisma».

Los modelos de la *Política de Dios* son variados,
y el lector debe retrotraerse, como tengo dicho, a los

---

[1]) Emplea aquí las mismas palabras de aquel infausto *Memorial a Felipe IV*, que aclaran la discutida atribución : «Sacra, católica, Real Majestad», y que se repite en la Sección II, capítulo XXIII.
[2]) A. VALBUENA. — *Historia de la Lit. Española*, vol. II, pág. 131.

tratados políticos que desde *El Príncipe* de Maquiavelo hasta el *De rege et regis institutione* del Padre
Mariana han absorbido la atención de los humanistas
y políticos y desechado los propios gobernantes como
nocivos a sus intereses. En ciertos aspectos muestra
influencias de la filosofía escolástica iusnaturalista,
quizá debido a detenidas lecturas del dominico Francisco de Vitoria y del teólogo salmantino Bartolomé
Medina. Pero fluctúa en cuanto a las teorías ajenas a la
directriz de su obra, ya que no es un tratado en sentido
estricto, sino más bien un comentario; así sostiene ideas
democráticas inspiradas en Fox Morcillo y Juan de
Mariana, y a la vez de los moderados ultramontanos
Ginés de Sepúlveda y Arias Montano. Ludwig Pfandl
juzga con gran visión que debieron servirle los *Sueños*
de Valdés para el fondo evangélico de un gobierno equi-
tativo. Sabido es que la influencia italiana se dejó
sentir profundamente en esa clase de estudios [1]), que
sirvieron de pauta a los tratadistas españoles [2]). Estimo que el libro podría resumirse en la sentencia de
San Juan Crisóstomo: «Imposible me parece que ninguno de los que gobiernan se salve».

En el año 1631 comienza su segunda gran obra política, complemento de la anterior y en algunos puntos
muy superior a ella: *Primera parte de la Vida* de

[1]) Consúltese A. FARINELLI. — *Divagaciones hispánicas* (II). *(Gracián y la literatura áulica en Alemania)*, pág. 120.
[2]) Merecen citarse los inmediatos antecesores de Quevedo: Sebastián Fox Morcillo (*Regis Regisque institutione*, 1556); Juan de
Torres (*Philosophia moral de príncipes*, 1576); C. de Bobadilla (*Política para Corregidores y señores de vasallos en tiempo de paz y de
guerra*, 1597); M. de Carvalho (*Espejos de Príncipes y Ministros*,
1598); Juan de Salazar (*Política española; contiene un discurso acerca
de su Monarquía, materias de Estado, aumento y perpetuidad*, 1619),
y Francisco de la Barreda (*El mejor príncipe, Trajano Augusto*, 1622).

Marco Bruto, escrita por el texto de Plutarco, ponde-rada con discursos, obteniendo en 1632 un privilegio para su edición. El 4 de agosto de 1644 redactó en Madrid la dedicatoria al duque del Infantado. La segunda parte se ha perdido, y hay constancia de que la escribió, en una carta remitida por Quevedo a su gran amigo don Francisco de Oviedo, de fecha 22 de mayo de 1645.

Comenta este libro (el más hermoso, el más noble y más profundo que de Quevedo he leído, escrito con el corazón y con el cerebro) la azarosa existencia de ese varón escrita por Plutarco, y en ocasiones se muestra tan identificado con el texto, que emplea la mismas locuciones. Se ha dicho que le sugirió la idea la traducción que hizo del *Rómulo,* de Malvezzi. Yo no veo, ni aun remotamente, esa sugerencia por ninguna parte, ni estimo que haya nada de común con la obra del marqués.

El *Marco Bruto* muestra dos aspectos fundamentales: la fervorosa atracción que siente por un período palpitante de la vida romana y la consecuencia aleccionadora que saca de tan densas y dramáticas páginas.

Pocos escritores han sabido sujetarse con tanta equidad al espíritu del autor que comenta, por modo maravilloso. Lo único que le distingue del texto clásico es la agilidad mental, la viveza de expresión y el vocabulario, rico cual sabe emplearlo quien posee un caudal inagotable.

En el *Marco Bruto* hace como con la *Política de Dios.* Juega con dos textos: el que traduce y comenta y el suyo propio, enlazándoles jugosamente para buscar a la postre un fin político, moralizador y polemista.

De sus propios «Discursos» brota un manantial de claros pensamientos, de consideraciones filosóficopolíticas. Es — toda la obra lo es — una elegía continuada a la grandeza de España que se fué, con explosiones de ira, a duras penas contenida.

El tema político se proyecta en las primeras líneas del prólogo, con alusión directa a la política reinante: «Para que se vea invención nueva del acierto del desorden en que la muerte y las puñaladas fueron electores del Imperio, escribo en la vida de Marco Bruto y en la muerte de Julio César, los premios y los castigos que la liviandad del pueblo dió a un buen tirano y a un mal leal», aduciendo para ello una concepción francamente pesimista del mundo y afirmando «que lo bueno en el malo es peor, porque ordinariamente es achaque y no virtud, y lo malo en él es verdad, y lo bueno mentira. Enseñaré que la maldad en el mundo antes está bien en los malos que bien en los buenos, porque tiene de su parte nuestra miseria, que sigue antes la naturaleza que la razón».

Esta obra tiene un antecedente remoto en el citado libro del P. Mariana *De rege et regis institutione,* aunque se empequeñece, se sutiliza y se olvida ante tan formidable alegato.

No me incumbe hacer la apología de Julio César ni defender a Marco Bruto y a sus cómplices; pero sí me interesa poner de relieve la consecuencia política de toda aquella tragedia fulminante, que Plutarco sabe trazar con mano maestra en ese libro. La figura fanáticamente patriota de Marco Bruto, «el único blasón de la república romana», según frase de Quevedo, atrae con singular interés. Resalta la habilidad del confidente de César, Marco Antonio, al leer al público congregado el testamento del dictador, que repartía sus riquezas entre sus fieles soldados. Marco Bruto intentó derribar la dictadura, pero consiguió todo lo contrario: se instauró el Imperio. En esta obra, de gran alcance político, tiene Quevedo la sesuda grandeza, la profunda dignidad y el espíritu elevado de un romano. La oración que pone en boca de Marco Bruto dirigiéndose a Quinto Ligario, es de lo mejor de su pluma. Dice Quevedo a la posteridad: «Prevengo a los que aun no son, para que sepan ser a costa de los que no son como debían ser.» Demuestra una gran experiencia política que concuerda con sus vividas actividades diplomáticas y su cultura social, su conocimiento psicológico del pueblo, junto a una preparación filosófica que ciertamente no hallamos en ningún otro tratado de este género. Es justo, duro, amargo, clarividente.

Es una diatriba fulminante contra los príncipes débiles [1]), contra el mal gobernante [2]), contra los privados [3]), contra los ministros sin escrúpulos [4]), contra

[1]) «Cuando por los desórdenes de algún príncipe se muestra el pueblo descontento, peligran los buenos y los sabios entre las quejas de la gente y los espías y acusadores que el tirano trae mezclados en todos los corrillos.»
«Achaque es de la majestad descuidada preguntar al que le destruye, y no creer al que le desengaña.»
[2]) «Si el príncipe no sabe por muchos, muchos son los que le engañan; pues quien juzga por lo que oye, y no por lo que entiende, es oreja, y no juez.»
«Hay siempre en las repúblicas unos hombres que con sólo un reposo dormido adquieren nombre de políticos.»
[3]) «Las monarquías se descabalan del número de sus reinos cuando a gobernarlas envían ministros que vuelven opulentos con los triunfos de la paz.» Muchos de estos pensamientos se ven reproducidos, con ligeras variantes, en su libro *Sentencias*.
[4]) «Los ministros y príncipes facinerosos buscan la virtud más calificada para tener qué profanar en servicio de los que han menester.»

los tiranos [1]), contra la maldad de los hombres y contra las debilidades de los pueblos. Hasta se fija en la constitución física de los gobernantes. Hace profesión de fe monárquica, a pesar de que ha podido compulsar los defectos de la monarquía en su propia persona, y afirma que las leyes sacrosantas mejor se hallan servidas de uno que las ejecuta que de muchos que las interpretan. Hay una cumplida definición del tirano: «Tirano es aquel príncipe que, siéndolo, quita la comodidad a la paz, y la gloria a la guerra, a sus vasallos las mujeres, y a los hombres las vidas, que obedece al apetito y no a la razón, que afecta con la crueldad ser aborrecido y no amado.» La obra está llena de pensamientos bellos y agudos, que son modelos de prosa conceptista [2]), y que demuestran la experiencia del autor en materia política.

Maestro consumado, Quevedo retarda el momento final, el trágico ocaso del César, captando así el interés del lector y aumentándole con amargas consideraciones sobre la muerte. Llega un instante en que no se sabe cuál texto es mejor: el de Plutarco o el de Quevedo.

[1]) «Los tiranos son tan malos, que las virtudes son su riesgo. Si prosiguen en la violencia se despeñan; si se reportan, los despeñan; de tal condición es su iniquidad, que la obstinación los edifica y la enmienda los arruina. Su medicina se cierra en este aforismo: «o no empezar a ser tirano, o no acabar de serlo»; porque es más ejecutivo el desprecio que el temor.

[2]) «Cuerpo que no le arma su corazón, las armas le esconden; mas no le arman. Quien va desnudo de sí y armado de hierro, es hombre con armas, cuando ellas son armas sin hombre. Si vive, es por ignorado; si muere, es por impedido: pues si no huye, es de embarazado, y no de cobarde; y de éstos mueren más con sus armas que con las de los enemigos.»

«El ánimo que piensa en lo que puede temer, empieza a temer en lo que empieza a pensar.»

«La libertad se perpetúa en la igualdad de todos, y se amotina en la desigualdad de uno.»

A menudo le supera en dramatismo, en profundidad y en galanura expresiva.

La rica vena satírica de Quevedo se ha de constreñir no pocas veces para no escaparse por los resquicios de sus tratados serios. Es sabido que trabajaba en varias obras a la vez. Tan sólo en una ocasión aparece la risa burlona, al advertir que no es sólo César el que ha muerto a manos de sus consejeros: «Matan los médicos y viven de matar — arguye — ; y la queja cae sobre la dolencia.»

Como complemento del *Marco Bruto* escribió Quevedo el comento a las *Suasorias* sexta y séptima de Marco Anneo Séneca, dándolas a la imprenta el 1.º de abril de 1644. La primera, titulada *Suasoria sexta de Marco Anneo Séneca el Retórico,* que salió plagada de errores, trata de las respuestas emitidas por varios filósofos a Cicerón sobre si es decente rogar por su vida a Marco Antonio. Palpitante actualidad en aquel tiempo de dolor supremo. Don Francisco aporta también su consejo amargo y pesimista, revestido de gran dignidad, diciéndole entre otras cosas enjundiosas: «Morir es propio del hombre ; rogar, ajeno al varón...» Todo este escrito no es más que una profesión de fe estoica. La *Suasoria Séptima* continúa con el problema anterior. Pregunta Cicerón a sus amigos qué debe hacer ante el dilema que le pone Marco Antonio: o quemar sus escritos o morir. Si se trueca el nombre de Marco Antonio por el del Conde-duque se comprenderá la vehemencia de Quevedo en su hermosa declamación.

Los grandes anales de quince días. — Quevedo firmó esta obra, «preso en la Torre de Juan Abad a 16 de mayo de 1621». Dice Fernández Guerra [1]) que llegó a nosotros en sucesivas copias manuscritas, grandemente reformada, encontrándose de ella varios ejemplares en la Biblioteca Nacional [2]). El título es: *Grandes anales de quince días. Historia de muchos siglos que pasaron en un mes. Memorias que guarda a los que vendrán don Francisco de Quevedo Villegas, Caballero de la Orden de Santiago*. En la advertencia que dirige a los reyes y a los príncipes expresa su deseo de veracidad, y dice: «Escribo lo que vi, y doy a leer mis ojos, no mis oídos.» Trata de los complicadísimos sucesos acaecidos al principio del reinado de Felipe IV, y es un estudio psicológico del pueblo español, que tan hondamente conoce don Francisco: el de los bajos fondos capitaleños y el de las altas esferas palatinas. «Ninguna cosa despierta tanto el bullicio del pueblo como la novedad» — escribe. El rey ha muerto, viva el rey. El regocijo entra en la Corte, pues todos ponen un poco de ambición en la gran lotería de la vida. Dice que con la alegría andaba revuelta la política, consignando este profundo pensamiento: «La mejor fiesta que hace la fortuna, y con que entretiene a los vasallos, es remudarlos el dominio.» Quevedo escribe de corrida, siguiendo los dictados de su potente memoria, bajo la impresión de los ya lejanos acontecimientos, entre los que sobresalen por su dramatismo la prisión del malogrado duque de Osuna, el lamentable episodio de la muerte de Rodrigo Calderón, el asesinato del conde de Villamediana. Quevedo no pondera ni disimula las ac-

---

[1]) FERNÁNDEZ GUERRA. — Obra citada, vol. I, pág. 193, nota.
[2]) En 1636 hizo Quevedo una refundición al ver lo estragados que se hallaban los manuscritos circulantes. La mejor edición es la de Astrana Marín.

ciones: no hace más que trasladar al papel los extremos desesperados a que se entregó el valido para dominar a ultranza la tardía conciencia de su señor. No es extraño que Olivares le pague en la misma moneda. Contiene rasgos agudos, una ironía superior y una expresión tersa y clara, como un manantial.

El chitón de las tarabillas. — La primera edición zaragozana, por Pedro Vergés [1]) tiene por título: *El Chitón de las tarabillas, obra del Licenciado Todo-Lo-Sabe. A Vuesa Merced que tira la piedra y esconde la mano. Escrita con la de Quevedo, Caballero de la Orden de Santiago, y Señor de la Villa de Juan Abad, contra los maldicientes del Rey Nuestro Señor, de su Valido y de los arbitrios de los mismos y baja de la moneda.* Lo escribió durante su destierro en la Torre, año de 1626, y se editó por primera vez cuando Olivares le permitió regresar a su querido Madrid. Quizá hubo de comprar con este libro su libertad y es, según frase de Lope, «veracísimo; oxalá no lo fuera» [2]).

El afán de pontificar y de sujetar su espíritu libérrimo a las exigencias de apologista de una tesis en la que no cree, hacen que su pluma pierda aquella lozanía tan característica. Es, no obstante, de sumo interés para el estudio de las costumbres desordenadas

[1]) El único ejemplar que se conoce hasta la fecha se encuentra en el Museo Británico.
[2]) Carta de Lope al duque de Sessa. Continúa diciendo el *Fénix:* «Leyómela una tarde Dn. Francisco de Aguilar en un coche en el río. Son cinco pliegos de impresión de letra más grande que pequeña, y en las floridas se conoze que es impreso en Madrid, aunque dize en Huesca de Aragón... La materia del libro es disculpar las acciones de Su Majestad y del Señor Conde... Es lo más satírico y venenoso que se ha visto desde el principio del mundo, y bastante para matar a la persona culpada.»

de la época y para la historia económica del «desdichado real», o sea la escandalosa baja de la moneda, apelando a testimonios más o menos fidedignos acaecidos en anteriores reinados.

El *Chitón* marca un cambio significativo de conducta en el espíritu arraigadamente orgulloso del escritor. El libro debió extrañar, sorprender y desconcertar a amigos y enemigos. Caso inaudito en el historial de don Francisco de Quevedo, el rebelde, el valiente paladín de las justas causas. ¿Cómo era posible? Fuerzas poderosísimas obligáronle a rectificar aparentemente en su postura frente al Conde-duque de Olivares; y el león indómito, el de los zarpazos sangrientos, el león rugiente y temible se amansó de improviso y aun fué a echarse a las plantas del domador. En esta obra muestra una postura servil y aduladora que no podemos comprender en él. Pero (yo no pretendo excusarle) hay que tener presente el espíritu de la época y del siglo. Dice Matías de Nóvoa, ayuda de Cámara del rey, que «es un librillo insolente, en que satisfacía al conde y respondía a las calumnias que le cargaban; indigno de juicio heroico y aun plebeyo». El tal volumen es una soflama, no exenta de finísima ironía, al ruidoso proyecto sobre el arbitrio de las minas.

Dinero, dinero. El rey es un incorregible dilapidador y es preciso sacar el oro del subsuelo o de donde sea, pues el que arriba de las Indias en una interminable y afanosa procesión de naves, es insuficiente y el pueblo no tiene donde caerse muerto. Toda la hiel que guarda el alma orgullosa y suspicaz de don Francisco al tener que someterse a los designios inapelables del Conde-duque, la vierte en este volumen, que levantó tal polvareda entre los espíritus «ponderados» de la Corte y la retahila de envidiosos — los pálidos aspirantes de todas las Cortes —, que motivó un ruidoso proceso en 1631, incoado por el Calificador del Santo Oficio Fray Juan Ponce de León contra algunos libreros madrileños, a causa de una impresión fraudulenta. Uno de ellos, el francés Pedro Mallard, manifiesta en el prólogo que pidió a Quevedo tradujese esta obra y advierte que la impresión va depurada de sus infinitos errores.

Contra este libro se publicó anónimamente un opúsculo titulado *El Tapa Boca que azotan* [1]); escrito amazacotado, lleno de lugares comunes y de palabras bajísimas. Está firmado en Huesca, a 1.º de enero del año 1630.

Quevedo reacciona defendiéndose de «tantos vociferadores»; y como el tema le complace, vuelve a la carga con él en el romance publicado un año después, o sea en 1631:

> Chitona ha sido mi lengua
> habrá un año; y ahora torno
> a la primer taravilla:
> agua va, que las arrojo.
> Quítenseme de delante,
> que atropellaré algún tonto
> y estaré libre de pena,
> pues con cascabeles corro.
> ... ...

[1]) *El Tapa Boca que azotan. Respuesta del Bachiller ignorante a El Chitón de las Tarabillas que hicieron los licenciados Todo-Se-Sabe y Todo-Lo-Sabe. Dirigida a las Excelentísimas Señoras la Razón, la Prudencia y la Justicia. Con licencia, en Gerona, por Llorens Deu. Año de 1630.*

Piensan que no los entiendo;
yo pienso dellos lo propio;
míranme, y hácenme gestos:
mírolos, y hágolos cocos.
Todos somos locos,
los unos y los otros.

El mundo caduco y desvaríos de la edad en los años desde 1613 a 1620. — Escrito en 1621 y dado a conocer por don Aureliano Fernández-Guerra. Refiere circunstanciadamente las relaciones de España en este movido lapso de tiempo. La obra es acéfala y le falta también una parte final en el Manuscrito de la Biblioteca Nacional, único ejemplar que hasta la fecha poseemos. Tiene una gran importancia histórica, pues, como se sabe, don Francisco intervino activamente en la política italiana y sirve de precioso complemento a las obras que tratan estos asuntos con demasiada pasión. Este libro tuvo el privilegio de atraer la atención de los enemigos de España y fué objeto, con su autor, de severísimos comentarios. Quevedo hubo de soportar los dicterios más encendidos. Su generosa osadía, su fe ardiente en la Patria, su ardor combativo, no fueron justamente estimados por los españoles, y el librillo relegóse bien pronto al olvido. Yo le considero como una de las mejores aportaciones que se redactaron en aquella calamitosa época de implacables luchas personales y de descarado nepotismo.

La rebelión de Barcelona no es por el güevo ni por el fuero. Averígualo el doctor Antonio Martínez Montejano, natural de la villa de San Martín de Espuches. — Quevedo confesóse su autor en una carta a Olivares, estando en la prisión: «Aquello del güevo sí fué mío, y lo siento por lo malo» [1]). Escrito, sin embargo, en forma elegante, es una ardorosa defensa en pro de la unidad hispánica, que con tanta eficacia consagraron ios gloriosos Isabel y Fernando. El autor no concibe cómo pueden los catalanes abogar por la escisión. «En todo el libro verde — dice, refiriéndose al famoso libro catalán —, si de poco acá no se ha secado o no le han dado otro color..., no hay fuero que diga tenga Barcelona conde, y el conde no tenga Barcelona ni condado. Ni le hay que diga los catalanes sean vasallos de mi señor, de quien quisieren, como quisieren, hasta cuando quisieren. Tampoco le hallo para que maten a sus virreyes a pesadumbre y a puñaladas, ni para que tengan concordia con el enemigo de su señor natural para poder tener discordia con su señor...» Don Francisco se indigna de que los catalanes hayan coronado a Luis XIII. En esta obra se declara acérrimo enemigo de la democracia y de toda determinación del pueblo. Alaba al rey porque quiso «moderar, como señor y padre, la insolencia de que por tener los fueros los usaban». Llama a los catalanes impíos, vocingleros, discípulos de Caifás, viruelas de los reyes, sátrapas y otras lindezas por el estilo.

Cuando Quevedo se enoja su pluma llénase del virus de la cobra y no hay escrito más corrosivo que el suyo. No gusta en estas ocasiones de sopesar los adjetivos, muchos de los cuales harían enrojecer al escritor más desenfadado y malicioso.

[1]) A pesar de lo cual, Merimée duda, contra toda razón, de que sea obra de D. Francisco.

Lince de Italia ú zahorí español. — Es de 1628. Publicóla por vez primera el señor Fernández Guerra y va dedicada a Felipe IV. Es una obra escrita en tono fatalista, lleno de amarulencia. Trata de la guerra del duque de Saboya y de los hechos de armas acaecidos en aquellas tierras, descubriendo los manejos políticos de los enemigos que acechaban al soberano. Quevedo puede hablar con fundamento de las cuestiones italianas [1]. De su lectura sácase la conclusión desoladora de que el autor se muestra profundamente pesimista con respecto al porvenir de España en Italia. Le dice al monarca que nadie como él puede ilustrarle por haber residido tantos años en aquella península con cargos de importancia [2] y haber asistido personalmente a los sucesos más destacados de la época en Sicilia, Nápoles, Roma, Génova y Milán. Son de gran interés las noticias autobiográficas e históricas, empedradas de citas, de fragmentos de cartas y de preciosas informaciones acerca del estado de defensa de aquel florón de la Corona hispánica. Quevedo escribe este opúsculo con ánimo contrito y con el corazón rebosante de celo patriótico.

Visita y anatomía de la cabeza del Cardenal Armando de Richelieu, hecha por la Escuela Médica de Monpeller, a instancia del maistre Jaques du Belly, escrita en francés por Acnotes, autor del libro titulado

---

[1] Ya advierte al monarca que «faltara a las obligaciones de noble, de vasallo vuestro y de cristiano, si no os hiciera recuerdo de lo que yo tengo advertido en los subcesos, y visto en las ocasiones que de vuestro real servicio han pasado por mi mano».

[2] El original dice que estuvo once años al servicio de España en Italia; pero sabemos, y está esto demostrado, que solamente residió seis fuera de nuestra patria.

"Catholicon Español", traducido en castellano por *Pierres Gemin, francés. Impreso en Milan por Juan Baptista Malatesta. Año 1635.* — Se había discutido la paternidad de ese jugoso opúsculo, lleno de ingenio y de finísima ironía, reducido a narrar con gracejo singular una asamblea de médicos de aquella venerable Universidad, para ver de atajar «el contagioso y asqueroso humor que infestaba al mundo», llamado «mal francés»; un azote del diablo que descendía del cráneo como una supuración letal y ponía en peligro a toda la sociedad. Para ello, los espetados doctores buscan afanosos cuál cabeza será ésta, que es manantial de tanto veneno, hasta que por fin descubren que es nada menos que la del eminentísimo y excelentísimo cardenal Armando de Richelieu.

Es preciso contener la corrosiva licuefacción que amenaza destruir al alegre y confiado pueblo francés. La cabeza de ese enemigo de la sociedad debe ser tratada con el cuidado que merece.

Hay un doctor en la asamblea que manifiesta al parecer una ignorancia supina al inquirir con candidez de sabio hacia qué parte se halla la cabeza de tan peligroso enfermo.

«¡Donosa pregunta! — exclaman a voz en grito los acongojados doctores — ¿En dónde ha de hallarse sino sobre los hombros del citado ministro?»

Pero no será tan inocente la pregunta cuando asevera uno de los circunstantes, con los registros de voz más doctorales que posee:

«No, monsiur, porque muchos dicen que la han visto sobre la de monsiur hermano del rey, revoloteando sobre la corona de Francia; otros que está enterrada con el rey de Suecia», etc. Y hay quien se aventura en declarar que está en Roma, sobre una estatua de Jano, con dos caras.

Acuérdase que el médico Vessalio vaya a buscar la tan discutida testa, que halla al fin en Italia tras ímprobos trabajos, y la visita.

Reunida de nuevo la docta corporación, Vessalio explica cómo es aquélla, lo que ofrece ocasión a Quevedo para satirizar la política de este ministro y moralizar con gracia y agudeza, con no pocas alusiones a la cabeza del Conde-duque. Es sin duda uno de sus escritos más lozanos y mejor redactados.

He hablado ya, dándole la extensión que merece, del erudito fragmento titulado *España defendida y los tiempos de ahora,* que suele ponerse erróneamente entre las producciones políticas. En realidad sólo es política — en el sentido estricto de la palabra — en las primeras líneas. Seguramente don Francisco acarició la idea de redactar una obra en grande, y para ello se preparó con laboriosas lecturas — a pesar de su corta extensión es su escrito más erudito —; pero quizá se dió cuenta de que lo redactado, como un prólogo a su labor en ciernes, tenía tal volumen, abarcaba proporciones tan vastas y requería tal cantidad de notas y de cotejos, que debió diferir para otra ocasión el enfrascarse en un trabajo ímprobo que forzosamente debería absorberle un caudal enorme de energías y de tiempo.

Comienza la obra, dedicada a la majestad de Felipe III, con una exaltación entusiasta y una ardorosa defensa de España, atacada con dardos de muerte por extranjeras potencias, al verla inerme y abatida. «¡Oh desdichada España — exclama el patriota —; revuelto

he mil veces en la memoria tus antigüedades y anales,
y no he hallado por qué causa seas digna de tan por-
fiada persecución!» Alude a la Leyenda Negra que
explotó a raíz de la conquista de las Indias, y luego,
para demostrar la grandeza y antigüedad de la patria,
pasa a estudiar su origen, su historia, su lengua, como
hemos visto en otro capítulo de este libro.

Asimismo he hablado de las denodadas luchas que
sostuvo don Francisco para que prevaleciera el patronato del Apóstol Santiago y de las desastrosas consecuencias que le sobrevinieron con sus escritos, particularmente al publicar en 1627 su *Memorial por el
patronato de Santiago y por todos los santos naturales
de España en favor de la elección de Cristo Nuestro
Señor*. La fuerza dialéctica del caballero cruzado, polemista insigne, sostuvo con este denso opúsculo todo
el peso de la lucha, y sus antagonistas recibieron un
duro golpe ante tan aplastantes razonamientos. El autor
bordea espinosas veredas junto a las cuales se hallan
sus enemigos dispuestos a hundirle en las cárceles del
Santo Oficio al primer resbalón. Los textos se abren
por el lugar más propicio ; las citas, que se cotejan con
minucia, son auténticas ; santos y reyes y próceres son
tratados con reverencia y devoción ; y la agudeza de
los juicios se halla respaldada por una tan continuada
declaración de fe católica, que los enfurismados adversarios que se azacanan por descubrir la más tenue ren-
dija en este gigantesco templo de sabiduría levantado
en honor del Apóstol, no pueden desautorizar la palabra del mílite del santo, que gana apasionados adeptos. Este se dirige al rey y le dice : «Santiago sólo hizo
esta iglesia de España : soberano testigo es el mila-

groso santuario del Pilar de Zaragoza, templo primogénito de la cristiandad desta monarquía. El la amparó después de hecha; nada desto toca a Santa Teresa, que nació en nuestros tiempos.»

Aduce una serie innumerable de ejemplos históricos de gran autoridad, y su voz persuasiva llega a resonar en las salas del Vaticano, conquistando un triunfo definitivo y sensacional.

Los otros escritos políticos son de menor importancia. Deben citarse: *Carta del rey don Fernando el Católico al primer virey de Nápoles, comentada* (1621), que es la que remitió el monarca aragonés al conde de Ribagorza, virrey que fué de Nápoles. Está firmada en la Torre de Juan Abad y va dedicada a don Baltasar de Zúñiga. Es de corta extensión, pero de jugosa trascendencia histórica y de factura clásica. — *Breve compendio de los servicios de don Francisco Gómez de Sandoval, duque de Lerma* (1636), escrito minúsculo en el que resaltan los hechos de armas de ese mílite y político tan discutido por todos, aun por el mismo Quevedo, al cual rinde homenaje diciendo entre otras cosas que «su ambición no era de ascender a los mayores puestos, sino de merecerlos». — *Descífrase el alevoso manifiesto con que previno el levantamiento del duque de Berganza, don Agustín Manuel de Vasconcellos, Caballero del Habito de Christus, impreso con titulo que dice: "Sucession del Señor Rey Don Filipe Segundo en la Corona de Portugal". Con privilegio. En Madrid, por Pedro Tazo. Año M.DC.XXXIX. Aprobado (por el Ordinario) y Juez Apostólico en la Corte y (por el Consejo) por el Maestro Gil González de Avila, Coronista de Su Majestad en los Reinos de Cas-*

tilla. Dirigido al Excelentísimo señor Conde-Duque.
Escrito en la horrenda cárcel de San Marcos, sin otro
ánimo que un prurito de agudeza política, carece de
importancia. Trata de desvanecer, como dice el título,
la imputación del autor del libro al derecho al trono
de Portugal del duque de Braganza, detentado por
Felipe II. Le analiza minuciosamente, desvirtuando
muchas de sus declaraciones. — *Panegírico a la majestad del rey nuestro Señor Don Felipe IV, en la
caída del Conde-Duque* (1643), escrito en sus primeras
páginas con el regocijo propio de un triunfo ardientemente anhelado, pero bajando de tono a medida que va
considerando su crudelísima realidad, acabando con un
acento profundamente pesimista: «Veinte y un años ha
estado detenida la lumbre de vuestro espíritu escla-
recido», advierte al monarca. La carta respira una nobleza de corazón verdaderamente ejemplar. No en vano
han desfilado los negros años de dolor y de meditaciones profundas en torno a la Vida y al Más Allá. La
vehemencia y el fuego de su corazón se han apagado
definitivamente. — *La sombra de Mos de Forza se aparece a Gustavo Horn, preso en Viena, y le cuenta el
lastimoso suceso que tuvieron las armas de Francia en
Fuenterrabía,* es de 1638 y está redactado siguiendo la
técnica de las ficciones de su tiempo, a las que tan
aficionado era Quevedo, quizá porque eran hijas legí-
timas del Renacimiento, presentando reminiscencias
medievales (el barquero Aqueronte, Leteo, el Can Cer-
bero, los Campos Elíseos) y posiblemente inspirada en
las famosas Danzas de la Muerte. El estilo es desigual, en ocasiones peca de ambagioso y arcaico y en

otras tiene atrevidas imágenes [1]). — El *Memorial del duque de Medinaceli al rey don Felipe IV* (1634) trata del nombramiento de Capitán general de la flota oceánica y costa de Andalucía, y carece de interés literario.

OBRAS ASCÉTICAS Y MORALES

El ascetismo de Quevedo sigue la evolución temperamental de los españoles. El afán de dominar las pasiones desenfrenadas; la peculiar concepción que tienen de Dios y del mundo, del ofender y del perdonar, del pecar y del arrepentirse; el anhelo de perfección que a raíz del exceso llega, súbito, como un fulminante, a remorder sin tregua la conciencia; la mortificación y la penitencia, la oración y la imitación de Cristo y el deseo de unirse a El, son las aspiraciones que presiden las obras de fray Luis de Granada, de Melchor Cano, de fray Alonso de Madrid, de fray Diego de Estella, de fray Juan de los Angeles y de otros muchos ascéticos de fama universal.

Las ideas místicas y ascéticas arrancan de la influencia de la filosofía pitagórica, llegando hasta Lucio Anneo Séneca y fijándose en el estoicismo, que es un antecedente del ascetismo, teniendo como piedra de toque a la Virtud. «La virtud — afirma el estoicismo — es el supremo bien que debe realizarse por sí mismo, sin tener en cuenta ninguna otra consideración. La vir-

[1]) Dice de una floresta que «está poblada de aves canoras y laureles, jeroglífico de vitorias y doctas fuentes, con frondosos olmos enlazados en vides amorosas y lascivas, donde comienzan los Campos Elíseos...».

tud consiste en vivir conforme a la naturaleza. El varón virtuoso, que es el sabio, debe mostrarse desprovisto en absoluto de pasiones. El sabio, además, es imperturbable e impasible, no por carecer del sentimiento del dolor, sino porque el soberano bien se posesiona del alma, ésta descansa sobre una base inmutable y segura. Esta es la doctrina estoica y la doctrina de Séneca.» [1]

Todo el ascetismo de Quevedo tiene una poderosa raigambre estoica; mejor: senequista. Influyen en él los espíritus selectos de la Iglesia, los Santos Padres, la Escolástica y los Poetas. Quevedo sabe desprenderse a veces de la envoltura carnal, y estimulado por los suaves ecos de los grandes adalides de Cristo y de los apologistas de su Doctrina, escribe páginas admirables, profundamente sentimentales, henchidas de espiritualidad religiosa. Este es, precisamente, su gran valor: que en una y otra faceta, en sus producciones serias y en las festivas, en su ascensión hacia el puro espíritu y en su declinación hacia las cosas mundanas, es siempre maestro, es siempre genio.

Quevedo no llega al ascetismo por el temor, ni por el pecado, ni por una reacción milagrosa. Va a él por el dolor, por el fracaso de la vida, porque ve su muerte espiritual antes que su muerte física. La horrenda ergástula de San Marcos y los ilustres genios con quienes conversa le convierten.

En cuanto a la moral, Quevedo, como ya dijo Merimée [2], no sienta principios originales, y se repite

[1] P. Sainz Rodríguez. — *Introducción a la Hist. de la Literatura Mística en España*. Madrid, 1927, pág. 179.
[2] E. Merimée. — *Francisco de Quevedo*. 1886. Pág. 256.

demasiado. Es una moral profundamente romana, poco dogmática y aun, si se me permite, «sui generis». Su línea de conducta es el «yo», porque Quevedo es, ante todo, un cerebro extraordinario que cree hallarse muy por cima de ciertas normas inmutables que él considera útiles al pueblo, pero de poca eficacia para sí. No quiere romper las seculares direcciones del dogma, pero tampoco se enfrasca demasiado en ellas. Acepta lo consagrado sin discutirlo, y no precisamente porque no sienta la comezón polemista, sino porque sabe que es para la mayor gloria de Dios, a quien ama con todas las fuerzas de su espíritu.

La *Providencia de Dios* es una muestra elocuente del espíritu elevadísimo que le caracteriza en los amargos trances de su existencia tan llena de altibajos cuando, comprendiendo la vacuidad de las cosas terrenas, dirige su mirada hacia el Altísimo. La obra se titula *Providencia de Dios, padecida de los que la niegan y gozada de los que la confiesan. Doctrina estudiada en los gusanos y persecuciones de Job.* Se publicó en 1700 en Zaragoza, debido a Juan Lis López, en una edición sumamente incorrecta. La dedicatoria al P. Mauricio de Attodo — en la que Quevedo se firma con el seudónimo de Fray Tomás de Villanueva —, está fechada en San Marcos de León el 11 de diciembre de 1641.

Para aquilatar el valor inmenso de esta obra, hay que advertir que toda ella ha sido escrita con luz artificial o defectuosa, bajo el peso de horribles torturas morales y físicas. La crudeza del invierno leonés lleva a la huesa al desvalido, y la humedad que se filtra en tan sórdido mechinal aguza las saetas del frío, que se ceba en el cuerpo enfermo. No extrañará, pues, el pesimismo y el estilo doliente de un hombre «de la calle», engallado y soberbio hasta hace poco, que paseaba ostentosamente su fama por los palacios madrileños y era el ídolo del pueblo y la admiración de todos, hundido de pronto en la fementida estrechez de tenebrosa cárcel. En lugar de invocar a la némesis vengadora se refugia en los textos como único camino que tiene para no desesperarse, especialmente en el *Libro de Job,* que comenta con acendrado cariño. Ha tenido tiempo de meditar y de leer copiosamente, por lo que el chorro de autoridades desazona al lector, sacando numerosas conclusiones para probar con San Agustín, Aristóteles, Antonio Paleario, Tertuliano, Francisco Suárez, Avicena, Séneca y San Juan Crisóstomo, que el alma no tiene operación propia suya, que es separable, incorruptible y eterna.

Consigna en la obra la refutación que hizo San Agustín [1]) de las teorías ciceronianas; dice que Santo Tomás, a imitación del insigne africano, concilia [2]) en este respecto las opiniones de Aristóteles y de los demás filósofos, cristianizando así las ideas más sabias de la Antigüedad; trata de demostrar que Sófocles conoció el *Libro de Job* y quiso imitarle en sus tragedias, particularmente en el *Ayax;* afirma que Ovidio, Juvenal y otros escritores paganos confiesan sin reservas la inmortalidad del alma. Cristianizar, cristianizar: ése es el camino de los sabios, de los poetas, de los santos.

Caracterízase el libro por su agudeza filosófica, su vigor polemista, su fuerza dialéctica. A veces aparecen

[1]) *De Civitate Dei.*
[2]) *Morales.*

rasgos socráticos en la manera de argüir. La exposición es puramente latina.

«Morir todo y para siempre — escribe, recordando a Séneca [1] —, última miseria es y desconsuelo ultimado ; decirte que no mueres todo ni para siempre, y que tu alma es eterna, y que tu cuerpo mortal ha de resucitar con ella a vivir sin fin, nueva es que merece albricias.» La consecución de un ideal, el obrar para merecer. Y dice más adelante : «En estas tres verdades : que hay Dios, que hay Providencia, que hay alma inmortal, el texto de Job ha de ser mi texto» ; texto lleno de profundas elucubraciones metafísicas. Y, dominándolo todo con su manto adelino, la Muerte, la Muerte siempre, que solapadamente acecha y que nos recuerda nuestra nimiedad. Sus argumentos encaminados a demostrar la existencia de Dios y a ensalzar la Providencia, son expresivos y contundentes. «El estoicismo y la resignación cristiana como normas para la vida toman en Quevedo una forma que recuerda el quietismo oriental.» [2]

Quevedo redactó la *Vida de San Pablo Apóstol*. Aun cuando la dedicatoria a don Juan Chumacero esté firmada en 26 de agosto de 1644, en Madrid, la obra (según propia confesión) fué escrita «al cuarto año de mi prisión, para consolar mi cárcel» ; esto es, a fines de 1643, conservando la dolorosa amargura de su situación «asqueado» — como dice. La edición más antigua que se conserva es la de Tomás Alfay, Madrid, 1650, con el título : *La caída para levantarse, el ciego para dar vista, el montante de la Iglesia en la*

[1] *Cartas a Lucilio* (véase el capítulo dedicado a Séneca).
[2] AMÉRICO CASTRO. — *El Buscón*. (Clás. Cast. pág. XVIII.)

vida de San Pablo Apóstol. La dedicatoria a su liberador no puede ser más amarga y despechada. Explica circunstanciadamente las insidias de que fué objeto, su prisión de cuatro años, «los dos como fiera, cerrado solo en un aposento, sin comercio humano».

En la advertencia liminar emite su duda sobre la venida del Apóstol a España, citando varios testimonios y fortificando su tesis en la opinión sustentada por el Padre Mariana en su *Historia de España,* por quien guardaba gran veneración. Estudia paso a paso la existencia de Pablo desde su nacimiento, contraponiendo la figura del Santo a la del demonio. Compárala con la de San Pedro, analizando su respectivo carácter a través de los libros santos, con pluralidad de citas y consideraciones filosóficas; trata de la supuesta relación entre Séneca y el Apóstol de los Gentiles, que juzga fabulosa, y arguye que aquellos que creen en la venida de San Pablo a nuestra patria se fundan en una declaración suya: «Cuando vaya a España, veré», inserta en una epístola. Y Quevedo opina: «No estuvo San Pablo en parte alguna que hasta las piedras y las víboras, como se vió en la pequeña isla de Malta, no guardasen la memoria de haberla pisado. Si descendiera a España, hubiera de ella inmortales padrones de su asistencia y predicación... Y juzgo que con grande gloria de España le fué prohibido el venir a ella, por ser patrimonio de la predicación de San Jacobo, y los españoles vasallos solariegos de su apostolado.»

Refiere sus viajes, siguiendo el texto de los *Hechos de los Apóstoles* y otras fuentes antiguas, acompañándole hasta su gloriosa muerte en Roma.

Admira y fatiga, ciertamente, la enorme erudición acumulada en este artículo, pues llega a citar más de setenta y cinco autores distintos, muchos de ellos con sus obras [1]. Tiene rasgos plenamente barrocos y las imágenes son como luces deslumbrantes que guían al lector por la enmarañada selva de conceptos y le distraen al iluminarle el paisaje.

En 1610 redactó la *Vida de Santo Tomás de Villanueva,* obra desgraciadamente perdida, como sabemos, pero de gran vuelo a juzgar por el extracto que de ella hizo diez años después a requerimiento del P. Juan de Herrera, para el día de la fiesta de la beatificación del Santo, dedicándola a Felipe III con el nombre de *Epítome a la historia de la vida ejemplar y gloriosa muerte del bienaventurado fray Tomás de Villanueva, religioso de la Orden de San Agustín y Arzobispo de Valencia.* La dedicatoria al monarca lleva fecha en Madrid a 10 de agosto de 1620, y la edición más antigua es la de Cosme Delgado, en Madrid y en la misma fecha.

Para escribir esta refundición tuvo presente la «obra grande». Desarrolla temas precisos que lo patentizan, pues, según nos dice Pérez de Montalbán, fué redactada en doce días; plazo brevísimo para la calidad de la misma, de no poseer notas concretas sobre el particular. Debía ser ya famosa su labor manuscrita,

[1] No obstante, parece que las que tuvo más presentes son las *Cartas de San Pablo* y las *Vidas* de este Santo que escribieron San Clemente Alejandrino, Ecumenio, Genebrardo y San Juan Crisóstomo. En 1550, Domingo de Soto publica *Comentarios sobre la Epístola de San Pablo a los romanos,* que también utilizó, como asimismo *El Predicador de las gentes, San Pablo,* del doctor Juan Rodríguez de León. Otra fuente interesante es la obra de Tertuliano *De resurrectione carnis.*

cuando el infante don Fernando de Austria se interesó por ella. Todas las censuras le fueron favorables: la de fray Juan de San Agustín (25 de agosto de 1629): «gravedad y agudeza de estilo... y devoción...»; la de fray Jacinto de Colmenares (30 de agosto de 1620): «lleno de celo devoto..., mostrando parte de la erudición de su autor, dejando a todos con deseo de ver la Historia que promete para servicio del Santo y honra de nuestra nación y lengua»[1]; la del doctor Francisco Sánchez de Villanueva, predicador de S. M. (30 de agosto de 1620); la de fray Lamberto de Novella, de Valencia (14 de noviembre de 1627), y la del doctor Guillén Ramón Mora, de Valencia (18 de noviembre de 1627).

El libro está escrito con devoción y vigoroso estilo. Su entusiasmo es regular y constante y a veces se distrae de su asunto y va por atajos que le seducen por su pomposo follaje. Sigue la vida de este pío varón desde su nacimiento en la villa de Fuenllana — año de 1488 —, su crianza, sus estudios, su ingreso en la Orden agustina, su carácter, sus virtudes y sus milagros. Contiene curiosas anécdotas que demuestran la grandeza de ánimo del santo, la discreción del César, de quien era dilecto predicador, y el valimiento que había conquistado en la Corte imperial. La descripción de su carácter está trazada con veneración y apasionamiento.

Obra profundamente ascética, sombría y amarulenta como la propia muerte, es *La cuna y la sepoltura,* toda ella dedicada a advertir al hombre que debe

---

[1] Decía el Padre Juan de Herrera en el informe puesto a las primeras ediciones, que «hace diez años trabaja en la *Historia grande*».

prepararse para el último fin desde que nace. En 1612 remitió el manuscrito a su amigo don Tomás Tamayo de Vargas con el título *Secretos de la verdad. Doctrina moral del conocimiento propio y desengaño de las cosas ajenas.* Esta obra sufrió varios cambios: en 20 de mayo de 1633 dedicó el proemio al P. Cristóbal Torres y el texto a don Juan de Chaves y Mendoza, caballero santiaguista, Presidente del Consejo de las Ordenes y del Consejo y Cámara de S. M.; y en 1615 salió a luz una refundición con el título de *Doctrina moral del conocimiento propio y del desengaño de las cosas ajenas,* añadiéndosele otros dos tratados: *Modo de resignarse en la voluntad de Dios Nuestro Señor,* y *Doctrina para morir* [1]), cuyos títulos hablan con elocuencia de las ideas ascéticas del autor. La edición más antigua que se conserva es la de Zaragoza, 1630, y las reimpresiones sucesivas llevan aprobaciones del doctor Vera (Zaragoza, 29 de abril de 1630); de Juan Eusebio Nieremberg (Madrid, 19 de junio de 1633); de fray Tomás Roca (Barcelona, 20 de febrero de 1635) y del maestro fray Lamberto Novella (Valencia, 22 de febrero de 1635). Opina el padre Nieremberg que esta obra representa «los sentimientos estoicos de más vivo color a la luz cristiana» y le llama «ingenio feliz». Consta de una serie de admoniciones dirigidas «a doctos, modestos y piadosos». Séneca, Epicteto y Marco Aurelio desempeñan el papel principal [2]). Nos presenta el tema de la muerte bajo múltiples facetas, a menudo con sombrías pinceladas y desarrollando un lugar común en casi todos

[1]) Esta última obra tenía otro epígrafe: *Prevención para la muerte.*
[2]) En la parte que titula *Muerte y Sepoltura* (o *Doctrina para morir*), las citas de San Pablo son las más copiosas.

los escritores sagrados, pues ya dice en el Proemio: «Empieza el hombre a nacer y a morir; por esto cuando muere acaba a un tiempo de vivir y de morir.» El tema se repite, premioso y con pocas variantes, como la cantilena de los trapenses. Todas sus obras ascéticas y morales están llenas de esta honda preocupación.

Divide el tratado en dos partes: *Cuna y Vida,* y *Muerte y Sepultura.* La primera nos habla del desengaño de las cosas mundanas y ataca la hipocresía y los vicios todos, recreándose con los estoicos en el tema de que la muerte no es fea como se cree. Apenas encontramos en estas páginas una autoridad, cosa rara en Quevedo, tan pródigo en apelar al testimonio de sus maestros, que le ofrecen los problemas resueltos en parte. Hay en este opúsculo mucha aportación personal y demuestra un conocimiento profundo del corazón humano, acreditándose de psicólogo. Toda la obra es una severa repulsa para los hombres descarriados, esclavos de sus pasiones y convecinos de la Muerte, escrita desde un punto de vista elevado, aun cuando no puede dejar que se le escapen por los intersticios de este edificio de líneas clásicas las garras iracundas de la némesis vengadora al hablar de su tema obsesionante: el privado.

La segunda parte va encaminada a preparar el alma para su ascensión definitiva, comentando cada frase del Padre Nuestro.

Fernández-Guerra [1]) publica un opúsculo inédito titulado *El martirio pretensor del mártir, el único y singular mártir solicitado por el martirio, venerable*

[1]) Obra citada, vol. II, pág. 71.

apostólico y nobilísimo Padre Marcelo Francisco Mastrili, Napolitano, hijo del santo patriarca de la compañía de Jesús, el bienaventurado Ignacio de Loyola. Autor El Comun Sentir en la pluma de un Discípulo de los trabajos. Es fragmento de un libro escrito en el año 1640, dedicado a la Compañía de Jesús. En 1631 Ignacio Stafford redactó e imprimió una *Vida* de este Santo [1]), a cuya vista Quevedo escribe el referido tratado apologético, invocando las gracias y la figura del gran santo español Francisco Javier, y dedicando un inspirado canto a la ciudad de Nápoles, que tantos recuerdos guardaba de su vida juvenil. El opúsculo está truncado después del nacimiento de Mastrili.

De 1635 [2]) es un libro curiosísimo: *Virtud militante contra las cuatro pestes del mundo invidia, ingratitud, soberbia, avaricia, con las cuatro fantasmas desprecio de la muerte, vida, pobreza y enfermedad* [3]). La obra está dividida en cuatro partes: *Invidia, Ingratitud, Soberbia* y *Avaricia*. Define a la envidia: «vientre de los pecados, origen de todos ellos», recreándose en estudiar todos sus aspectos con minucia de psicólogo. En la *Ingratitud* trata del mismo asunto desarrollado en la *Política de Dios,* sobre el buen gobierno de los reyes, no perdiendo oportunidad de atacar a sus enemigos, pues, como se sabe, escribió la

---

[1]) Más tarde, en 1640, el P. Nieremberg publicará en Madrid: *Vida del venerable y apostólico varón Marcelo Francisco Mastrili,* con influencias de ambos.

[2]) Según Fernández-Guerra; pero la dedicatoria publicada por Astrana Marín es de 1634.

[3]) Este es el título de la edición de Roberto Duport, de Zaragoza, 1561. Las *Cuatro fantasmas* es un tratado escrito antes que la *Virtud militante,* según el MS., publicado por el señor Astrana Marín (*Obras,* pág. 1121 y siguientes), de la Biblioteca Menéndez y Pelayo.

tesis estando preso en su Torre de Juan Abad. «Muchos grandes ministros — dice — he visto yo en mis días condenados por los que pusieron en puestos y por las mismas cosas que los aconsejaron que hiciesen para tener que acusarlos por haberlos hecho.» Llama a la *Soberbia* «la tercera peste del mundo», declarando sus descendencias y cómo solapadamente se infiltra en la conciencia de los humanos, desde los «fundadores de los primeros herejes» a los encopetados inútiles. A la *Avaricia* la denomina «servidumbre de los ídolos». Uno de los pasajes más conseguidos es el retrato que hace del avaro, con tono realista y duro. El tema de la *Soberbia* lo va a buscar en el libro de Séneca *De la Ira,* y en todas sus páginas hállanse argumentos y autoridades de San Agustín, de San Pedro Crisólogo y de San Juan Crisóstomo. Contiene pasajes antológicos y hay mucho en esta obra de alusiones personales y de despecho más o menos encubierto.

La segunda parte titúlala *Las cuatro fantasmas de la Vida,* que son: *Muerte, Pobreza, Desprecio y Enfermedad* [1]).

En la Biblioteca Menéndez y Pelayo hay un Códice titulado: *Carta en razón de la miseria humana: declara como es loable el temor de la muerte, y como puede ser necio, y reprehensible, y quales consideraciones dispondran a esperar la muerte con valen-*

[1]) Van en forma de cuatro cartas. La primera dedicada a don Manuel Serrano del Castillo, fechada en 16 de agosto de 1635; la segunda, a don Alvaro de Monsalve, canónigo de la iglesia de Toledo, datada en Madrid, a 4 de septiembre del mismo año; la tercera, al doctor don Manuel Sarmiento de Mendoza, canónigo de la Magistral de Sevilla, también en Madrid, 2 de septiembre, y la cuarta, a don Octavio Branchiforte, obispo de Chephalu, en el reino de Sicilia, sin fecha.

tía Christiana. Escribiola Don Francisco de Quevedo Villegas cauallero del Abito de San Jacobo Señor de la Villa de Juan Abad. Al Doctor Don Manuel Serrano del Castillo, que algunos editores han añadido a la *Virtud Militante* (2.ª parte, Primer Tratado), en realidad no desacertadamente, pues en el fondo y en el estilo son parecidos.

La primera «fantasma» no es más que una continuada nota marginal a su valiente obra estoica. Sólo un dolor grande, un desengaño acerbo, una templanza incólume y un espíritu intensamente filosófico y cristiano pueden escribir páginas tan profundas y escalofriantes. Repite hasta la saciedad el tema ya tratado en otras obras: «Ninguno puede vivir sin morir porque todos vivimos muriendo.» El propio Quevedo se retrata en estas líneas: se siente viejo, tullido, enfermo, laso, vencido y abandonado, sin amigos que le consuelen. La soledad más profunda le oprime y desazona. «¿Cómo aborreceré la muerte — dice con Séneca —, que me libra de lo que aborrezco y me hace aborrecible?»

La parte que titula *Enfermedad* tiene un gran interés anecdótico y costumbrista por encerrar, admirablemente descritas, no pocas ideas sobre la salud, la Medicina y los médicos y curiosos rasgos biográficos. La dedicatoria a la Reina (a la que llama «emperatriz de América») es una bella muestra del estilo quevedesco, rimbombante y recargado de lucíferos adjetivos, de factura artificiosa en ocasiones; otras llena de comparaciones desconcertantes y de dificultosa intelección; elevada y aun sublime cuando se deja llevar de su entusiasmo por la obra de Dios. Recién publicada en

Madrid — 1634 — alcanzó rápida y extraordinaria difusión.

La constancia y paciencia del Santo Job en sus pérdidas, enfermedades y persecuciones, es obra póstuma, escrita en 1631 y retocada diez años después en la cárcel de San Marcos. Llevaba por título *Thematites, redivivus in Job,* que trocó por el otro a causa de la sangrienta burla que le infirió Jáuregui en su comedia *El Retraído.* Quevedo sigue el método empleado en otros trabajos (que también utilizó fray Luis de León), resumiendo el argumento y comentándole, después de una nota bibliográfica, estudiando el estilo y llamándole «un poema dramático» [1]), una gravísima tragedia «en que hablan personas dignas della, todos reyes y príncipes; el lenguaje y locución digna de coturno; magnífica y decorosamente grande. Persuádome fué la idea en que estudió el arte Aristóteles viéndola; y primero, de los fenicios, los antiguos trágicos como Sófocles». Desde luego, la idea no es suya. Ya se había visto en ella una contextura dramática en los tres diálogos (actos) entre Job y sus amigos.

Busca en esta forma de elocución el sentido espiritual del autor. Sigue a Santo Tomás en cuanto juzga que el patriarca quiere explanar en su obra el milagro de la Providencia [2]).

Demuestra en este tratado una erudición verdaderamente digna de un sabio universal, sobre todo en el *Discurso previo, teológico, ético y político,* en que analiza documentalmente la existencia del santo varón,

[1]) «Gramático», dice erróneamente la edición de Fernández-Guerra, vol. II, pág. 216.
[2]) SANTO TOMÁS. — *Expositio in Job.*

cuya figura traza con rasgos geniales. Simpatía irresistible, consolación, gratitud por los inmensos beneficios que le reporta el ejemplo de su vida y de su muerte ; pleito homenaje a sus virtudes ; admiración por su fe inquebrantable, son los sentimientos que florecen en este huerto amenísimo, cultivado con tanto cariño por el poeta. En ocasiones se aleja del tema, al hacer, por ejemplo, una ardorosa defensa de Lucano contra las imputaciones de Julio Escalígero en su *Poética* y al inferir en el texto otras incisiones ajenas al asunto que trata ; pero si la obra pierde en unidad, en modo alguno pierde en belleza. Quevedo no puede mantenerse mucho tiempo en un mismo plano, debido a la prodigiosa inquietud de su genio creador.

La prosa es tersa, brillante, y la técnica ya es sabida : el texto original y luego el comentario (Consideración).

La atrayente personalidad del santo bíblico le cautiva y, como de Séneca, hace continuas referencias en sus tratados ascéticos, llegando a afirmar al comentar las excelencias de la Divina Providencia : «El Santo Job, como catedrático que me preside en estas conclusiones...» [1]).

Consideraciones sobre el Testamento Nuevo y Vida de Cristo. — Es una exégesis del tema de la *Política de Dios,* que aparece a menudo en sus obras. Su filosofía, su arte de la vida, el camino de toda conducta honrosa dedicada a la consecución de un ideal. Son sinónimos : regulación, enderezamiento, corrección, guía, cuando se está al servicio de la Patria con funciones de ins-

[1]) *Providencia de Dios.*

tructor. Trata de las propiedades «de los rectos jueces y su gobierno» y pretende el de los pueblos y de los príncipes con la ley de la Sabiduría bíblica. Es su tema central, su norma, su aspiración más firme. Quevedo no puede menos de abrir en este opúsculo la válvula de su resentimiento — cosa corriente en él es insertar a lo largo de sus escritos, a guisa de desahogo, sentimientos enconados que le acucian —, y ataca con acopio de adjetivos desdeñosos a un traidor, a un judas [1]. La obra es amorfa, con falta de plan y de unidad, escrita al desgaire, como notas puestas al margen de sus lecturas piadosas y de sus propios sentimientos. La puerilidad de su carácter le traiciona a menudo. Cuando le muerden los canes de la ira y se le achicharra la sangre, ¿qué le importa proclamar su enfado, lanzar su vozarrón extemporáneo y tener salidas de pie de banco?

Sobre las palabras que dijo Cristo a su Santísima Madre en las Bodas de Caná de Galilea. — Es parecido al trabajo anterior. Trata de interpretar el sentido de estas palabras evangélicas: «Vinum non habent. Et dicit ei Jesus: Quis mihi et tibi est, mulier?». Presenta el aspecto de un sermón y tiene más autoridades que el escrito antecedente. Su interés es exiguo.

La *Homilía a la Santísima Trinidad* es un inspirado comentario al último versículo del Evangelio de San Mateo: «En el nombre del Padre, y del Hijo y del Espíritu Santo.» Se cotejan sus inmediatas lecturas, entre las que sobresale Ruperto: *De glorificatione Trinitatis.*

[1] ASTRANA MARÍN (*Obras.* pág. 1049) supone fué el juez Garci Pérez, que atacó sin piedad al duque de Osuna.

Declamación de Jesucristo Hijo de Dios a su eterno Padre en el Huerto a quien consuela, enviado por el eterno Padre, un Angel. — Como los anteriores escritos, demuestra la influencia evangélica, defendiendo a la Iglesia de sus enemigos más destacados, Lutero entre ellos («veneno destos tiempos y peste nacida en Sajonia»), y sus secuaces, los «antimarianistas», que profanan aquellas palabras de Cristo: *Si possibile est, transeat a me calix iste.* La ortodoxia es el fulminante de su carácter explosivo; al menos, tiene interés en demostrar su indignación, en muchas ocasiones insincera, jactanciosa, afectada. Esas bravatas eran de buen tono y aseguraban lectores tontainas; pero en el fondo de toda esa palabrería suele aparecer la ironía y el sarcasmo. Quevedo es un escritor cuco y desconcertante.

Hay una invocación al Eterno Padre, de gran belleza lírica. Tertuliano y San Agustín le guían en este camino de glorificación de las verdades eternas.

Lo que pretendió el Espíritu Santo con el Libro de la Sabiduría y el método con que lo consigue. — Cortísimo escrito destinado a interpretar, valido de egregias autoridades, en qué consiste la verdadera sabiduría, cuáles son sus efectos, cómo y con quiénes los obra, dónde se ha de buscar y a quién ha de pedirse. Va dedicado a un obispo innominado y es una especie de carta, o de prólogo, mejor, que debió componer para la redacción de una obra que no floreció, o se perdió, concluyendo que «la verdadera sabiduría es amar la justicia, sentir de Dios la bondad y buscarla en la simplicidad del corazón».

La primera y más disimulada persecución de los judíos contra Cristo Jesús y contra la Iglesia, en favor de la Sinagoga. — Publicóla a nombre del Maestro Toribio de Armuelles, natural de la villa de Naval Piloña y beneficiado en San Juan del Hoyo. Astrana Marín ha dado el texto muy mejorado.

Es una fulminante diatriba contra los israelitas. Quevedo se produce siempre con rabiosa intransigencia al tratar ese asunto y se declara enemigo de judíos, judaizantes y judihuelos. Echa mano de los escritos de la Biblia que rebaten a los israelitas, lo que supone un minucioso cotejo de citas, en particular de los Evangelistas. No he podido comprobar, como supone Fernández-Guerra, las alusiones a algún enemigo personal de don Francisco. El ataque es genérico, completo y sin reservas.

Escribió Quevedo obras de menor predicamento. Hay otras que se le atribuyen infundadamente y otras que son apócrifas, de discutible valor y, desde luego, inferiores a las consignadas en estas páginas.

OBRAS FILOSÓFICAS

En el capítulo correspondiente a Séneca y Quevedo he puesto de relieve la gran influencia que tiene nuestro escritor del filósofo hispanorromano. Fuera de ésta, específicamente, la cultura filosófica de Quevedo es de carácter enciclopédico, encaminada siempre a demostrar la veracidad de las doctrinas cristianas. Quevedo es, ante todo y sobre todo, un estoico que se ha formado en las lecturas senequistas.

No tenía don Francisco una aptitud sobresaliente para la especulación filosófica. Es un latino, amigo de la superficie, como decía Ortega Gasset, y no de la hondura, característica de los septentrionales. Abarca mucho, pero constriñe poco, porque más que filósofo es publicista, intelectual y aun humanista. Se caracteriza por su aguda exposición, por el imperio de la fantasía y del ingenio sobre la idea, por la poca secuencia en la meditación, ya que no tiene el hábito de diseccionar los problemas ni de profundizar sistemáticamente, no permitiéndoselo sus estudios, ni su vida, ni su carácter, ni su propia raza. Por ello en donde mejor se produce es en estos medallones del pensamiento que él llama impropiamente *Sentencias*.

Traduce maravillosamente el libro de Lucio Anneo Séneca *De los remedios de cualquier fortuna,* con adiciones y comentarios. La dedicatoria al duque de Medinaceli está fechada en Madrid a 20 de marzo de 1638 [1]), pero parece que la obra fué terminada y quizá retocada en 12 de agosto de 1633 en Villanueva de los Infantes, teniendo a mano libros de su propiedad procedentes de su nutrida biblioteca de la Torre de Juan Abad. Hay una segunda dedicatoria «al más desdichado hombre» al que advierte: «Si crees a Séneca por docto, y a mí por desdichado, la lástima que los muy afortunados te tuvieren, en lugar de agradecérsela, se la tendrás; y enseñaráslos en quien han de gastar la compasión.» Su afección por el hispanorromano le lleva a impugnar la opinión de otro maestro suyo, el docto Justo Lipsio, que afirmaba que este tratado no es de

[1]) En Fernández-Guerra. En Astrana Marín, 20 de mayo.

Séneca. Dice Quevedo que ha estudiado el estilo, caracterizado, como después hizo Petrarca [1]), por repetir muchas veces una palabra «y consolarla, y declararla repetidamente de muchas maneras».

Su devoción por Séneca raya en alucinación. Sigue paso a paso las principales desdichas que consuela el gran estoico cordobés. Morirás. Serás degollado. Morirás lejos. Morirás mozo. Carecerás de sepultura. Estoy enfermo. Mal juzgan de ti los hombres. Serás desterrado. Padezco dolor. Aflígeme la pobreza. No soy poderoso. Perdí el dinero. Perdí los ojos. Perdí los hijos. Caí en manos de ladrones. Perdí el amigo... Juega con el vocablo, que es como una nota sostenida en el luminoso pentagrama del concepto.

Hay momentos en que el comentario supera al original. Morirás, morirás, morirás, dice Quevedo. Este es su tema, su gran preocupación, a pesar de que afirma que no hay que temer a la muerte. Y tiene pensamientos conspicuos, como: «Peor enfermedad es en la caridad cansarse de servir al enfermo, que estar enfermo.» «La pobreza no molesta sino al que no sabe con ella ser rico; la naturaleza es hacienda de todos» (este pensamiento es pitagórico y más tarde será russoniano). «Quien no puede lo que no debe querer, ése es poderoso; quien puede lo que no debe querer, es desapoderado.» «Perder lo que uno ha de dejar, es preocupación, y no pérdida.» «Perdí los ojos: cerré las puertas a la entrada de todos los vicios.» «Perdí el amigo: si por tu culpa, arrojástele, no le perdiste; si

[1]) Es sabido que Petrarca, que era un insigne humanista y había leído a Séneca, escribió un libro: *Remedios contra próspera y adversa fortuna.*

por la suya, no perdiste amigo.» Son temas que seducen y estimulan la imaginación y son otros tantos hitos que pone en su conciencia, con los cuales encuadra su filosofía pesimista. Es obvio advertir que el estilo y el fondo de Quevedo en este libro son puramente senequistas.

Tradujo y comentó en 1639 las *Epístolas* de Séneca (5, 10, 31, 41, 43, 44, 45, 105, 110 y 116; las restantes se han perdido), siguiendo los métodos de la *Providencia de Dios* y del *Marco Bruto*; y a su imitación escribió otras cuatro originales que nada tienen que envidiar a aquéllas. Muestran la trágica amargura del desencanto, el grave peso de una fatigosa existencia en San Marcos, la resignación cristiana del sabio a quien no venció la vida, ni sus enemigos, pero a quien vence la Muerte. ¡Cuán hermosas y aleccionadoras son estas dolientes palabras!: «Es verdad que aquí estamos solos el preso y la cárcel... Esta asistencia es de academia, no de yermo; nunca, sino ahora, fué todo mío y para mí. Mayor y más preciosa parte rescata en mí la prisión, que encarcela, cuanto vale más el tiempo que el divertimiento. Tiénenme cerrado en una cuadra; mas a pesar de las vueltas de la llave, estoy libre; detiénenme un cuerpo a quien pasó antes la vejez que las guardas.»

En estas cartas se encuentran ideas sobre la constitución del mundo y de la sociedad. El mundo no es peor que antes ni mejor, porque los hombres siempre son lo mismo. La ambición, la riqueza, el orgullo, las aspiraciones más vehementes, todo se acaba con la muerte. Es la temática del Eclesiastés, expresada por modo maravilloso por el eterno Jorge Manrique. Más que desprecio siente Quevedo conmiseración a la ignorancia del hombre. España es pobre, los hombres son esclavos de los grandes. En cambio, demuestra un odio implacable hacia aquellos que, pudiéndolo, no remedian o mitigan tan prolijos males.

Dice en la *Epístola* XXXIX: «¡Oh mi Lucilio! El negocio principal del hombre es vivir, y acabar de vivir de manera que la buena vida que tuvo y la buena memoria que deja, le sean urna y epitafio. El acierto está en desnudarse bien deste cuerpo, no en cubrirle con la fanfarria de los jaspes ni la soberbia de las pirámides.»

En 1633 vuelve a tratar el tema que le obsesiona porque le conoce *ab initio* levantando con ello enconadas protestas entre las filas de sus pertinaces rivales. ¿Qué le importa a don Francisco que le motejen de soberbio y que le burlen con el dictado de *Epicure de grege porcus*? La envidia es de los pequeños, y su orgullo y su vanidad son inmensos. Dedica su *Nombre, origen, intento y decencia* [1]) *de lu doctrina estoica* al inspirado poeta sevillano Rodrigo Caro. Trata de la génesis de los estoicos, de la anagogía despertada por esta escuela, de sus discípulos, y afirma que es la «seta» que miró con mejor vista a la virtud, «y por esto mereció ser llamada seria, varonil y robusta». Varonil y robusta es también su exposición, y en ocasiones el apologista se deja arrastrar por el entusiasmo en frases que brillan y aun deslumbran. Dice que el estoicismo podría blasonar de parentesco con la valen-

[1]) En algunas ediciones se dice erróneamente: «descendencia». El verdadero título es: *Nombre, origen, intento, recomendación y decencia de la doctrina estoica. Defiéndese Epicuro de las calumnias vulgares.*

tía cristiana «si no pecara en lo demasiado de la insensibilidad en que Santo Tomás la reprehende». En el fondo es la misma explicación que Séneca da a su discípulo Lucilio. En la *Defensa de Epicuro* la exposición es más minuciosa, más atildada. Quiere convencer a antagonistas inteligentes y peligrosos. Severos juicios, despasión, alteza de miras, fuerza dialéctica, testimonios ilustres. El camino es rectilíneo ; el fin, óptimo :   Felicidad = Deleite = Virtud = Dios.   Contiene pensamientos propios que son ecos del sabio que defiende, aunque ya advirtió el filósofo hispanorromano que muchas de las máximas no son de Epicteto, ni de Séneca, precisamente, sino que fluctúan en la conciencia de todos los estoicos. Ataca lo que él llama «escándalo desta seta», o sea que le es decente y aun permitido al sabio darse la muerte.

La obra supone una extraordinaria preparación, un gigantesco trabajo de bibliografía, muy dificultoso en aquellos tiempos, citando a 57 autores diferentes [1]) y aduciendo en su ardorosa apología autoridades clásicas y contemporáneas : Virgilio — dice — fué estoico, y lo fueron otros genios de la Antigüedad. Se complace en consignar el testimonio de San Jerónimo al afirmar que los estoicos concuerdan con la doctrina cristiana, y que Justo Lipsio cita como estoico a San Carlos Bo-

[1]) Agelio, Aristipo, Aristóteles, Arnaudo, Ateneo, Juan Bernarcio, Boecio, Rodrigo Caro, Cicerón, Clemente Alejandrino, Pedro Comestor, David, Demócrito, Demóstenes, Diógenes Laercio, Eliano, Juan del Encina, Epicteto, Epicuro, José Escalígero, Estrabón, Filón, Flavio Dextro, Oberto Gifanio, Gonzalo Correas, Homero, Juvenal, Lactancio, Lucrecio, Libro de Job, Justo Lipsio, Marcial, Montaigne, P. Augustino, Petronio, Pitágoras, Platón, Plinio, Plutarco, Quintiliano, San Ambrosio, San Agustín, San Francisco de Sales, San Jerónimo, Sánchez de las Brozas, Santo Tomás, Sexto Empírico, Séneca, Sócrates, Sófocles, Suidas, Tácito, Tertuliano, Tito Livio, Varrón, Virgilio y Zenón.

rromeo. Añade Quevedo a la lista los nombres ilustres de San Francisco de Sales y del doctor Francisco Sánchez de las Brozas.

Anuncia en esta obra la redacción de un libro titulado *Historia teologética-política de la divina providencia,* del cual no poseemos hasta la fecha alguna otra referencia.

Lo mejor de su labor filosófica son las *Sentencias,* verdadera revelación de su genio, desconocida hasta ahora. Publicólas el señor Astrana Marín [1]) teniendo a la vista dos manuscritos: una copia del códice que perteneció a don José Sancho Rayón y otra procedente de los antiguos papeles de don Juan de Childunza. Son 1224, y suponen un caudal ingente de observación. Más que sentencias, como he dicho, son impresiones acerca de la vida, adagios llenos de agudeza y comentarios de lecturas copiosas. Esa labor era simpática a Quevedo, como lo es para todo aquel que no tiene reiterada preparación filosófica y no sabe abstraerse ni ahondar persistentemente en un mismo tema hasta sus vísceras más íntimas. Es también un trabajo más asequible al lector medio; que lectores medios lo son la inmensa mayoría de los humanos de todos los tiempos. Quevedo apunta cuidadosamente sus propias experiencias, las reacciones de su alma, los sentimientos que salen a flote al considerar el cambiante paisaje del mundo en que se desenvuelve. No crea, sino que muchas veces se hace receptáculo de ideas ajenas, vistiéndolas con nuevos y brillantes ropajes. Es un ciudadano de la república de las letras que escribe al

[1]) Astrana Marín. — *Obras,* pág. 920 y siguientes.

estilo de los adagios y apotegmas erasmistas, con influencias de Epicteto, con ideas platónicas y aristotélicas, de los escoliastas medievales y sobre todo del pensamiento renacentista italiano.

Sus facetas son múltiples: encontramos en ellas ingeniosas advertencias, severas admoniciones, reglas de conducta, lecciones de filosofía moral y ejemplos históricos y literarios. Pero sobre todo triunfan las ideas encaminadas al buen gobierno de los estados; y son tan abundantes, que parece que en este florilegio del pensamiento se halla inmerso un libro de política en ciernes al estilo de los numerosos tratados aparecidos en su época, pues toda la parte media de las *Sentencias* es un rosario de pensamientos normativos, de consejos a príncipes, a privados y a ministros; hacia el número 1.000 torna a recobrar su primitiva forma miscelánea.

En cuanto al aspecto literario, encuentro en el libro rasgos de gran belleza. El número 46, por ejemplo, contiene un inspirado canto a la gloria del Amor, de factura claramente neoplatónica — más aún, de León Hebreo: en ocasiones parece traducir felices párrafos del *Dialoghi d'Amore*. El 1.140 es una invocación al Amor llena de epítetos brillantes. Y como reflejo de su propia existencia, de tan encontradas reacciones, en medio de ese paisaje español, entre el páramo y la vegetación lujuriosa y montaraz, un remanso insospechado en el que habita y gime el fervor místico y la severa regla del anacoreta: tal es la candente invocación que dirige el autor a Cristo — una de sus más bellas páginas, por cierto —, de gran elevación mística, que parece un comentario al anónimo y maravilloso *Soneto a Cristo Crucificado* [1]). Reza el celebrado *Soneto*:

> No me mueve, mi Dios, para quererte
> el Cielo que me tienes prometido...

Reza Quevedo:

> No os amo, Señor, porque me prometéis la visión bienaventurada.

Dice el *Soneto*:

> Ni me mueve el Infierno tan temido
> para dejar por eso de ofenderte.

Dice Quevedo:

> Antes iré de mi voluntad al Infierno por Vos. No os amo, mi Dios, por temor del mal.

Y concluye:

> Os amo porque sois todo amable, porque sois el sumo bien y porque sois el camino del amor.

Las *Sentencias* — bien pocas hay que así puedan llamarse — se diluyen en consideraciones filosóficoliterarias, en comentos políticos e impresiones momentáneas. El carácter quebrado y evadido de don Francisco se manifiesta en ellas con claridad meridiana: es como un vergel lleno de capullos que no dan fruto porque el clima no los sazona. Encontramos en estas páginas huellas de lecturas recientes — de Montaigne, en particular —, observaciones muy atinadas y rasgos

---

[1]) *Sentencia 396.*

agudos de la paremiología hispánica; así el refrán «Donde no hay harina...», le sugiere a Quevedo el siguiente pensamiento: «En la casa donde falta el pan todos riñen y todos tienen razón.» [1]

OBRAS DE CRÍTICA

Puede juzgarse a Quevedo bajo dos aspectos distintos: como impetuoso adversario del culteranismo y como crítico. En el primero se deja llevar a menudo de su imaginación, y la pasión suele paliarle la reflexión, atacando a sus enemigos con los dardos agudos de su sátira y levantando volcanes de odio. Como crítico es agudo, ingenioso, sagaz, y — cuando no escribe *La Perinola* — muestra sus juicios equilibrados y serenos y sabe interpretar los pensamientos más recónditos del autor criticado. Es, además, un enjuiciador benévolo y caballeroso con los ingenios inferiores a él.

Con tan fino discernimiento y con el aval de su cultura, estudia numerosos problemas y emite acertadas opiniones sobre los más variados asuntos literarios. Se duele que se hable mal y se escriba peor. La mediocridad debe tener conciencia de sí misma y no pretender gajes demasiado altos, pues se expone a caer con fracaso, arrastrando consigo a los que la ayudaron en su ascensión. El habla ha de ser la diáfana, clara y expresiva morfología de los viejos castellanos, que no recibieron ingerencias exóticas. No obstante esas recomendaciones, que nos recuerdan la exposición del

[1] *Sentencia 199.*

Fénix en su preceptiva dramática, su léxico es fluctuante, en ningún momento uniforme, amenizado con los engendros más atrevidos, con un abundantísimo chorro de epítetos, de aliteraciones y de asonancias.

Esa pasmosa desenvoltura que de continuo muestra es prerrogativa de espíritus señeros cual el suyo. Sólo Quevedo, Lope y Góngora en su siglo pueden mostrarse así, maravillosamente ingenuos, genialmente desconocidos. «De buena gana — escribe Quevedo al Conde-duque [1]) — lloro la satisfacción con que se llaman hoy algunos *cultos,* siendo temerarios y monstruosos; osando decir que hoy se sabe hablar la lengua castellana, cuando no se sabe dónde se habla, y en las conversaciones, aun de los legos, tal algarabía se usa, que parece junta de diferentes naciones, y dicen que la enriquecen los que la confunden.»

No se sabe qué es mejor: si el juicio que emite de la obra criticada o su propia exposición, recia, contundente, llena a la vez de simpático gracejo y de chispeante viveza.

Como adversario del culteranismo tiene tres obras fundamentales: *La culta latiniparla, La aguja de navegar cultos* y *Cuento de Cuentos,* que son, en realidad, una sola obra: por su estilo y por su finalidad.

La primera tiene un largo título, que aparece en la edición de 1628 y que se suele abreviar en las posteriores: *La culta latiniparla. Catecisma de vocablos para instruir a las mujeres cultas y hembrilatinas. Lleva un disparatorio como vocabulario, para interpretar y traducir las damas jerigonzas que parlan el*

[1]) Carta de 21 de julio de 1629.

alcorán macarrónico; con el laberinto de las ocho pala-
bras. Compuesto por Aldobrando Anatema Cantacuza-
no, graduado en tinieblas, docto a escuras, natural de
las Soledades de Abajo. Dirigido a doña Escolástica
Poliantea de Calepino, señora de Trilingüe y Babilo-
nia. Se editó en 1628 con los *Sueños* y se imprimió en
Madrid al año siguiente con la obra *Juguetes de la*
niñez y travesuras del ingenio.

La dedicatoria ya invita a la sonrisa por la chocante acumulación de palabras y de frases buscadas en
la cantera del ingenio más vivo y más cómico de Madrid. Hay otra dedicatoria «al claro, diáfano, chirle,
transparente y meridiano lector de lenguaje tapido, y
a buenas noches», que nos induce a seguir el cauce de
un tema para todos sugestivo. Es una sátira contra el
culteranismo, «un cantil — dice — para andar por las
prosas lúgubres». Presenta a una dama culta que ha
dado en la manía de latinizar. Hay muchas frases propias de los «culteros», amplificadas, desentonadas. En
el «Disparatorio» [que sirvió a Cadalso para su sátira
Los eruditos a la violeta, mucho más que el *Prólogo*
del *Quijote,* como afirma Cossío [1])], asegura «que en
muy poco tiempo, sin maestro, por sí sola, cualquier
mujer se puede espiritar de lenguaje y hacerse enfa-
dosa, como si toda la vida lo hubiera sido, que los
propios diablos no la puedan sufrir, y es probado».
Empiedra de chinas el agudo cantil, escrito con verdadera fruición, demostrando el conocimiento que tiene
de las numerosas obras que se publicaron siguiendo al
dios Góngora. Todo a base de apuntes de los libros

[1]) José María de Cossío. — *Los eruditos a la violeta* (Bol. Menéndez y Pelayo, 1926-VIII, 232).

que va leyendo con atención suma. Tiene felices imágenes. Así : "Si llegare a mandar que por falta de dientes le llenen la boca de chitas forasteras, dirá : «Fu-»lana, empiédrame la habla ; que tengo la voz sin »huesos»." A los chapines llamará «posteridades de corcho, adiciones de alcornoque, tara de la persona, ceros de la estatura».

Descubre a cada punto el regocijo con que lanza estos disparatorios. Amador de los Ríos afirma [1]) que «es una especie de libelo, donde con no poca sal y abundante hiel se motejaba y escarnecía el estilo culterano, resaltando en cambio el conceptismo y el equivoquismo que se había apoderado ya de los escritos de Quevedo». Pero yo creo que el escritor no se propuso zaherir directamente al culteranismo, sino que, por el contrario, buscó en él un tema grato a su pluma y sumamente eficaz para excitar la hilaridad de su inmenso público.

Se notan en este escrito evidentes influencias de Cervantes, particularmente el capítulo titulado *Lampión,* que recuerda el prólogo de la primera parte del *Quijote.*

La segunda obra anticulterana se titula *Cuento de Cuentos, donde se leen juntas las vulgaridades rústicas, que aun duran en nuestra habla, barridas de la conversación por don Francisco de Quevedo Villegas, Caballero de la Orden de Santiago, Señor de la Villa de la Torre de Juan Abad.* Está firmada en Monzón, a 17 de marzo de 1626 y dirigida al gran amigo de don Francisco, don Alonso Messía de Leiva. La Cen-

[1]) Obra y lugar citados.

sura de este libro, redactada en 10 de agosto de 1630 por fray Juan Ponce de León, le fué adversa: fué un despiadado y rencoroso ataque, apelando al testimonio de numerosos autores para considerarla «escandalosa», llegando a afirmar que «coincide evidentemente con las herejías de Juan Huss y Juan Wichephi [1]) y Dulcino Navariense» y afirmando que está escrita «contra la decencia de las prelacías eclesiásticas». La Inquisición recogió la obra, y lo que más sintió Quevedo, fué que ese enemigo le tachara de hereje.

El *Cuento de Cuentos* es de carácter combativo, enérgico, duro, tenso, escrito con entusiasmo a las veces impreciso y por ende mal hilvanado; es de corta extensión porque don Francisco consideró justamente el color y la calidad de la filigrana. Sabía además que el lector español amaba la novedad, adoraba lo tenue, lo parvo, lo sutil y no gustaba dilatarse en disquisiciones profundas sin mostrar un repentino cansancio. Los catadores son hijos de la experiencia. La falta o endeblez del gusto en el niño se suple con el apetito, y por ello dijo nuestro Cervantes que la hambre es la mejor salsa del mundo. El español es de temperamento frugal; y cuando abusa, se atasca, se embota: dígalo, ya que hemos hablado de Cervantes, la gran creación universal: el Hidalgo manchego.

El libro en cuestión es una crítica contra los que emplean los solecismos y barbarismos que tanto gastaban los gongoristas, como por ejemplo: «de pe a pa», «erre a erre», «bailar el agua delante», «a moco de candil», «remoquete», «la soga arrastrando», «a tro-

[1] Viclef.

chimoche», etc. Asombra que tan corto espacio se halle tupido de tantas voces, vulgares las más, de idiotismos extraviados que oscurecen a menudo el sentido del *Cuento,* si no se lee con suma atención. Esa jerga del pueblo bajo y del «culto» debía excitar la hilaridad de sus lectores. Hoy sólo es interesante para el filólogo.

Sin embargo, tal ariete palabrero produjo un efecto muy distinto del pretendido por su autor. Como observa un comentarista de su tiempo, don Francisco de P. Seijas, Quevedo creyó condenar al desprecio y relegar al olvido las que consideraba manchas del lenguaje, y acaeció todo lo contrario [1]) pues tomaron autoridad en su boca y muchas de ellas viven «porque las levantó un monumento y tuviéronse por buenas». Fray Luis de Aliaga, que desde 1600 ejercía gran influencia en el ánimo de Felipe III y se preciaba de literato, escribió contra ese libro su *Venganza de la lengua española.* También le ataca el *Tribunal de la Justa Venganza.*

Fué muy imitado en todas las épocas, no sólo en nuestra lengua, sí que también en otras peninsulares [2]).

La *Aguja de navegar cultos* va unida al *Libro de todas las cosas y otras muchas más,* impreso en 1631, en Madrid. En realidad, todo ese escrito cortísimo pue-

[1]) Precisamente Quevedo busca sus palabras y sus giros en la tradición lingüística popular. Nuestro Diccionario le debe no pocas voces que sin su concurso se habrían perdido definitivamente, pues en la actualidad ya no se usan.

[2]) La mejor imitación es la *Rondalla de Rondalles,* escrita en valenciano, por Fra Luis Galiana, que publicó como anónimo el notario Carlos Ros en su *Práctica de Ortographia para los dos idiomas Castellano y Valenciano* (Valencia, 1732).

de decirse que se reduce a una sola poesía, interesante por la serie de términos inauditos, desenterrados o inventados, que sonaban a extrema novedad, muchos de los cuales son en nuestro tiempo de uso común, a fuerza de usarlos los escritores culteranos. El título completo dice así: *Aguja de navegar cultos, con la receta para hacer soledades en un día, y es probada, Con la ropería de viejo de anocheceres y amaneceres, y la platería de las facciones para remendar romances desarropados.* La «receta» es el siguiente soneto con estrambote:

> Quien quisiere ser culto en sólo un día,
> La jeri [aprenderá] gonza siguiente:
> *Fulgores, arrogar, joven, presiente,*
> *Candor, construye, métrica, armonía;*
> *Poco mucho, si no, purpuracía*
> *Neutralidad, conculca, erige, mente,*
> *Pulsa, ostenta, librar, adolescente,*
> *Señas traslada, pira, frustra, harpía.*
> *Cede, impide, cisuras, petulante,*
> *Palestra, liba, mata, argento, alterna,*
> *Si bien, disuelve, émulo, canoro.*
> Use mucho de *líquido* y de *errante,*
> Su poco de *nocturno* y de *caverna,*
> Anden listos *livor, adunco* y *poro;*
> Que ya toda Castilla
> Con sola esta cartilla
> Se abrasa de poetas babilones,
> Escribiendo sonetos confusiones;
> Y en la Mancha pastores y gañanes,
> Atestadas de ajos las barrigas,
> Hacen ya culteradas como migas [1]).

---

[1]) En otras partes en vez de *culteradas, cultedades* y *Soledades.* Astrana Marín (*Obras*, pág. 785, nota) dice que primitivamente esta «Receta» anduvo suelta como «madrigal satírico» y que algunos versos aluden a la poesía de Góngora titulada *Al favor que San Ildefonso recibió de Nuestra Señora*, escrita en 1616.

Sus aficiones filológicas se muestran en *España defendida y los tiempos de ahora* (1609) [1]), historiando la lengua castellana con gran erudición y a base de prolijas lecturas, entre las que sobresalen los filólogos Aldrete y el doctor Rosal, y la *Confesión de los moriscos,* interesante para la historia de la cultura española, exponiendo en breves líneas los solecismos y barbarismos que se cometían a la sazón. Demuestra un conocimiento relativo de las costumbres moriscas, de la aljamia y de la lengua arábiga. No hace sino consignar y transcribir lo que oye, como atento observador que es; pero esa labor de recopilación es altamente llena de interés. Lástima que el trabajo alcanzara dimensiones tan exiguas.

Airado don Francisco contra Montalbán, librero de Madrid, que se había atrevido a editar sin su permiso la novela *El Buscón,* arremete furiosamente contra él y contra su hijo Pérez de Montalbán, ingenio madrileño y mortal enemigo suyo. Ese discípulo y biógrafo de Lope de Vega edita en mayo de 1632 la obra miscelánea *Para todos. Ejemplos morales, humanos y divinos, en que se tratan diversas ciencias, materias y facultades, repartidas en los siete días de las semanas* [2]); «obra inofensiva — escribe el señor Amador de los Ríos [3]) — por su objeto, si bien demasiado ambiciosa en pretensiones». Quevedo se descuelga con uno de los más virulentos y despechados varapalos que se han escrito: *La Perinola. Al Doctor Juan Pérez de Montalbán, graduado no se sabe dónde, en lo qué, ni*

[1]) He hablado de este opúsculo con mayor detenimiento.
[2]) Nótese la similitud de este título con la sátira de José Cadalso: *Los eruditos a la violeta.*
[3]) AMADOR DE LOS RÍOS. — Obra citada, pág. XXVI.

se sabe ni él lo sabe (1633). Es un ataque sin rebozo y sin piedad que desmerece al autor. Quevedo tenía muy bien ganada la fama de descocado y lenguaraz; pero aquí la consolida definitivamente. La exposición es dura, maligna, como el fondo. Es una ficción en la que la gente del pueblo critica al autor del *Para todos* con dicterios de este jaez: «Retacillo de Lope de Vega, que de cercenaduras de sus comedias se sustentaba; estudiantillo de encaje de lechuza, hijo de un librero de Alcalá..., que por hacerse copia de Lope de Vega se ordenó...»

Desmenuza paso a paso la obra en cuestión y la analiza del revés y del envés con una minuciosidad quisquillosa, fruto de su animadversión, revelando un carácter infantil y vanidoso. Nótase a las claras la rabieta de don Francisco al verse relegado a segundo término entre varios ingenios contemporáneos que el autor cita. Búscale las faltas, que sin duda las tiene, y considerables, y le ataca diciéndole: «A Don Francisco de Quevedo le usurpa el libro que llama *Polilla de las repúblicas* y la *Historia del año 31*» [1]). Y acaba su diatriba con una poesía que empieza:

SOY POETA DE TIENDA
El licenciado *Libruno*
dicen que por varios modos,
hizo un libro *Para todos*
no siendo *Para ninguno*.

Hay en *La Perinola* ajustados juicios críticos, aun cuando algunos sean emitidos expresamente para ata-

[1]) Son obras imaginarias pues, por burlarse, Quevedo se burla de sí mismo. Opina el señor Astrana Marín (*Obras,* pág. 879, nota) que el segundo título es alusión contra el notario del Santo Oficio que, en complicidad con el jesuita Pineda, trabajaba para que la Inquisición prohibiera sus escritos.

car la no menor vanidad de Pérez de Montalbán. Así alaba al licenciado Andrés de Tamayo, poeta y humanista ; a Juan Bautista de Sosa, «raro y ejemplar ingenio» ; a José Pellicer y Tobar, Salas, Abarca, Moncada, Sandoval y Rojas (que así se llamaba, aunque parezca increíble), poeta y humanista también ; al falso doctor Pollo Crudo, «a quien debe nuestra España los sonetos de treinta y cinco versos sin cola» ; a Tomás Tamayo de Vargas, y a otros varios de mayor o menor prestigio, reales o imaginados.

Tales ofensas encerradas en tan breve opúsculo no podían quedar sin respuesta adecuada. El Padre Niseno se erigió en desfacedor de los múltiples entuertos y escribió la *Censura del libro que compuso Juan Pérez de Montalbán y respuesta a "La Perinola", que escribió don Francisco de Quevedo Villegas.*

Arrecia la tempestad y la sangre española hierve en las venas con un empuje insólito. Un doctor Vera defiende a Quevedo y un amigo de Pérez de Montalbán le ataca en *La luz del desengaño.*

Papeles, papeles. Tinta y nervios. Y el pueblo va de regocijo en regocijo. Tal polvareda se ha levantado, que al fin sale en Valencia, en 1635, el punzante libelo contra Quevedo : *Tribunal de la justa venganza,* en el que menudean los más sangrientos insultos.

Obras de combate, aunque inferiores a la citada, son también una *Respuesta* al Padre Pineda y un ataque fulminante contra Ruíz de Alarcón. La primera, titulada. *Respuesta de Don Francisco de Quevedo al Padre Juan de Pineda, de la Compañía de Jesús,* es una jactanciosa defensa de sus escritos ; no emplea en ella el lenguaje consuetudinario, quizá por respeto a los hábitos de su contrincante, o porque siente gran devoción por la Orden a que aquél pertenece; pero gasta un gran caudal de ironía y de crueles equívocos, ya que se ha sentido íntimamente ofendido por el desdén con que ha tratado a su *Política de Dios* [1]), que él estima perfecta e intangible. Le tacha de envidioso («es el caso que su estómago no ha podido digerir alabanzas que no se gastan en su cholla»), y le abruma con su fuerza dialéctica y su erudición teológica, lo que supone un trabajo fatigoso, un enorme cotejo de datos. Es éste, sin duda, un gran triunfo de Quevedo. El jesuíta agota su ingenio en minucias pueriles.

Hermana menor de *La Perinola* en procacidad y superior a ésta en cultura, es el *Comento contra setenta y tres stancias que Don Juan de Alarcón ha escrito a las fiestas de los conciertos hechos con el príncipe de Gales y la señora infanta María.* Ataca al soberbio ingenio mejicano por la ingerencia en nuestro léxico de palabras forasteras — veintisiete; entre ellas, *hospicio, obsequio, vegetado, anglo, concitó, predice,* muchas de las cuales se han naturalizado definitivamente —, con que rellena sus pomposos escritos. Alarcón tenía el prurito enfermizo de la selección: selección de sangre, selección de amigos, selección de palabras, selección moral... Combátele también por el caudaloso río de metáforas que arrastra consigo el sentido de las cláusulas. Analiza con paciencia de histólogo no pocas locuciones, muchas de ellas asazmente repetidas, y

[1]) Agosto de 1626. — Advierta el lector, y de nuevo insisto sobre ello, que abandono en este estudio el riguroso orden cronológico, que nada nos dice de positivo, estudiando las producciones de Quevedo en orden a su importancia.

acaba inconscientemente por rendir tributo de admiración a su engreído rival.

Como crítico hemos hablado ya de las ediciones de las poesías de Fray Luis de León y de Francisco de la Torre. Cuando enjuicia las obras desapasionadamente, su labor es en extremo meritoria. El 4 de mayo de 1626 escribió la dedicatoria al Conde-duque de su obra ruidosa *Su espada por Santiago solo y único patrón de las Españas con el cauterio de la verdad, y la respuesta del doctor Balboa de Morgovejo del año pasado al doctor Balboa de Morgovejo de este año* [1]). Dice en ella que recibió muchas acusaciones por defender al Apóstol, y se duele que la envidia y el personalismo lleguen a cebarse en las verdades eternas que tesoneramente defiende, afirmando con tristeza: «No debí tener respuesta de otra parte que de Africa.» Ataca al doctor Morgovejo por la inconsistencia de sus opiniones y divide el *Tratado* en seis partes [2]), pronunciándose en contra del compatronato de Santa Teresa. Expone su punto de vista con fuerza persuasiva y con citas llenas de erudición [3]), combatiendo a sus adversarios con habilidad, pues sabe que el tema es sumamente expuesto por la vehemencia de la polémica y la eminente per-

[1]) Publicado por primera vez por Fernández-Guerra (vol. II, pág. 423).
[2]) *Intervención que persigue; confesión de los méritos de Santa Teresa; respuesta al Doctor Morgovejo; combate contra los adversarios; defensa del Patronato y el cauterio de la verdad "para las proporciones, argumentos, causas y otras diligencias que se han escrito e impreso y predicado".*
[3]) Entre los papeles de Quevedo figuran unos apuntamientos de los textos de que se valió. Ellos son: Juan de Sedeño: *Summa de varones ilustres; Historia del rey don Pedro; Milagros de San Isidoro;* Horacio Turselino: *Vida de Claudio Nerón;* Pedro de Valencia: *Sobre los Actos de los Apóstoles,* y Guillermo du Bellay: *Mémoires.*

sonalidad de los adversarios. Pero Quevedo es hombre fuerte, mílite apasionado del Apóstol y de complexión moral infrangible.

OBRAS SATÍRICAS Y FESTIVAS

Las obras satíricas y festivas de Quevedo van encaminadas estrictamente a hacer reír a su numeroso público. Son, en cierto modo, descansaderos de sus labores prolijas y serias, pues se sabe que constantemente trabaja sobre diversos asuntos a la vez.

Yo no creo con Pérez Galdós [1]) «que aquel genio colosal de las burlas descansaba de su gigantesco reír con seriedades sombrías», sino al revés: reía para no llorar. Comprendía que su seriedad nativa y que el fondo pesimista de su alma no encuadraban en la psicología del pueblo español coetáneo, ni en su cultura, y por ello se producía de esta guisa. El eterno filón de la sátira, como dice Angel Ganivet [2]), consiste en rebajar al hombre hasta donde se merece y un poco más. ¿Y cuántos vicios humanos no debía flagelar en aquella sazón el severísimo don Francisco de Quevedo?

Domina el chiste y el retruécano y a veces las páginas se suceden en una serie encadenada de jocoserías y de agudezas más o menos elegantes, que agobian por su excesiva acumulación. Se adunan en él la marrullería aristofanesca de sus comedias de combate, la carcajada olímpica de Demócrito, las chocarrerías lucianescas y terencianas, las sales hispánicas de Mar-

[1]) *Gloria.*
[2]) *Idearium.*

cial y la abundante risotada del opulento Rabelais.
Hay también no poco de nuestro bachiller Alfonso
Martínez de Toledo y de sus contemporáneos. Su estilo es dinámico, flúido, espontáneo y ruidoso, negligente a veces. A los veinte años comenzaron a circular
manuscritas las celebérrimas *Cartas del Caballero de
la Tenaza* [1]), producciones estudiantiles que obtuvieron
no pocos imitadores e hicieron de Quevedo el héroe
fantástico de mil anécdotas y el comodín de gentes amigas de chanzas, desocupadas y banales. Claro está que
las innumerables copias desfiguraron el original de tal
modo, que llegó a ser desconocido de su propio autor,
el cual decidióse a darlas a la imprenta en el año 1627
con el título de *Cartas del Caballero de la Tenaza,
donde se hallan muchos y muy saludables consejos para
guardar la mosca y gastar la prosa* [2]). Es una colección de veinticinco cartas destinadas a ridiculizar a las
damas pedigüeñas. El chiste es feliz, oportuno, grosero en ocasiones; el giro de la frase, insospechado;
el vocabulario riquísimo como ninguno. Asombran los
punzantes epítetos, como aguijones que duelen por largo
tiempo, las truculencias de su ironía, las bruscas tran-

[1]) No es ésta la primera producción en prosa de Quevedo, como
se verá; pero la antepongo a las demás por ser la que alcanzó más
lisonjeros aplausos.
[2]) Ticknor (obra citada, vol. II, pág. 414, nota) dice que se
imprimieron por primera vez en 1635. Pero esto es un error. La primera impresión que se conoce es de 1621. En 1625 se reeditaron en
Cádiz, junto con *El Perro y la calentura*, de Pedro de Espinosa.
En 1627 salió nueva impresión en Barcelona, con los *Sueños*. Ticknor
dice también que hay una excelente traducción en el tomo I del
Almacén de Bertuch, literato muy laborioso, amigo de Musäus, de
Wieland y de Goethe, cuyas traducciones y trabajos desde 1769 a 1780
contribuyeron mucho a propagar el gusto y afición por la literatura
española, preparando el advenimiento del Romanticismo germánico.
Toda la obra de Quevedo fué muy leída en Alemania.

siciones estilísticas al compás de su humor cambiante, los briosos estallidos de su fantasía. Tanto fué el éxito que alcanzaron, que muchos de sus chistes pasaron al teatro. Fueron imitadas por Jacinto Polo de Medina, por Quiñones de Benavente, por Hoz y Mota y se tradujeron al latín, al italiano, al francés, al inglés y al alemán. El *Caballero de la Tenaza* deviene un lugar común en la conversación del siglo XVII, un equívoco gracioso y prodigado por todas las clases sociales, que deben cerrar sus fláccidas bolsas a las abrumadoras exigencias de las damas pedigüeñas, sobre todo a las de una señora apremiante que tiene por nombre La Corte. El ingenio vivaz y zumbón de los madrileños levanta un monumento imperecedero al insigne pintor costumbrista.

Quevedo compuso sobre este tema un entremés titulado *Entremés del Caballero de la Tenaza,* apurando sus resortes comicistas y prodigándolos en su poesía festiva. Son en realidad cartas del *Caballero de la Tenaza,* la letrilla que empieza:

> Vuela, pensamiento, y diles
> a los ojos que más quiero,
> que hay dinero...;

el romance:

> Dos dedos estoy de darte,
> Aguedilla, el rico terno;
> mas no le quieren soltar
> aquellos mismos dos dedos...;

éste que empieza:

> Si me llamaron la chica,
> estuvo muy bien llamado;
> quien pone nombres, no quita:
> el poner nunca fué malo.
> ... ...
> Vivo en la Puerta Cerrada
> para los dineros trasgos;
> y para los dadivosos
> vivo en la calle de Francos;

o el siguiente, que tiene valor autobiográfico:

> Yo el menor padre de todos
> los que hicieron ese niño
> que concebisteis a escote
> entre más de veinte y cinco...

Es también una carta del agudísimo y tacañísimo Caballero el romance:

> Diéronme ayer la minuta,
> señora doña Teresa;
> de las cosas que me manda
> traer, para cuando vuelva.

Genealogía de los Modorros. — Es obra de la primera juventud y parece que existió un diálogo en verso con este mismo título, hoy desaparecido. Lo publicó como anónimo A. Paz y Melia en 1890 [1]) con muchas incorrecciones. La palabra «modorro» quiere decir, según el autor, las personas — necios — que saben poco. Se habla allí del «tiempo bastardo perdido», de la «juventud moza que fué casada con el Pecado». Es, en cierto modo, un antecedente del *Desposorio entre el*

---

[1]) A. PAZ Y MELIA. — *Sales españolas.* Madrid, 1890, págs. 341-43.

Casar y la Juventud, en lo que atañe a su particular forma de exposición. Se notan influencias medievales y hay una parodia del romance carolingio:

> Sus arreos son tocarse,
> su descanso ataviarse.

Astrana Marín dice [1]) que se inspiró en la *Xenealogía de la Necedad,* que sirvió también a Juan Pérez de Moya para el capítulo XLII de su *Philosophia secreta* (Madrid, 1585).

Invectivas contra los necios. Desposorio entre el Casar y la Juventud. — Está fechada en la «aldea del Buen Gusto», a primero de mayo de 1624, y se firma Francisco Gómez de Quevedo, en recuerdo del apellido paterno. Es una sátira ingeniosísima en la que aparecen la *Juventud* y el *Casar,* con sus dos hijos: el *Contento* y el *Arrepentir.* El tema del casamiento apúralo Quevedo hasta agotarlo. Es la suya una inquina enfermiza, como resorte cómico de gran prestigio entre el vulgo. Pero en realidad ese tema — como el del cornudo, el del sastre, el del alguacil — se vulgariza y enfada debido al exceso con que lo prodiga en toda su obra.

De su primera juventud es también la obra festiva — escrita a los 18 años —, *Origen y definiciones de la necedad,* que anuncia al Quevedo genial de sus producciones más profundas. Demuestra una disposición innata, jamás vista en un estudiante, y un espíritu sagaz y observador. La obra presenta un desenfado, una tersura poco comunes y una riqueza de léxico hasta

[1]) Astrana Marín. — *Ideario,* pág. 27.

ahora inigualada. Habla de la «necedad a perfil», de la «necedad a prueba de mosquete», de la «necedad azafranada», de la «necedad con capirote», del «necio de pendón y caldera»; y a pesar de repetir unas setenta veces esta palabra, en un escrito tan corto, sabe aliñarla con una prosa tan tupida de imágenes y de rasgos de ingenio, que rompe el forzoso sonsonete de una manera magistral.

Capitulaciones de la vida de la Corte y oficios entretenidos en ella. — Impresa en 1845, fué escrita en la adolescencia del autor (1599), quizá al propio tiempo que las *Cartas del Caballero de la Tenaza.* Dice que habla de la vida cortesana por su mucha experiencia, y así lo demuestra en este opúsculo dividido en diez capítulos [1]). Es una pintura realista de la abigarrada sociedad madrileña, que advera una meticulosa preocupación. Habla de las «figuras artificiales» que pululan en la Corte y tiene palabras de alabanza para su amigo Lope de Vega y para el que ha de ser su enemigo, Góngora. Retrata con singular gracejo las «figuras lindas», los petimetres, los mentirosos, los gariteros, los entretenidos y otros personajes de poco más o menos que figurarán en el cortejo de los *Sueños,* de que esta obra es un antecedente.

Hay en ella una carta que bien podría ir signada por Andrés Niporesas, y que nos demuestra la influencia que ejerció Quevedo en Larra: «Amigo: Mucho me pesa de que vuestra prudencia me tenga inclinación, no pudiéndola desempeñar con serviros; mas ya que vivís en la corte, porque en ningún tiempo podáis

[1]) En catorce, en otras ediciones.

formar de mí queja que no os doy aviso de la corrupción de su trato, me ha parecido escribiros lo que dél he alcanzado...»

Las *Capitulaciones* son un documentado manifiesto del ambiente mezquino de los madrileños y contienen gran caudal de detalles para el estudio de las costumbres del siglo XVII.

Capitulaciones matrimoniales. — Si me fuera permitido diría que es una parodia de la *Perfecta Casada*. Expone una serie de condiciones peregrinas que requiere de la futura esposa. La esposa ideal no ha de tener consigo padre, madre, hermano ni parientes, «pues su intento no es casarse con ellos, sino sólo con la novia». Exige que ésta «no sea tan fea que espante, ni tan hermosa que acerque, ni tan flaca que mortifique, ni tan gorda que empalague». El eterno femenino le es tan conocido que puede tocar todos los resortes del corazón enemigo y sacar conclusiones a cuál más ingeniosa. El recalcitrante solterón viene a decirnos que el ideal sería fabricarse cada cual una esposa, dechado de perfecciones y a gusto del consumidor ; pero aun así temería equivocarse en la calidad del material. Cadalso dirá más tarde que

> del precio de las mujeres
> son varios los pareceres,

después de haber leído con suma complacencia las páginas quevedescas.

Astrana Marín [1]) observa ciertas concomitancias con la escena primera del acto III de la comedia de ju-

[1]) ASTRANA MARÍN. — *Ideario*, pág. 39.

ventud de Shakespeare *The two gentlemen of Verona* (diálogo entre Speed y Launce). Yo las hallo en la obra del francés Andrés Tiraqueau, el cual, casado en 1512 con una niña de once años, escribió el tratado *De legibus Connubialibus* para educar a la pueril esposa [1]).

Premática que este año de 1600 se ordenó para ciertas personas deseosas del bien común y de que pase adelante la república, sin tropezar ni usar de bordoncillos inútiles, pues se puede andar sin ellos y por camino llano, en las conversaciones y en el escribir de cartas, con que algunos tienen la buena prosa corrompida y enfadado el mundo. — Es un cortísimo escrito encaminado a corregir el abuso excesivo de frases hechas, por las que don Francisco sentía poca afición, y a combatir diversos «bordoncillos» de cajón que los oradores y escritores suelen emplear como muletilla («a banderas desplegadas», «a boca de noche», «pelitos al mar», «todo es agua de cerrajas», etc.). En este sentido tiene relación con el *Cuento de Cuentos.*

Su labor, al recoger los 269 modos de decir que inserta, demuestra paciente lectura de libros poco geniales, pero de gran valor para la historia de nuestra lengua.

Premáticas y aranceles generales, por don Francisco de Quevedo Villegas, poeta de cuatro ojos. — En ellas

[1]) París, 1513. — Dice el juez Tiraqueau, entre otras cosas enjundiosas, que servirán a Quevedo de temas satíricos a desarrollar: «Hay que elegir una mujer que no atraiga demasiado por su belleza ni repela demasiado por su fealdad.»

afirma que va «contra la perversa necedad y su porfía».
Es una fuente preciosa de observaciones que retratan
la debilidad, muchas veces infantil, de los hombres. El
objeto fundamental de la sátira está palpablemente demostrado en el título, tronando contra los leguleyos de
su tiempo y contra el valido. La mujer es objeto de preferencia. Dice de ella: «Los que sirviendo a alguna
dama, la llevaren en casa del mercader y mandaren
que se le dé todo cuanto pidiere, los mandamos remitir
con los incurables.» Ataca a los malos poetas que Dios
ha enviado a España para castigo de nuestros pecados, y dice que «se gasten los que hay» [1]).

La obra que titula *Premáticas del desengaño contra
los poetas güeros,* es una secuencia de la anterior, re-
sultando una invectiva llena de fuerte relieve y de
agilidad, admirablemente escrita. Para hacerlos enmu-
decer señala meses vedados (como a la caza y a la pesca)
a las Musas, atacando con minucia la profusión de
romances moriscos y pastoriles y a los cortesanos que
se azacanan en producir luminosos poemas sin poseer la
menor aptitud. Es un apóstrofe contra la enfermedad
de escribir que había explotado en Madrid como una
epidemia. Todo aquel que tenía una pluma en la mano
— así el tendero como el memorialista — quería imitar
los fecundísimos partos de los ingenios consagrados.
La influencia de los Lope y de los Góngora, verdaderas
aves fénix de las Letras hispanas, ponía en el alma en-
candilada de los admiradores bobalicones el incentivo de
la emulación. Así pues, el tratadillo, «burla burlando va

[1]) Igual dice en la *Premática del tiempo:* «Habiendo visto la
multitud de poetas con varias sectas, que Dios ha permitido por el
castigo de nuestros pecados, mandamos que se gasten los que hay...»

de veras», como manifiesta en otro lugar — Quevedo no escribe nunca sin una finalidad —, y parece encubrir un ataque contra algún rival en las lides de la rima o del corazón. Escrito al correr de la pluma, aprisionada por una inquina pueril.

Carta a una monja. — Dedicada a una doña Angela. Es una epístola vulgar y chocarrera — «mis dientes besan a vuesa merced las manos, y mi estómago, otro que tal» —, poco ingeniosa y con muchos lugares comunes. Parece que el muchacho, que muestra un desenfado y una procacidad tabernarias, quiere vanagloriarse, con un rasgo fachendoso de adolescente, de una victoria de carácter amoroso. Entrevemos en el escrito picardías de estudiante revoltoso y consentido, piruetas de niño mimado, descoco y, sobre todo, mucha juventud.

Carta de un cornudo a otro, intitulada el siglo del cuerno [1]). — Es de cortísima extensión y viene a ser un corolario de las graciosísimas *Capitulaciones matrimoniales,* una crítica del estulto brujulear en busca de una esposa a gusto. Quien se case perecerá : ésta es la premisa del redomado célibe. Dice que los que se casan habíanles de llevar a la iglesia con campanillas delante, como a los ahorcados. Se burla finísimamente del «cornicantano». El cornudo es un lugar común, una lacra social consentida y, según el que signa la carta, un gaje precioso. «No hay cosa más acomodada que ser cornudo — arguye —, porque si la mujer es

---

[1]) Así dice la ed. de Fernández-Guerra. En la de Astrana Marín : *El siglo del cuerno Carta de un cornudo jubilado a otro cornicantano.*

buena, comunicarla con los prójimos es caridad ; y si es mala es alivio propio». Hay que resignarse : tal es su conclusión. A veces es una solución a gravísimos problemas económicos. Toda la obra está sazonada de gracia y de fina ironía.

Quevedo no ha adquirido todavía ese tono de amarulencia tan suyo, que conquistará al promedio de su vida y que difundirá en todos sus escritos. Ahora es un muchacho feliz, lleno de fe en el porvenir, convencido del éxito que habrá de reportarle su enorme fuerza interior y la capacidad de trabajo que desarrolla.

Memorial de don Francisco de Quevedo pidiendo plaza en una Academia y las indulgencias concedidas a los devotos de las monjas que le mandaron escribir interin vacaban mayor cargos. — Está escrita a los veinte años y según el portugués Pinheiro da Veiga, contemporáneo de Quevedo, su autor fué fray Bernardo de Brito, también portugués ; pero por todas sus trazas es del polígrafo madrileño. Quevedo sabe en donde residen las flaquezas humanas y allí las va a buscar para alancearlas sin piedad, porque sabe cuán viciosa complacencia siente el hombre en el personificar y en el imputar. Había explotado en Madrid la fiebre morbosa de las Academias, en donde los enfermos logómacos discutían de lo humano y de lo divino, para cuyo ingreso se requería un circunstanciado Memorial en el que se contasen en prosa barroca y llena de suficiencia los méritos *ad hoc,* las elucubraciones científicas o poéticas del ilusionado pretendiente. Quevedo presenta también su Hoja de Servicios a las Musas, llamándose sin rebozo «hijo de sus obras y padrastro de las ajenas», y «cofrade que ha sido y es de la Carcajada y de la Risa» [1]).

Hay una descripción somera de su figura: se llama corto de vista, rasgado de ojos, de negro cabello, larga frente, quebrado de color y de piernas, blanco de cara.

Poseemos una variante de esta Carta descubierta por Astrana Marín [2]) titulada *Carta a la Retora del Colegio de las Vírgenes,* con una descripción más atildada de su persona y con la *Respuesta de la Retora.*

Premática de las cotorreras y relación de leyes y contribuciones contra las damas cortesanas fechas por el hermano mayor del regodeo y cofrade de la carcajada. — Redactado en 1609 y dedicado «a vosotras, las busconas, damas de alquiler, sufridoras del trabajo, mujeres al trote, recatonas del sexto, mullidoras del deleite, jornaleras de cópulas, hembras mortales, ninfas del daca y toma, vínculos de la lujuria.»

Es el mejor documento para la historia de las costumbres femeninas del siglo XVII. El traje de la mujer, sus galas, sus ardides y añagazas están descritas con todo detalle. Abundan el «argot» amoroso, inauditas expresiones de germanía y un léxico riquísimo. En ocasiones parece revivir la prosa del gran catador de la coquetería femenina que fué nuestro sin par Arcipreste de Talavera. Su fama de terrible está plenamente demostrada, y de la lectura de este escrito se puede sacar una conclusión tristísima, al estilo de las que sugieren los *Sueños* y *El Buscón:* que el mundo ha vivido siempre dominado por las mismas bajas pasio-

---

[1]) Esta frase se repite en varios escritos de Quevedo.
[2]) ASTRANA MARÍN. — *Obras,* pág. 48, nota.

nes y no ha cambiado un ápice la concupiscencia de nuestros primeros padres.

La *Premática del tiempo* (1628-1629) se tituló también *Premáticas destos reinos,* y fué a su vez una refundición de la *Premática que se ha de guardar por los dadivosos a las mujeres.* Va encaminada a combatir los abusos de la época. Aparece en ella el chiste momentáneo, improvisado, fantástico, jocosamente discordante, que tanto domina el escritor. Véase un ejemplo: «Item, mandamos que a cualesquier justicias que prendan a todas y cualesquier personas que toparen de día o de noche con garabato, escala, ganzúa o ginovés, por ser armas contra las haciendas guardadas...». Parece que fué redactado en 1611 y retocado en la fecha arriba indicada. Contiene ideas sobre la sociedad que le acarrearon serios disgustos.

Libro de todas las cosas y otras muchas más, compuesto por el docto y experimentado en todas materias, el único maestro malsabidillo. Dirigido a la curiosidad de los entremetidos, a la turbamulta de los habladores y a la sonsaca de las viejecitas. — En esta obra el chiste llega a su más alto grado de perspicacia y de comicidad. Dotes de finísima observación, sutileza genial son necesarias para estampar esa procesión de dichos encaminados a combatir la abrumadora abundancia de los quirománticos y de los supersticiosos de que estaba plagado su tiempo. Los dos primeros capítulos contienen una tabla de proposiciones o preguntas y de soluciones o respuestas que se corresponden, a cual más enjundiosa. Así, por ejemplo: «Proposición 1.ª — Para que se anden tras ti todas las mujeres hermosas ; y si fueres mujer, los hombres ricos y galanes.»

«Solución. — Andate tú delante dellas.»

La sátira política y social se desarrolla dura e implacablemente, como siempre. Compruébese con estos ejemplos :

«Proposición 18.ª — Para tener grandes cargos en la república.»

«Solución 18.ª — Fuerza doncellas, hurta casadas, mata clérigos, roba iglesias ; que no hay mayores cargos.»

«Proposición 26.ª — Si quieres ser bienquisto.»

«Solución 26.ª — Presta y no cobres ; da, convida, sufre, padece, sirve, calla, y déjate engañar.»

Los otros capítulos titúlanse : «*Tratado de la adivinación por quiromancía, fisonomía y astronomía*» ; «*Capítulo de los agüeros*» ; «*Cómo se han de hacer las cosas y en qué días, para que te sucedan bien*» ; «*De la fisonomía*» ; «*Quiromancía o arte de adivinar por las rayas de las manos, en un capítulo breve*», y «*Para saber todas las ciencias y artes mecánicas en un día*». En algunas ediciones el último es la «*Aguja de navegar cultos*», que ya hemos consignado.

En este libro Quevedo conquistó la primacía entre los escritores festivos de todos los tiempos, particularmente entre el pueblo, amigo de chanzas y chascarrillos. Tuvo no sólo innumerables imitadores, sino que muchas colecciones de esta clase están formadas con las gracias suyas. Cobró con ello una popularidad extraordinaria y más de un lector poco amigo de serias lecturas, ha quedado profundamente extrañado al «descubrir» los escritos ascéticos y filosóficos de un autor que creía hijo predilecto de la banalidad.

Quevedo tiene algunas otras obras festivas [1]) pero de menor importancia. Su vena satírica se acrece, no obstante, y por modo considerable, con los *Sueños,* de que hablo en el siguiente capítulo.

OBRAS SATÍRICOMORALES
«LOS SUEÑOS»

Los *Sueños* de Quevedo son su obra maestra y lo que más diáfanamente demuestra la grandeza y densidad de su genio satírico, su vena festiva y su profundo conocimiento de las flaquezas del mundo; y también los estadios de su alma sufriente, henchida de desilusión y de amargura. La cultura de que hace gala es integral, puesto que casi siempre escribe de memoria, al correr de la pluma, sin el concurso de prestigiosas autoridades.

Los principales *Sueños* los escribió entre los veinte y los treinta años, aunque bien podría ser que algunos de ellos tuvieran una gestación anterior: cuando fué estudiante en Alcalá.

Quevedo no es original. La forma de soñar va desde Luciano de Samosata y Cicerón a Juan de Valdés, pasando por una interminable lista de escritores medievales. El misterio del sueño se presta a la elucubración filosófica y a tratar de temas morales, pues el sueño bordea siempre la muerte. Pero nada tan personal, tan

---

[1]) *Alabanzas de la moneda. — Confesión de los moriscos. — Pregmática y reformación deste año de 1620 años. — Tasa de las hermanitas del pecar. — Cosas más corrientes en Madrid y que más se usan. — Indulgencias concedidas a los devotos de las monjas.* Esta última se había atribuído a Fray Bernardo de Brito, escritor portugués, según el testimonio de Pinheiro da Veiga.

genuino, tan característico como la prosa pintoresca del gran escritor madrileño. Este toma una línea general, que no sabe a ciencia cierta cómo llegará a su fin: el medio, nada más. El procedimiento no era nuevo, pero sí, y muy nueva, la forma de desarrollarlo.

Hablar de fuentes de esta obra y buscarlas, como hacen algunos críticos, en la *Divina Comedia,* en el *Diálogo de Mercurio y Carón,* en el *Fin del Mundo,* atribuído a Hipólito, en las *Cortes de la Muerte,* de Luis Hurtado de Toledo, en la *Sátira Menipea,* de su amigo Justo Lipsio, en el *Diálogo de la Estulticia,* de Erasmo, o en *El Crotalón,* de Fernando de Villalón, no es puntualizar, sino relacionar someramente temas comunes. Claro está que los profundos conocimientos literarios de Quevedo llegaban a todas estas obras, que con seguridad integraban el fondo predilecto de su biblioteca, pero sirviéronle de fuentes del mismo modo que una obra satírica se parece a otra. Porque Quevedo no escribe simplemente por el prurito del triunfo. En las barrocas encrucijadas de sus escenarios se halla presto el dardo que hiere a los transeúntes de la vida, de almas tan complicadas y míseras.

Yo creo que lo que más influyó en esa gestación fué la lectura copiosísima de Petronio. Los personajes del escritor decadente son muñecos grotescos y despreciados por el mismo que los crea. «Caractérizanse a sí propios — escribe Gudeman [1]) — con sus actos, su proceder y sus palabras, adecuadas con arte inimitable a su horizonte intelectual y a su posición.» Y lo mismo puede decirse de los de don Francisco. Se dan nume-

---

[1]) ALFRED GUDEMAN. — *Historia de la Literatura Latina.* Barcelona, 1930 (Labor), pág. 243.

rosos datos en los escritores satíricos hispanorromanos que han podido prestarle no pocas sugerencias : así la sombra gigantea que aparece en Atenas, según nos refiere Plinio el joven ; los fantasmas del palacio de Calígula de que nos habla Suetonio ; la furia mujeril, de Plutarco. Las sombras erráticas de Herodoto son monigotes que a veces visten los complicados ropajes del siglo XVII. En el fondo bien podría ser una velada sátira contra el uso de los exorcismos y contra los duendes, que la Iglesia usaba aún en su tiempo, particularmente del que aparece en el *Ritual Romano,* titulado *Exorcismus domus a dæmonio vexatæ.*

Los *Sueños* son una visión acabada y realista de la España caricaturizada de su tiempo, de gran trascendencia para interpretar el pensamiento y la vida de la época.

Contienen mucha risa y mucho llanto. Cada uno es una Danza de la Muerte, un aguafuerte de Durero modernizado. En sus páginas cenicientas fluctúa siempre la cantilena del «morir habemos» y el misterioso eco ultraterreno del Eclesiastés. Puede decirse de ellos lo que escribió el P. Sigüenza del pintor Jerónimo Bosco [1]: «Comúnmente los llaman disparates... gente que repara poco en lo que mira... Sus pinturas no son disparates, sino unos libros de gran prudencia y artificio ; y si disparates son, son los nuestros, no los suyos... Es una sátira pintada de los pecados y desvaríos de los hombres.»

Se burla de todo, de todo se ríe. También ríen las calaveras con risa eterna, que no se contagia. Cuando

---

[1] P. SIGÜENZA. — *Historia de la Orden de San Jerónimo,* Libro IV.

dejáis el libro en vuestra mesilla de noche no sabéis a ciencia cierta qué pensar de aquella zarabanda y recordáis vagamente un sueño que tuvisteis cuando os hallabais sumidos en alta fiebre. Algo descomunal y perfecto a la vez. Las danzas siniestras de Holbein y del Bosco contienen un tesoro de reflexiones filosóficas, como los diamantes que encierran en su misterioso seno maravillosas claridades. Así son los *Sueños* de Quevedo.

Su lectura nos excita una sonrisa no exenta de amargura y malestar. «Decidme con lo que sueña una persona — escribe Ramiro de Maeztu [1] — y os diré quién es, porque nadie sueña sino con elementos de la realidad y sus combinaciones.»

No son «un riachuelo sonoro, risueño, caprichoso, que no puede mirarse sino con embeleso» [2]), sino un torrente estruendoso que se precipita con irrefrenable impulso y todo lo arrolla. A veces llegan hasta la ferocidad, la agresividad, al retratar y zaherir las lacras de la España del siglo XVII. No pretenden ningún fin ético inmediato, ninguna rectificación de conducta, sino que son a modo de bisturí que abre las heridas purulentas y no las cura. Puede decir como Erasmo decía a su amigo Tomás Moro en el Prólogo de su *Elogio de la Locura*: «A ejemplo de Juvenal, no he descendido a la sentina de los vicios para removerla, sino para pasar revista a las ridiculeces y a las vilezas.» Para moralizar ya tiene sus obras propias.

[1] RAMIRO DE MAEZTU. — *Don Quijote, Don Juan y la Celestina*, pág. 12.
[2] P. MARIANA. — *Historia de España*, vol. IV, pág. 152.

Quevedo no conoció la humildad; y si supo algo de ella no fué en sus años de plétora y euforia, sino cuando gemía sus desengaños, forzado por la terrible situación, la más desesperante de su existencia, enterrado en vida en la cárcel leonesa.

Ticknor afirma [1]) que revelan un carácter orgulloso, independiente y singular y que Quevedo no posee la percepción intuitiva del ridículo que poseyó Cervantes. El humor cervantino es, con razón, excepcional y muy superior al de todos nuestros escritores. Tienen, en cambio, de común con el glorioso manco, el auténtico nacionalismo de sus argumentos, la franqueza de su humorismo [2]). Es sumamente difícil mantenerse en el plano del interés, conservar todos los resortes de la hilaridad, no repetirse o amanerarse. La risa es directamente proporcional a la novedad. Por esto es tan difícil el éxito y tan apreciable el nervio comicista de Quevedo.

Una turba abigarrada de fantasmas ejecutan infernales zarabandas. Fantasmas. Sus voces «son gritos de la conciencia que murmuran en el alma presagios e indicios de arcanos mundos con su existencia oculta, un tremor de lo infinito y transeúnte» [3]). Todos los personajes son antagónicos, hiperbólicos, deformados. Son vicios y lacras morales estilizadas. «Quisiéramos ver — opina «Azorín» [4]) — otros personajes, otros tipos, otros condenados que no fueran sastres, taberne-

[1]) TICKNOR. — Ob. cit. vol. III, pág. 418.
[2]) PFANDL. — Ob. cit., pág. 379.
[3]) ARTURO FARINELLI. — *Divagaciones hispánicas (Consideraciones sobre los caracteres fundamentales de la Literatura española)*, vol. I, pág. 95. Barcelona.
[4]) AZORÍN. — *Al margen de los clásicos*, pág. 152.

ros, escribanos.» La sociedad que pinta Quevedo es, sencillamente, «su» sociedad. No podía describir la que sufre y trabaja y la miserable porque no era humano ni cristiano hacerlo, y menos la encumbrada porque los peligros eran muchos y cada vez que lo hizo salió mal-parado, aunque de esta última hay constantes alusio-nes. Por otra parte, el propio Quevedo no pretendía escribir una obra definitiva ni genial. Era la suya una sátira social típica, madrileña, asequible a todos sus lectores. La Inquisición, además, velaba por sus fue-ros «con una sola fuerza que cercenaba las alas de los espíritus contumaces o sospechosos, tanto si se llama-ban Fray Luis de León como Francisco de Quevedo» [1]).

Llevan el título general de *Sueños y discursos de verdades descubridoras de abusos, vicios y engaños en todos los oficios y engaños del mundo.* Parece que fueron escritos entre 1612 y 1627. Fernández-Guerra [2]) dice que en 1610 solicitó permiso para publicar la obra llamada a la sazón *Sueño del Juicio Final* y que exa-minada por el censor del Consejo Real de Castilla, el Padre dominico Antonio Montojo, prodújose en contra de su publicación, que no le fué permitida hasta 1612. La más antigua edición conocida hasta la fecha es la de Barcelona, 1627. En este mismo año se reimprime en Zaragoza con la apostilla de «corregido y enmen-dado agora de nuevo por el mismo autor y añadido un tratado de la *Casa de locos de amor*». Es un rarísimo ejemplar que se conserva en el Museo Británico [3]). También son de este año las ediciones de Valencia y Pamplona. En 1629 salen volúmenes de las prensas

[1]) Gabriel Alomar. — *Verba,* pág. 43.
[2]) Obra citada, vol. I, pág. 293.
[3]) Cejador. — *Los Sueños* (Clás. Cast.), págs. XII-XIII.

barcelonesas y lisboetas. La edición más completa es la de Pamplona, 1631.

Los *Sueños* son cinco: *El Sueño del Juicio Final, El Alguacil Endemoniado, El Sueño del Infierno, El Mundo por de dentro* y *El Sueño de la Muerte.* Suele añadírsele *La Hora de Todos y la Fortuna con Seso,* que es, en realidad, un *Sueño* más, quizá el mejor. En el año 1629 Quevedo recabó la ayuda del Santo Oficio para perseguir las numerosas ediciones fraudulentas y extravagantes que corrían por los reinos de Aragón. Con la censura de fray Diego del Campo y del padre Juan Vélez de Zabala, publicó una nueva edición, trocándose los títulos y llevando el general de *Juguetes de la niñez y travesuras del ingenio,* suprimiéndose algunos pasajes que los censores estimaban perniciosos y añadiéndosele *El Entremetido, la Dueña y el Soplón.*

Se le ha atribuído la *Casa de locos de amor,* que no incluye en los *Juguetes de la niñez.* De los dos textos que se poseen, uno está escrito por el amigo de Quevedo, Van der Hammen, y otro quizá por el escritor sevillano Antonio Ortiz Melgarejo [1]).

Son *Sueños,* a mi entender, los que a continuación se expresan:

a) *El Sueño del Juicio Final,* o *El Sueño de las Calaveras.*

b) *El Alguacil Endemoniado,* o *El Alguacil Alguacilado.*

c) *El Sueño del Infierno,* o *Las Zahurdas de Plutón.*

d) *El Mundo por de dentro.*

[1]) GALLARDO. — *Ensayo.* III. 1032. En la actualidad posee este segundo MS. *The Hispanic Society of America.*

e) *El Sueño de la Muerte,* o *La visita de los Chistes.*

f) *El Entremetido, la Dueña y el Soplón,* o *Discurso de todos los diablos o infierno enmendado.*

g) *Fantasía moral: la Hora de Todos y la Fortuna con seso.*

La fama de los *Sueños* fué tal, que incluso el censor fray Diego del Campo, en la edición de Madrid, 1629, llegó a declarar que «se aventaja mucho al Dante, y á los otros autores que han seguido el mismo intento». En España multiplicáronse las ediciones y los comentarios y las imitaciones perduraron hasta bien entrado el siglo XVIII, en que el Neoclasicismo declaró a Quevedo, salvo raras excepciones, una guerra sin cuartel. En el extranjero las traducciones fueron copiosas y los juicios, diversos. Y es que no se le comprendió, porque sólo un español puede interpretar tan maravillosas páginas. Bien cierto es, como se afirma en la versión francesa del libro *Voyages imaginaires, songes, visions et Romans cabalistiques* [1]), que «les traductions que nous avons de Quévédo, sont anciennes, et cet auteur a dû perdre par la traduction», pues verdaderamente, como digo, Quevedo es un autor costumbrista y personal y los giros más castizos de su prosa no tienen versión posible. El principal traductor extranjero fué el gaélico Elis Wynn (1671-1734), que escribió *Visiones del Bardo.* En Alemania los dió a conocer Bertuch en su *Almanaque* [2]) y los imitó Michel

[1]) Amsterdam, MDCCLXXXVII, pág. VIII.
[2]) Este Bertuch era «un Beaumarchais de baja estofa, que tenía el sentimiento de la especulación tanto literaria como indus-

Moscherosch en *Wunderliche und wahrhaftigen Geschichten des Philander von Sittewald* (*Las singulares y verídicas visiones de Philander de Sittewald*), que al parecer tuvieron buen número de lectores. Dice Ludwig Pfandl [1]) que Bouterweck y Federico Schlegel los criticaron duramente. Los criticaron porque no los comprendieron y porque se habían forjado de la vida española una idea romántica muy distinta de la realidad. Ya sabemos cómo los Schlegel trataron nuestro teatro calderoniano y cómo interpretaron a España. En 1920 se imprimió una bellísima traducción con dibujos del holandés Leonhard Bramer, discípulo de Rembrandt, hechos en 1659, titulada *Quevedos Wunderliche Traüme, Umdichtung von Kurt Moreck, mit den 61 Zeichnungen L. Bramers zum erstenmal herausgegeben von E. W. Bredt*. En 1925 la fama perdura en Alemania. El genio es una luz que finalmente se abre camino a través de la opacidad de los cerebros menos dispuestos. De este año es la traducción de Klamroth, que tuvo numerosos lectores y fué editada en Friburgo: *Die Höllentraüme des Spaniers Quevedo* [2]).

Los *Sueños* llevan a manera de prólogo una dedicatoria «A ninguna persona de todas cuantas Dios creó en el mundo» ; agudísimo dechado de ironía, insistiendo en la burla que hizo en el *Cuento de Cuentos,* de las frases hechas, de los modismos de cajón y de las innumerables locuciones repetidas hasta la saciedad por los ramplones de su época, de que estaba plagada la mala literatura, embriagados por las lucubra-

trial». — ARTURO FARINELLI : *Lope de Vega en Alemania,* Barcelona, 1936. Pág. 38.
[1]) PFANDL. — Obra citada, pág. 379.
[2]) Idem, íd., pág. 379.

ciones de Góngora y de Quevedo. Como agudamente observa el señor Cejador [1]), siendo éste un libro de crítica, comienza criticando cumplidamente las dedicatorias altisonantes que se ponían con fines egoístas. En estas primeras líneas muéstranos el desenfado con que se procede, llamándose «murmurador» y alabándose de que ha dicho siempre lo que ha querido de todo el mundo. En una advertencia «a los que han leído y leyeren», relata las circunstancias que le obligaron a trocar los títulos.

La edición de Pamplona (1631) está verdaderamente afeada por una serie de poesías liminares al uso del tiempo, con versos estrafalarios.

A) *El Sueño de las Calaveras*

Llamóse al principio *Sueño del Juicio Final,* y obtuvo privilegio en 1606 [2]) ; es decir, cuando el autor contaba 26 años. En 1612 el Santo Oficio mandó cercenar algunos pasajes y Quevedo creyó conveniente trocar el título para desvirtuar las maniobras de sus incansables enemigos. Las ediciones más antiguas que poseemos son de 1627, en Barcelona y Zaragoza.

Parece que le inspiró este admirable aguafuerte un Secretario de Estado de Felipe II, que murió en prisión bajo el reinado de su hijo. Está dedicado al conde de Lemos, Presidente de Indias, insigne mecenas del más insigne de los escritores hispánicos, y ya en sus primeras páginas hace gala de su erudición y confiesa, más o menos verídicamente, las influencias que le han

[1]) J. CEJADOR. — *Los Sueños* (Clás. Cast.), pág. 5, nota.
[2]) 1607, según Fernández-Guerra ; 1606, según Astrana Marín.

patrocinado la obra: Homero, Claudiano, Petronio, Propercio, Dante. El escritor tiene un sueño al cerrar los ojos con el libro del vate florentino en las manos [1]). Al oír el sonido de las trompetas del Juicio Final, levántanse los muertos para acudir al Tribunal que ha de juzgar las acciones humanas.

Varios pasajes nos ofrecen una concisa, una atildada sensación pictórica. Así, por ejemplo, cuando dice: «Después, ya que a noticia de todos llegó que era el día del juicio, fué de ver cómo los lujuriosos no querían que los hallasen sus ojos, por no llevar al Tribunal de Radamanto testigos contra sí; los maldicientes, las lenguas; los ladrones y matadores gastaban los pies en huir de sus mismas manos.» Trazos limpios, escuetos, realistas, de honda videncia psicológica. Compruébese: «Pero lo que más me espantó fué ver los cuerpos de dos o tres mercaderes, que se habían vestido las almas al revés y tenían todos los cinco sentidos en las uñas de la mano derecha.» La lujuria, la ambición, el egoísmo, la envidia, la hipocresía, la rapacidad, los perversos sentimientos, el fraude y el engaño, en fin, se personifican y se desbordan como duendes retozones y gesticulantes de las densas páginas, talladas a golpes de hacha por un taumaturgo obsesionado. Allí están los escribanos, las rameras, las mujeres hermosas, «muy alegres de verse gallardas y desnudas entre tanta gente que las mirase»; los jueces, «en medio de un arroyo, lavándose las manos»; los lujuriosos, «que no querían que los hallasen sus ojos». Y Judas, y Maho-

[1]) En otras ediciones, con el libro de Hipólito. Sin duda alguna, este *Sueño* es el que muestra más influencia de la *Divina Comedia*.

ma, y Lutero. Allí penan su enemigo el engallado perdonavidas Luis Pacheco de Narváez [1]) y numerosos adversarios que tuvo. La misma venganza del Dante. Es un desfile macabro ante el trono — admirablemente descrito — del Sumo Juez.

La lectura de esta obra nos produce una impresión pareja a la obtenida ante la contemplación de los famosos aguafuertes de Durero, las febricitantes producciones de Lucas Cranach, los monstruos de Holbein o de Goya: juzgamos la belleza indiscutible, pero despiertan sentimientos poco halagüeños, sugiriéndonos consideraciones pesimistas acerca de la Vida y de la Muerte. Son vinos añejos y nobles, pero que llevan en sí pócimas amargas que se experimentan después de su degustación. Son como era Quevedo: alegre y bullicioso en apariencia, pero profundamente triste y amargo [2]). Por ello puede decirse que los *Sueños* (y en especial éste) reflejan a maravilla su carácter lleno de adelinos crespones.

B) *El Alguacil Alguacilado*

Así dice la edición de 1631. Va dedicado al conde de Lemos y ridiculiza a un licenciado llamado Jenaro Andreini, capellán del ilustre mecenas, que alcanzó fama estrepitosa de exorcista. El pueblo, que le había cobrado mucha afición, porque era un redomado pícaro, llamábale *El licenciado Calabrés,* y con este título aparece en la edición de 1627. Quevedo toma pretexto

[1]) «Pues enseño a matar, bien puedo pretender que me llamen Galeno», objeta el flagelado espadachín.
[2]) «Y fué mucho quedar de tan triste sueño más alegre que espantado.»

para zaherir a la justicia, como hace constar en el Prólogo.

La descripción del Licenciado Calabrés es acabada y realista y hace pensar en el maravilloso retrato del Dómine Cabra : «Hombre de bonete de tres altos hecho a modo de medio celemín ; ojos de espulgo, vivos y bulliciosos ; puños de Corinto, asomo de camisa por cuello, mangas en escaramuza y calados de rasgones, los brazos en jarra, y las manos en garfio ; habla entre penitente y disciplinante, los ojos bajos y los pensamientos tiples, la color a partes hendida y a partes quebrada, muy tardón en las respuestas y abreviador en la masa, gran lanzador de espíritus, tanto, que sustentaba el cuerpo en ellos.»

Parece escrito al correr de la pluma, sin apelar a autoridades solventes, reflejando ideas expuestas en tratados doctrinales del propio autor. Así, en cuanto a las ideas políticas, repite no pocos lugares comunes, como por ejemplo : «Privado y rey, más penitencia que oficio y más carga que gozo» (*Providencia de Dios*).

Se muestra despiadado con los mercaderes, los malos ministros, los taberneros, los alguaciles, los poetas, los sastres. Siempre que puede aprovecha la ocasión para aguijonear a sus enemigos, aunque a veces la coja por los pelos, lanzando repetidas alusiones a los que pululan y desgobiernan en la Corte. No hay sino ideas pesimistas y siempre ve a la Maldad acechando a la Candidez. Para él el mundo es la patria de los Buscones. La justicia desacomodada, «anduvo por la tierra rogando a todos ; y viendo que no hacían caso della y que le usurpaban su nombre para honrar tiranías, determinó volverse huyendo al cielo».

Domínale la obsesión por los cornudos: «gente que aun en el infierno no pierde la paciencia; que como la lleva hecha a prueba de la mala mujer que han tenido, ninguna cosa los espanta». El tema se repite llegando a fatigar al lector.

La prosa de este *Sueño* es tersa, aguda, pintoresca, llena de atrevidas imágenes, de insospechados giros.

C) *Las Zahurdas de Plutón*

Terminó este *Sueño* maravilloso en el Fresno de Torote en 1608 — 17 de marzo, o 3 de mayo —, siendo huésped de su gran amigo el marqués de Barcarrota, almirante que fué de las galeras de Portugal. Remitiólo a un caballero de Zaragoza, como dice en el Prólogo, y parece que no se editó hasta 1627.

Es un *Sueño* terrible, febril y sombrío, de gran valor escatológico. El mismo se lo confiesa al «ingrato y desconocido lector», afirmando que no promete risa, y ello es bien cierto: pocos cuentos hay más truculentos, más erizados de venenosas flechas, más desconsoladores y deprimentes.

Se abre la escena con una descripción poética admirable, quizá una de las mejores topografías que salieron de su pluma: «Halléme en un lugar favorecido de la naturaleza por el sosiego amable, donde, sin malicia, la hermosura entretenía la vista, muda recreación y sin respuesta humana, platicaban las fuentes entre las guijas y los árboles por las hojas, tal vez cantaba el pájaro, ni oí determinadamente si en competencia suya o agradeciéndoles su armonía.»

Aparece luego el tema, tan repetido desde los tiempos medievales, de los dos caminos: el angosto y difícil, lleno de abrojos y de asperezas, y el ancho y desembarazado. Jorge Manrique parece revivir de pronto cuando dice que el partir es nacer, el vivir es caminar, la venta es el mundo, y en saliendo de ella, es una jornada sola y breve.

Como Dante, se complace en describir los horrendos tormentos de los penados. Allí tornan a aparecerse las procesiones interminables de disciplinantes en las peregrinas figuras de sastres, alguaciles, etc. Llama a los doctores «ponzoñas graduadas». De los pasteleros, dice: «¿Qué de estómagos pudieran ladrar si resucitasen los perros que hicistes comer? ¿Qué de dientes habéis hecho jinetes y qué de estómagos habéis traído a caballo, dando a comer rocines enteros?»

Encarecen este *Sueño,* escrito con más detenimiento que los otros, profundas consideraciones sociales y políticas. Hay pensamientos y observaciones sobre la nobleza de la sangre y del corazón y sobre la honra y la valentía, dignas del mejor filósofo estoico; alusiones contra la licenciosa nobleza de su tiempo, contra la inmoralidad de los gobernantes y del pueblo, en cuyas páginas debieron verse retratados no pocos personajes contemporáneos.

Ataca la manía de la nobleza de sangre: «Toda la sangre, hidalguillo, es colorada, parecedlo en las costumbres, y entonces creeré que descendéis del docto cuando lo fuéredes o procuráredes serlo...» Y luego: «Tres cosas son las que hacen ridículos a los hombres: la primera la nobleza, la segunda la honra, la tercera la valentía.» Y sobre esas premisas emite jugosas consideraciones, inspirándose siempre en sus maestros predilectos. En el fondo, la célebre máxima de San Agustín comentada y entretejida de conceptos propios: «Siempre es tarde cuando se llora.» Con Séneca pregunta: «¿Cómo puede morir de repente quien desde que nace lleva consigo la muerte?» Y lo curioso es que convierte en moralizadores a los propios diablos (tema medieval y dantesco).

A la mitad de este Sueño se opera una brusca transición, que bien podría ser debida a un cambio de lecturas, o de ambiente, o a una diferencia de época, mostrando gran erudición (que resulta prolija al hablar de las truculentas supersticiones, de los astrólogos y de los alquimistas) con una retahila de sabios antiguos; a veces tienen no poco interés los juicios emitidos acerca de las ciencias ocultas — la poligrafía, la estenografía, la alquimia —, y las herejías y los herejes, de nombres abracadabrantes — ofitéos, cainanos, sethianos, saduceos, heliognósticos, devictianos, etc. —. Quevedo, que escribe para un público heterogéneo, se excede con un prurito de ciencia de segunda mano, no haciendo otra cosa que publicar interminables listas de autores herméticos [1]).

El autor agota el tema y quiere llenar más pliegos. Parece un trabajo que abandona y reemprende al compás de su humor. Saca del báratro a Calvino, Scalígero, Lutero, a los que ataca con dureza. En la citada edición pamplonica descubrimos algunos pasajes suprimidos por el Santo Oficio.

[1]) Quevedo conoce la relación que Don Diego Saavedra Fajardo hace de las Ciencias ocultas en su *República Literaria*.

Color, brillantez, desenfado, son las características de este aguafuerte, plagado de palabras vulgares y disonantes, como «idiotas, padre de putas, rameras, fornicación, borrachos, perro esclavo, etc.». Ticknor dice que los tradujo al francés Genest en 1641 y al inglés Sir Roger L'Estrange en 1688 con un éxito tan rotundo, que en 1708 se hizo nueva edición [1]).

D) *El Mundo por de dentro*

Firma este Sueño rebosante de fantasía y atesorando pasmosos recursos lingüísticos, en la Aldea, a 26 de abril de 1612, dedicado a don Pedro Girón, duque de Osuna. En el manuscrito Lastanosa se firma «Francisco Gómez de Quevedo».

Es obra pesimista y de vuelos filosóficos. Presenta dos aspectos fundamentales: en el primero justifica la negación absoluta del hombre; en el segundo trata de hacer ver que todos los hombres tienen el prurito de parecer distintos de lo que son.

Tonos negros y aun desgarrados. «Nihil scitur». No se sabe nada: ésta es la premisa. Vulgaridad: he ahí el enemigo. La hipocresía está estudiada con gran perspicacia y agudeza. El Desengaño, la Vanidad, la Presunción, el Orgullo y la Estulticia forman la zarabanda de fantasmones de esa humanidad presuntuosa que con tanta ironía pinta. Todo ello escrito con deliciosa espontaneidad y demostrando sus inagotables recursos léxicos.

Hay una ponderación de la mujer hermosa que es sin duda alguna un dechado de prosa quevedesca, es-

[1]) TICKNOR. — Obra citada, vol. II, pág. 415, nota.

tilísticamente perfecta, una página de antología poco conocida. Dice así:

«Quien no ama con todos sus cinco sentidos a una mujer hermosa, no estima a la naturaleza su mayor cuidado y su mayor obra. Dichoso es el que halla tal ocasión y sabio el que la goza. ¿Qué sentido no descansa en la belleza de una mujer que nació para ser amada del hombre? De todas las cosas del mundo aparta y olvida su amor correspondido, teniéndole en poco y tratándole con desprecio. ¡Qué ojos tan honestamente hermosos! ¡Qué mirar tan cauteloso y prevenido en los descuidos de un alma libre! ¡Qué cejas tan negras esforzando recíprocamente la blancura de la frente! ¡Qué mejillas donde la sangre mezclada con la leche engendra lo rosado que admira! ¡Qué labios encarnados guardando perlas que la risa muestra en recato! ¡Qué cuello! ¡Qué manos! ¡Qué talle! Todos son causa de perdición, y juntamente disculpa del que se pierde por ella.»

Pero la reacción es siempre más fuerte que eso que él considera puerilidades poéticas o debilidades sentimentales; y dice con sarcasmo de la mujer hermosa: «Si la besas, te embarras los labios; si la abrazas, aprietas tablillas y abollas cartones; si la acuestas contigo, la mitad dejas debajo de la cama en los chapines; si la pretendes, te cansas; si la alcanzas, te embarazas; si la sustentas, te empobreces; si la dejas, te persigue; si la quieres, te deja.»

Emite definiciones completas del estoicismo puestas en boca del sabio anciano que bien podría representar a Epicteto. Dice que un día nada vale, que lo que fué ya no será y que es cuerdo el que vive cada día como quien cada día y cada hora puede morir.

Quevedo se regocija y se consuela al escribir estas páginas, de tanta fuerza dramática. Constantemente el lector se ve sorprendido por la abundancia del léxico, lo inesperado del doble sentido, la perenne malicia. El contraste se destaca cada vez más apurado: junto a descripciones bellísimas, simas de vulgaridad; junto a la claridad, la sencillez ática, la precisión y la llaneza, encontramos el equívoco, la anfibología, la verbosidad y el trabalenguas. Quevedo se deslumbra con la perífrasis y la palabrería porque domina el lenguaje y juega al escondite con la luz que irradia el concepto. Ahora iremos comprendiendo el desconcierto que produce la lectura superficial de sus obras más eminentes.

E) *La visita de los Chistes*

Su primer título: *El sueño de la Muerte y el marqués de Villena en la redoma* — que quedó reducido en la edición de 1627 a *El sueño de la Muerte* y en la de 1629 a *La visita de los chistes* —, me parece mucho más apropiado. Fué su último *Sueño* y lo escribió, como dice en el Prólogo [1]) en la tenebrosa prisión de San Marcos. Guarda todo el frío de su alma desesperada, el dolor acumulado, el despecho de que se nutría contra su mortal enemigo, los ayes de la enfermedad que le arrastraba a la tumba. Todo ello velado por la sonrisa más amarga que se ha dibujado en labios humanos. Va dedicado a doña María Enríquez (Mire-

[1]) 6 de abril de 1622.

na Riqueza en el texto), marquesa de Villamagna, dama de la reina Isabel de Borbón, y comienza en la alcoba del autor. «He querido que la muerte acabe mis discursos como las demás cosas», dice significativamente. En el discurso liminar estima que «están siempre cautelosos y prevenidos los ruines pensamientos, la desesperación cobarde y la tristeza, esperando coger a solas a un desdichado para mostrarse alentados con él».

Quevedo apura el tema porque, como dice Gracián [1]), «fácil es adelantar lo comenzado; arduo el inventar». Por sus páginas podemos ir cotejando qué libros iba leyendo, desde Lucrecio — «el poeta divino» — y Job, a los contemporáneos. Sueña en la prisión y se le aparece la Muerte, que concede audiencia a los difuntos. Los boticarios — «armeros de los doctores» —, los médicos y los cirujanos son el principal objeto de sus saetas: quizá porque se encuentra plagado de dolencias que no puede mitigar. Juega con el tema funéreo, que le obsesiona, pues está sepultado vivo en una tumba fementida. Dice que el clamor del que muere empieza en el almirez del boticario, va al pasacalles del barbero, paséase por el tableteado de los guantes del doctor y acábase en las campanas de la iglesia. La muerte, la muerte. Esta es la *ficelle,* ésta es la obsesión, éste es el responso a una vida fatigosa y vertiginosa.

La parte más bella es sin duda la conversación que sostiene el autor con la Suprema Vencedora. Se nota que Quevedo ha meditado profundamente el asunto

[1]) GRACIÁN. — *Agudeza,* Discurso I.

para escribir serios trabajos de moral. Inquiere, busca, afánase en descorrer el velo que le absorbe y ensimisma. Y entonces pronuncia aquélla uno de los discursos más amargos y más conmovedores: «La muerte no la conocéis, y sois vosotros mismos vuestra muerte. Tiene la cara de cada uno de vosotros, y todos sois muertes de vosotros mismos. Y lo que llamáis morir, y lo que llamáis nacer es empezar a morir, es acabar de morir, y lo que llamáis vivir es morir viviendo. Y los huesos es lo que de vosotros deja la muerte y lo que le sobra a la sepultura. Si esto entendiérades así, cada uno de vosotros estuviera mirando en sí su muerte cada día y la ajena en el otro, y viérades que todas vuestras casas están llenas della y que en vuestro lugar hay tantas muertes como personas, y no la estuviérades aguardando, sino acompañándola y disponiéndola.»

El tópico del nacer y del morir es un lugar común en nuestra literatura ascética y mística.

La famosa comicidad de Quevedo se ha velado con fúnebres ropajes. He aquí que aparece una escena de cementerio, con rasgos escalofriantes. Los enemigos del Alma desfilan en procesión lúgubre y espantable. Monstruos terribles aniquilan al Hombre. Dante está presente. El Infierno abre sus simas a los pies del escritor, que es como un dios airado en plena venganza. Todo lo preside la Suprema Liquidadora: la muerte de amores, la muerte de frío, la muerte de hambre, la muerte de miedo, y — también — la muerte de risa. Ensimismaos en estas páginas truculentas en un momento de recogimiento espiritual, y os daréis cuenta de profundas realidades, os enfrentaréis con multitud de problemas que no os atrevisteis a abordar, por miedo, pero que ya flotaban en los recovecos de vuestra conciencia. Entonces también comprenderéis el valor señero de Quevedo, de la potencia de su cerebro y de la grandeza de su concepción y asimismo el por qué se le ha tenido abandonado. Nadie quiere confesar sus propios defectos, por orgullo o por cobardía. No es elegante la máscara de la Muerte. En verdad, no hay exclamación más humana que esta que dice Quevedo después del torbellino de visiones fantasmagóricas:

—«¡Diónos Dios una vida sola y tantas muertes! ¡De una manera se nace y de tantas se muere! Si yo vuelvo al mundo, yo procuraré empezar a vivir.»

Pero Quevedo comprende que no todo es desolación y ruina. Lo que ha escrito ha sido, ni más ni menos, un desahogo del corazón. Además, los lectores no gustan de admoniciones demasiado severas. Por ello se opera un cambio de decorado en ese gran teatro del mundo. Rehabilita el satírico ciertas frases que se le atribuyen y luego aparecen en cortejo famosos personajes, legendarios y convencionales — el *Rey que rabió*, el *Rey Perico*, *Mateo Pico* y otros muchos fantasmones ilustres, y aun escritores de fama, como el marqués de Villena y Juan del Encina [1]). Hay que

[1]) En el *Nombre, intento... de la doctrina estoica,* parece que quiere desvanecer el mal gusto que ha dejado con su juicio, y dice que siendo Juan de la Encina un sacerdote «docto y ejemplarísimo, cuerdo y pío», sólo porque imprimió un juguete llamado *Disparates,* se ha quedado injustamente por la tiranía del vulgo en proverbio de disparates, tan recibido, que para motejar de necedades las de cualquiera, es el común y universal modo de decir: «Son disparates de Juan de la Encina». Del marqués de Villena, cuya vida se hizo carne de leyenda, habla Quevedo con gran devoción en varias ocasiones. Hemos visto con qué interés de bibliófilo alude a un manuscrito que de este escritor poseía.

amenizar la danza macabra, o de lo contrario se expone a dejar excesivos huecos en su calvario. El bufón ha aparecido en tablas. El mundo ha de gozar. Mañana moriremos. Y ríe con las estupendísimas verdades de *Pero Grullo*, que dice candorosamente:

Si lloviere, habrá lodos,
y será cosa de ver
que nadie podrá correr
sin echar atrás los codos.
Las mujeres parirán
si se empreñan y parieren,
y los hijos que nacieren
de cuyos fueren serán.

F) *El Entremetido, la Dueña y el Soplón*

Fué escrito en 1627 en su Torre, en donde hallábase desterrado. Se editó en 1628 con el título de *Discurso de todos los diablos o Infierno emendado* (Gerona, 1628). En 1629 solicitó un nuevo permiso, al que se opuso con vehemencia enfermiza su enemigo el Padre Niseno, atacando al escritor y a su libro en la censura que de él escribió [1]), intuyéndose el odio que impulsa la pluma del terrible enemigo, que moteja de «libelo» al libro de don Francisco. Refuta algunos pasajes con machacona insistencia, pero se ve en ellos que obra más la inquina que la razón. «Es todo el tratado injurioso a los más principales estados de la República christiana — dice —, pues no es más que una sátira

---

[1]) *Censura al libro que ha estampado en Gerona, año de 1628, D. Francisco de Quevedo Villegas, cuyo título es Discurso de todos los diablos, o Infierno emendado.* Fué publicado por Astrana Marín (*Obras*, pág. 233). Es sabido que no le publicó Quevedo, sino algún editor codicioso. La obra debió alcanzar un gran éxito.

impía y escandalosa de todos en general, sin exceptar alguno de todos, ni a uno de cada estado en particular.»

Reprodújose este Sueño en los *Juguetes de la niñez,* que tenía, además, otro título: *El peor escondrijo de la muerte. Discurso de todos los dañados y malos, para que unos no lo sean y otros lo dejen de ser.*

En esa mareta infernal sobresalen las voces de tres tipos conspicuos: el intrigante, la dama de compañía y el delator. Reproduce el tema de la *Vida de Marco Bruto,* con ligeras variantes, y discurre sobre las luchas y las acciones punibles que se cometen con pretexto de la libertad. Repite el asunto de la *Providencia de Dios* en cuanto a la concepción pesimista que tiene del hombre, desde antes de nacer. El P. Mariana y la Historia romana son sus fuentes inmediatas.

La decadencia de España le lleva de nuevo a pontificar con empeño y con numerosas alusiones a Felipe IV y a sus servidores. «¿Es posible, príncipes, que todos vuestros validos han sido malos?». La enfermedad de España es grave. La miseria cada vez más intensa, más desoladora; y, con todo, «estando España sin un real de plata, gastalla en fuentes y en cuellos torneados». Ambición, estulticia e inmoralidad son los tres fantasmas que se han ido al báratro a buscar querella. Todas sus ideas políticas están cifradas en la fábula graciosa de los tres fantoches bullangueros que ni en los antros plutónicos los quieren. El estilo es suelto, fluente, lleno de imágenes.

«A pesar del tono entre burlesco y alegórico — escribe Angel Valbuena [1] —, parece que el autor, a di-

[1] A. VALBUENA. — Obra citada, vol. II, pág. 126.

ferencia de la doctrina sobre la posible salvación de los gentiles, sigue la dirección de los jesuítas más intransigentes, que dejaron en el infierno a los filósofos y grandes capitanes de la Antigüedad. Quevedo, que indudablemente se burla del tema mismo del Infierno, tiene buen cuidado de no lanzar afirmaciones que pudieran sonar a heréticas o audaces en un momento en que sus enemigos recurrían a todos los procedimientos para lanzar contra el escritor sospechas de heterodoxia.»

G) *Fantasía moral: la hora de todos y la fortuna con seso*

La edición más antigua que conocemos de esta obra póstuma, «tan alborotadísima de vida», concluye Borges, es la de Zaragoza, 1650-51, y se titula: *La fortuna con seso i la hora de todos, fantasía moral. Autor Rifroscrancot Viveque Vasgel Duacense. Traducido del Latín en Español, por Don Estevan Pluvianes del Padrón, natural de la villa del Cuervo Pilona.* Existen, además, otras ediciones con títulos cambiados. Cejador dice que fué escrita en 1635 y acabada en 1636 [1]), y que el seudónimo es el anagrama de don Francisco de Quevedo Villegas, que debe leerse, según el MS. de la Biblioteca Nacional: «Nifroscancod Diveque Vasgello».

Trata de las cuestiones de gobierno valiéndose de un apólogo en el que Júpiter, rodeado de todas las divinidades romanas — que describe con gracia sin

---

[1]) J. CEJADOR. — *Los sueños* (Clásicos Cast. pág. XX-XXI). La dedicatoria al canónigo D. Alvaro de Monsalve está fechada en 12 de marzo de 1636.

igual — requiere la presencia de la Fortuna. Debió alcanzar gran difusión, porque muchos de los fingidos personajes son retratos de ilustres contemporáneos. Ya advierte en el Prólogo: «El tratadillo, burla burlando, es de veras». Y por este motivo no se publicó hasta después de su muerte. El manuscrito desaparecióle cuando los agentes del Conde-duque le arrebataron todos los papeles y don Francisco hallábase camino de León. Recobró con su libertad parte de los documentos, entre ellos el aludido, al que añadió en 1644 *La isla de los monopantos.*

Hace Quevedo en *La hora de todos* un retrato hilarante de la asamblea de los dioses. Habla de la luna, «con su cara en rebanadas, estrella en mala moneda, luz en cuartos, doncella de ronda y ahorro de lanternas y candelillas». La reunión olímpica es, estilísticamente, perfecta. Hay dos cuadros realistas ponderados, una armonía maravillosa en la concepción, una acertada disposición de escenas, un suave declive. El estilo es seco, sobrio, cortado, y el vocabulario, extenso y brillante cual pocos. Es, al decir de Díaz-Plaja [1]), el libro clave del barroco español. Y van desfilando entre infernales zarabandas, un médico, un azotado, un usurero, senadores, la buscona, la casada que se afeita y una ingente multitud de tipos grotescos que dejan prendida en el aire la frase gráfica y a veces disonante de su queja y el resuello de sus hondas preocupaciones. Hay virulentos ataques a Felipe IV, especialmente en el capítulo *Arbitristas en Dinamarca* y en el que lleva por título *El gran duque de Moscovia y los tributos.*

[1]) G. DÍAZ-PLAJA. — *El espíritu del Barroco*, pág. 75.

En este *Sueño* hallamos no pocos rasgos erasmistas — Erasmo no es tan satírico ni tan incisivo —, como las aficiones mitológicas y los resortes para la aparición de la *Hora* (léase *Locura*), que resuelven por modo agudísimo el afán moralizador en ambos escritores. Erasmo procede en su *Elogio de la Locura* de la siguiente manera: expone el problema social o político en su parte seria y después, para buscar el efecto cómico, hace aparecer súbitamente a la *Locura,* que tergiversa la tesis sustentada. En igual forma se produce Quevedo con su *Hora.*

La *Isla de los Monopantos* [1]), inserta en este *Sueño,* es un afanoso libelo contra los judíos, describiendo una concentración de israelitas en Salónica, lo que supone el conocimiento del pueblo sefardí. Sátira implacable y personalísima contra el Conde-duque y sus amigos. Fernández-Guerra [2]) descubre que Pragas Chinchollos es el anagrama de Gaspar Conchillos, que también así se llamaba el Conde-duque; que Danipe es su envidioso enemigo el Padre Juan de Pineda; que Arpiotrotono es el protonotario de Aragón, don Jerónimo de Villanueva, etc.

«EL BUSCÓN»

El Romancero y la Novela Picaresca son creaciones puramente españolas, fruto sazonado del alma castellana, cuyas raigambres se hallan en las entrañas de la Edad Media y no cesan de manifestarse. Si se

[1]) Monopanto: «Unico en todo»; o sea, los escogidos, los pocos, pero pudientes. «Unos hombres que lo son todo».
[2]) FERNÁNDEZ-GUERRA. — Ob. cit., vol. I, pág. 414 y sigts., nota.

trasplantan, pierden en lozanía y languidecen víctimas del ambiente exótico que las oprime — salvo una
excepción de categoría, si es, como parece, una producción exótica: el Gil Blas. La originalidad y
grandeza de nuestra Raza se reflejan en ellos maravillosamente.

La Picaresca está en conexión con la doctrina estoica del menosprecio del mundo y es hija menor del Ascetismo, tan español también [1]). Es natural, pues, que
don Francisco tuviera en el género un campo abonado
para recoger el fruto de su admirable y singular ingenio.

El hambre es también española en esa época de liquidación de grandezas. La Aventura asimismo lo es.
América, Flandes y Africa absorben las energías de
los mozos llenos de ambición. Los que triunfan (Poderoso Caballero es Don Dinero) ostentan su bigardía
en las páginas vivientes de los escritos satíricos. Los
que fracasan tórnanse escépticos y forman la peregrina
cohorte de los Lazarillos, de los Guzmanes, de los
Marcos...

La novela picaresca ha llegado a la cumbre de su
fama con producciones eminentes. Quevedo, que gusta
de libar en todas las flores del arte literario y que conoce la vida del Pícaro tanto como Mateo Alemán, mejor quizá que Vicente Espinel y, desde luego, mucho
más que el doctor Carlos García, que López de Ubeda,
que Jerónimo de Alcalá, que Salas Barbadillo y que
otros destacados autores, también se deja llevar del influjo de esa corriente tan sugestiva y simpática.

[1]) «El pícaro era un estoico y un sinvergüenza». — PÉREZ DE
AYALA: Las Máscaras, II, 103.

No me interesa ni me incumbe intervenir en la discusión de la tesis sustentada por destacados críticos acerca de la procedencia del vocablo «pícaro»; pero, desde luego, creo que Covarrubias debió afirmarse en su teoría, que siguió más tarde Nykl, basándose principalmente en Quevedo. En el poema heroico *De las necedades y locuras de Orlando el enamorado,* nos dice don Francisco en su décimoséptima octava real:

> ...Y mucho picarón desarrapado;
> que como era la fiesta en Picardía,
> Ningún picaronazo se escluía...

El Buscón no es la única novela picaresca de Quevedo. En su poesía festiva y en sus numerosas producciones satíricas, particularmente las de la primera época, hallamos no pocos antecedentes. Las jácaras tituladas *Carta de Escarramán a la Méndez; Carta de la Perala a Lampuga su bravo; Villagrán refiere sucesos suyos; Vida y milagros de Montilla,* en que hay una alusión al chiste de Pablos referente al personaje a quien los chiquillos llamaban «Poncio Pilatos» [1]:

> Ponce se llamó mi padre;
> y los muchachos lo Ponce
> lo juntaron a Pilatos;

Relación que hace un jaque de sí y de otros; Refiere Mari Pizorra honores suyos y alabanzas; Moxagón preso celebra la hermosura de su hija, y el baile *Los valientes y Tamayonas,* entre otras, son cuadros netamente

---

[1] El episodio de Poncio de Aguirre refiérelo un cuento de Gaspar Lucas Hidalgo, inserto en la obra *Diálogos de apacible entretenimiento* (1605). — MENÉNDEZ PELAYO: *Orígenes de la Novela,* vol. II, pág. CXX. — AMÉRICO CASTRO: *El Buscón* (Clásicos Castellanos, 1927, pág. 27, nota).

picarescos, llenos de sal y de agudeza y no inferiores a su celebrada novela.

En 1608 empieza la *Historia de la vida del Buscón, llamado don Pablos, ejemplo de vagamundos y espejo de tacaños,* novela que, al parecer, se lleva consigo a Italia en 1613 y que no verá la luz hasta 1626, en las prensas de Zaragoza [1]) por Pedro Verges; edición plagada de incorrecciones, distinta del manuscrito que se guarda en la Biblioteca Menéndez y Pelayo y que ha sido publicado por el señor Américo Castro [2]). El título del citado MS. es el siguiente: *La vida del Buscavida, por otro nombre don Pablos.* También en otras ediciones se le ha llamado *Historia de la vida del gran Tacaño* o, simplemente, *El gran Tacaño.*

Es, sin duda alguna, la obra más genial de su clase, pero también la más desaliñada. Es la última novela picaresca verdaderamente grande y pura en su concepción, ya que las que le siguen mezclan la anécdota y el costumbrismo en el género, en un fárrago informe y barroco. *El Buscón* fué escrito en un rato — un rato, no más — de buen humor, uniendo varios retazos — temas quizá para sus poesías satíricas y festivas — que tenía en cartera, pues algunas partes se presentan más pulidas que otras, sufriendo por este motivo, como

[1]) El 26 de mayo de 1626 se concede en Calatayud al librero de Zaragoza Roberto Dupord la facultad de imprimir y vender la novela. El propio Dupord, o Duport, se muestra entusiasmado en esta empresa; tan es así que dice en carta a fray Juan Agustín de Funes dedicándole este libro, que es un «émulo de Guzmán de Alfarache, y aun no sé si diga mayor, y tan agudo y gracioso como Don Quijote, aplauso general de todas las naciones».
[2]) AMÉRICO CASTRO. — Ob. cit. Otra edición muy depurada es la del señor Astrana Marín (*Obras,* pág. 77), sacada del Ms. de José Bueno y de la transcripción hecha por Bartolomé José Gallardo del Códice núm. 179 de la Catedral de Córdoba.

nota Samuel Gili Gaya [1]), una pequeña deformación estilizadora hacia la caricatura. Le sobran elementos, como por ejemplo las alusiones personales que hace de su enemigo Pacheco de Narváez. Vossler [2]) opina que en él se exalta la ambigüedad y desenvolvimiento espiritual, pesimismo alegre, coexistencia casi inverosímil de fantasía picaresca y de ascetismo.

El protagonista Pablos encaja perfectamente en el personaje tradicional, y resulta un muchacho lleno de simpatía a pesar de sus malandanzas y de las degradaciones morales que va descubriendo a cada paso. Su carácter se traza a lo largo de la novela con depurados perfiles, a golpes de martillo y con duros brochazos realistas. Sabe que la vida es una brega continua y reclama su puesto en el banquete social, movido siempre por la intemperancia de su hambre, el único ideal que le acucia, como al *Lazarillo* y a la mayor parte de los «pícaros». La brutalidad y cinismo, si no son peores que en las demás novelas, son, cuando menos, iguales. «La alegría se desfigura nerviosa y convulsivamente. Sólo se oye la sarcástica complacencia en el daño causado, tanto si el pícaro es el inductor como el burlado.» [3])

Es una novela rutilante, diáfana y con facetas múltiples, que se nos presenta con las impurezas propias de la naturaleza, como las piedras preciosas. No fatiga su lectura breve y concisa. El concepto es menos retorcido; la prosa más llana, dentro de las posibilidades

[1]) S. Gili Gaya. — *Mateo Alemán: Guzmán de Alfarache* (Clásicos Cast. Madrid, 1926, pág. 10).
[2]) Vossler. — *Algunos caracteres de la cultura española,* página 89, nota.
[3]) Pfandl. — Obra citada, págs. 309-310.

técnicas de Quevedo, mostrando una negligencia en la composición que la hace ser todavía más espontánea en el discurso, más chispeante en el diálogo, más dinámica en el estilo, más grácil y flexible en el léxico popular. El espíritu del autor se nos aparece a menudo, exquisito y original como ninguno, rebosante de fantasía, irónico y mordaz, sobre todo cuando es Quevedo quien habla, que es casi siempre. Nada más realista y sincero, nada más descarnado y clarividente. La pluma es un escalpelo con que abre las heridas de sus semejantes. Parece que Pablos, al narrar su propia vida, refiere la de un semejante, pues no cela defecto ni purulencia por graves que sean. Es cándido y veraz porque cree que así es la vida de sus contemporáneos.

El camino vagaroso de Pablos nos sugestiona. A veces creemos que es el propio Quevedo que reacciona de esta guisa a causa del escepticismo que vierte en su alma vehemente (receptáculo de todas las impresiones fuertes y llena de candidez) el espectáculo deprimente de la sociedad española. La descripción del licenciado Cabra y el maldito condumio que presenta a sus pupilos [1]; la vida mísera de los pícaros; sus tretas y añagazas para procurarse el sustento, son obras de arte acabado. Es imposible escribir una novela de esta categoría sin haber vivido en medio de las «chirlerías» de la sociedad de pícaros.

El primitivo plan debió sufrir no pocas transformaciones. Quevedo había acariciado el proyecto seductor

[1] No creo que existiera realmente, aunque de estos personajes estaba llena la sociedad de aquellos tiempos. La carta que inserta Fernández-Guerra en el *Epistolario*, en la que habla de ese licenciado y de su indignación por haber sido retratado en la novela, es apócrifa, seguramente.

de una obra «en grande», intentando forjar una comedia humana del siglo XVII. La novela actual debe ser una especie de borrador para un trabajo en ciernes más extenso y mesurado que las circunstancias de su vida truncaron para siempre: ello puede demostrarlo el estilo en ocasiones conciso, lato en otras; numerosas páginas escritas al desgaire y de corrida; varias incorrecciones en la sintaxis y, como nos hace observar el señor Astrana Marín [1]), la circunstancia de que en algunas ediciones primitivas aparezca el siguiente título: «Libro tercero y último de la Primera Parte de la vida del Buscón», nos determina a suponer la existencia de un plan más extenso y definitivo. El viaje a Italia, que le robó más horas de lo que él suponía, los azares de la política, sus tareas diversas y el cambio de ambiente, impidiéronle fijar sus actividades en ese propósito juvenil, por lo cual tuvo que modificar el plan general y las divisiones de los capítulos para dar al original, que debía ser el definitivo, relativa unidad y proporción. Cuando regresó a Madrid, otros climas le llevaron por derroteros bien diferentes.

El Buscón tuvo gran fama en España, sucediéndose ininterrumpidamente las ediciones. En el extranjero se hicieron numerosas traducciones: al italiano en 1634, por P. Franco; al francés, en 1644, por Genesto; al inglés en 1798; al alemán en 1700, por Berst, y en 1781. Hay una traducción francesa mejor que las citadas, que lleva por título: *Histoire de Don Pablo de Ségovie, surnomé l'aventurier Buscon,* hecha en París, en el año 1843, por Germand de Lavigne.

[1]) L. ASTRANA-MARÍN. — *Obras,* pág. 101, nota.

Quevedo ha leído mucho la *Celestina* y el *Guzmán*, y algunos pasajes traslucen esas influencias. Conoció también la obra de madurez de Vicente Espinel *Vida de Marcos de Obregón*, que apareció en 1618 en Madrid, por Juan de la Cuesta, pero en ella no hay intención satírica, sino didáctica [1]). El antecedente más directo que se puede aducir se halla en *El Diablo Cojuelo*. El señor Rodríguez Marín [2]), en el prólogo de esta edición escribe: «El desaforado poeta del «tranco» IV es pariente propincuo de otros dos muy conocidos en nuestra literatura: el del *Coloquio de los Perros,* de Cervantes, y el de la *Vida del Buscón,* de Quevedo.» El lector conoce ya mi opinión por lo que respecta a esta sugerencia del señor Rodríguez Marín.

QUEVEDO, POETA

Tengo para mí que después de Góngora y de Lope, Quevedo es el poeta más favorecido de las Musas de su época. Su poesía, como dice Quintana [3]) «nerviosa y fuerte, va impetuosamente a su fin». Poeta lírico y narrativo, sabe pulsar la lira religiosa, satírica, amorosa y aun épica. Toda ella pertenece al barroco en su más pura expresión.

Quevedo es, ante todo, un gran poeta. No sabría decir exactamente cuál es su musa favorita. Si en la parte satírica y festiva es adestre como nadie, en la poe-

[1]) Véase SAMUEL GILI GAYA. — *Espinel. Vida de Marcos de Obregón.* Clás. Cast. Madrid, 1922, pág. 22.
[2]) RODRÍGUEZ MARÍN. — *El Diablo Cojuelo.* Clás. Castellanos.
[3]) M. J. QUINTANA. — *Obras Completas.* B. A. E. Madrid, 1852, página 142.

sía seria, moral y religiosa ratifica los grandes vuelos de su genio. Pero su inspiración no es siempre sostenida y al lado de estrofas bellísimas nos encontramos con graves defectos de prosaísmo. Sus versos son flúidos, espontáneos, poco trabajados, tal como salen, a chorro de su vigorosa fantasía, empedrados todos ellos de epítetos brillantes e inesperados, de aliteraciones, asonancias y sobre todo de antítesis.

«Prodigio de sutilidad», dice Gracián de ellos [1]). Tampoco puede intuirse hacia dónde dirige sus preferencias, pues a pesar de su temperamento señero, tiene de todas las escuelas. Tiene además influencias renacentistas en muchos aspectos de su obra, uniendo a lo más florido del genio una poderosa intuición poética. En casi todas sus poesías pone lo más genuino de su temperamento; y no sabe corregirlas, no sabe pulirlas. Es para él la poesía un desahogo del corazón. En el prólogo del *Anacreonte* ya dice con Cicerón que es el fruto de un «divino furor». Su credo poético puede resumirse en las siguientes palabras: «Quien sin el furor de las Musas llega a las puertas de la poesía confiado en que con alguna arte será poeta, no lo entiende y se engaña. El poeta es de sola su imaginación. El furor del poeta es divino.» [2])

Razón tenía Ludwig Pfandl [3]) cuando dice con «Azorín» [4]) que es un lírico alejado de toda ternura pero lleno de un severo impulso y a la vez de humor orgulloso y malévolo. No es tierno, ni pretende serlo, salvo

[1]) GRACIÁN. — *Agudeza y arte de ingenio.*
[2]) PFANDL. — Obra citada, pág. 170.
[3]) AZORÍN. — *Clásicos y modernos,* pág. 170.
[4]) Más tarde Feijóo escribirá: «El furor es el alma de la poesía... El rapto de la mente es el vuelo de la pluma» (Paralelo de las lenguas castellana y francesa).

en algunos contadísimos momentos de su lírica amorosa o religiosa; y aun así su ternura es forzada. Como casi toda su prosa, la producción poética es cerebral, con una flotante nota de pesimismo y de crítica, de ironía y de humorismo y, por medio del ridículo, con un noble afán de deformación de costumbres. Este último aspecto ya lo elucidó, aunque dándole excesiva importancia, su sobrino y editor de las *Musas*.

Es, además, un poeta original, siempre y cuando sigue los ímpetus de su genio desenfadado, desbordándose en letrillas y jácaras, en bailes y canciones, en sátiras y coplas y, sobre todo, en el romance, del que es un consumado maestro.

Rival ferviente de don Luis, enarbola su bandera de combate, que no le impide invadir el campo adverso. Los dos poetas buscan florecillas en el huerto ameno de nuestra tradición popular. Así dice Góngora:

> Vuela, pensamiento, y diles
> a los ojos que te envío,
> que eres mío.

Y Quevedo:

> Vuela, pensamiento, y diles
> a los ojos que más quiero,
> que hay dinero.

Parece de Quevedo, o al menos imitada de él, la letrilla:

> Mucho tengo que llorar,
> mucho tengo que reír... [1]).

[1] ADOLFO DE CASTRO. — *Obras*. B. A. E. vol. XXXII, pág. 499.

Es un representante neto de la poesía barroca, mucho más que Góngora y que sus secuaces. Y lo es por temperamento, por devoción y por cálculo. «Interesa — opina Díaz-Plaja [1] — porque eleva a un plano nacional y político todo el pesimismo abstracto de esta poesía barroca». Admira a Garcilaso y a Fray Luis y alguna vez sigue las sendas petrarquistas y salmantinas; pero está lejos de su espíritu toda imitación persistente y sobre todo consciente. Si sus reminiscencias petrarquistas no son fuertes es porque el petrarquismo se había extinguido ya en el mar de la vulgaridad, caído en la vorágine de nuevas tendencias estilísticas.

Sus ideas poéticas tienen el pragmatismo peculiar de su carácter independiente. Alaba con encendidos epítetos a Boscán y a Garcilaso parangonándolos con Horacio y Propercio; exalta la figura de Francisco de Figueroa — cuya fama, mal interpretada en su tiempo, le hacía fulgurar con resplandor hiperbólico —, llamándole «divino por su blandura y propiedad» [2]. Su celo patriótico le impulsa a decir: «¿Qué Anacreonte iguala a Garci Sánchez de Badajoz?» [3] No comprende a Herrera, a pesar de que el ingenio hispalense es considerado por Gracián como un precursor del Conceptismo, buscando con paciencia quisquillosa los defectos naturales en su estilo y en su léxico [4]; pero no puede menos de reconocer más tarde: «¿Qué es igual al cuidado y lima de los versos de Hernando de

[1] G. Díaz-Plaja. — *La poesía lírica,* pág. 205.
[2] *España defendida,* capítulo III.
[3] Idem, íd., capítulo III.
[4] Véase *Apostillas a las Poesías de Fernando de Herrera,* publicadas por Astrana Marín.

Herrera?» [1]) Se halla más identificado con Baltasar del Alcázar y con Francisco de Medina — cuya musa es más frágil y pizpireta — que con el jefe de la escuela sevillana. Ticknor le atribuye dos faltas: el descuido y la de que, buscando el vigor y la fuerza, cayó a menudo en la afectación [2]).

En las liras [3]) imita a veces a los poetas ascéticos y místicos, particularmente a Fray Luis de León y a San Juan de la Cruz; mucho menos a Garcilaso. En sus sonetos suele palpitar el genio inmarcesible del insigne vate toledano, y en ellos desarrolla temas amorosos parejos, llenos de melancolía y de tonos suaves, cantando un amor resignado y doliente [4]); pero está muy lejos de la expresión poética, de la ternura y del sentimentalismo del cantor de Isabel Freyre. En los metros cortos — el octosílabo, tan español: romances, letrillas, jácaras, bailes y redondillas —, conviértese en un poeta insuperable, sin rival en nuestro Parnaso.

*
* *

Quevedo es maestro de la imagen. Sus tropos y sus alegorías son singularísimos. A veces supera a Góngora. Así, por ejemplo, dice del sol:

[1]) *España defendida.* Capítulo III.
[2]) TICKNOR. — Obra citada, vol. III, pág. 406.
[3]) Emplea diversas combinaciones, pero la lira no es su fuerte.
[4]) Imita a Garcilaso en los sonetos:

Dióme el cielo dolor y dióme vida...
... ...
Ya, Laura, que descansa tu ventana...
... ...
Ya viste que acusaban los sembrados...
... ...

> Cuando el dios calentador,
> barba roja de Epiciclos,
> en la contera del mundo
> se está haciendo mortecino...

De la vejez escribe:

> La edad, que es lavandera de bigotes,
> con las jabonaduras de los años,
> puso en mis barbas a enjugar sus paños,
> y dejó mis mostachos iscariotes...

De la nariz, su tema predilecto:

> Promontorio de la cara,
> pirámide del ingenio,
> pabellón de las palabras,
> zaquizamí del aliento...

Del Fénix:

> Tú, linaje de ti propria,
> descendiente de ti misma,
> abreviado matrimonio,
> marido y esposa en cifra...

Hemos hablado ya del chiste quevedesco, que es famoso en el ruedo español por su desenfado y lozanía. Su musa festiva derrocha ingenio a borbotones y a veces peca por su abundancia, cayendo en el lugar común y en el prosaísmo.

En los versos serios — llamémoslos así — no sigue determinada escuela; pero, como objeta Menéndez y Pelayo [1]), «no hace versos por el solo placer de halagar la vista con la suave mezcla de lo *blanco* y de lo *rojo*: acostumbrado a jugar con las ideas, las convierte en

---

[1]) MENÉNDEZ Y PELAYO. — *Ideas Estéticas*. Lug. citado.

dócil instrumento suyo, y se pierde por lo profundo, como otros por lo brillante».

Quevedo domina la técnica de los versos. Sus endecasílabos no tienen preferencias de acentuación: es decir, que unas veces acentúa en la cuarta y octava sílabas y otras en la sexta; pero cuando quiere, ejecuta indiscutibles filigranas en este respecto: compruébese en el soneto titulado *A D. Luis Carrillo, Cuatralvo de las Galeras de España,* cuyos catorce versos llevan el acento en la sexta sílaba. Sus quinientos sonetos son otros tantos modelos de versificación, dominando toda suerte de dificultades. Podríamos formar un capítulo de «rarezas», pues son copiosas y excepcionales. Tiene rimas difíciles — uno que termina en *ax, ex, ix, ox ux* —, haciendo gala de componerlos con los nombres más inauditos y enrevesados — *sopa-zurrapa, escucho-provecho, coco-matraca, grajo-ceja,* etc. —; versos que riman en consonante aguda, de difícil ejecución; sonetos con versos de cabo roto — o de rima partida —; o al revés, como el que se imprimió en las *Sentencias* [1]):

> ¡Oh vana, oh loca atrevida-vida
> del hombre ciego que en prestado-estado
> vive muriendo desterrado-errado,
> su gloria, luego que es venida-ida...!

Demuestra un dominio del lenguaje el soneto, de factura dificilísima, cuyo es este cuarteto:

> Antes alegre andaba, agora apenas
> Alcanzo alivio, ardiendo aprisionado;
> Armas a Atandra aumento acobardado,
> Aire abrazo, agua aprieto, aplico arenas...

[1]) Sentencia núm. 1170.

477

Alguna vez retuerce el verso sujetándole al concepto, obteniendo deplorables efectos, como por ejemplo:

> Mas no, aunque su hambre hasta morir pelea...;

y en ocasiones le resultan defectuosos, como el siguiente, que en realidad debería decir así, contraviniendo las leyes gramaticales para no resultar dodecasílabo:

> que pasa el *diá* por él, y siempre crece...

En los versos cortos presenta iguales características. Los romances de Quevedo son bellos, airosos, sonoros, fluyendo a chorro de su impetuosa fantasía. Y esto le pierde a menudo; y le pierde su extrema facilidad en la ejecución. La luz que irradian los epítetos le deslumbra, y el caudal de pensamientos y de proyectos que sin cesar le brotan, impídenle refrenar sus impulsos febriles y considerar su obra para desbastarla de las naturales impurezas. A veces forma diptongo con dos vocales fuertes:

> ...Porque no se afrente al leer...
> ...sea interesable el infierno...
> ...sean ya bocas de costal...,

o fuerza el verso a las exigencias del diptongo:

> ...de aquellos que solían ser...
> ...y hasta los días de trabajo
> los hace días de guardar...

En ocasiones aspira la *h*:

> ...mueren de hambre contino...
> ...porque hurta plata o cobre...
> ...mal en oponerme hago...
> ...Remolón fué hecho cuenta... [1])

Tiene otras licencias que desagradan al oído del lector; véanse estos octosílabos:

> ...como Eva con Adán...
> ...que se usan por acá...
> ...alfiler que no te pretenda...
> ...con torpe desconfianza...
> ...tú que nos haces viudos...

El Romancero es una grávida cantera a la que el poeta suele acudir a menudo en busca de la piedra berroqueña con que levantar sus inmortales monumentos. Frecuentemente se ven huellas de viejos romances:

> ...Helo, helo por do viene...
> ...Helas, helas por do viene...
> ...Hételo por do viene...
> ...En el real de Don Sancho
> grandes alaridos dan...
> ...Por el talle y por las armas
> me has cautivado dos veces...
> ...Mensajero soy, señora,
> no tenéis que me culpar...

Parodia también el de Abenamar:

> ...A los hierros de una reja
> la turbada mano asida...;

[1]) Que aspiraba la *h* lo demuestra este gráfico ejemplo:
...acumúlanme geridas...

y en la Genealogía de los Modorros inserta — quizá a través de la conocida imitación del *Quijote* —, el que empieza:

...Sus arreos son tocarse,
su descanso ataviarse...

Los asuntos tienen fuentes diversas. No le incumbe adentrarse en los floridos vergeles que cultivan Góngora y Lope. ¿Qué han hecho ellos también? En ocasiones copia de Marcial y de los epigramáticos griegos y latinos. Hay temas consabidos en nuestra Literatura de las citadas fuentes, a que apela con demasiada frecuencia; el anecdotario madrileño, la literatura patria y su propia fantasía inagotable le brindan temas sugestivos.

La gran dificultad estriba en la adecuada selección de su obra poética, tan multiforme, pues es sabido que no publicó personalmente ninguna edición de poesías (difundiéndose en manuscritos, cada vez más estragados y desconocidos de su propio autor), excepto algunas que se insertaron en Romanceros de su tiempo. Dice el primer colector de sus obras, Pedro Coello, en 1648 [1]), que «de sus poesías, lo que yo pude alcanzar con todo género de negociación no fué de veinte partes una, según aseguraron los mismos que en aquella ocasión las vieron» [2]). Las obras poéticas se publica-

[1]) *Enseñanza entretenida y donairosa moralidad comprehendida en el archivo ingenioso de las obras escritas en prosa, de D. Francisco de Quevedo Villegas, caballero de la Orden de Santiago, y señor de la villa de la Torre de Juan Abad. Contiénense juntos en este tomo las que, aparecidas en differentes libros, hasta aora se han impresso. En Madrid, lo imprimió en su officina Diego Díaz de la Carrera. Año. MDCXLVIII. A costa de Pedro Coello, mercader de libros.*

[2]) Igualmente se produce José Antonio González de Salas.

ron con el título plenamente barroco de *El Parnaso español, monte en dos cumbres dividido, con las nueve musas castellanas,* lujosamente editadas y con un retrato del autor pintado por Alonso Cano, por Jusepe Antonio González de Salas, en Madrid, año de 1648. No pudo terminarse la edición, que fué continuada en sus tres *Musas* últimas por su sobrino don Pedro Aldrete Quevedo y Villegas en 1670 con el siguiente epígrafe: *Las tres Musas últimas castellanas, segunda cumbre del Parnaso español, de D. Francisco de Quevedo Villegas, señor de la villa de la Torre de Juan Abad, sacadas de la librería de D. Pedro Aldrete Villegas, colegial del mayor del Arzobispo, de la Universidad de Salamanca, señor de la villa de la Torre de Juan Abad. Madrid, 1670.*

Quevedo había acariciado la idea de editar sus obras poéticas en 1632, agrupándolas en tres colecciones: *Las Musas; Obras serias de donaire en verso,* y *Sonetos morales y traducciones de latinos y griegos;* pero siempre dejó para mejor ocasión esta empresa y con ello le sobrevino la cárcel, la enfermedad y la muerte.

Como poeta figura ya en las *Flores de poetas ilustres,* que recogió en 1605 Pedro de Espinosa [1]), y que sitúan algunas de sus composiciones juveniles, como el *Poderoso Caballero,* las letrillas *Punto en boca* y *Con su pan se lo coma,* y varios sonetos y epigramas sacados, según el colector, de un libro compuesto por don Francisco cuando contaba diecisiete años.

Las poesías conservadas son relativamente pocas si se tiene en cuenta que la mayor parte aparecieron

[1]) 1603, dice Fernández-Guerra, equivocadamente.

en papeles volantes y que otra muy considerable fué destruída por consejo de su confesor, el jesuíta padre Tébar pocos días antes de su muerte.

Se han hecho de ellas varias divisiones, según la interpretación y la finalidad de los editores. Capmany las agrupó en tres volúmenes: *serias, festivas y burlescas;* pero es ésta una selección a todas luces imprecisa. El moderno Pfandl las clasifica en dos, consistentes en *sátira pesimista y desdeñosa, romances satíricos y de burlas y sonetos de circunstancias* el primero; y el segundo, en *obras de reflexiva seriedad y de amor;* clasificación que yo estimo más vacua y más ligera que la anterior y que sólo tiene de bonito la palabrería.

La edición de González de Salas, a pesar de que dice fué ideada por el autor, es poco depurada; algunas poesías son espurias; muchos de sus títulos son de invención del editor o de los editores anteriores, y aun ha retocado algunas, suprimiendo versos que juzgó poco morales. Como en las ediciones de Pedro de Aldrete y de Janer — más desaliñada ésta todavía [1] —, algunas de las poesías que inserta no son de don Francisco, sino de otros ingenios contemporáneos de vena satírica pareja. Pero, con todo, la amorosa y pacienzuda labor de recopilación que supone es altamente meritoria, puesto que sin él la mayor parte de los originales desempolvados de los archivos y de las colecciones particulares más diversas, habrían desaparecido. Por este motivo comentaré en lo que estime justo la obra editada por el referido crítico.

[1] «La Biblioteca de Autores Españoles encargó una edición a Florencio Janer en 1877, aun más oscura e imperita, con anotaciones vulgares y estólidas.» (ASTRANA MARÍN. *Obras,* pág. XI.)

En la edición príncipe hay una lámina con esta Musa, que se dispone a escribir en el libro de la Historia, teniendo detrás de sí a varios ejércitos en combate.

Quevedo muestra en estas composiciones un sentimiento profundamente romano. El ambiente, el espíritu, los términos son romanos. Predominan en él los ecos de Horacio, de Virgilio, de Juvenal y de Persio y, sobre todo, de Séneca. De esta obra grave y solemne como un son de campanas opulentas, emerge un sentimiento pesimista, de profunda lamentación por las pasiones desenfrenadas de los hombres. No se nos muestra ni acerado ni sarcástico, sino dolido. Preside estas composiciones un aspecto de gran dignidad, de sobriedad y de elevación de miras.

Contiene poesías heroicas, elogios a reyes, a príncipes y a magnates. Felipe III y Felipe IV tienen lugar preponderante en esta parte, compuesta de treinta y cuatro sonetos, de un poema a la jura del Príncipe Baltasar Carlos en octavas reales muy pulidas, de una silva a la victoria del duque de Pastrana y de una canción pindárica en honor del duque de Lerma.

Lo mejor, sin duda, son los sonetos, de técnica rigurosa. De entre ellos resalta el titulado *A Roma sepultada en sus ruinas.* El dedicado a la estatua del César en Aranjuez sugiere una sensación pictórica:

> Las selvas hizo navegar, y el viento
> Al cáñamo en sus velas respetaba,
> Cuando cortés su anhélito tasaba
> Con la necesidad del movimiento...

El soneto

> Llueven calladas aguas en vellones...,

muestra un paisaje gris; en él imita a Marcial, como
asimismo le imita en éste, de gran fuerza descriptiva:

> Tú solo en los errores acertado,
> con brazo, Mucio, en llamas encendido...

Su poesía es como el paisaje español, tan vario y
pintoresco, con cumbres que se embriagan de luces de
aurora y honduras crepusculares, entre la orgía de la
vegetación y el páramo, que es arca, cifra y símbolo de
austeridades; estruendo de aguas que se despeñan o
susurro apacible del río entre las frondas: pero este
manantial que vive una existencia tan colmada de vicisitudes, es constante, eterno y vital como el alma de
Castilla. Y sobre este signo de perennidad generosa, el
sol del genio con sus matices brinda colores múltiples.
Quevedo es un poeta castellano y sabio. En ese licor
de vida bebe imágenes, como la del pino:

> El pino, que fué greña de la sierra,
> y copete de cerros atrevidos...,

o la del mar, o la del bosque, o la de la tierra que tanto
ama. A veces se deja ganar por la anagogía del eco y
termina la *Musa* con unas liras que refunden alientos
petrarquistas y salmantinos:

> Así cantaba Clío,
> al son de la trompeta de la Fama;
> y el numen que la inflama,
> suspenso aquí, desacordado frío,
> cesó, y entre las flores,
> los vientos quiso oír murmuradores.

Segunda Musa: POLIMNIA

En la *Musa Polimnia* demuestra Quevedo sus dotes de gran sonetista. Son 137 composiciones de este género en las que el poeta descubre un inusitado dogmatismo sentencioso, imitando a Juvenal, a San Pedro Crisólogo y sobre todo a Séneca. Los mismos temas de su prosa desarróllalos en versos flúidos y sonoros. El aire romano no le abandona y muchas veces da la impresión de que son poesías latinas traducidas. Desde luego, el *Sermón estoico* y la *Epístola Satírica* están inspiradas en Horacio, como también aquel soneto, eco vibrante del «Beatus Ille»:

> Dichoso tú, que alegre en tu cabaña,
> mozo y viejo espiraste la aura pura,
> y te sirven de cuna y sepoltura,
> de paja el techo, el suelo de espadaña...

Acusados rasgos autobiográficos contiene el siguiente, escrito pensando en Epicteto:

> Llueve ¡oh Dios! sobre mí persecuciones,
> mendigo, esclavo y cojo, repetía
> Epicteto...

Los pensamientos que animan estos versos son obra de un cerebro humanístico, y la intención moral se desarrolla en multitud de producciones encaminadas a enmendar las corrompidas costumbres. Trata de demostrar que no es rico el que tiene mucho caudal. Ensalza la virtud del hombre. Describe el apetito voraz del pecar. Advierte los peligros de subir a demasiada altura. Enseña a bien morir. Reprehende los desórdenes y los vicios apelando al testimonio de San Agustín y al de San Ambrosio.

El lector que conozca la literatura grecolatina encontrará no pocas huellas de epigramas antiguos.

Refunde su pensamiento la poesía titulada *Sermón estoico de censura moral,* en que hace patente a Clito la inestabilidad de las cosas humanas, y aun más en este soneto, quizá el mejor de la presente *Musa,* que no puedo menos de transcribir:

> ¡Cómo de entre mis manos te resbalas!
> ¡Oh cómo te deslizas, edad mía!
> ¡Qué mudos pasos traes, oh muerte fría!
> Pues con callado pie todo lo igualas.
>
> Feroz de tierra el débil muro escalas,
> En quien lozana juventud se fía;
> Mas ya mi corazón del postrer día,
> Atiende al vuelo, sin mirar las alas.
>
> ¡Oh condición mortal! ¡Oh dura suerte!
> ¡Que no puedo querer vivir mañana
> Sin la pensión de procurar mi muerte!
>
> ¡Cualquier instante de la vida humana
> Es nueva ejecución, con que me advierte
> Cuán frágil es, cuán mísera, cuán vana!

Si hay algún verso duro por la presencia de vocales fuertes, como el tercero, en cambio, el octavo, el onceavo y el doceavo son música verbal.

En esta *Musa* se halla también la famosa *Epístola Satírica y Censoria contra las costumbres presentes de los castellanos, escrita a don Gaspar de Guzmán, conde de Olivares, en su valimiento.* La misma inspiración, idénticos pensamientos filosóficos. Severidad, acrimonia. Firmeza de convicciones, sentido del deber, culto a la verdad. Todo profundamente original. Empieza:

> No he de callar, por más que con el dedo,
> Ya tocando la boca, o ya la frente,
> Silencio avises, o amenaces miedo.
> ¿No ha de haber un espíritu valiente?
> ¿Siempre se ha de sentir lo que se dice?
> ¿Nunca se ha de decir lo que se siente?

El poeta explota airadamente contra la cobardía social que aherroja el alma de sus compatriotas. No puede sufrir esa postración, ese letargo moral, esa lacería supina de adulación rastrera. Vuelve la vista hacia atrás, hacia aquella época fecunda en que

> Nadie contaba cuánta edad vivía,
> Sino de qué manera: ni aun un hora
> Lograba sin afán su valentía...

La edad áurea de nuestra España arrebata al insigne vate:

> Hilaba la mujer para su esposo
> La mortaja, primero que el vestido...

Desde Virgilio y Horacio hasta Cervantes, numerosos poetas han ensalzado aquel venturoso tiempo en que el honor y la candidez de corazón reinaron en el mundo. Quevedo apura este tema y le da nuevo vigor; y tras de la pasión que lleva a su pluma a exaltar las viejas costumbres patriarcales, la melancolía y la amargura le prestan acentos profundos.

Los tercetos son de una maestría insuperable. Hay versos rotundos, luminosos. Grandilocuencia y entonación herreriana y un desgranar de músicas solemnes. Tiene imágenes brillantes: «Las rubias minas», «el áspero dinero», «la pomposa seda».

Tercera Musa: MELPÓMENE

Es de corta extensión y ensalza las virtudes de los personajes ilustres: exequias, epitafios, funerales alabanzas, que tanto complacían al poeta portugués Camilo Castello Branco. Está dedicada a don Gregorio de Tapia Salcedo, caballero santiaguista, amigo suyo, y la edición príncipe tiene un bello grabado de Juan de Noort, del que ya he hablado al tratar de la figura de don Francisco.

Entona líricos responsos a Felipe III, al infante don Carlos, a su desgraciado amigo el duque de Osuna, a Ambrosio de Spínola, a los duques de Lerma, al infortunado Rodrigo Calderón y a otros destacados próceres y amigos.

Gravedad, madurez, fatalismo, alientos ultraterrenos y de futuridad, luces de ocaso, teoría de graves y solemnes cipreses: todo ello expresado con un tono doliente y elevado.

La mejor composición es la canción fúnebre en la muerte de Luis Carrillo y Sotomayor, a quien había ya dedicado un epitafio latino en verso y prosa. Es de gran fuerza lírica y expresa cordiales sentimientos, con acentos horacianos. No tiene cual las otras la pomposa severidad ni el eco funeral, sino que, por el contrario, es frágil y delicada cual una florecilla silvestre, exenta de toda gravedad circunstancial, respirando suave optimismo e inefable placidez de espíritu.

Cuarta Musa: ERATO

Aun cuando en esta *Musa* Quevedo sigue las formas métricas de las anteriores, adopta ya una gran variedad estrófica — sonetos, silvas, liras, sextinas, estancias, redondillas, octavas — e introduce el romance con sus variaciones, que le había de dar legítima fama. Ello no quiere decir que, cronológicamente, el romance aparezca después de la producción antecedente, ni mucho menos, pues los metros cortos y populares fueron empleados por él desde la más tierna adolescencia y aun con preferencia al endecasílabo.

La *Musa Erato,* cuya edición príncipe está prestigiada por una lámina de A. Cano, es eminentemente lírica. Canta las delicias del Amor y exalta la belleza de la mujer con flagrante entusiasmo. Palpitan en el libro acusados rasgos del sublime toscano. El Garcilaso de las *Eglogas* estimula con eficacia a nuestro joven poeta, que está lejos de su futura personalidad conceptista.

Los cien sonetos son otros tantos cantos a la gloria del Amor. La música ideal llena el alma de un encanto anagógico. Amor doliente, afecto tierno, herida poco profunda, serenidad cerebral. Laura, Aminta, Filis, Floris, Floralva y Flora son las ninfas que bordan la tela de su fantasía en un paisaje lleno de rumorosa vida natural. En estas producciones apenas se retrata a sí mismo. No canta los desdenes de «su» amada, ni «su» tormento es el tormento que dice sentir. Hay mucha objetividad y mucho convencionalismo en estos versos cadenciosos que brotan cristalinos y puros de

los cauces neoplatónicos. A veces Anacreonte asoma la
faz risueña y satisfecha. El goce de los sentidos, la posesión de la bella los presiden. Los madrigales amorosos compiten con los de Cetina, aunque no llegue
a la ternura infinita del inspirado «Vandalio». En aquel
en que advierte la brevedad de la hermosura, encuentro
liras de fondo y contextura maravillosos. Dice a Ca-
silina que goce del amor; y le advierte con acendrado
cariño:

> Pero cuando obstinada
> llegues a los umbrales de la muerte,
> si con la voz turbada
> me llamares, iré gozoso a verte;
> y Fabio gozará en tu paraíso
> ya que no lo que quiere, lo que quiso.

Y acaba con rúbrica plenamente anacreóntica:

> Coronemos con flores
> el cuello, antes que llegue el negro día.
> Mezclemos los amores
> con la ambrosía mortal, que la vid cría.
> Y de los labios el aliento flaco
> nos acuerde de Venus, y de Baco.

Es, también, el «Vivamus, mea Lesbia», la amada
feliz que todavía no ha llorado la muerte del tierno
pajarillo.

Quevedo no se apasiona por determinada escuela
poética, sino que toma de ellas lo que le place. Escribe
numerosas poesías a la manera tradicional, y en estos
metros cortos, tan ahincadamente defendidos años antes por Cristóbal de Castillejo y sus españolísimos

secuaces, su genio castizo logra éxitos no superados. Véanse las quintillas *Celebrando unos ojos hermosos y discretos,* o las redondillas que empiezan:

Este amor, que yo alimento
de mi propio corazón,
no nace de inclinación,
sino de consentimiento.

En los romances conquista un lugar preeminente en el Parnaso español, tan nutrido de flores eternas. Hay que citar este lírico, que empieza:

A ser sol el mismo sol,
a ser día el mismo día,
enseñaba con los ojos
la belleza de Florinda...,

y esta bellísima endecha, en la que no se sabe qué admirar más: si la perfección y galanura expresiva o el rosario de imágenes brillantísimas:

A la sombra de un risco,
que por lo lindo tiene
dos mirtos por guedejas,
un roble por copete;
peñasco presumido
de galán y de fuerte,
cuño de muchos valles,
de dos montañas frente;
engastado en dos ríos,
que en cristalinas sierpes
dan sortija de plata
a su esmeralda verde...

«Canta poesías que se cantan y bailan — dice la edición príncipe — ; esto es, letrillas satíricas, burlescas y líricas, xácaras y bailes de música interlocución.» Refleja esta *Musa* el carácter jacarandoso, desenfadado, simpático y madrileñísimo del autor. La facilidad, frescura, comicidad y música de los versos son asombrosas.

Las constantes alusiones a hechos y a cosas contemporáneos hacen que a veces oscurezcan el sentido y fatiguen al lector. Se complace en prodigar los chistes y los equívocos con tanta abundancia, que ni tiene tiempo de corregirlos o pulirlos. Su vanidad impúlsale a lanzar incesantemente a la voracidad del público madrileño la cotidiana carcajada.

El tema predilecto es la mujer, enemiga natural del hombre, y con la que se muestra implacable, quizá porque la amaba demasiado.

Entre las letrillas satíricas son famosas, y todavía hoy se leen con gusto:

> Yo me soy el rey Palomo,
> yo me lo guiso, yo me lo como.
> ....

> Este mundo es juego de bazas,
> que sólo el que roba triunfa y manda.
> ....

> que mandan hacer [1]).
> Esta es la justicia

El tema del «dinero» es un resorte que reporta siem-

---

[1] Esta glosa no es original, pues ya se halla en una canción antigua trovada por D. Diego Hurtado de Mendoza y en el auto de Lope de Vega *El Hijo Pródigo.* Menéndez y Pelayo : *Estudios sobre el teatro de Lope de Vega.* Madrid, 1919. Vol. I, pág. 50.

pre asegurados éxitos. Es su obsesión, su nota dominante. Dice en diversas ocasiones:

> ¿Quién hace de piedras pan,
> sin ser el Dios verdadero?
> El Dinero.
>
> ....
>
> Como un oro, no hay dudar,
> eres, niña, y yo te adoro.
>
> ....
>
> —Si queréis alma, Leonor,
> daros el alma confío.
> —¡Jesús, qué gran desvarío!,
> dinero será mejor.

Trata el asunto con estudiada redundancia porque sabe que es de gran interés para el pueblo, para el pobre, para el que paga cuantiosos tributos. Es la venganza pueril del soñador impenitente que se venga soñando. Le brotan los epítetos con asombrosa facilidad, rebosando siempre viva fantasía. Ahí está la célebre composición de su prima juventud:

> Poderoso caballero
> es Don Dinero.

y la letrilla:

> Vuela, pensamiento, y diles
> a los ojos que más quiero,
> que hay dinero [1].

Otro tema que le complace abordar es el del hurto. Toda la vida es hurtar. Hurta el escribano, hurta el letrado, hurta el juez; es decir: el consabido tema de

[1] Dice Florencio Janer (Obra citada, pág. 43, nota) que esta estrofa es un estribillo popular que ya se halla en el *Proceso y monstruo imaginado,* de Alonso de Ledesma (Madrid, 1616).

los *Sueños*. Acrimina los abusos de los hombres y estas coplas cortas y agudas como un estilete son un especioso complemento de su extensa producción prosaica; verdaderos documentos históricos, fruto de hondísima observación:

> Deseado he desde niño,
> y antes, si puede ser antes,
> ver un médico sin guantes,
> y un abogado lampiño;
> un poeta con aliño,
> un romance sin orillas,
> un sayón con pantorrillas
> y un criollo liberal.
> Y no lo digo por mal [1]).

Quince jácaras auténticas escribió, que son otros tantos símiles picarescos. La baja sociedad española desfila en esos amargos, aparatosos y pintorescos retablos: borrachos, jaques, daifas, rufianes. A veces celebra pomposamente las grandes festividades ciudadanas, como *Las cañas que jugó su magestad cuando vino el príncipe de Gales,* que es un romance que tendrá presente Nicolás Fernández de Moratín para sus quintillas *Fiesta de toros en Madrid.*

Escribe numerosos bailes en los que desarrolla la sal madrileña y difunde hasta lo inverosímil la gracia del chiste, pecando algunas veces de chocarrero. Color, color. Los *bailes teatrales,* de procedencia italiana [2])

---

[1]) Dice el colector de las *Obras festivas de D. Francisco de Quevedo* (Ed. de P. Mellado, 1845, vol. II, pág. 22): «Los siete versos de esta copla primera andan insertos en otra letrilla de semejante sabor entre las obras impresas de don Luis de Góngora. No sé yo de dónde se originase esta parcialidad.»

[2]) «El baile pantomímico acompañado de la voz, es antiquísimo en España.» A. F. SCHACK: *Historia de la literatura y del arte dramático en España.* Madrid, 1886, pág. 91.

eran diversiones coreográficas que tuvieron gran aplauso en las estragadas cortes europeas, particularmente en las de Francia y España. Las obras requerían gran fausto y carecían de acción y argumento, saliendo a escena numerosos personajes caprichosamente. vestidos [1]), cantando y bailando, y a fuerza de querer ser originales resultaban anodinos e insípidos, según testimonios de la época. Casi todos ellos están escritos en versificación irregular, mezclados con estrofas de versos cortos, siendo algunos de gran belleza, particularmente el titulado *Los Galeotes*, en el que se encuentran seguidillas de este estilo:

> Bajelito nuevo,
> ¡ay que me anego!
> ¡ay que me ahogo!
> y me matan las penas
> a puros soplos.

En el titulado *Cortes de los Bailes,* se dice:

> Gusto y valentía
> dinero y juego,
> todo se halla en la plaza
> del Rastro Viejo.

Y en el de *Los Nadadores*:

> Los amores, madre,
> son como huevos:
> los pasados por agua
> son los más tiernos.

[1]) Los personajes tradicionales que encarnaron estos bailes fueron, entre otros, *La Chacona,* el *Escarramán* y la *Zarabanda.* Escarramán fué un famoso capeador sevillano sentenciado a diez años de galeras. El romance quevedesco de Escarramán, que inspira a Lope de Vega, «fué el primero de su género y materia a innumerables imitaciones». MENÉNDEZ Y PELAYO: *Estudios sobre el*

El baile titulado *Los sopones de Salamanca* es una pintura velazqueña. Quevedo, que es un perito en la prosopografía, apura en este romance la nota descriptiva:

> Un licenciado fregón,
> bachiller de mantellina,
> grande réplica en la sopa,
> grande argumento en esquivias...
> ... ...
> Lleva por cuello y por puños
> sus asomos de camisa,
> talle de arrasar habares,
> cara de engullir morcillas.
> Con un ferreruelo calvo
> y una sotana lampiña,
> de un limiste desbardado
> entre capón y polilla.
> Muy atusado de bragas,
> muy único de camisa,
> para el bodegón escoto,
> para la estafa tomista.

Sexta Musa: TALÍA

«Canta — dice la edición de Jusepe Antonio — poesías jocoserias, que llamó burlescas.» Esto es, descripciones graciosas, sucesos de donaire y censuras satíricas de culpables costumbres, cuyo estilo es todo templado de burlas y de veras. En esta *Musa* torna Quevedo a emplear el soneto, pero en sentido malicioso. La misma perfección acentual, idéntica contextura clásica. Jovialidad, chiste. Merece citarse el famosísimo *A una nariz,* inserto en todas las antologías. El nervio

teatro de Lope de Vega. Madrid, 1919. Vol. I, pág. 96. *La Zarabanda,* que cita el conde de Schack (Obra cit., pág. 94), es también un baile español de remotísima antigüedad.

epigramático de Quevedo le lleva a buscar fuentes de inspiración en los poetas grecolatinos. Así los titulados *Túmulo de la mujer de un avaro; A una fea y espantadiza de ratones; Mañoso edificio de vieja desdentada* y *Vieja verde, compuesta y afeitada,* parecen traducciones de nuestro bilbilitano. Agudos rasgos muéstranos su fino temperamento, su maestría y su primor. Remoza y prestigia vocablos populares que ya son antiguallas en las poblaciones más alejadas de toda civilización. Castilla, siempre Castilla. Domina todos los resortes preceptivos y es hábil en la selección de epítetos. No se detiene ante expresión burda o fea, nada sacrifica al chiste, ni tan sólo el decoro personal. Sabe que sus versos son para dar carne a la voracidad insatisfecha del público madrileño. En las altas esferas, de inteligencia anodina, y en los bajos fondos capitaleños, cuanto más procaz, más aplaudido. Cuando encarece los años de una vieja, dice:

> Antes que repelón, eso fué antaño:
> ras con ras de Caín; o por lo menos
> la quijada que cuentan los morenos
> y ella, fueron quijadas en un año.

Sabor de antigüedad tiene el siguiente soneto marcialesco:

> Yacen en esta vieja sepultura
> Lidio con su mujer Helvidia Pada;
> y por tenerla solo, aunque enterrada,
> al cielo agradeció su desventura.

Se dan además en esta *Musa,* liras, décimas, quintillas y romances, describiendo graciosísimos sucesos y refiriendo con cuchufletas las costumbres de sus contemporáneos. Si bien Góngora presta a veces al poeta ricas vetas de sus inagotables minas, el madrileño ofrece también generosamente a poetas del siglo XVIII y aun de nuestros tiempos los arabescos y filigranas de su arte depurado.

El romance *Los borrachos* es una acabada pintura realista que puede parangonarse con el célebre cuadro de Velázquez:

> Gobernando están el mundo,
> cogidos con queso añejo,
> en la trampa de lo caro,
> tres gavachos y un gallego...

Pero también le seducen, como a buen patriota que es, los acentos marciales, los arrebatados himnos de nuestros viejos guerreros, los vernales acordes de nuestros rapsodas que encienden la sangre en las venas y ponen en tensión constante las fibras del corazón: el Romancero. Este poema sin fin de nuestra Raza será esmeradamente cultivado por el insigne vate español. Considérese el eco del viejo romance, que no desmerece del original.

> Al prado vais la mi yegua,
> la mi yegua al prado vais,
> más larga que un dadivoso,
> más delgada que un torzal...

Otro de sus más bellos empieza:

> Mensajero soy, señora,
> no tenéis que me culpar,
> de parte de mi dinero
> esta embajada escuchad...

Es muy bello asimismo el romance *A Marica, la chupona,* del que dice el colector, Jusepe Antonio, que es «agudísimo en equívocos, escrito a alguna mozuela que distrajo en malos ejercicios su salud, con el buen parecer, y que después procuraba repararla tomando unciones».

Séptima Musa: EUTERPE

Con ella comienza la edición de las poesías póstumas de Quevedo, titulada: *Las tres Musas últimas castellanas. Segunda cumbre del Parnaso Español de don Francisco de Quevedo y Villegas, caballero de la Orden de Santiago, señor de la villa de la Torre de Juan Abad. Sacadas de la librería de don Pedro Aldrete Quevedo y Villegas, colegial del mayor del Arzobispo de la Universidad de Salamanca, señor de la villa de la Torre de Juan Abad. Con privilegio. En Madrid, en la imprenta Real, año de 1670. A costa de Mateo de la Bastida, Mercader de libros, enfrente de las gradas de San Felipe.* Ya confiesan el editor y Florencio Janer que muchas de las poesías adscritas a esta Musa no corresponden exactamente a la división hecha de antemano. Seguramente el colector debió estimar que no podía distribuirlas adecuadamente, publicadas ya las seis *Musas* antecedentes y no quiso dejarlas inéditas hasta la insegura ocasión de poderlas reeditar por completo. Gracias a este pensamiento podemos disfrutar de tales obras, que de no publicarse con esa contingencia, con seguridad se hubieran perdido.

Continúan los sonetos presidiendo este nuevo Parnaso, en que el poeta canta los sentimientos del amor y entona glorificaciones a los más elevados y cristianos anhelos. Los veintitrés sonetos pastoriles se caracterizan por la galanura de su expresión, por una delicadeza sentimental y por una factura que nada tienen que envidiar a los dirigidos a Isabel Freyre. Lísida, Lisis, Aminta, Flor, Aurora y Filis son las delicadas ninfas que se desenvuelven en el fondo de un paisaje lleno de paz y de risueñas perspectivas, empalidecido a veces por crespones adelinos. El tema del amor está desarrollado con toda amplitud bajo multiplicidad de formas métricas. El poeta esfuérzase en mostrarse intranquilo, buscando la soledad y atormentándose dulcemente por el recuerdo de un afecto no correspondido. Tristeza y melancolía son sus premisas cuando llora:

> A fugitivas sombras doy abrazos,
> en los sueños se cansa el alma mía;
> pero luchando a solas noche y día,
> con un trasgo que traigo entre mis brazos.

Pero, ¿son sinceros estos afectos? No, no lo son. ¡Cuán lejos está de la cristalina melancolía de Garcilaso! Su obra amorosa tiene, desde luego, una sostenida nota de amarulencia, resultado quizá de una pasión adversa; pero Quevedo no puede reaccionar de esta guisa. El nombre de Silvia aparece con cierta frecuencia, afirmando «que es de gozarla amor indigno», y diciéndole:

> Silvia, ¿por qué os da gusto que padezca
> tan grave mal, como por vos padezco?

En una ocasión llega a declarar que no es posible vivir sin amar a Silvia, aunque su amor es causa de la mayor desventura, rogando al río Henares que le acompañe en sus sufrimientos, y no hallando sosiego en parte alguna. Puro formulismo neoplatónico.

En esta *Musa* se hallan también varios romances satíricos y burlescos, uno de ellos inspirado en François Villon: *Vejamen a una dama*. Se incluyen el *Entremés del Niño y Peralvillo de Madrid,* el de *La Ropavejera,* el de *El marido fantasma* y el de *La Venta,* que compuso en la juventud.

Quevedo quiso demostrar su competencia en todas las actividades literarias, y dió a la imprenta un poema épicoburlesco de gran importancia.

La épica mundial ha tenido dos valores inmutables que han sido imitados por las generaciones múltiple y diversamente: Homero en la Antigüedad y Ariosto en el Renacimiento. Mezclando esas dos técnicas y auxiliados por prestigiosos ecos, nuestros poetas se afanaron en seguir la seductora conseja de la ficción, ora enalteciendo a la Patria al relatar las efemérides de allende los mares, ora creando un mundo de hiperbólicas gestas, ya bien ensalzando las positivas conquistas de la Fe. Pero estos poemas no tuvieron ni con mucho la auténtica grandeza, la frescura y la vitalidad de aquella épica medieval, ruda y severa, que resonó en los inmensos campos castellanos como signo de las más heroicas virtudes. Y esto lo intuyeron los poetas del Siglo de Oro, que buscaron sendas más vírgenes y de menos luminosidad. El poema burlesco atribuído a Homero, *La Batracomiomaquia,* en lo que tiene de cómico, y el *Orlando Furioso* en lo que tiene de hiperbólico, dieron ocasión a nuestros vates de crear un número importante de ficciones épicas festivas: de ahí surgieron *La Gatomaquia* de Lope y *La Mosquea* de Villaviciosa, entre otras.

Quevedo no pudo dejar de acudir a ese concurso arrebatador de fantasías regocijantes. Había escrito ya *El cabildo de los gatos,* inspirado en el famoso poema del Fénix. Hombre de sólida cultura y muy versado en la lengua italiana, conocía el libro del llamado «Homero de Italia», aunque es de suponer que no llegó a comprenderlo. El derroche febril de episodios, la fantasía exuberante, la zarabanda de nigromantes, de harpías, de hipógrifos, de minotauros y de gigantes, le decidieron a imitarle en el *Poema heroico de las necedades y locuras de Orlando el enamorado. Dirigido al hombre más maldito del mundo,* en el único sentido que Quevedo podía interpretar el gran poema del Renacimiento. «Así como Lope de Vega vió en Ariosto el elemento erótico mejor que ninguno — escribe Joaquín de Entrambasaguas [1] —, y Góngora la potencia descriptiva, Quevedo apreció las grandes dotes cómicas del poeta ferrarés y le imitó en su graciosísima parodia de la obra italiana..., poema narrativo donde pone de relieve con su sin igual observación satírica cuanto puede ridiculizarse en la epopeya del *divino* italiano». Hay que confesar que si bien la obra de Quevedo es inferior en valor poético a la del Fénix, en expresión y fuerza cómica, ninguna le aventaja.

Es una sarta de disparatados conceptos, en que el chiste se prodiga hasta la saciedad. Paladínase la complacencia del autor al desarrollar este tema que tan perfectamente encaja en su temperamento. En más de mil

[1]) J. DE ENTRAMBASAGUAS. — *Orlando Furioso* (Intr.) (C. I. A. P.).

quinientos versos nos canta un episodio del *Orlando*
que se desenvuelve en un torbellino de peripecias. Empieza el poema:

> Canto los disparates, las locuras,
> Los furores de Orlando enamorado,
> Cuando el seso y razón le dejó a escuras
> El dios engerto en diablo y en pecado;
> Y las desventuradas aventuras
> De Ferragut, guerrero endemoniado;
> Los embustes de Angélica y su amante,
> Niña buscona y doncellita andante.

Siguiendo la costumbre rigurosa en estos poemas
clásicos, comienza con una peregrina invocación a las
Musas:

> ...A vosotras, nueve hermanas de Helicona,
> Virgos monteses, musas sempiternas...

Aparece el fiero Gradarso,

> Rey que tiene más cara que un barreño,
> Y juega (¡ved qué fuerza tan ignota!)
> Con peñascos de plomo a la pelota...

que quiere someter a Durindana y a Bayardo, y todo
se reduce a celebrar una justa convocada en París por
Carlomagno, a la que acuden Grandonio, Ferragut,
varios gigantes y numerosos caballeros,

> ...Y otros muchos y cristianos,
> Que son en los etcéteras Fulanos...

Iníciase el torneo con un banquete pantagruélico,
que describe minuciosamente y en el que todos los comensales acaban borrachos. Luego aparece el caballero
Uberto de León, que es un personaje de retablo, y en

este punto el poema se oscurece más y más. Parece que el autor está fatigado de ese chorro de lances y que tiene prisa en acabar lo que empezó con tanto ímpetu. El canto II refiere los múltiples combates entre los asistentes a la Justa, una de cuyas octavas, de intensísima emoción, dice :

Se majan, se machucan, se martillan,
se acriban, y se punzan, y se sajan,
se desmigajan, muelen y acrebillan,
se despizcan, se hunden y se rajan,
se carduzan, se abruman y se trillan,
se hienden, y se parten y desgajan :
tan cabal, y tan justamente obran,
que las mismas heridas que dan, cobran.

Y así termina la obra, cuyo tercer canto, que sólo contiene ocho versos, ha perdido todo aliento.

Los epítetos son gráficos y en ocasiones genialmente logrados. Así el rey Grandonio es «de testuz arisco» ; Galafón de Maganza es «más traidor que las tocas de las viudas» ; a Galalón «se le columpia un moco en la nariz» ; Astolfo es «soror por lo monjoso». Todo el poema es una regocijante caricatura que nos demuestra los incontables resortes de aquel que hubiera podido ser uno de los mejores autores cómicos de nuestras Letras.

Octava Musa: CALÍOPE

Esta *Musa* no es más que un complemento de las anteriores y la justificación de la edición puede explicarse por dos causas : la primera por haber aparecido cuando ya se habían editado las cuatro primeras, y la segunda para dar fe de la existencia de las nueve en que dividió tan copiosa producción. Figuran en ella quintillas, letrillas burlescas y satíricas y numerosas silvas. El tema de las letrillas es el consabido. La mujer continúa siendo el dulce enemigo, notándose la suma complacencia con que lo aborda. Es sabido que Quevedo fué un recalcitrante catador de caricias, un hombre salazmente insatisfecho, cuando menos en su trópico juvenil.

Entre las silvas puédense citar *La Soberbia* y *El Sueño,* caracterizadas por su erudición clásica, el pensamiento profundo y la brillantez de las imágenes. De la segunda dice Florencio Janer [1]: «Acaso ningún otro poeta ha acumulado más imágenes y comparaciones diversas, todas verdaderas y exactas para ponderar una sola idea; la de su desvelo en pensar en el objeto amado, la falta de sueño.» Otra de las mejores silvas — de cálidos acentos horacianos — es *Roma antigua y moderna,* famosísima composición inspirada en el poeta francés Joaquín du Bellay, ya citada en otro lugar:

> Esta que miras grande Roma agora...

El asunto no es original, ni tampoco lo es el tono doliente y melancólico que emplearon con él Francisco de Medrano, Rodrigo Caro y Pedro de Quirós. El tema de las ruinas, el de la grama que cubre la desolación actual, el de la grandeza abatida por la pesada huella de los siglos, la topografía y la frecuencia del epifonema, son propios de estas composiciones líricas;

[1] Florencio Janer. — Obra citada, pág. 303, nota.

pero hay en la producción de nuestro poeta un destacado sello personal.

La *Execración contra el inventor de la artillería* nos recuerda, desde luego, el

Quis fuit horrendus primus qui protulit enses?

del vate romano.

El fondo humanístico del poeta le hace componer elegantes imitaciones de los genios grecolatinos. Píndaro es, en ocasiones, traducido casi literalmente. Ya dice él en la silva 26 que «sigue la disposición de las odas de Píndaro».

Novena Musa: URANIA

Se compone de poesías sagradas, morales y fúnebres. Genio sereno y grave es el de Quevedo en ese aspecto de su producción poética, desconocido hasta ahora, y que le acredita, además, de fervoroso cristiano. Presenta cuarenta y cinco sonetos sacros, a cual más pulcro y solemne. Llamaradas de altísima inspiración brotan a menudo de su lira emocionada y férvida, al cantar la muerte del Salvador, a Cristo en la Cruz y a la Virgen. Comenta los pasajes bíblicos — paralelamente a sus profundos escritos en prosa —, y se inspira en Job, en San Marcos, en Jeremías, en San Pedro Crisólogo, en Daniel, en San Bernardo. Encontramos a veces las huellas contemplativas de nuestros grandes poetas — preferentemente Malón de Chaide — en este chorro rutilante de cadencias, las mejores que salieron de su plectro. Como inabatibles columnas de la Fe, ma-

ravillosamente esculpidas en mármol herreriano, son
los sonetos que empiezan:

> Tus decretos, Señor, altos y eternos,
> Supieron fabricar enamorados
> De nada tantos cielos, y enojados
> Hicieron de los ángeles infiernos.
> ... ...
> Llámanle rey, y véndanle los ojos,
> Y quieren que adivine, y que no vea,
> Cetro le dan, que el viento le menea,
> La corona de juncos y de abrojos.
> ... ...

Las Poesías Morales o *Lágrimas de un penitente,*
son comentarios de sus lecturas piadosas, en especial
de los Salmos. El poeta ha visto los desengaños del
mundo e impetra la protección del Cielo, mostrándose
profundamente arrepentido de sus juveniles devaneos
y llamándose pecador y malvado. Es un Quevedo amargado por el desencanto, que sabe reaccionar a tiempo,
abrazándose con pasión al inefable consuelo de la Cruz.
Son una profesión de fe religiosa, un encendido canto
de amor y de sincera rectificación.

> ¡Que llegue a tanto ya la maldad mía!,

exclama airadamente al ver que su voluntad flaquea,
le ciega su orgullo, le domina su altanería, en una batalla contra las pasiones desatadas. Y dice:

> Cuando me vuelvo atrás a ver los años
> Que han nevado la edad florida mía;
> Cuando miro las redes, los engaños,
> Donde me vi algún día,
> Más me alegro de verme fuera de ellos,
> Que un tiempo me pesó de padecellos.

Cautividad forzada, puro ascetismo. Los espesos hierros de la cárcel han abatido sus orgullosas alas y la luz de antaño no puede deslumbrarle en aquella tiniebla espantable y álgida.

La composición titulada *A Cristo resucitado,* que él llama poema heroico, escrito en cien octavas reales, rivaliza — y en ciertos puntos le supera y aun le completa — con *La Cristiada,* de Alonso de Ojeda. Es un poema sonoro y profundo, admirablemente versificado, en el que exalta con flagrante entusiasmo místico la gloria de Jesús.

Un poeta como Quevedo, tan apasionado de los libros sagrados, no podía dejar de afectarse de la parte más bella de los mismos, que arrebataron el entusiasmo de nuestros vates eternos. Recoge el encandecido plectro del Rey-Poeta y entona una ardiente glorificación al *Cantar de los Cantares,* enmarcándola en un paisaje suave, con reminiscencias petrarquistas:

> En un valle de mirtos y de alisos,
> que el cielo es jardinero por sus calles,
> donde todas las hierbas son Narcisos
> y el valle es el Narciso de los valles,
> en quien el sol con elegantes rayos
> todos los meses encomienda en Mayos [1]).

Va comentando los párrafos sobresalientes del insigne libro salomónico, ajustándose a él de una manera perfecta. El poema está escrito en variedad de metros, dominando las estancias y las liras.

[1]) La citada edición de Janer (pág. 342), dice erróneamente: «Todos los meses los encomienda en Mayos».

*
* *

Las poesías que recopiló y publicó el sobrino de
Quevedo y la edición complementaria de que he hablado no representan toda la producción del gran ingenio español. Muchas de ellas se hallaban dispersas
u olvidadas y otras se le atribuyeron con poco o con
mucho fundamento, por lo que fué necesario hacer nueva edición sacada de libros contemporáneos y de papeles sueltos. En esta *Adición* de Florencio Janer [1]),
muy defectuosa por cierto, aparece Quevedo con sus
formas tradicionales. Algunas de las poesías interesan
porque nos acercan al poeta en instantes definitivos
de su vida. Contienen un soneto a su amigo Francisco
de Oviedo; otro al conde de Villamediana; unas décimas contra Góngora, verdaderamente sucias y pro-
caces, que me hacen barruntar no sean suyas; un soneto muy bello y conocido contra el mismo poeta:

Vuestros coplones, cordobés sonado... ;

dos en alabanza de Lope de Vega, llamándole «Lope
Feliz» y jugando con su nombre; unas liras contra
el Patronato de Santa Teresa de Jesús, muy prosaicas
pero muy elocuentes; un autorretrato en que se burla
de su figura; un romance sobre la muerte del Conde-
duque y varios sonetos en su contra. Contiene asimismo el *Padre Nuestro, glosado,* prodigio de agudeza,
con alusiones a la política imperante, y el célebre *Memorial al Rey Felipe IV,* que motivó su prisión.

[1]) «Biblioteca de Autores Españoles». 1877. Págs. 475 a 525.

509

En el capítulo correspondiente al humanismo de Quevedo he hablado de la traducción en verso de *Epicteto* y *Focílides,* dedicado a su amigo Juan de Herrera. Divide el texto del primero — como el anterior traductor Sánchez de las Brozas — en sesenta capítulos. Las estancias son de gran belleza, aunque algunos pasajes resultan amaneradas, sobre todo cuando se nota la traducción, con lo que el verso pierde en tersura y en fragilidad. Hay estrofas que adolecen de franco prosaísmo, como por ejemplo:

> En cuantas cosas puedan sucederte,
> Debes siempre volverte
> Advertido a ti mismo, y preguntarte,
> Para estar de tu parte,
> Las defensas que tienes en ti propio
> Que puedan defenderte sin engaño
> Del peligro y del daño.
> ... ...

El *Focílides* está compuesto en endecasílabos libres, de los pocos que escribió Quevedo; y esto debió hacerlo debido a las grandes dificultades que halló para poner su obra en versos castellanos.

De la traducción en verso de las poesías de Anacreonte, no se sabe qué admirar más, si las poesías en sí o los eruditos comentarios que pone a cada una de ellas. Yo me inclino por lo segundo. Quevedo traduce empleando la polimetría en sus múltiples formas clásicas españolas: silvas, endechas, romancillos, romances, redondillas, quintillas y hasta versos blancos.

Tradujo también las *Lágrimas de Jeremías* en hermosas silvas, anticipando a la versión en verso la traducción literal del texto hebraico. Lo mejor es el lamento de Jeremías al evocar los días de aflicción.

*
* *

La fama de Quevedo hizo que surgieran prontamente émulos de más o menos valer, ora para buscar un éxito fácil a su sombra, ora con fines egoístas. Por ello se le han atribuído no pocas poesías, algunas con visos de probabilidad y otras francamente rechazables. Entre aquéllas está el romance de *La toma de Valles Ronces*, que es la mejor, apareciendo en algunas ediciones con un comentario en prosa que es un ataque contra los franceses en memoria de su fracaso en los valles de Baztán y Esguea. Quevedo — o su autor — comienza imitando el tradicional romance:

> Mala la hubisteis, franceses,
> la caza de Valles Ronces.

Atribúyesele también un largo poema *La Cueva de Meliso Mago,* diálogo satírico entre Meliso y el Condeduque, escrito en silvas.

TEATRO

Extraña mucho que don Francisco de Quevedo no hubiera aprovechado mejor la potencia dramática de su genio y sus inagotables recursos escénicos, pues dadas sus condiciones excepcionales hubiera merecido el legítimo aplauso que conquistó en otras actividades literarias.

¿Por qué no se entregó con mayor empeño a los azares de la farándula? Posiblemente porque le hizo sombra la gigantesca fuerza creadora del Fénix, y su orgullo no podía sufrir el ser un satélite de ese astro refulgente y solitario. El tesoro de nuestro Teatro contaba, además, con joyas de indiscutible mérito, y en ese tiempo había nacido otro astro de primerísima magnitud en la figura de don Pedro Calderón de la Barca.

No se ha hecho la debida justicia al teatro de Quevedo. Los tratadistas del siglo XVIII apenas hablan de él, aunque no debe sorprendernos tamaña actitud, debida a la animadversión con que los neoclásicos miraban la producción áurea, y luego, como he dicho, porque la inmensa cantidad de Lope y la superior calidad de Calderón, entre otros dramaturgos de primera fila, paliaban la producción limitada de don Francisco; pero sí ha de extrañarnos que críticos de la categoría del conde de Schack [1]) citen numerosos autores regulares y malos, y sólo hagan de la producción de Quevedo una referencia ligerísima.

En cuanto a las dos teorías en pugna respecto a la dirección que debía llevar el teatro en España, Quevedo guarda una posición ecléctica. Su amigo Jusepe González de Salas era partidario de la imitación antigua, para lo cual publicó una exégesis de la *Poética* de Aristóteles titulada *Nueva idea de la tragedia;* obra de gran interés para justipreciar las ideas del próximo siglo, de la que es una avanzada. En cambio,

[1]) A. F. SCHACK. — Ob. cit., vol. V.

otro gran amigo suyo, Josef Pellicer de Salas Tovar, defendía lo contrario en su obra *Idea de la comedia de Castilla*. Por la producción exigua que conservamos de Quevedo vemos que se muestra inclinado a la forma nacional. Y ello porque es un férvido admirador de Lope de Vega y, además, porque es profundamente tradicionalista.

Sus dotes de autor dramático se manifiestan en los entremeses; pero en los mismos se nota también la falta de práctica en género tan dificultoso, lo que demuestra que las obras perdidas no son copiosas. La trama es inocente, la acción adolece de lentitud o justa medida y, salvo en algún carácter plenamente logrado, los personajes se desenvuelven con evidente dificultad.

Quizá no dispendió sus energías en el teatro por sus actividades humanísticas y porque tenía formada de la farándula una opinión muy desfavorable. En *El Sueño de las calaveras* ataca a los comediantes despiadadamente. En *El Alguacil alguacilado* dice de ellos «que tratan de hacer enredos y marañas», y en *Las Zahurdas de Plutón* habla de «Los faranduleros miserables del bululú» [1]. En *El Buscón*, Pablos pregunta a un cómico:

«— Esta mujer, ¿por qué orden podríamos hablar, para gastar con ella veinte escudos, que me ha parecido hermosa?

» — No me está bien a mí el decirlo porque soy su marido (dixo el hombre), ni tratar de eso; pero sin

---

[1] «El bululú es un representante solo, que camina a pie y pasa su camino, entra en el pueblo, habla con el cura y dícele que sabe una comedia y alguna loa, que junte al barbero y sacristán y se la dirá porque le den alguna cosa para pasar adelante...» AGUSTÍN DE ROJAS VILLANDRANDO: *El Viaje Entretenido*.

pasión... se puede gastar con ella cualquier dinero, porque tales carnes no tiene el suelo ni tal jugueton-cica...»

Critica también la técnica al uso, fustigando las disparatadas y truculentas escenas de los autos sa-cramentales. Así dice en *La visita de los chistes:* «Hom-bre del diablo, ¿es posible que siempre en los autos del Corpus ha de entrar el diablo con grande brío, ha-blando a voces, gritos y patadas, y con un brío que parece que todo el teatro es suyo? Por vida vuestra que hagáis un auto donde el diablo no diga esta boca es mía...»

Conservamos ocho entremeses, cinco diálogos, siete loas y dieciséis jácaras que nos hablan con elocuencia de la gracia y frescura y del tesoro del donaire y del chiste. Intuímos cuánto se reiría el público en los co-rrales madrileños ante sus groseras expresiones. El éxito estaba asegurado. Era lo que decía el Fénix: hablarle en necio para darle gusto. Era el público irreverente, «silvador y aun ahullador», al que el bi-lioso Ruíz de Alarcón motejaba de «bestia fiera».

El llamado *Entremés del Niño y el Peralvillo de Madrid* no puede decirse propiamente que sea un en-tremés: es, mejor, un *Sueño* dialogado, una carica-tura de aquella sociedad abigarrada que asistía a los corrales para reír y olvidar el hambre. Los personajes son grotescos y siempre forman contraste de caracte-res. El asunto se reduce a parodiar las gracias de un niño recién nacido (un niño de treinta años, con rodete y con barbas y que habla como un redomado pícaro), que va a Madrid en busca de fortuna, aconsejado por su madre. Quevedo lleva a escena al amolador francés,

514

personaje numerosamente burlado en los *Sueños*, asegurando

> que ha hecho Juan Francés más daño a España,
> con este carretón y ruedecilla,
> que la Cava y los moros en Castilla.

Otros tipos de los *Sueños* son el sastre, atravesado de varas de medir, y el escribano lleno de procesos, escribanías y plumas en el cabello y las manos.

Hay una alusión a los malos autores de su tiempo, poniendo en escena a un zoilo lleno de carteles de comedias y papelones de confitura:

> El pobre de Antonio Alvillo
> fué galán de extraña tema,
> asaeteado de dulces,
> de aposentos y comedias.
> La nunca vista le saja,
> astillas le hace la nueva,
> si escribe Mira de Mosca,
> si escribe Lope de Vergas.

Un pasaje que rebosa gracia y movimiento es cuando tres mujeres — Manuela, Ana y María — la emprenden con el *Niño*, diciendo:

Manuela

¡Ay qué linda criatura!

María

¡Ay, cómo llora!
Los dientes deben de salirle agora.
Dame la bolsa, y quitaréte el moco.

Niño

¿Dame la bolsa? Coco, coco, coco.

Manuela

Mil sales tienes ; eres lindo, daca.

Niño

¿ Daca tras lindo ? Caca, caca, caca.

Manuela

¡ Oh, qué mal niño eres !
No veo que a darme nada te acomodes.
Lástima fué no dar contigo Herodes.

Gran parte del entremés — la primera mitad y hacia su final — está escrito en silvas, con profusión de heptasílabos y con endecasílabos técnicamente perfectos.

El *Entremés de la Ropavejera:* compuesto todo él en endecasílabos, menos la canción final, que lo es en cantar popular. La métrica es más lograda y tiene más acción que el anterior. Aparecen los fructificados personajes de las jácaras que habían hecho famoso al autor : *Escarramán* [1]) y *Rastrojo,* citándose en el texto los bailes al uso : la *zarabanda,* la *pirona,* la *chacona,* la *corruja* y la *baquería.* Quevedo, devoto del tema, se ha esmerado en la composición, posiblemente inspirada en algún entremés hasta ahora desconocido.

Hallamos en él versos de gran rotundidad. Así dice la Godínez :

Herviré, por ser moza, un día entero,
en la caldera de Pero Botero.

La *Ropavejera* es de la familia de la *Trotaconventos* y de la *Celestina,* y entronca con las sales más pi-

[1]) Hemos comprobado la imitación que hizo Lope de Vega de la jácara del Escarramán. Salas Barbadillo compuso una comedia titulada *El gallardo Escarramán.*

cantes de Quiñones de Benavente y de Ramón de la Cruz, por su madrileñismo y por su vena cómica. Es un carácter maravillosamente definido, legítima y aventajada discípula de la bruja que inmortalizó al bachiller Rojas, digna de parangonarse con ella. Es una vieja astuta, deslenguada, «ropavejera de la vida», «zurcidora de virgos», que tiene conciencia de su oficio y proclama con jactancia sus excelencias, como dice a Rastrojo:

> ¿A mano izquierda veis una mozuela?
> Pues ayer me compró todo aquel lado;
> y a aquella agüela, que habla con muletas
> vendí anteanoche aquellas manos nietas.
> Yo vendo retacillos de personas,
> yo vendo tarazones de mujeres,
> yo trastejo cabezas y copetes,
> yo guiso con almíbar los bigotes...

Extráñome que esos tipos de mujeres no hayan creado, como el *Lazarillo* y el *Guzmán,* un género de novela «celestinesco», que hubiera tenido no pocos lectores en España, debido a los recursos que atesoran.

El entremés es de mucho movimiento, consiguiendo con ello el interés constante de los espectadores, que ríen al ver reflejado el lenguaje tan gráfico de los madrileños en aquella procesión de personas que acuden a la vieja en solicitud de sus mañosos y sutiles servicios.

El *Entremés del marido Fantasma* está escrito en silvas y romances prestigiados por un léxico depurado y por imágenes bellísimas. Parece inspirado en alguna comedia de su tiempo y es una sátira implacable contra las suegras. Muñoz, el futuro marido, es un barbilindo madrileño que trae «bien guarnecido el frontispicio» y que tiene la obsesión de hallar una huérfana para librarse de la onerosa carga familiar. Dice a su amigo Mendoza:

> Tenga norabuena
> cuantas cosas enebras;
> no tenga madre, y llueva Dios culebras;
> que una mamá de estrado
> es chupa y sorbe, y masca de un casado;
> a sí propia se arrastra la culebra,
> mas la madre, mirad si es diferente,
> arrastra al que la tiene yernalmente.
> Item más, la culebra se hace roscas,
> mas de cualquiera moscatel que asome,
> la madre se las pide y se las come...
> No me tenga parientes ni allegadas,
> amigas y criadas,
> y tenga tiña y sarna, y sabañones,
> y corcovas y peste, y tabardillos,
> que estos son males que se tiene ella,
> y el parentesco es peste en cuarto grado,
> que le padece el mísero casado.

Mendoza le propone una mujer sin familia. Al saber que ésta hace un año perdió a su madre, responde que es bien poco, pues en su sentir

> diez años dura el tufo de una madre.

El lechuguino Muñoz es requerido de amores por la apasionada doña Oromasia. En el chispeante diálogo refunde muchas de las ideas expuestas a lo largo de su obra festiva. Dice Oromasia:

> Yo me quiero casar sin resistencia,
> y tengo hambre canina de marido,
> y me casara luego
> con una sarta dellos si los hallo.

Yo soy una mujer mocha de tías,
yo soy muy ahusada de linaje,
yo soy calva de amigas y parientas,
no tengo madre ni conozco padre,
ni en mi vida he tenido mal de madre...

Entremés famoso: La Venta. —Fué representado por Avendaño, cómico ilustre. Contiene mucho sabor popular y cantares bien acordados, apareciendo los personajes tradicionales de nuestro Teatro: una moza, un ventero, un estudiante, un mozo de mulas, una compañía teatral y músicos. La acción se desenvuelve en las típicas hosterías españolas, de donde sacaron muchos escritores sus más logrados temas.

Como de todos los entremeses puede decirse, con frase de Pérez de Ayala: allí no pasa nada. El protagonista es la venta y en su escenario fluyen los personajes que dicen cosas sin trascendencia. Canta Grajal, la criada:

¿Es ventero Corneja?
Todos se guarden,
que hasta el nombre le tiene
de malas aves.
¿Qué harán las ollas
adonde las lechuzas
pasan por pollas?;

y más adelante, iniciando al fin el ritmo del baile popular:

Quien tuviere ratones,
venga a esta casa,
donde el huésped los guisa
como los caza.
Zape aquí, zape allí, zape allá,
que en la venta está, que en la venta está.

Más que un entremés es una zarzuela. La música se adivina por doquiera; bullen las canciones y a menudo aparece el recitado — diálogo entre el Estudiante y Corneja; la descripción de un banquete de famélicos hecha por la Grajal, en que todos los comensales «arremangaron los bigotes» para matar el hambre, etc. —, y los bailables. Hay un caudal de rasgos picarescos. Reaparece el conocido chiste de los *Sueños:*

Corneja

No son.

Estudiante

Sí son.

Corneja

No son.

Estudiante

Sí son, y acorte de razones,
que no ha de restañarme los sisones.

La comicidad explota a cada punto con rasgos agudísimos. Véanse algunos:

Dice Corneja del estudiante:

Tanto ojo con el tal licenciado,
porque hay un estudiantillo
que se lleva un colchón en un bolsillo.

Refiere de un mozo de mulas

que con dos miraduras delincuentes
pasó a pestaña infinidad de gentes.

El Estudiante pregunta al ventero:

¿Cómo está la veleta del guisado?

y denuesta el preguntado:

> Ladrón, protoladrón,
> archiladrillo, y tátara Pilatos,
> casamentero infame
> de estómagos y gatos.

Quevedo prefiere a los romances tradicionales y a la teoría de los versos cortos — redondillas, cuartetas, décimas, tan típicas en la dramaturgia española —, las silvas, con muchos versos sueltos.

El médico. Entremés famoso. — Salió a luz en Alcalá — 1643 — en una colección de *Entremeses nuevos.* Por ser más español está escrito en forma polimétrica, dominando, sin embargo, los pareados endecasílabos y conteniendo trozos de hermosa versificación irregular. Tiene mucha concordancia con la pieza de Lope de Rueda *El médico simple y Coladilla, paje, y el doctor Valverde (Registro de Representantes),* y es un antecedente inmediato de *El médico a palos,* de Molière, y su asunto muy parecido, incluso en la técnica del chiste — muy prodigado en ambos y con un sello arcaizante —, en el carácter de los personajes y en el desarrollo de la acción. *Sacristán* se queja de los gastos de su mujer y propone a *Bras Mojón* que se finja médico, en tanto que él se fingirá practicante. *Bras Mojón,* que es un bobo, sigue el consejo del *Sacristán,* que es un pícaro, y vistiendo ropa de médico (montera y guantes) responde con empaque doctoral a las preguntas del *Barbero,* de *Juana* y de *Guiteria:* «Pues bueno, pues bueno»; y no dice más. El entremés termina con el bailable consuetudinario, lleno de gracia y movimiento.

Escribió también don Francisco otras piezas teatrales de menor predicamento: *El zurdo alanceador* (impreso en 1608) ; *El Marión* (impreso en 1646) ; *El caballero de la Tenaza* (impreso en 1657), y pocos más, que se representaron entre los 43 y los 48 años del autor. Asimismo hay que citar la comedia de que ya se ha hablado *Quien más miente medra más,* representada ante los Reyes en una fiesta nocturna, y otras tres comedias, también desaparecidas: *Cómo ha de ser el privado, Pero Vázquez de Escanilla* y el *Arca de Noé.* La primera cítala Casiano Pellicer en el *Tratado Histórico sobre el origen y progresos de la comedia y del histrionismo en España;* las dos siguientes, el *Catálogo* de la Barrera, y la cuarta, Aureliano Fernández-Guerra. Parece ser del autor una *Loa* para una comedia seguramente suya, titulada *Amores y celos hacen discretos,* que se representó en una fiesta y la recitó una comedianta llamada «La Roma», en hábito de hombre [1]). Dice de ella :

> La comedia que os hacemos,
> contra justicia se nombra :
> *Amor y celos hacen*
> *discretos:* razón impropia.

Parece que también intentó escribir «tragedias grandes», como nos dice González de Salas [2]). Seguramente que las tragedias de su autor predilecto, Lucio Anneo Séneca, le indujeron a imitarle ; pero hubo de desistir en su empresa debido a sus muchas ocupaciones.

[1]) *Obras festivas de D. Francisco de Quevedo Villegas.* Edición de P. Mellado. Madrid, 1845. Vol. II, pág. 544.
[2]) «Pero si de nuestro poeta no quedó tragedia consumada, valentísimos fragmentos vi yo dignos de veneración suma, y una tragicomedia perfecta ya, y otra, menos el acto último.» *El Parnaso Español* (B. A. E., 1877, pág. 359).

En otro lugar hemos hablado de sus jácaras, loas y bailes, con música importada de Italia. La *Zarzuela* triunfaba a la sazón en la Corte y don Pedro Calderón de la Barca habíase entregado con ardor a tal empresa, con éxito resonante. Constantemente se dan en Quevedo elementos musicales que constituirán temas importantes para los escritores de los siglos XVIII y XIX.

Se le ha atribuído el *Entremés de la Infanta Palancona, escrito en disparates ridículos. Por Félix Persio Bertiso,* que es una astracanada al estilo de las de nuestro Muñoz Seca. A pesar de la advertencia del título, los editores fueron adjudicándosela, creyendo que don Francisco empleaba un seudónimo. Rodríguez Marín ha demostrado que Félix Persio Bertiso (y no Bertino, como se dice en algunas ediciones) era un poeta sevillano contemporáneo de Quevedo, autor de la citada obra [1]). Asimismo se le ha atribuído el *Entremés famoso de la Endemoniada fingida y chistes de Bacallao,* de sabor cervantino, escrita en romance muy perfecto, cuyo autor es el sevillano Bertiso. Tampoco son de Quevedo el entremés *Las sombras* y el titulado *El muerto:* el primero parece ser de Quiñones de Benavente y el segundo de autor desconocido.

EPISTOLARIO

Las cartas de don Francisco de Quevedo guardan maravillosamente la preciosa huella de su paso fascinante por la tierra. Son muestras palmarias de su es-

[1]) RODRÍGUEZ MARÍN. — *La segunda parte de la vida del Pícaro. Con algunas noticias de su autor.* (Rev. de Arch. B y M. 1908).

píritu, tan pródigo y tan fecundo, y el reflejo de su personalidad.

El Epistolario de Quevedo me ha servido de mucho para reconstruir y cotejar su biografía, estudiar su carácter y completar e interpretar su obra. A él he debido acudir con frecuencia como a un manantial de datos riquísimos, ya que las cartas son jirones de vida en potencia que conservan la fragancia del momento y el eco perenne de lejanas conversaciones. Son, desde luego, lo más sabroso que poseemos de él. Y lo más actual. La circunstancia de haber difundido este Epistolario en toda la obra presente, hace que este capítulo sea de reducida extensión.

Quevedo no busca la fama, omnímodamente conquistada. En la mayoría de sus cartas se nos muestra negligente, ingenuo, sin afeites, sin artificio retórico, espontáneo y lleno de fantasía. Por ello tienen tanto interés psicológico.

Quevedo conocía profundamente el género epistolar. Había leído — y de ello hay constancia en numerosas páginas de su laboriosa obra — las cartas de Isócrates, de Séneca, de Horacio, de Plinio el Joven, de Paulino, de Casiodoro, de Angleria, de Siculo y de Alonso de Segura ; pero a ninguno imita deliberadamente. Casi todas ellas están redactadas en tono particular, a varios amigos ; y éstas son las más bellas por cuanto llevan en sí el tono desenfadado y confidencial, sin reservas de ninguna clase, que descubren los matices de su carácter con asombrosa diafanidad. Hay otras que tienen un fin estrictamente literario. Otras son de carácter político y encierran pensamientos inéditos publicados con honradez. Todas ellas, como dicen Hurtado y González Palencia [1]) «sólo pueden parangonarse a las de Séneca».

El primer colector de las Cartas de Quevedo fué don Basilio Sebastián Castellanos [2]), pero sin orden ni método, insertando muchas apócrifas o apañadas por los ingenios del siglo XVIII. Fernández-Guerra reeditólas en su monumental obra de la *Biblioteca de Autores Españoles,* añadiéndole algunas más de alto valor biográfico, pero reproduciendo los errores del editor precitado. Astrana Marín ha publicado, como auténticas, 242, con notas muy luminosas, rechazando de rondón toda la correspondencia cruzada entre Quevedo y Adán de la Parra. Pero yo estimo excesiva esa rigidez del ilustre crítico. Adán de la Parra es un personaje real, contemporáneo de don Francisco, que sufrió prisión con él en San Marcos y con él obtuvo la libertad, habiéndose relacionado en la Corte. Cabe suponer que existió una comunicación epistolar entre ambos caballeros, que fué arreglada por algún ingenio neoclásico que bien podría ser el pícaro doctor don Diego de Torres Villarroel.

Entre las 242 cartas que publica el señor Astrana Marín se hallan la dirigida a Luis XIII, que es un tratado político, o un alegato en favor de nuestra patria ; y de la misma categoría son las que llevan los números CXL, CXLII y CXLIII, que forman parte de la *Virtud militante,* siendo tratados que no corresponden estrictamente al género epistolar. El señor Ro-

[1]) HURTADO Y GONZÁLEZ PALENCIA. — *Historia de la Literatura Española,* pág. 570.
[2]) BASILIO SEBASTIÁN CASTELLANOS. — *Obras de Quevedo.* Madrid. Año 1851. Vol. VI.

dríguez Marín ha descubierto algunas de positivo interés histórico.

Las principales van dirigidas a Lipsio, al duque de Lerma, al conde de Lemos, al duque de Medinaceli, a Felipe IV, al duque de Osuna, a Francisco de Oviedo — su gran amigo —, al Conde-duque de Olivares — su gran enemigo —, al marqués de la Velada y a otros próceres, humanistas y escritores. Reflejan los complejos aspectos de su cultura y de su temperamento, captándose con diafanidad en ellas preciosos instantes de su vida, dignos de ser estudiados. Así se muestra jactancioso en ocasiones [1]. A los amigos les habla con su prosa pintoresca, «calamo currente», llana y desenfadada y salpicada de agudezas y de rasgos ingeniosos [2]. En ocasiones muestra su alma letificada por la vanidad de sentirse aplaudido, acatado y poderoso [3]. Hay también alusiones a sus devaneos amorosos, a su hacienda siempre embrollada, a sus enfermedades y a sus cárceles. A veces se detiene en la loca carrera de

[1] En la carta de desafío al médico del duque de Lerma, dice: «Afile su caña; que ya se me acaba la paciencia, y habré de pregonarle por tan cobarde como mal caballero. El sitio, vuesa merced lo sabe, así como la hora y armas; y sólo le resta avisarme, para dar cabo a su negocio que ya me enfada por lo largo.»

[2] Dice al duque de Osuna: «...Pero el Emir es un puto y le tengo más maldito que a un casamentero.»

[3] Así escribe al mismo duque desde Madrid: «E enseñado el doblon de dos caras a todas las mujeres famosas de aquí, principalmente a Doña Ana María Fadrique, Doña Francisca Ortiz, diziendo que es retrato de V. Excia., i pedianmele para copiarle, que zierto estara V. Ex.ª que no abra copias del; Mariana de Mesones me dijo: ¿El Duque de Osuna con dos caras? Traidor le quiero. Soi potentad i con el oro que truje deslumbro i no las erriquezco.» Toda la correspondencia dirigida al duque de Medinaceli es graciosísima, particularmente la suscrita en 21 de diciembre de 1630, en que se burla de una portuguesa que le llamaba «Acevedo», parodiando su lenguaje. En estas cartas extrema la nota cómica porque debe saber cuánto regocijaban a su señor y particularmente a la duquesa, de quien nunca se olvida.

desenfrenos y escribe a su tía doña Margarita de Espinosa líneas profundamente ascéticas, tachándose de pecador empedernido.

Las cartas políticas atesoran múltiples aspectos de su carácter. En las dirigidas al duque de Osuna desde Madrid muestra un tacto exquisito y a veces emplea términos latos y de difícil intelección [1]). A pesar de la prudencia con que se produce, nótase que están escritas con precipitación.

Son de gran interés biográfico e histórico las punzantes misivas escritas con motivo de la defensa del Patronato de Santiago, que tantos disgustos le acarreó, y de la lucha titánica que sostuvo contra la maledicencia y contra sus rivales profesionales, Góngora y Pérez de Montalbán entre los más destacados. En cuanto a los variados aspectos de su erudición, don Francisco desarrolla en su correspondencia pasmosos recursos. Así, en la carta dirigida al Conde-duque en 9 de julio de 1624 con motivo del sacrilegio cometido por Benito Ferrer y por Reinaldos de Peralta [2]), ejecutados en sendos autos de fe, prodúcese en contra de la publicidad de los mismos, valiéndose de varias autoridades eclesiásticas y de los cánones aprobados en diversos concilios. Es decir, que con ello muestra un nuevo as-

[1]) Prueba de este lenguaje convencional es el párrafo escrito con clave en una carta desde Madrid — junio de 1618 — que dice textualmente :

0.3.6.5.7.r.2.3.ó.7.9

En estas cartas políticas tiene pasajes ininteligibles. Debe referirse a noticias confidenciales de la Corte.

[2]) En un acceso de furor estos dos herejes destrozaron la hostia de manos del sacerdote en el momento de la consagración. Habla de ello en su escrito *Que se debe excusar la publicidad en los castigos de los que por vanidad los apetecen*. Hay también una alusión en *La rebelión de Barcelona*.

pecto de sus actividades. La carta escrita a Vicente Mariner (Madrid, 1625) está redactada en un latín elegante, transcribiendo en ella una lista de más de cuarenta autores y citando casi todos los trabajos realizados por su ilustre amigo, el traductor clásico más prolífico de España. Otros prodigios de su ciencia son la admirable carta latina a Juan Jacobo Chifflet [1]), con notas griegas, árabes y hebreas y hermoseada a la par con versos de Píndaro, poeta dilectísimo. También es de capital interés la carta latina al jesuíta flamenco Lucas van Torre.

La dirigida al Conde-duque en 21 de julio de 1629, en que le remite las obras poéticas de fray Luis de León, contiene ideas estilísticas de suma importancia que demuestran los estudios hechos de los preceptistas clásicos, Aristóteles principalmente.

La consideración filosófica acerca de su vida, que intuye al margen de sus lecturas; los terribles zarpazos de la fatalidad; el desengaño de las cosas mundanas cuando se halla gimiendo su agonía en la tenebrosa cárcel de San Marcos, hacen reaccionar a veces al insigne polígrafo, como puede comprobarse, por ejemplo, en la epístola dirigida a don Antonio de Mendoza, caballero de Calatrava, llena de hondo sentimiento ascético. Sus últimas cartas fechadas en la Torre y en Villanueva de los Infantes, reflejan una maravillosa paz interior, a pesar de sus torturas físicas, una fortaleza de alma inquebrantable y una admirable elevación

---

[1]) *Joanni Jacobo Chiffletio, patricio Consulari, archiatro civi romano serenissimas Isabellæ Claræ Eugeniæ Hispaniarum Infantis, et Philippi IV Hispaniarum Regis medico cubiculario, viro docto, et amico.*

de pensamientos. Tienen el sello inconfundible de aquel que espera la visita de la muerte con gran resignación cristiana.

Considero necesario advertir que no todo son Fuentes las que se insertan en este capítulo. Hay también preferencias, atisbos, concomitancias, posibles lecturas, lejanos reflejos de los varones insignes que forjaron la inmensa cultura del complejísimo intelectual que fué don Francisco de Quevedo. No ha de extrañar, pues, ni la extensión, ni la aparente redundancia, ni las consideraciones periféricas de las siguientes páginas destinadas a enjuiciar y completar el pensamiento de Quevedo y a facilitar ulteriores trabajos de crítica.

Las fuentes que utiliza Quevedo para su magnífica obra pueden dividirse en tres grupos: las que cita específicamente, las de segunda mano y las que inserta a título de mera referencia y que confía al archivo de su memoria. Es sabido que poseía una gran cultura humanística que le hacía asimilar múltiples ideas, las cuales, vestidas con nuevos ropajes, parecían originales a los lectores poco dados a la erudición.

Generalmente bebe en fuentes directas, que busca con afán o que le facilitan sus amigos [1]. En sus cartas nótase la preocupación insistente por los libros.

[1] El obispo de León le remite en 23 de agosto de 1642, estando él en San Marcos, las obras de San Juan Crisóstomo, y en carta de 25 de agosto del mismo año le orienta sobre determinados pasajes del Eclesiastés y de las obras de Nicolao de Lira, del cardenal Hugo y del Padre Pineda, acerca de la *Providencia de Dios*, que está escribiendo en la rigurosa cárcel.

Es un lector tan empedernido y extraordinario, que le es imposible fijar muchas de las ideas de las obras que con pasión devora, emergiendo sólo las que por sí mismas se hacen indelebles en su conciencia. De haber obrado con método en sus consultas, hubiera llegado a ser uno de los sabios destacados de su época; bien es verdad que también hubiera perdido aquella lozanía e individualidad poderosa que tanto le caracterizan.

Cita poco más o menos quinientos autores diferentes, con cerca de ochocientas referencias; de éstas la mayor parte son clásicas y siguen el siguiente orden de preferencia: griegas, latinas, cristianas, españolas, italianas, francesas, portuguesas, inglesas y alemanas.

Muchos de los títulos que transcribe están equivocados por la falta de cuidado con que se han transcrito en las sucesivas ediciones. A veces inserta autores sin las obras a que directamente alude, y viceversa, prestándose a lamentables confusiones y demostrando con ello que es poco escrupuloso y que todo lo fía a la memoria. Así, por ejemplo, habla en ocasiones de San Gregorio, sin tener en cuenta que el lector puede suponer que es San Gregorio Nacianceno, el de Iliberis, el Niseno, el de Tours, el de Utrecht, por cuanto la referencia es incomprobable. Aristeas puede ser el matemático griego del siglo III, Aristeo el antiguo o el poeta Aristeo de Preconeso. Esa vaguedad de citas y el afán que tiene de neologizar aun con los nombres propios extranjeros, españolizándolos, hace que sea sumamente dificultoso seguir el hilo de sus pensamientos. Las erratas de los editores se han ido sucediendo, sobre todo de los autores de segunda categoría. Así, en la *Constancia y Paciencia de Job* cita el *Croniçón Adonre-*

niense [1]), que es *Adon Vienense,* de *Vienne,* Francia ; *Metrodoro Chico* quiere decir *Metrodoro de Chíos,* filósofo griego del siglo iv, el representante de la escuela atomista [2]) ; en el *Sueño del Infierno, Cicardo Eubino* es *Eilhard Lubin,* humanista contemporáneo de Quevedo, de Wersterstede, condado de Oldemburgo [3]) ; *Ritershusio* es el jurisconsulto alemán *Conrado Rittershuys* [4]).

Del cotejo de sus obras infiero que los autores más citados son los siguientes, por este orden de preferencia :

Séneca, Tertuliano, San Agustín, San Pablo, San Juan Crisóstomo, San Jerónimo, San Pedro Crisólogo, Lucano, Virgilio, Salmos, Tácito, Aristóteles, Concilios, Homero, Marcial, Plinio, Cicerón, San Juan, San Lucas, La Vulgata, Juvenal, San Ambrosio, San Mateo, Santo Tomás, Eclesiastés, Plutarco, Génesis, Proverbios, Claudiano, Quintiliano, Erasmo, Petronio y San Cirilo.

Si en alguna ocasión usa como propias ideas ajenas, no lo hace por un vanidoso prurito de erudición, sino, simplemente, porqué no se acuerda de si son suyos esos pensamientos ; aunque tampoco se preocupa mucho por ello. En las obras más meditadas, políticas y filosóficas, se pueden ir cotejando sus lecturas sucesivas y es en donde hallamos más copiosidad de citas. Los escritos en la cárcel son, desde luego, mucho más densos y doctorales, pues los libros que consulta en aquella interminable y forzada inactividad física, son releídos

[1]) Refiérome a la ed. de Fernández-Guerra.
[2]) *El mundo por de dentro.*
[3]) ASTRANA MARÍN. — *Obras,* pág. 192, nota.
[4]) El Excmo. Conde-duque de Olivares.

varias veces. He aquí las obras que contienen más erudición:

España defendida, con unos 153 autores diferentes.

Vida de San Pablo, con unos 78 autores diferentes.

Política de Dios, con unos 58 autores diferentes.

Nombre, origen, con unos 56 autores diferentes.

Providencia de Dios, con unos 53 autores diferentes.

Su espada por Santiago, con unos 51 autores diferentes.

Constancia y paciencia de Job, con unos 49 autores diferentes.

Virtud militante, con unos 36 autores diferentes.

Las cuatro pestes, con unos 33 autores diferentes.

Carta al Conde-duque, con unos 29 autores diferentes.

Las lecturas indirectas son también muy copiosas, sobre todo las de los tratadistas del ocultismo (alquimistas, astrólogos y demás escritores herméticos), fastidiosamente prodigados en los *Sueños* en tono de mofa. Esos autores no tienen para nosotros un interés específico, por cuanto no son más que una sarta de nombres enrevesados y peregrinos, muchos de los cuales sólo conocía Quevedo sin otra referencia que la de la hiperbólica tradición popular.

Fuentes griegas

La devoción que por Grecia sintió don Francisco de Quevedo nacióle por dos caminos bien eficaces: por sus estudios universitarios en Valladolid y Alcalá y por el trato con los humanistas más insignes de la época. Se sabe que dominaba tan venerable lengua y seguramente debía leer las obras en su misma fuente. En las universidades en donde cursó sus estudios hacían furor a la sazón varios trabajos didácticos y filológicos inspirados todavía en los tratadistas del Renacimiento. Estudió Quevedo esa lengua en los libros de Francisco de Vergara (*De omnibus græcæ linguæ grammaticæ partibus*. Alcalá, 1537) ; de Miguel Jerónimo de Ledesma (*Institutiones breves linguæ græcæ*. 1545) ; de Juan de Villalobos (*Grammaticæ Græcæ Introductio*. Salamanca, 1576), y del Brocense (*Grammaticæ Græca*, 1581). Que continuó practicando esa lengua son testimonio fidedigno los eruditos comentarios puestos al margen de las poesías de Anacreonte. Desde luego, puede asegurarse que su filohelenismo no es de segunda mano, aunque de ello se burlara su enemigo don Luis de Góngora.

De Grecia toma Quevedo sus modelos literarios y estéticos. Ama a ese país no tan sólo como un humanista, sino como un poeta enamorado de su fecunda grandeza espiritual, quizá un poco mal interpretada.

De los filósofos griegos conoció más a los de segunda fila que a los secularmente consagrados. La filosofía de Platón y de Aristóteles está poco presente en su obra, a lo menos en sus fuentes directas, y cita al primero en la *Vida de San Pablo,* en la *Virtud militante,* en la *Carta al Conde-duque* y en la dirigida a su amigo Antonio de Mendoza, y del segundo habla varias veces de sus obras *Retórica, Metafísica, Etica, Política* y del tratado *De Anima.* Ya he indicado que era filósofo por extensión y que su humanismo le llevó a la filosofía. Era — y creo necesario repetirlo —, simplemente, un espléndido publicista.

En cambio se halla profundamente identificado con los filósofos del dolor y del desengaño, que son las almas gemelas del Quevedo declinante. Gran maestro suyo fué Epicteto, a quien comenzó a amar en las múltiples citas que de él hace Séneca, sobre todo en sus cartas a Lucilio. Le agradaba no tan sólo su obra estoica, conocida y sentida a través de sus escoliastas Simplicio y Flavio Arriano entre otros [1]), sino también por la admirable rectitud de su dolorosa existencia y porque era, como dice muy bien Raúl Vèze [2]) «un emancipador de las almas que aguardan el advenimiento de un mundo mejor, de una renovación del mundo por el pueblo». Quizá lamentó que el filósofo frigio — cojo cual él y cual él amargado y sañudamente combatido —, no hubiera tenido, como tuvo Sócrates, un divulgador de la categoría de Platón. Admiraba su ascetismo natural, el espíritu selecto que supo infiltrar a su discípulo Marco Aurelio, su posición llena de entereza ante el enemigo que le hundió en lacerías sin cuento, su decisión viril y su valentía en el combate incesante contra los hombres y contra sus propias pasiones. El pensamiento de Epicteto se fijará en su conciencia cuando sienta que la vida combativa, intrépida y en tensión constante, flaquea y amenaza hundirse en el ambiente adelino de su tumba leonesa.

Otra alma gemela de Quevedo es Plutarco de Queronea, historiador y moralista famoso. Lo estudió mu-

[1]) No dejó de leer la traducción y el comentario de su maestro el Brocense (*El Enchiridon*, 1600).
[2]) RAÚL VÈZE. — *La Grecia literaria*. París, Michaud, pág. 209.

cho [1]) por varios motivos: porque tenía un espíritu
ecléctico; por su anecdotismo; porque sufría al ver
la patria hundiéndose en procelosa ruina moral; porque fué un apóstol del estoicismo; porque estudió con
devoción filial la figura y la doctrina de Epicuro y,
por cima, por haber sido el maestro del insigne cordobés Lucio Anneo Séneca [2]).

Conoció y amó también la severa figura del filósofo Porfirio [3]) en cuanto a las tendencias pesimistas
apuradas en la senectud gloriosa del polígrafo español.
El defensor del sistema neoplatónico es leído particularmente en el ergástulo, o cuando menos insistente-
mente recordado, a pesar de ser un adversario del cristianismo [4]).

Alrededor de esas figuras señeras se desenvuelven
otras de menos predicamento. Las dos más notadas
son: Flavio Arriano, cuyo pensamiento fundamental
asoma a veces en la prosa de la *Política de Dios*, y el
filósofo Claudio Eliano, alma profundamente heleni-

[1]) Consultó los escoliastas y traductores españoles siguientes:
Juan Fernández de Heredia; Francisco de Enzinas publica en 1551
una traducción de las *Vidas Paralelas*; Diego Gracián de Alderete
redacta las *Apotechmas de Plutarcho* (Alcalá, 1533); quizá conoció
las traducciones francesas de Amyot (*Vies de Plutarque y Oeuvres
de Plutarque,* 1559 y 1576). La obra de Plutarco se difunde en numerosos escritos de Quevedo, particularmente en lo que se refiere
a ejemplos históricos.

[2]) Lo cita en las obras siguientes: *Marco Bruto, Las cuatro
pestes del mundo, Virtud militante, Vida de San Pablo, Providencia de Dios.* En la *Virtud militante* transcribe un pasaje sobre la
ira, de gran profundidad y belleza. En la *España defendida* cita
dos obras: *De Fluminibus et montibus* (cap XIV) y *Vida de Sertorio.*

[3]) Impúsose de las versiones españolas siguientes: Martín
Pérez de Ayala: *Commentaria Universalia Porphyrii* (Granada, 1537),
y Gaspar Cardillo de Villalpando: *Commentarii in quinque voces
Porphirii* (Alcalá, 1557). En la *Carta a Mariner* cita los trabajos
de este humanista: *Quæstiones Homericæ* y el libro *Antro Nym-
pharum.*

[4]) *Epistolario.*

zada, a pesar de haber nacido en Italia cuando la Hélade no era sino un vago recuerdo en la conciencia de los sabios decadentes.

Entre los poetas, la egregia figura de Homero fluctúa a menudo en sus páginas. En la carta a Vicente Mariner (1625) demuestra conocer sus traducciones: «Ilias, Homeri, et Batrachomyomachia et omnes Hymni carmine hexametro versi, et similiter Odysseæ scholiastes Eustathius... Scholia Didymi in Iliada homeri... Scholia Didymi in Odysseam... Porphirii Quæstiones Homericæ». La Batracomiomaquia le inspirará en cierta manera su poema Las necedades y locuras de Orlando. Gustará de la inefable lírica de Bios [1]), cuyos Idilios había leído con suma complacencia; del poeta Calímaco [2]); del viejo y severo Hesiodo [3]); del vate milesio Focílides, cuyos exámetros vertirá al castellano elegantemente y cuyas máximas comentará con acierto. Leerá el poema anodino Alexandre del gramático Licofron, las producciones de Mosco [4]) y en particular toda la obra poética del amado de los dioses, Píndaro, de quien se declara discípulo en ocasiones, imitando y comentando algunas poesías.

Muy de corrida y como incidentalmente aparecen en su obra los dramaturgos helénicos [5]) y los histo-

[1]) *Epistolario.*
[2]) *Vida de San Pablo.* Cita su *Himno a Jove* en *Su espada por Santiago.*
[3]) *Epistolario.*
[4]) *Epistolario.*
[5]) Eurípides (*Epistolario*). — Menandro (*Vida de San Pablo; Virtud militante*). — Aristófanes (Cita *Las Ranas* en la *Epístola al Conde-duque*). Contra lo que podría suponerse, el comediógrafo griego está casi ausente de su obra.

riadores [1]). Le complacen mucho más, como ya observó Sánchez Alonso, los escritores que viven cuando declinan esas culturas madres, seguramente porque don Francisco también vivía en un período álgido, de irrefragable y dramática declinación. Polibio [2]), Luciano [3]), Apolonio de Rodas [4]) y pocos sabios alejandrinos forman el bagaje principal de su cultura griega.

Demuestra con lo dicho que su erudición era vastísima pero poco sistemática. Leía, leía incansablemente y a veces al escribir le acudía a su fácil memoria el nombre de un autor, o un pasaje que flotaba en el subconsciente, y allí lo colocaba, forzando a veces con ello la congruencia del discurso.

Fuentes latinas

Quevedo era un gran latinista, el cultivo de cuya lengua no abandonó jamás, leyendo siempre que podía a sus autores dilectos en sus mismas fuentes. La devoción por el pasado de Roma latió en su alma durante toda su vida. Le seducía por su sesuda grandeza, por su contextura moral, por la gravedad de la forma, por los brillantes cuadros de historia política y sobre todo por su enorme seriedad.

[1]) Herodoto (*Constancia y Paciencia de Job*). — Jenofonte (*Vida de Marco Bruto; Virtud militante*).
[2]) Varias veces citado, especialmente en la *Política de Dios, Segunda Parte*. En los *Apuntes* cita la *Historia Iuris*.
[3]) Quevedo era un escritor lucianesco, salvando lógicas distancias de tiempo y educación. Grandes pasajes de sus primeros *Sueños* están escritos pensando en el *Diálogo de los muertos*. Dice Mayans y Siscar en el Prólogo escrito a la *República Literaria* de Saavedra Fajardo: «D. Francisco de Quevedo Villegas fué casi igual a Luciano».
[4]) *Epistolario*.

Las citas romanas son menos extensas que las griegas por la razón de que don Francisco busca en su estudio, mucho más que las manifestaciones literarias, las ideas filosóficas y morales, y es sabido que los romanos no fueron grandes filósofos.

Hemos visto en el capítulo titulado *Séneca y Quevedo* las preferencias que tenía por el sabio hispánico. La presencia de Lucio Anneo Séneca es constante [1]) y cuando no puede referirse a él en tono serio lo hace burla burlando en sus poesías satíricas y en su prosa humorística.

Después de Séneca son pocos los filósofos que cita. Admira la gravedad y el nervio de Cicerón [2]), cuya influencia se refleja a veces en sus *Epístolas* y en la *Carta al Conde-duque.*

La sátira romana halla eco sonoro en Quevedo. Juvenal es un guía amable y un fácil ayudador de su musa burlona. Pero aun más dilecto que Juvenal es Persio, pues Quevedo no gusta de colores excesivamente sombríos, tupidos de lúgubre rencor y de terrible cólera como aquél, aunque se complace en ver la indignación y el odio acumulado contra el tirano. Desde su temprana juventud (cuando escribía las *Cartas del Caballero de la Tenaza*) le agradaba emular a ese gran

[1]) Conocía cuanto se había publicado en España acerca de su autor predilecto, particularmente los *Proverbios de Séneca,* recopilados por Pedro Díaz de Toledo (Zamora, 1482) ; las *Anotationes in Senecæ Philosophi Opera,* de Hernán Núñez (Venecia, 1536), los *V Libros de Séneca* y las *Epístolas,* publicadas en Toledo en 1510. Hallábase impuesto asimismo de todos los trabajos de Justo Lipsio y de sus descubrimientos sensacionales en varios archivos.

[2]) CICERÓN : *A Ático (Las cuatro pestes del mundo; España defendida).* — *De Divinatione (Providencia de Dios).* — *Pro Marcello (Epístolas a imitación de Séneca).* — *Pro Roscio (Apuntes autógrafos).* — *Epístolas (Apuntes).* — *Tusculanas, De Finibus, De natura deorum (Nombre, origen...).* — *Pro Roscio (Apuntes).*

ingenio dulcemente pesimista que cual él combatía los vicios de sus contemporáneos, las lacras sociales, la juventud ociosa y banal [1]), citando varias veces la sátira II [2]). En esas seis hermosas producciones de Persio resplandecen los severos principios del estoicismo, mostrando la senda conspicua de la virtud.

Otro poeta preferido es Marco Valerio Marcial, el representante más genuino del epigrama y maestro de Juan de Jáuregui, de Baltasar del Alcázar, de Luis de Góngora y de Ruíz de Alarcón, entre otros. El escritor bilbilitano es celebrado por su obra ingeniosa y fecunda, por el desenfado de sus temas y por ser el primer pícaro español. Cita los epigramas 3, 6, 10 y 21 y el sello inconfundible de su graciosa travesura se acusa en numerosas jácaras, bailes y poesías festivas y en la copiosa obra satírica.

Entre los vates latinos citaremos al gigantesco Horacio [3]), de alma profunda y vasta como la propia Roma, cuya *Arte Poética* conoce y cita, además de los *Carminum,* imitando algunos de sus pasajes. Se identifica con Lucrecio por su posición ante el mundo y por la glorificación del epicureísmo en su asombroso poema. Sabe del genio de Propercio mejor que el hispanoitaliano Chariteo, que el sevillano Francisco de Medina

[1]) Sátira III *(La cuna y la sepoltura).*
[2]) *Su espada por Santiago.*
[3]) Pudo leer las traducciones y comentarios de su época en las obras de Boscán, de Garcilaso, de Francisco de Figueroa, de Fray Luis de León, de Medrano, de Girón, de los Argensola y de Alcázar. Conocía los trabajos de Jáuregui, de Bartolomé Martínez y de Virués. (MENÉNDEZ Y PELAYO : *Horacio en España.*) En una colección manuscrita de *Traductores de Horacio en verso castellano,* hay una lista de treinta y nueve, en la que Quevedo ocupa el 24.º lugar. (LEOPOLDO A. DE CUETO : *Historia crítica de la Poesía Castellana en el siglo XVIII.* Madrid, 1893. Vol. III, pág. 123.)

y que su contemporáneo Esteban Manuel Villegas, y no sólo por su poesía rabiosamente erótica, sino que también por sus temas patrióticos y de historia romana, comentando alguna de sus inspiradísimas elegías. Ama a Lucilio por su originalidad, su vasta cultura y su sello estoico, citando particularmente la epístola XXII [1]), mostrando acendrada predilección por su estilo liso, fácil y expresivo, enemigo de toda lima, satírico y espontáneo cual el suyo. La abundante figura del español Lucano le seduce también, refiriéndose en más de veinte lugares a su obra política y moral y sobre todo a su grandilocuente epopeya histórica, tan traída y llevada en su época, en particular por la traducción de Jáuregui, que le hizo ingresar inconscientemente en la legión culterana. Lucano es un autor predilecto. Hemos visto cómo ataca a Julio Escalígero porque en la *Poética* pretende desdorarle. En el *Libro de Job* dice «que en ingenio, agudeza y sentencias éticas y políticas excedió no sólo a los poetas, sino a los historiadores y oradores» ; y que «habiendo tenido tantos ladrones como lectores que se han enriquecido con su robo, siempre podría con el caudal que ayudan sus palabras enjoyar otros muchos».

Entre los historiadores, retóricos y novelistas conoce a Tácito, no sólo por las producciones consagradas [2]), sino por el maravilloso relato que hace de los últimos momentos de su maestro Lucio Anneo Séneca ;

[1]) *Epistolario.*
[2]) En sus obras *Lince de Italia, Carta a Luis XIII, Nombre, origen..., Política de Dios,* segunda parte, *Marco Bruto, Constancia y paciencia de Job. Providencia de Dios. Su espada por Santiago. Apuntes, España defendida.* Las ideas estoicas y pesimistas de Tácito influyen mucho en su obra moral.

a C. Plinio Cecilio Secundo y a su tío Plinio el viejo ; a Julio César [1]) ; a Quintiliano, más por español que por su obra, pues no era el suyo un espíritu retórico [2]) ; al famoso *elegantiæ arbiter,* el abundante Petronio [3]), cuyos grotescos personajes tuvieron bastante parte en la confección de los *Sueños;* al orador arcaizante Lucio Apuleyo [4]), que en sus antítesis, aliteraciones y asonancias se vió retratado a sí mismo.

La decadencia romana estimula su espíritu. Quevedo es un temperamento pesimista que prefiere a la cegadora luz del mediodía los sombríos celajes del crepúsculo vespertino : de ahí que le seduzcan autores como Calistrato [5]), Casiodoro [6]), Eusebio Cesariense [7]), el cristiano Magno Félix Enodio [8]), por su estilo sentencioso y difícil, el galorromano Favorino [9]), gran amigo de Plutarco y de Epicteto, cuya obra griega conoció en sus versiones latinas de los tiempos medios. Sobre ellos emerge a aventajado nivel la austera y digna figura de Boecio, que le apasiona por su vida

[1]) Cita varias veces el *De bello Gallico,* en particular en la *Carta al Conde-duque.*

[2]) Por este motivo sus citas son a veces difusas y poco autorizadas. No le agradaba que el calagurritano se opusiera al estilo breve y cortado de Séneca, que tanta difusión tuvo en Roma, propugnando por la vuelta a los modelos ampulosos de Cicerón. Sin embargo, en *España defendida* hace de él una ardorosa defensa en contra de las opiniones sustentadas por José Escalígero. Expone varias ideas de Quintiliano en la *Carta al Conde-duque,* y en los *Apuntes* cita el *De oratoribus.*

[3]) *De los remedios... España defendida. Nombre, origen...*

[4]) Debió conocer la traducción española de Diego López de Cartagena : *Lucio Apuleyo del Asno de Oro* (Sevilla, 1514, y Medina, 1543).

[5]) Cita el *De interrogatione* en *Su espada por Santiago.*

[6]) Cita la *Epístola XXVII* en *Su espada por Santiago.*

[7]) Cita la *Defensa de Orígenes* y *De Martyribus* en el *Epistolario.* En la carta a Vicente Mariner, cita *Opus de Martyribus.*

[8]) *Epístolas. La rebelión de Barcelona.*

[9]) *Política de Dios,* primera y segunda partes.

ejemplar y patriótica y por sus sufrimientos morales soportados con dignidad estoica. Su obra *De consolatione philosophiæ* [1]) influirá poderosamente en el moralista madrileño, vistiéndola con el palio de resignación cristiana, cuando se sienta acosado por los más intensos dolores.

Fuentes cristianas

Hay dos períodos bien definidos en la conciencia de nuestro escritor: uno, de aceptación del Cristianismo sin previa reflexión, como la mayoría de los españoles: por nacimiento, por ambiente, por costumbre; otro, de recrudecimiento y de dedicación ascética. El primero es el de la juventud llena de satisfacciones mundanas; el segundo es el de la vejez, al verse solo, cansado y nimio en la antesala de la muerte.

Las fuentes cristianas son copiosísimas y muy trabajadas. Si bien en la juventud leyó y tradujo algunos libros sagrados, sus lecturas no fueron hechas más que para satisfacer sus ansias de superación humanística y su afán erudito; pero fueron sin duda una siembra en campo abonado para ulteriores estudios. Con los años aumentáronle las decepciones y se abrazó con místico afán al frondoso árbol de las Escrituras, que le cobijó con amorosa sombra.

La fuente a la que nuestro polígrafo ha ido a apagar siempre su sed de verdad es la Biblia [2]), y en su

[1]) Hay una edición anónima de Sevilla, 1511, que seguramente debió consultar don Francisco.

[2]) Hay numerosas ediciones anteriores y contemporáneas, que debió consultar Quevedo. Cito las más importantes:
1517: *Políglota complutense.* — 1530: Francisco de Enzinas: *Traducción del Nuevo Testamento.* — 1543: Francisco de Enzi-

obra política, moral y filosófica, aparece esa constante predilección. Todo el espíritu se halla imbuído de la voz sagrada que aprendió a amar en las aulas universitarias, en los libros y en el apasionado comentario de los maestros ilustres. Página tras página escribe Quevedo pensando en ella. Sin duda alguna vez sabe refugiarse en el seno providente de la fe que le domina y hallar la paz. Conoce profundamente estos sabios Libros porque también ha escuchado las palabras de su venerado Maestro: «Ama las Santas Escrituras y te amará la Sabiduría» [1].

nas: *Idem* (Amberes). — 1553: *Biblia en lengua española* (Ferrara). 1556: *El Testamento Nuevo.* Traducción de Juan Pérez (Venecia). — 1557: *Los Psalmos de David,* por ídem (Venecia). — 1558: Arias Montano: *Traducción en verso de los Proverbios de Salomón* (Cuenca). — 1569: Casiodoro de la Reina: *La Biblia, que es los sacros libros...* — 1570: León de Castro: *Commentaria in Esaiam Prophetam* (Salamanca). — 1570: Gaspar de Grajal: *In Micheam Commentaria* (Salamanca). — 1572: Miguel de Palacios: *In Esaiam* (Salamanca). — 1573: Arias Montano: *Biblia* (Antuerpiæ). — 1574: Arias Montano: *Davidis... Psalmi ex Hebr. veritate in latinum carmen... conversi* (Antuerpiæ). — 1580: Fray Luis de León: *Cantar de los Cantares.* — 1581: Orozco: *Commentaria quædam in Cantica Canticorum* (Burgos). — 1584: Fray Diego de Zúñiga: *In Iob Commentaria* (Toledo). — 1584: Francisco Vatablo: *Biblia Sacra cum duplici translatione et scholis* (Salamanca). — 1585: Francisco Vatablo: *Idem.* Vol. II. — 1585: Fray Cosme Damián Hortola: *In Cantica Canticorum* (Venecia). — 1585: Jerónimo Almonacid: *Commentaria in Cantica Canticorum* (Alcalá). — 1585: D. Portola: *Los Libros de la Biblia* (Gerona). — 1597: Juan de Pineda: *Comm. Lib. de Job* (Madrid). — 1599: Fray Luis de Sotomayor: *Comentario sobre el «Cantar de los Cantares».*

[1] Muestra, dentro de la Biblia, las siguientes preferencias: Génesis (*Providencia de Dios, Vida de San Pablo, Constancia y Paciencia de Job, Homilías*); Números (*Providencia de Dios, Consideraciones sobre el Nuevo Testamento*); Deuteronomio (*Constancia y Paciencia de Job, Consideraciones sobre el Nuevo Testamento*); Jueces (*Descífrase el alevoso manifiesto, Providencia de Dios, Apuntes autógrafos*); Reyes (*Memorial por el Patronato de Santiago*); Job (*Constancia y paciencia de Job, Nombre, origen..., Visita de los Chistes*); Salmos (*Carta a Luis XIII, Virtud militante, Consideración sobre el Nuevo Testamento, Nombre, origen..., Vida de San Pablo, Memorial por el Patronato de Santiago, Política de Dios, segunda parte, Virtud militante, Constancia y paciencia de Job, Sobre las palabras que dijo*

Del Antiguo Testamento le atrae el *Libro de Job* por su patética exposición y por su dramatismo profundamente humano, leyendo frecuentemente los comentarios de San Agustín [1]), de Fray Luis de León y de cuantos tratan del gran Santo resignado y curtido en los más prolijos dolores. Los *Salmos* le conmueven y estimulan sus pensamientos ascéticos porque el poeta genial pone en ellos su alma tocada con el dedo de la divinidad. Grandeza, perfección, sublimidad. Nada le puede superar. Habla en ellos de la dicha de aquel varón que no se deja llevar de los consejos de los malos [2]); del desamparo en que le abandona su Señor [3]); de la tranquilidad en que se sume al sentirse protegido por Dios [4]); del optimismo que llena su alma al ensalzar la inmarcesible gloria de Jehovah [5]); de su misericordia y de su justicia [6]), y de la voz que alza en la cueva donde vive para derramar en su presencia la oración [7]).

Los *Salmos de David* inspirarán y resolverán graves y hondos problemas de conciencia. Las durísimas re-

Jesús, El martirio pretensor del Mártir, La cuna y la sepoltura, Su espada por Santiago, Epistolario); Proverbios (*Memorial por el Patronato de Santiago, Lince de Italia, Carta a Luis XIII, Política de Dios,* primera parte, *Virtud militante*); Eclesiastés (*Carta a Luis XIII, Virtud militante, Consideraciones sobre el Nuevo Testamento, Las cuatro pestes del mundo, La cuna y la sepoltura, Su espada por Santiago*); Salomón (*Vida de San Pablo, Su espada por Santiago*); Isaías (*Vida de San Pablo, Consideraciones sobre el Nuevo Testamento, Homilia, Providencia de Dios*); Jeremías (*Su espada por Santiago, Consideraciones sobre el Nuevo Testamento*); Jonás (*Su espada por Santiago*); Miqueas (*Virtud militante*); Evangelistas (*Numerosas citas en toda su obra*).

[1]) SAN AGUSTÍN: *De Doctrina Christiana.*
[2]) *Salmo 1 (Las cuatro pestes del mundo).*
[3]) *Salmo 21 (Sobre las palabras que dijo Jesús).*
[4]) *Salmo 22 (El martirio pretensor del mártir).*
[5]) *Salmos 44 y 67 (Carta a Luis XIII).*
[6]) *Salmo 71 (Virtud militante).*
[7]) *Salmo 100 (Su espada por Santiago).*

flexiones del *Eclesiastés*, con sus frías aristas invulnerables, llevarán a su alma un consuelo eficaz y un acendrado amor a la Divinidad. Influyen directamente en él las lecturas bíblicas y son eco suyo las obras siguientes: *Consideraciones sobre el Testamento Nuevo y vida de Cristo,* con veinte autoridades distintas, repetidas varias veces; *Sobre las palabras que dijo Cristo a su Santísima Madre en las bodas de Caná de Galilea; Homilia a la Santísima Trinidad y Declamación de Jesucristo Hijo de Dios a su eterno Padre en el Huerto.* Citará del *Nuevo Testamento* pasajes muy conocidos, como «la señal de Jonás», en el *Evangelio de San Mateo* [1]); la multiplicación de los panes [2]); el milagroso camino sobre las aguas [3]), y la Pasión y Muerte de Jesús. Las *Cartas* de San Pablo le servirán de textos inapelables para confeccionar su *Vida* y el *Memorial por el Patronato de Santiago.* En el *Apocalipsis,* en fin, hallará un refugio seguro para guarecer su alma combatida incesantemente por violentos huracanes.

Conoce muy bien la génesis de la Iglesia y el arduo proceso de la lucha por su existencia y de su rotundo triunfo. Ha estudiado los más importantes concilios [4]) y las herejías. Hay más de treinta referencias del gran apologista de la religión, Quinto Septimio Severo Tertuliano [5]), y otras interesantes del obispo de Milán

[1]) V. 42.
[2]) V. 53.
[3]) V. 54.
[4]) Cita los Concilios siguientes: africano, bracarense, calcedoniense, constantinopolitano, iliberitano, laodicense y vienense. Estas referencias son difusas y poco autorizadas.
[5]) *De Monogamia (Vida de San Pablo). — Contra Marción (Vida de San Pablo). — De Patientia (Política de Dios,* segunda parte, *Constancia y Paciencia de Job, La rebelión de Barcelona, Epistolario). — De Virginibus (Política de Dios,* segunda parte). *— De corona*

San Cirilo, especialmente la historia de la Creación titulada *Exameron* [1]), y su estudio sobre la Trinidad, *De fide* [2]), junto con sus admirables *Cartas* [3]), La ingente personalidad de San Jerónimo, el Padre de la Iglesia más fecundo, es leído y comentado frecuentemente. Le seduce su callada labor y su vida ascética, retirada en la soledad del desierto [4]). También la figura de San Agustín ocupa lugar preferente en sus estudios catequísticos y es patente la devoción con que le trata. Quevedo intuía la grandeza de ese escritor infatigable que pudo abarcar todas las manifestaciones culturales de su tiempo, en especial sus tratados de Teología y sus escritos polémicodogmáticos [5]). Conoce y comenta

militis (*La rebelión de Barcelona*). — *Adversus Valentinianos* (*La rebelión de Barcelona*). — *De resurrectionis carnis* (*Virtud militante, Constancia y paciencia de Job, Apuntes*). — *De oratione dominica* (*La cuna y la sepoltura, Apuntes*). — *Apologetica adversus gentes* (*Apuntes autógrafos*). — *Haereticus* (*Nombre, origen...*). — *De exhortatione castitatis* (*Apuntes*). — *De habitu mulieris* (*Su espada por Santiago*). Esta última obra tiene el título *De cultu feminarum*, que tendrá muy presente Quevedo y todos nuestros ilustres adversarios de la mujer.

[1]) *Política de Dios*, segunda parte.

[2]) *La primera y más disimulada...*

[3]) *Constancia y paciencia de Job, Vida de San Pablo, Introducción a la vida devota. Su espada por Santiago.*

[4]) *Epístola a Algasia* (*Vida de San Pablo*). — *Varones ilustres* (Idem). — *Comentarios a la Epístola a Fileón* (Idem). — *Epístola XLV* (*Las cuatro pestes del mundo*). — *Contra Pelagianos* (*Nombre, origen...*). — *Sobre Isaías* (*Vida de San Pablo*). — *Sobre Amós* (Idem). — *Epístolas varias* (*Providencia de Dios*). — *Ad Panachium* (*Su espada por Santiago*). — *Ad Nepotianum* (*Carta al Conde-duque*). Cita varias veces a este escritor en la *Introducción a la vida devota, Virtud militante y Paciencia de Job.*

[5]) *Epístola 118* (*Memorial por el Patronato de Santiago*). — *Sermón 15* (*Vida de San Pablo*). — *De Doctrina Christiana* (*Vida de San Pablo*). — *Contra Mendacium* (Idem). — *Ciudad de Dios* (*Política de Dios*). — *Confesiones* (*Las cuatro pestes del mundo*). — *De natura et gratia* (*Las cuatro pestes del mundo*). — *De gratia et libero arbitrio* (*Introducción a la vida devota*). — *Homilia 44* (*Constancia y Paciencia de Job*). — *Resurrectione corporum contra infideles* (*Constancia y Paciencia de Job*). — *Salmo 35* (*Providencia de Dios*). — *De verbis Domini in Lucam* (*Su espada por Santiago*).

las obras de San Pedro Crisólogo, varón eminente y muy grato a su corazón, tanto más cuanto que, estilísticamente, y salvando lógicas distancias de tiempo y de ambiente, fraternizan en muchos aspectos de su técnica. Ya dijo Baltasar Gracián de ese santo que «en cada página encierra un alma conceptuosa» [1]). San Juan Crisóstomo, en fin, le guía a través de la opulenta selva de sus pensamientos de adolescencia, y en su edad provecta lee con delectación los textos latinos del ilustre desterrado, en los que consuela a sus apenados amigos [2]).

Fuentes italianas

Quevedo se hallaba tan profundamente impuesto del italiano que gracias a este dominio pudo escapar a la matanza de Venecia. No es de extrañar que conozca la literatura y la producción humanística de este país en donde, si bien contaba con enemigos cordialísimos, tenía relaciones entrañables de amistad con numerosos prohombres.

De los precursores tenemos en su obra plurales noticias de Dante. Es obvio recordar la influencia del cantor de Beatriz en nuestras Letras, desde los lejanos tiempos de Imperial, Santillana y Mena hasta el esplendoroso Siglo de Oro español. Quevedo conocía mu-

[1]) BALTASAR GRACIÁN. — *Agudeza y arte de ingenio*. Disc. XXXI.
[2]) *Orat. de Avaritia* (*Memorial por el P. de Santiago*). —*Epístola ad romanos* (Idem). — *Oración a los Príncipes de los Apóstoles* (*Vida de San Pablo*). — *Epístola a los Filipenses* (*Vida de San Pablo*). — *Contra la vituperación de la vida monástica* (*Vida de San Pablo*). —*De laudibus divi Pauli* (Idem). — *Homilia IV* (Idem). — *Salmos* (*Política de Dios,* segunda parte). — *De adversa valetudine* (*Las cuatro pestes*). — *Oración de Avaricia* (*Virtud militante*).

cho la *Divina Comedia,* leída en su propio idioma, y los comentarios españoles y extranjeros a la misma, y no podía menos de sentirse impresionado por la grandeza de tan solitario monumento. En el *Sueño de las Calaveras* confiesa que ha cerrado los ojos con el libro de Dante, lo cual fué causa de soñar.

Conoció los balbuceos del *dolce stil nuovo* en los sonetos y baladas del florentino Cavalcanti, y sus realidades espléndidas que movieron a su pluma a imitarlas; pero si bien Petrarca y los poetas de su ciclo influyeron algo en su lírica amorosa, esa influencia le vino más acusada a través de nuestros petrarquistas que del propio cantor de Laura: Boscán y Garcilaso; y en segundo término, Acuña. Si era poeta lo era *per se,* y no se aficionó a una escuela determinada. Cita el *De prospera y adversa fortuna* [1]), en su obra *De los remedios de cualquier fortuna.*

Lector asiduo de Ariosto, influído por él y por el *Orlando enamorado,* de Mateo Boyardo, entre otras fuentes susodichas, compuso su poema burlesco *De las necedades y locuras de Orlando enamorado,* más que para combatir las hiperbólicas aventuras del famoso caballero, para atacar las numerosas producciones que ese poema había inspirado a ingenios de la categoría de Barahona de Soto, de Lope de Vega, de Balbuena, de Jerónimo de Huerta, de Ercilla, de Cervantes y de Góngora.

[1]) En 1510 Francisco Fernández de Madrid publica en Valladolid una traducción de esta obra, que debió conocer Quevedo. Las traducciones y comentarios españoles del Petrarca fueron prodigiosos en cantidad, y el *Canzionere* profusamente imitado. Eran famosas aun en su tiempo las traducciones de Antonio Obregón (Logroño, 1512), de Hernando de Hoces (Medina del Campo, 1554) y de Salomón Usque (Venecia, 1567).

Leyó al poeta Publio Papino Estacio [1]), a Antonio Beccadelli, «el Panormita», y a los vates napolitanos y genoveses con los cuales había intimado durante su residencia en Italia, aun cuando no recibe de ellos sino ligerísimas influencias. En cambio tiene gran parecido estilístico con el satírico Trajano Boccalini [2]), a quien debió conocer [3]), y con el tratadista político Mario Equicola, citando algunas de sus obras [4]).

Los humanistas influyeron positivamente en él. La eminente labor renacentista y el pensamiento italiano, profundamente innovador, es estudiado con detención y apasionamiento en cuanto puede servirle para comprender con mayor lucidez el clasicismo y enjuiciar y encauzar las ideas políticas que se aparecen al compás de los nuevos tiempos. En Italia refinará su espíritu con la atmósfera saturada de fragancias, de versos, de ideas nunca soñadas, que dejaron aquellos insignes buceadores del intelecto grecolatino, y aprenderá a amar más y más a sus autores predilectos. De entre las milenarias ruinas surge el concepto de la euritmia clásica y en el polvo de los seculares archivos se atesoran ideas luminosas. Hay fervor en todo cuanto se emprende. Citará al jurisconsulto del siglo XIV Bartulo ; al boloñés Aquiles Bocchi — Bochio, dice él [5]) —, fundador de la Academia Bocchiana ; al filólogo toscano Angelo Canini, que comenta a Epicteto y trata ampliamente

[1]) *La Hora de todos. — Política de Dios,* primera parte.
[2]) Murió en Venecia, 1613. Boccalini fué un ferviente enemigo del dominio español en Italia.
[3]) Cita las *Silvas* en la *Carta al Conde-duque.*
[4]) En los *Apuntes autógrafos.*
[5]) *Epistolario.*

de la civilización helénica [1]; al humanista Antonio della Paglia (Paleario), cuya famosa obra *De immortalitate animarum* [2] sirvióle de mucho para redactar la *Providencia de Dios;* a Juan Bautista Giraldi, historiador [3]; a Lilio Gregorio Giraldo [4], y a otros sabios cuyos trabajos ya he consignado. Movido de su amor a España, desautorizará con su aguda dialéctica las manifestaciones del milanés Jerónimo Benzón, que escribió contra nuestra patria el libro que tiene por título: *Nuevas historias del Nuevo Mundo, de las cosas que los españoles han hecho en las Indias occidentales hasta ahora y de su cruel tiranía entre aquellas gentes* (Ginebra) [5].

Los escritores eclesiásticos, que representaban la voz más autorizada del Pontificado, le guían a través de su larga obra religiosa y moral. La *Vida de San Pablo* está avalada por numerosas citas y se nota en ella la influencia directa de Graciano, canonista célebre del siglo XII, y sobre todo del insigne cardenal César Baronio, discípulo que fué de San Felipe Neri. Seguramente le conoció durante su estancia en Nápoles, de donde era hijo este sabio confesor de Clemente VIII.

Fuentes francesas

Quevedo era un espíritu curioso y ávido de novedades literarias. Los poetas franceses de la *Pléyade*

[1] Cita las *Instituciones Siriacas* en *España defendida,* obra que utiliza para sus estudios mitológicos.
[2] Lyon, 1536.
[3] *España defendida.*
[4] Cita *Contra los ingratos* en la *Virtud militante.*
[5] *España defendida.*

Joaquín Du Bellay [1]) y Ronsard [2]) brillaban a la sazón en todo su esplendor, siendo imitados por nuestro vate. Como no conozco ninguna versión española coetánea y teniendo en cuenta que la poesía de ambos ingenios es bastante difícil de interpretar para un *dilettante*, ello me hace suponer que debía conocer con perfección la lengua francesa. Desde luego, se sabe que estaba muy al corriente de la política y de la historia de aquel país.

Había leído y meditado la obra del insigne Rabelais [3]), que debía complacerle en gran manera; la del filólogo Guillermo Budeo, contemporáneo y amigo de Erasmo y de Tomás Moro, admirando sus comentarios sobre los escritores de la Hélade [4]); la del contemporáneo Marco Antonio Mureto, que fué profesor de Montaigne, y la de ese gran pensador, a quien llama en varias ocasiones Miguel de Montaña [5]). Conoció a Daniel Heinsio, el filólogo holandés, discípulo de José Escalígero, catedrático de la antigua universidad de Leyden a los veintitrés años, el cual hizo ediciones de Séneca, Teofrasto, Horacio, Ovidio y Aristóteles, y mucho más todavía por las tres obras fundamentales: *De Stoica Philosophia; L. Annei Senecæ Tragoediæ cum Animaduersionibus,* e *In Pindarum.* También conoció la obra monumental del jesuíta Nicolao

---

[1]) 1522-1560. Cítalo varias veces. En los *Apuntes: Memorias de Messer Guillaume du Bellay.*

[2]) 1524-1585.

[3]) En 1522 se publicaron las *Croniques Gargantuines;* en 1533, el *Pantagruel,* y en 1535, *Gargantúa.*

[4]) Particularmente sus *Commentarii Linguæ Græcæ* (París, 1529).

[5]) En 1580 publicó Montaigne sus dos primeros libros de *Essais,* y en 1588 el tercer libro. Habla de él en el *Marco Bruto,* en la *Vida y anatomía de la cabeza del Cardenal Richelieu,* y le cita tres veces en *Nombre, origen, etc.*

Causino *De eloquentia sacra et humana,* que cita en la *Constancia y paciencia de Job.* Otros contemporáneos suyos son el famosísimo Justo Lipsio, de quien he hablado varias veces; el filólogo belga Claudio Dausque (1566-1644), que le inspirará varias ideas vertidas en la *Vida de San Pablo;* el benedictino Genebrardo (1537-1597), por el mismo motivo; el teólogo de Amberes Leonardo Lessius a quien lee detenidamente para redactar la *Providencia de Dios.*

Fuentes peninsulares

Quevedo habíase impuesto de nuestra Literatura de un modo *sui generis:* del único modo que podía conocerla un intelectual del siglo XVII, sin otro aval crítico que el suyo propio, y a través de obras plagadas de errores, muchas de difícil asequibilidad. Los comentarios coetáneos adolecían de parcialidades sospechosas, de encendidos ditirambos o de ataques fulminantes, tanto más cuanto que en aquellos tiempos de banderías literarias, los partidarios de tal o cual ingenio se despedazaban entre sí. La discriminación había que hacérsela el lector y muchas veces, por lo defectuoso de la edición o el mal estado del manuscrito, el espíritu crítico se exponía a un ruidoso fracaso, como le ocurrió al propio don Francisco con las obras del bachiller de la Torre. Bien es verdad que desde el Renacimiento salen a luz críticas muy completas de los autores clásicos y aun de los hispanorromanos; pero el estudio de la Literatura no ha llegado ni con mucho en su época a formar juicios equilibrados, a pesar de los trabajos que a la sazón se iban produciendo en el campo de la crítica.

Al igual que a la mayoría de los contemporáneos de Quevedo, el conocimiento de nuestras letras arranca de los espléndidos frutos de nuestro Romancero. Ningún escritor puede, ciertamente, pasar sus ojos por tan bello joyel sin quedar mágicamente deslumbrado. Su obra reflejará varios pasajes de nuestros venerables cantos épicos y no faltarán en su librería los *Cancioneros*, *Flores* y *Rosas* más notables [1]).

En cuanto a la poesía, ya he dicho que don Francisco no se apasionó por escuela determinada porque las manifestaciones líricas que aparecieron en el Renacimiento se hallaban un tanto amaneradas, a excepción de algunos egregios cultivadores petrarquistas, y de los tradicionalistas, que son peculiares en nuestra Literatura. Puede decirse que el estro que rehabilitó Cristóbal de Castillejo — legítimo descendiente de Antón de Montoro, de los Manrique, de Guillén de Segovia y de Alvarez Gato, frente a otros precursores italianizantes: Mena, Imperial y el Santillana dantesco y petrarquista —, palpita, vívido y rozagante, en el alma de nuestros más claros ingenios del Siglo de Oro. Pero Quevedo, al igual que sus contemporáneos que ya estaban lejos de las discusiones preceptivas del siglo xvi, practicaba todas las formas poéticas.

Tiene un concepto bastante lúcido de nuestra Poesía. Sus preferencias están por los autores del *Cancio-*

[1]) El *Romancero General* apareció en 1600, compuesto de nueve partes, y en 1614, de trece, reimprimiéndose este último en 1614.

nero General [1]), por el *Romancero,* los Manrique [2]) y Garci Sánchez de Badajoz, en cuanto a los prerrenacentistas ; y en cuanto a los poetas áureos, trata con reverencia a Boscán [3]), a Garcilaso en múltiples ocasiones ; alaba las *Rimas* de Espinel, la obra poética de fray Luis de León, que edita — afirmando que «nadie lo igualó entre los escritores de su tiempo» [4]) —, la de su amigo Rodrigo Caro, el cantor de las *Ruinas de Itálica*, la de los hermanos Argensola (admirando su ponderación y su sabor latino) y las poesías de Fernando de Herrera, cuyas obras son «tesoro de la cultura española, siempre admiradas de los buenos juicios» [5]).

En cuanto a los sabios y a los humanistas hispánicos, no tenía de ellos un conocimiento sistemático. Al lado de profundas meditaciones sobre un autor determinado, hay lagunas imperdonables respecto de otros que desenvuelven asuntos parejos.

La tradición de los humanistas del Renacimiento, de los traductores de clásicos y los primeros frutos de la Imprenta, tan acertadamente escogidos por los rectores de la Ciencia del siglo xv, absorben gran parte de su vida. Admira la potencia de Erasmo y le alaba sin reservas ; elogia el espíritu creador del valenciano Luis Vives, que se halla difundido en muchas páginas de su obra moral. El estudio tenaz del pensamiento renacentista le hace amar el pasado de Roma. Entre sus lectores predilectos están el infatigable Benito

[1]) Carta al Conde-duque.
[2]) En *La hora de todos* cita un verso de la famosa elegía de Jorge.
[3]) Carta al duque de Medina de las Torres.
[4]) Carta al Conde-duque de Olivares.
[5]) Idem, íd.

Arias Montano ; el teólogo escriturista del siglo xvi Juan de Maldonado ; el obispo de Mondoñedo Fray Antonio de Guevara, con pluralidad de citas ; el agustino Fray Cristóbal de Fonseca ; el jesuíta sevillano Juan de Pineda ; el P. Ribadeneyra, que aprueba *La cuna y la sepoltura* (19 junio 1633), y el sabio contemporáneo Juan Eusebio Nieremberg, profesor del Colegio Imperial de Madrid, a quien cita en varias ocasiones, y a quien debió conocer en Palacio, pues la madre del jesuíta, Regina Otín, había sido camarera de María de Austria [1]).

La cultura literaria de Quevedo es muy vasta, fruto de una lectura abundante pero poco sistemática. Hay que insistir sobre este extremo. Quevedo no tomaba notas de lo meramente literario y por ello podemos explicarnos que se hallen ausentes de su prosa figuras próceras de nuestras Letras, como si jamás las hubiera conocido ; pero su curiosidad, que puede calificarse de enfermiza, y las influencias que demuestra, particularmente en sus trabajos festivos y satíricos, nos lo adveran paladinamente.

Otras fuentes

Si bien conocía el árabe y el hebreo por sus estudios universitarios, no es probable que siguiera estudiando esas lenguas en el decurso de su vida. Hay que objetar que don Francisco de Quevedo no era un sabio. Cita en ocasiones algún autor, un pequeño comentario filológico, una referencia vaga, pero ello no demuestra otra cosa que reminiscencias de sus juveniles estudios.

[1]) En el cap. titulado *Ideas políticas,* se citan varias fuentes.

Que los poseyó a conciencia en la época de estudiante, lo atestigua la consulta que le hace el Padre Mariana y los estudios que inserta en *España defendida*, aduciendo numerosas raíces siriacas, árabes, hebreas y aun germánicas, para verificar la etimología de varias localidades hispánicas. Pero podemos asegurar que ni la cultura hebrea ni la árabe dejaron huellas profundas en la suya. Si se refiere alguna vez a escritores o filósofos, lo hace de una manera indirecta. Para obtener un mejor recurso comicista supone que lo árabe es sinónimo de ocultismo, de alquimia, de hermetismo, de piedra filosofal, y lo hebreo — salvo, claro está, el *Antiguo Testamento* —, lo es de rival directo de las creencias que todos sus escritos defienden.

Pocas fuentes hallamos en la obra quevedesca de otras culturas, como no sean de la portuguesa, de algunos comentarios brevísimos del poeta Camoens y de los trabajos del profesor Bartolomé Felipe: *Del consejo y de los consejeros de los príncipes* (Coimbra, 1584), que le sirvieron para redactar la *Política de Dios*. Pretendió imponerse del pensamiento británico a través de los escritores que redactaron sus obras en latín, como Beda, cuya *Historia eclesiástica* consulta para su *Vida de San Pablo*, y Juan Duns Escoto (conocido con seguridad por mediación de los escotistas franciscanos), de las versiones de los *Ensayos*, de Bacón y de la obra de Tomás Moro, *De optimo reipublicæ statu deque nova insula Utopia*, para cuya versión escribió un admirable prólogo. Hay que hacer constar que la política española, secularmente adversaria de la británica, y la sima religiosa que se había abierto entre ambos países, hizo que Quevedo no buscase el contacto cultural de aquella nación, poco menos que desconocida.

Quevedo siente por la cultura germánica una prevención hasta cierto punto explicable en un escritor del siglo XVII que es, además, caballero santiaguista y, por ende, defensor de la Iglesia romana. Combate sin cesar a Lutero (*Las Zahurdas* y *El entremetido,* principalmente), a Felipe Melanchton (*Las Zahurdas*) y a todos los disidentes. Alaba sin reservas la obra de Lupold von Bebenburg, político eminente del siglo XIV, citando su libro *De iuribus regni et imperii* (*Memorial por el Patronato de Santiago*), y al erudito Conrado Rittershuys, editor del *De Consolatio* de Boecio, *De interpretatione Scripturæ,* de San Isidoro, y de algunas obras de Porfirio [1]).

* * *

En cuanto a la producción política de Quevedo, ya dije en el capítulo correspondiente que en realidad se cifra en dos obras de capital importancia: la *Política de Dios* y el *Marco Bruto,* en cuanto a la expresión de su credo. Además, acepta de una manera absoluta las ideas consignadas en el libro del Marqués Virgilio de Malvezzi *El Rómulo,* que traduce y comenta. He citado también las principales fuentes en que se sustenta su labor política con respecto a los antecesores inmediatos.

La segunda parte de la *Política* es mucho más erudita, y los autores preeminentes son San Cirilo, los

[1]) *Carta al Conde-duque.*

Sermones, de San Pedro Crisólogo, la *Ciudad de Dios,* de San Agustín, las obras de Fray Francisco Ruíz [1]), de Sinesio [2]), de Roberto de Mónaco [3]), de Fadrique Furio [4]), de Bartolomé Felipe [5]) y de Bartolomé Riccio [6]). Quevedo es siempre leal en la confección de sus obras y suele guiarnos a través de sus trabajos, indicándonos la bibliografía fundamental, aun cuando debemos tener muy en cuenta que en el siglo en que vivía no se había implantado aún la costumbre de ir cotejando las fuentes con la meticulosa honradez del nuestro.

El *Marco Bruto,* como obra más original que es, lleva menos erudición que la antecedente. No cita más allá de diez autores distintos. Y por el mismo estilo son *La rebelión de Barcelona, Lince de Italia, Carta a Luis XIII, el Chitón de las tarabillas, Los grandes anales de quince días* y las restantes obras políticas.

En lo que atañe a las obras ascéticas, Quevedo habíase preparado convenientemente con abundantes y autorizadas lecturas sobre teología dogmática y moral, que le sirvieron para inspirar su obra poética. Conocía nuestros mejores tratados y en su obra hallamos pluralidad de citas ; pero sus destacados maestros pertenecen a la tradición cristiana medieval — Boecio y Casiodoro, principalmente — que, como es sabido, fueron los comentadores de Aristóteles ; por ello tiene su obra

[1]) *Regulæ intelligendi Scripturas Sacras.*
[2]) *De regno bene administrando.*
[3]) *De Christianorum Principium Mello contra turcas.*
[4]) *Del Consejo y de los Consejeros.*
[5]) *Del Consejo y de los Consejeros de los príncipes.*
[6]) *Vita D. N. Jesu Christi ex verbis Evangeliorum in ipsismet concinnata.*

un predominio dialéctico sobre la corriente mística heredada de la filosofía medieval [1]).

En *La virtud militante* apela al testimonio de unos treinta autores diferentes — en particular a San Agustín, la Biblia y San Pedro Crisólogo —. Sigue las obras de Ambrosio Caterino [2]), de Rufo de Tufaria [3]), de Mateo Timpio [4]) y de Lilio Gregorio Giraldo [5]), entre otras de menos importancia. *La Cuna y la Sepoltura* entraña una labor muy meditada y es de tendencia clásica. No puede decirse que se inspire en autores españoles, pues sólo cita al predicador agustino Cristóbal de Fonseca en algunos sermones, la *Vida de Cristo Nuestro Señor* (1596) y sobre todo el maravilloso *Tratado del amor de Dios* (1592), que tuvo en su tiempo extraordinaria difusión [6]). Las otras fuentes son — si se quiere exceptuar a Séneca — ajenas a nuestra patria [7]). Lo mismo ocurre con *El martirio pretensor del mártir,* obra que demuestra profundas meditaciones, inquebrantable fe y acendrada admiración por la figura central de la misma.

He hablado ya de la intensa labor intelectual que la *España defendida* supone. En ella demuestra don Francisco su enorme cultura española, no tan sólo en

[1]) Esta evolución característica puede consultarse, admirablemente tratada, en Pedro Sáinz Rodríguez: *Introducción a la Historia de la Literatura mística en España,* pág. 115.

[2]) *Consideración y juicio de los tiempos presentes.*

[3]) *Manuale diffinitionum.*

[4]) *Mensa Theolo-philosophica.*

[5]) *Contra los ingratos.*

[6]) N. ALONSO CORTÉS. — *El falso Quijote y Fray Cristóbal de Fonseca* (Valladolid, 1920), pretende identificar a este padre con el falso Avellaneda.

[7]) Persio (Sát. III). David, Eclesiastés, Salomón, Focílides (*Commonitorio*), Job, San Pablo (varias veces), San Juan (*Epístola I*), San Pedro Crisólogo (varias citas), San Lucas, San Agustín (varias citas) y Tertuliano (ídem).

lo que concierne a los poetas, sino también a los historiadores — Alburquerque, Cabeza de Vaca, Hernando del Castillo, López de Gómara, Fernández de Oviedo,
Gregorio García y otros —, a los gramáticos, filósofos
y sabios, consignando juicios críticos precisos y breves.

Obra también muy laboriosa y excesivamente re-
cargada de citas, es la *Constancia y paciencia de Job.*
Contiene más de cincuenta autoridades, muchas de ellas
repetidamente consignadas, sobresaliendo las de Tertuliano [1]), autor que consulta continuamente, San Agustín [2]), el Libro de Job [3]), la Versión de *Los Setenta,*
el P. Jacobo Saliano [4]), Juan de Pineda y San Juan
Crisóstomo [5]).

Por lo que atañe a sus obras filosóficas, cabe decir
que hay pocos escritores tan identificados en las doctrinas de sus maestros como Quevedo y que, además,
publiquen su modesta condición de discípulo. Quevedo
no crea. Es un exégeta, pero un exégeta agudo, clarividente, que mejora el sistema que escolia con los rasgos geniales de su inteligencia.

Los comentarios a la obra de Séneca *De los remedios de cualquier fortuna* demuestran hasta qué punto
comprende y aun depura y expurga la doctrina del

---

[1]) *De fuga in persecutione.* — *De Patientia.* — *De resurrectione
carnis.* — *De Anima.*
[2]) *Homilia 44.* — *Resurrectione corporum contra infideles.*
[3]) *Anales.* Los cita muchas veces.
[4]) *Comentarios.*
[5]) *De patientia.* Los otros autores citados son : Génesis, Aristeas, Epifanio, Parafrastes caldeo, Pagnigo, La Vulgata, Aristóteles,
Sófocles, Virgilio, Quinto Cálabro Esmirneo, Tácito, Causino, Lucano, Julio Escalígero, Baronio, Saliano, Platón, David, Séneca, Parafrastes hierosolimitano, Tucídides, San Ambrosio, San Juan, Deuteronomio, Cardenal Cayetano, Herodoto, Solino, Stefano, Nicetas, Libro
de los Reyes, Pagnino, Juvenal, San Pablo, Elifaz, San Crisóstomo,
Claudiano, Epictetò, Marcial y Tucídides.

amado maestro. Bellas y profundas son también las epístolas a imitación de las del hispanorromano — escritas después de haberse preparado con rígidas lecturas —, de Plinio [1]), de Cicerón [2]) y de Lucilio, a quien invoca en la Epístola xxxix.

Se siente influenciado por las teorías de Vives, en cuanto al método de conciencia, y por Erasmo [3]), como de sus más ilustres discípulos españoles : Valdés, López de Cortégana, Francisco de Victoria, Matamoros y Alonso de Fonseca. En su conciencia brujulean las teorías pesimistas y escépticas difundidas por el gallego Francisco Sánchez en su obra *Quod nihil scitur* (1576).

Las obras de crítica son las que presentan menos erudición porque casi todos los juicios que estampa son originales. Son por lo tanto las de menos importancia en este orden. Sobresale *Su espada por Santiago,* interesante por las fuentes tan diversas en que ha ido a documentarse ; los *Sermones,* de Santo Tomás de Villanueva, la *Vida* de Santa Teresa de Jesús, algunas epístolas de San Agustín y varios libros de la Biblia [4]).

[1]) Libro VIII de las *Epístolas.*
[2]) En particular *De Marcello,* que cita en el texto.
[3]) Ya he dicho que la imitación que hace de estos humanistas no es integral, sino en cuanto coincide con ellos en el aspecto deslumbrante de las ideas renacentistas. Quevedo no tiene gran erudición filosófica y hay muchas lagunas en sus estudios.
[4]) Las otras fuentes son : Quintiliano (Lib. 12), David (varias veces), Casiodoro (varias veces), San Juan Crisóstomo, Tácito, San Pablo (*Ad ephes.*), Tertuliano (varias veces), Ulpiano (*In lege*), Santo Tomás, Salomón, San Mateo, San Ambrosio, San Jerónimo (varias veces), Caetano, Eclesiastés, Augustino, Jonás, San Marcos, Bartulo, Gregorio XIII, Séneca (varias veces), Plinio, Fray Francisco Boil (*Sermones*), P. Francisco Pimentel, Valerio Máximo (*De religione neglecta*), Plinio II (*Epístolas*), Calistrato (*De interrogatione*), Ja-

Las obras satíricomorales son fruto exclusivo de su ingenio, partos felices de su inagotable fantasía, «ocios del alma» — como dice en *Las Zahurdas* —, «que llevan en la risa disimulado algún miedo provechoso» [1].

Desde luego, estudió todas las producciones de esta clase ; pero es dudoso que imitara a alguna determinada. Sus obras nos van diciendo las lecturas que hacía al redactarlas [2]. Conocía, además de los autores citados en otro lugar, el *Somnium vitæ humanæ,* de Hollonius (1605), los *Coloquios de Erasmo,* la *Recreación del alma y defensa del Evangelio contra la superstición astrológica,* de Pedro de Azevedo (1570, Sevilla), la *Selva de Aventuras,* de Gerónimo de Contreras (1575, Salamanca), el *Libro de la Verdad,* de Pedro de Médina (1575, Alcalá), el *Libro de los Demonios,* de Psello [3], cuyo capítulo II cita en *El Alguacil Alguacilado,* la *Apología en defensa de la Astrolo-*

cobo Revardo, Persio (Sat. 2), Nicolao Gaudaviense, Gregorio VIII, Caro, Licinio, Fray Pedro de la Madre de Díos, P. Orozco, Jeremías, Moisés, Nicolao de Lira, Santa Gertrudis (*Insinuationis divinæ pietatis*), San Gregorio Nacianceno, Suetonio, Juan González, Fray Pedro de la Vega, San Jerónimo, P. Sosa, San Buenaventura, Gómez García (*Carro de dos vidas*).

[1] *El mundo por de dentro.*

[2] En *El Sueño de las Calaveras* cita los siguientes autores : Homero, Propercio, Dante, Claudiano, Petronio y Virgilio. En *Las Zahurdas de Plutón:* Virgilio, Demócrito Abderita, Avicena, Geber, Lulio, Cardano (*De Subtilitate*), Julio César Scalígero (*Ejercitaciones*), Paracelso, Lucano, José Escalígero, Lutero y Melanchton (no cito numerosos tratadistas del ocultismo por ser citas de segunda mano). En *El Entremetido:* Lutero, Calvino. Guevara (*Libro llamado Aviso de Privados y doctrina de cortesanos*) y Suetonio. En *La hora de todos:* Jorge Manrique (*Elegía*), Traiano Boccalini (*Pietra del paragone político*), Maquiavelo, Aristóteles, Homero y Lucano. En *El mundo por de dentro:* Metrodoro de Chios y Francisco Sánchez.

[3] *Ex Michaele Psello De Dæmonibus, interpres Marsilius Ficinus. Venetiis* M. D. XVI. (Cita de Fernández Guerra.)

gía, de Manuel Ledesma (1599, Valencia), el *Adversus fallaces et superstitiosas artes, hoc est, De Magica,* de Benito Pereira (1591, Ingolstadt), entre otros ; pero ello no quiere decir que estas fuentes sean las que él empleó, sino que debemos atenernos a las que consigna nominalmente en sus originales.

BIBLIOGRAFÍA

BIBLIOGRAFÍA [1]

ALONSO (DÁMASO). — La lengua poética de Góngora (Anejo XX de la R. F. E. Madrid, 1935).

ALONSO CORTES (NARCISO). — Dos escritos de Quevedo (España Moderna).

— Sobre El Buscón (Revue Hispanique. París, junio 1928).

— Vida del Buscón. Madrid, 1911 (Clásicos Castellanos).

— La Corte de Felipe III en Valladolid (Valladolid, 1908).

ALLUÉ SALVADOR (MIGUEL). — La técnica literaria de Baltasar Gracián (Curso monográfico en honor de B. G. Zaragoza, 1926).

AMELOT DE LA HOUSSAYE. — Historia del gobierno de Venecia. París, 1864.

AMADOR DE LOS RÍOS (JOSÉ). — Historia crítica de la Literatura Española. Madrid, 1861 (vol. I).

ARTIGAS (MIGUEL). — Don Luis de Góngora y Argote. Madrid, 1925.

— Semblanza de Góngora. Madrid, 1928.

ASTRANA MARÍN (LUIS). — Obras completas de D. Francisco de Quevedo y Villegas. Madrid, 1932. 2 vols.

— Ideario de Don Francisco de Quevedo y Villegas. Madrid, año 1940.

— El gran señor de la Torre de Juan Abad.

— Vida azarosa de Lope de Vega. Barcelona, 1935.

AVILÉS (ANGEL). — Erratas seculares. 1899.

AZORÍN. — Al margen de los clásicos. Madrid, 1915.

[1] Inserto en esta *Bibliografía* las obras que más directamente afectan a Quevedo y a su producción. Numerosas citas y referencias de menos interés van en el texto solamente.

Azorín. — Clásicos y modernos. Madrid, 1919.

Baena. — Hijos de Madrid. Vida de Quevedo.

Berrueta (Mariano D.). — Estudios sobre Quevedo (Revista Castellana. Valladolid, año VI, núm. 40).

Blanchet (E.). — Quevedo, moralista (Revista Contemporánea, 1896).

Boletín de la Biblioteca Menéndez y Pelayo. Santander.

Bonilla y San Martín (A.). — Historia de la Filosofía española.

Borges (Jorge Luis). — Menoscabo y grandeza de Quevedo (Rev. de Occidente, Nov. 1924).

Bouvier (René). — *Quévédo, homme du Diable, homme de Dieu*. París, 1929.

— *L'Espagne de Quévédo*. París, 1936.

Cabrera de Córdoba. — Relaciones de sucesos ocurridos en la Corte desde 1599 hasta 1614. Madrid, 1857.

Canalejas (F. de P.). — Estudio de la historia de la filosofía española. 1869.

Cánovas del Castillo (A.). — Historia de la decadencia española. Madrid, 1854.

— Estudios del reinado de Felipe IV. Madrid, 1888-89. Dos volúmenes.

— Bosquejo histórico de la Casa de Austria en España.

Capmany (A. de). — Vida de Quevedo.

— Teatro Histórico-Crítico de la elocuencia española. 1794.

Castellanos (Basilio Sebastián). — Obras de Quevedo. Madrid, 1851. 6 vols.

Castro (Américo). — Quevedo. (Clás. Cast. Vol. V).

— Prólogo a El Buscón. Madrid. 1917. Id.

— El pensamiento de Cervantes. Madrid, 1925.

— Conferencias sobre Quevedo en el Centro de Estudios Históricos. Madrid, 1932. (Inéditas.)

Castro (Adolfo de). — Varias obras inéditas de Cervantes. Madrid, 1874.

— Obras de Góngora (B. A. E. XXXII).

Castro Rossi. — Discurso acerca de las costumbres públicas y privadas de los españoles en el siglo xvii, fundado en el estudio de las comedias de Calderón.

CARTAS INÉDITAS (DOS). — Rev. Arc. Bibliot. y Mus., agosto de 1903.

— (Doce). — Boletín de la Real Acad. Española. I, 586-607.

CASTELLANOS DE LOSADA. — Obras de D. Francisco de Quevedo. Madrid, 1851.

CATALINA (SEVERO). — Documentos inéditos relativos a Quevedo. (Semanario Pintoresco Español, 12 febrero 1852).

CEJADOR Y FRAUCA (JULIO). — Historia de la lengua y literatura castellana. Madrid, 1915-22. 14 vols.

— Quevedo. Los Sueños (Clás. Cast.).

COLMEIRO (MANUEL). — Historia de la Economía política de España. Madrid, 1863.

COSSÍO (JOSÉ M. DE). — Notas y estudios de crítica literaria. Siglo XVII. Madrid, 1939.

COSTER (ADOLPHE). — Baltasar Gracián (Rev. Hispanique. Tomo XXIX, 1913).

COTARELO Y MORI (E.). — Colección de entremeses, loas, bailes, jácaras y mojigangas (Nueva Bibliot. de A. E.). Madrid, 1911. (Introducción general.)

— El conde de Villamediana. Madrid, 1886.

— El hijo del Conde-duque.

CROCE (B.). — I trattatisti italiani del "concettismo" e Baltasar Gracian.

CUERVO (R. J.). — Dos poesías de Quevedo a Roma (Revue Hispanique. Vol. XVIII, 1908).

CHANDLER (W.). — La novela picaresca en España (Traducción de Martín Robles. Madrid).

DARU. — Histoire de la République de Venise. París, 1872.

DE LA BARRERA (CAYETANO ALBERTO). — Catálogo bibliográfico y biográfico del Teatro antiguo español, desde sus orígenes hasta mediados del siglo XVIII. Madrid, 1860.

DELEITO PIÑUELA (J.). — La España de Felipe IV. Madrid, año 1928.

— El rey se divierte. Madrid, 1935.

DELGADO (COSME). — Epítome a la historia de la admirable vida y heroicas virtudes del beato fray Tomás de Villanueva, 1620.

DÍAZ DE ESCOBAR (NARCISO) y LASSO DE LA VEGA. — Historia del Teatro Español. Barcelona, 1924.

Díaz-Plaja (G.). — La poesía lírica española. Barcelona (Labor).

— El Espíritu del Barroco. Barcelona.

Entrambasaguas (J. de). — Varios datos referentes al inquisidor Juan Adam de la Parra. Madrid, 1930.

España defendida (Ed. de R. Selden Rose. Boletín de la Academia de la Historia. 1916. LXVIII, 515, 543, 629, 639; LXIX, 140, 182).

Estala (Pedro) (Ramón Fernández). — Colección de Poesías Castellanas. Madrid, 1808.

Farcilla (G.). — Some imitations of Quevedo and some wrongly attribued to him (Rom. Rev. 1930. XXI, 228-235).

Farinelli (Arturo). — Consideraciones sobre los caracteres fundamentales de la Literatura española. Madrid, 1922.

— Divagaciones hispánicas. Barcelona, 1936, 2 vols.

— Baltasar Gracián. Estudio crítico. Madrid. 1900.

Fernández Duro (Cesáreo). — El gran Duque de Osuna y su marina. Madrid, 1892.

Fernández Guerra y Orbe (Aureliano). — Obras de Quevedo (B. A. E. Madrid, 185. 6 vols.).

— Obras completas de Don Francisco de Quevedo y Villegas... Con notas y adiciones de Marcelino Menéndez y Pelayo. Sevilla (Soc. de Biblióf. Esp.), 1897-1907. 2 vols.

— Carta de don Luis Fernández-Guerra a su hermano don Aureliano acerca del «Para Todos», de Montalbán.

Fernández de Navarrete (Eustaquio). — Bosquejo histórico sobre la novela española (B. A. E. Madrid, 1854. Tomo II).

Foulché-Delbosc. — Vida del «Buscón» (Ed. Nueva York, año 1917).

Gallardo (B. J.). — Ensayo de una Biblioteca española de libros raros y curiosos formado con los apuntamientos de D... por D. M. R. Zarco del Valle y D. J. Sancho Bayón (Ed. M. Pelayo). Madrid, 1863, 66, 88 y 89, cuatro vols.

García Calderón (Ventura). — Del «Buscón». (Revue Hispanique, junio 1918).

García Soriano (J.). — D. Luis Carrillo Sotomayor y los orígenes del culteranismo. Madrid, 1927.

Gianone. — Historia del reino de Nápoles, 1832.

Gili Gaya (Samuel). — Mateo Alemán: Guzmán de Alfarache (Clásicos Castellanos).

González Dávila. — Vida y hechos del Rey Felipe III. Madrid, 1771.

González de Amezúa. — Las almas de Quevedo. Madrid, 1946.

González Palencia (A.). — Pleitos de Quevedo con la villa de la Torre de Juan Abad (Boletín de la Academia Española, vol. XIV, págs. 495 y 600).

— Del «Lazarillo» a Quevedo. Madrid, 1946.

— Quevedo por de dentro, Madrid, 1946.

González Salas. — Musas de Quevedo. Madrid, 1648.

Gracián. — Agudeza y arte de Ingenio.

Guillén Buzarán (J.). — D. Francisco de Quevedo (Revista de Ciencias, Letras y Artes de España. Madrid, 1871. Pág. 161).

Hartzenbusch. — Teatro de Lope de Vega (B. A. E. Madrid, 1852).

— Comedias de D. Juan Ruiz de Alarcón (B. A. E. Madrid, 1852).

Herrero García (M.). — Ideas de los españoles del siglo XVII. Madrid, 1928.

Hume (Martín). — Court of Philip IV. Spain in decadence.

Hurtado (Juan). — Nuevos documentos relativos a Quevedo (Rev. de Cienc. Hist. de Granada, 1915).

Hurtado (J.) y González Palencia (A.). — Historia de la Literatura española. Madrid, 1932.

Ibáñez (J.). — Memorias para la historia de Felipe III. Madrid, 1723.

Icaza (F. A. de). — Sucesos reales que parecen imaginados de Gutierre de Cetina, Juan de la Cueva y Mateo Alemán. Madrid, 1919.

— Salas Barbadillo (Clásicos Castellanos).

Janer (Florencio). — Obras poéticas de D. Francisco de Quevedo Villegas (B. A. E. Madrid, 1877).

Jordán de Urries (José). — Bibliografía y estudio crítico de Jáuregui.

Juderías (Julián). — D. Francisco de Quevedo y Villegas: la época, el hombre, las doctrinas. Madrid, 1923. (Hay un comentario de este trabajo: Rev. Fil. Esp. vol. X. Págs. 321, 22).

JUDERÍAS (JULIÁN). — Un proceso político en tiempo de Felipe III. Don Rodrigo Calderón... (Rev. Arch. Bib. Mus. 1905. Vol. III).

JUDERÍAS (JULIÁN). — Los favoritos de Felipe III. (Idem. íd., 1908. Vol. II.)

LETI. — Vida del duque de Osuna.

LIDA (RAIMUNDO). — Un estudio sobre Quevedo («Sur», Buenos Aires, 1931, núm. 3).

LINÁN (JOSÉ DE). — Vida de Baltasar Gracián. Madrid, 1902.

LOPE DE VEGA. — Laurel de Apolo.

LÓPEZ DE SEDANO (JUAN JOSEPH). — Parnaso Español. Colección de Poesías escogidas de los más célebres poetas castellanos. Madrid, 1770.

LÓPEZ FERREIRO (ANTONIO). — Historia de la Santa A. M. Iglesia de Santiago de Compostela. Santiago, 1907. volumen IX.

LUZÁN. — Poética.

MAURA (DUQUE DE). — Conferencias sobre Quevedo. Madrid, año 1946.

MAEZTU (R. DE). — Don Quijote, Don Juan y la Celestina. Madrid.

MAINEZ. — Cervantes y su época.

MARAÑÓN (GREGORIO). — El Conde-Duque de Olivares (La pasión de mandar). Madrid, 1936.

MARIANA (P.). — Historia de España. Madrid, 1850. Vol. IV.

MARTÍNEZ NACARINO (R.). — D. Francisco de Quevedo. Ensayo de biografía jurídica. Madrid, 1910.

MARTYR RIZO (JUAN PABLO). — Defensa del Patronato de Santiago. 1628.

MAYANS Y SISCAR (GREGORIO). — Cartas morales... Madrid, año 1734.

MELO (F. M. DE). —El Tribunal de la Justa Venganza y La Perinola.

MENÉNDEZ Y PELAYO. — Ciencia española.

— Horacio en España. Madrid, 1885.

— Historia de las Ideas estéticas en España. Madrid, 1920.

— Antología de Poetas líricos castellanos. Madrid, 1908.

MENÉNDEZ PIDAL (RAMÓN). — Antología de prosistas castellanos. Madrid, 1920.

MÉRIMÉE (E.). — *Essai sur la vie et les œuvres de Francisco de Quévédo.* París, 1886.

MESONERO ROMANOS (R. DE). — El antiguo Madrid. Madrid, año 1881.

— (MANUEL). — ¿Cuál es el verdadero retrato de Quevedo? (Rev. Contemporánea, 15 dic. 1898).

MICHEL (EMILE). — *Les missions diplomatiques de P. P. Rubens* (1627-1630). (*Revue des Deux Mondes,* 15 sep. 1897).

MILLE Y GIMÉNEZ (JUAN). — Quevedo y Avellaneda. Algo sobre el Buscón y el falso Quijote (Rev. «Helios», Buenos Aires, julio 1918, núm. 1).

— Un soneto interesante para las biografías de Lope y Quevedo ((Id., íd., agosto 1918, núm. 2).

— Juan de Leganés. Una rectificación al texto del Buscón (Revista del Ateneo Hispanoamericano. Buenos Aires, agosto-octubre, 1918, núm. 3).

MONTOLIU (MANUEL DE). — Literatura castellana. Barcelona, año 1937.

MOREL FATIO (A.). — *L'Espagne au 16e et au 17e siècles. Documents historiques et littéraires.* Heilbronn, 1878.

— *Le Don Quichotte envisagé comme peinture et critique de la société espagnole du XVI et du XVII siècles.*

NANI. — *Istoria delle republique veneta.*

NAVARRO LEDESMA (FRANCISCO). — Venera perteneciente a Don Francisco de Quevedo (Rev. Arch. Bib. y Museos, 1900, vol. IV., págs. 513-515).

NISARD. — *Etudes des mœurs et de critique sur les poètes de la décadence.*

NOVOA (MATÍAS). — Historia de Felipe IV (Segunda parte de sus Memorias, tomos 67, 77, 80 y 86, ed. Codoin).

OLIVER ASÍN (JAIME). — Iniciación al estudio de la Historia de la Lengua Española. Madrid, 1939.

ONIS (FEDERICO DE). — Prólogo a la Vida de Torres Villarroel (Clásicos Cast.).

ORTEGA RUBIO (JUAN). — Notas biográficas acerca del conde de Villamediana (Rev. Contemporánea, 15 junio de 1902).

OVEJERO Y MAURY (ED.). — Prólogo a la «política de Dios y Gobierno de Cristo». (Bibliot. Filosófica, Madrid, 1930).

— Prólogo a la «Agudeza y Arte de Ingenio». (Idem, íd. Madrid, 1930).

PAREJO Y NAVARRO. — Las ideas políticas de Baltasar Gracián.

PARGA PONDAL (SALVADOR). — Marcial en la Preceptiva de Baltasar Gracián. (Rev. Arch. Bib. y Museos, 1930).

PAZ Y MELIÁ. — Sales españolas. Madrid, 1902.

PEDRELL (FELIPE). — Teatro lírico español anterior al siglo XIX.

— Documentos para la historia de la música española. La Coruña, 1877-81.

— *La musique indigène dans le théâtre espagnol au XVII siècle* (trad. de Shassang).

PELLICER (CASIANO). — Tratado histórico sobre el origen y progresos de la comedia y del histrionismo en España.

PELLICER DE SALAS (JOSÉ). — Avisos históricos. 1639-1640.

— El Fénix. 1630.

PÉREZ DE GUZMÁN (J.). — La labor político-literaria del conde-duque de Olivares (Revista de Arc. B. y Museos, 1904).

PÉREZ DE MONTALBÁN. — Para todos. 1633.

— Memoria de los que escriben comedias en Castilla solamente. 1633.

PÉREZ PASTOR. — Bibliografía madrileña.

PFANDL (LUDWIG). — Historia de la Literatura nacional española en la Edad de Oro. Barcelona, 1933.

— Introducción al Siglo de Oro. Cultura y costumbres del pueblo español de los siglos XVI y XVII. Barcelona.

PINEDO (LEÓN). — Historia de Madrid, 1627.

PORRAS (ANTONIO). — Quevedo, 1930.

QUINTANA (MANUEL JOSÉ). — Obras completas (B. A. E. Madrid, 1852).

— Poesías castellanas (Introducción). Madrid, 1807.

QUINTERO ATAURI (PELAYO). — Uclés, residencia maestral de la Orden militar de Santiago. Madrid, 1904.

REDONDO (TOMÁS H.). — Literatura española comparada con la extranjera. Granada, 1932.

RIVERO (ATANASIO). — El crimen de Avellaneda. Madrid.

RODRÍGUEZ MARÍN (F.). — Doce Cartas de Quevedo (Boletín Ac. Esp., 1914. I, 586).

— Discurso de ingreso en la Real Academia Española. Madrid, 1907.

— El Diablo Cojuelo (Clásicos Cast. Madrid, 1941).

— La segunda parte de la vida del Pícaro... (Rev. Arch. B. M., 1908).

RODRÍGUEZ VILLA (A.). — La Corte y monarquía de España en los años de 1636 y 37. Madrid, 1886.

RUIZ MORCUENDE (F.). — Francisco de Rojas. Teatro (Clásicos Cast. 1931).

SAID ARMESTO. — Guillén de Castro (Clásicos Cast. 1934).

SAINZ DE ROBLES (F. C.). — El «otro» Lope de Vega. Madrid.

SAINZ RODRÍGUEZ (PEDRO). — Introducción a la Historia de la Literatura mística en España. Madrid, 1927.

SALAVERRÍA (J. M.). — Quevedo. Obras satíricas y festivas. Madrid, 1924 (Clás. Cast.).

SALCEDO Y RUIZ (ANGEL). — Resumen histórico-crítico de la Literatura española. Madrid.

SALILLAS (RAFAEL). — Sobre la jácara en que tanto sobresalió Quevedo (Revue Hisp. Vol. XIII).

SÁNCHEZ ALONSO (B.). — Los satíricos latinos y la sátira de Quevedo (Coment. en la Rev. Filol. Esp. Vol. XI, páginas 33, 36-113, 153).

SÁNCHEZ DE TOCA (J.). — El Conde-Duque.

SAN JOSÉ (DIEGO). — Mentidero de Madrid. Madrid, 1914.

SELDEN ROSSE (R.). — *Poésies inédites de Quévédo (Revue Hispanique,* vol. XXXIV).

— *The patriotism of Quevedo* (M. L. J., 1925, IX).

SEMANARIO Pintoresco Español.

SEMPERE. — *De la grandeur et de la décadence de la monarchie espagnole.* Vol. II *(Regne de Philippe IV).*

SIGÜENZA (P.). — Historia de la Orden de San Jerónimo (Libro IV).

SPITZER (LEO). — *Die Kunst Quevedos in seinem "Buscon"* (Arch. Romanicum, 1927).

TARSIA (PABLO A. DE). — Vida de D. Francisco de Quevedo Villegas. Madrid, 1844. (En la ed. de Obras Festivas de P. Mellado).

TICKNOR (M. G.). — Historia de la Literatura española. Volumen III. Madrid, 1851.

TORRE Y DEL CERRO (ANTONIO DE). — La Universidad de Alcalá. Datos para su historia. (Rev. Arch. B. y. M. 1909. Vol. II).

ULBRICH (H.). — *Seine satire, obgleisch sie zureilen eine Nachahmung der Alten ist, steht in näschter Werwandtschaft mit dem Schelmenroman: Don Francisko de Quevedo.* Francfort, 1866.

VALBUENA PRAT (A.). — Historia de la Literatura Española (vol. II). Barcelona, 1937.

— Literatura Dramática Española. Barcelona (Labor).

VALLADARES. — Semanario erudito, 1788.

VANDER HAMMEN (LORENZO). — Desvelos soñolientos. Zaragoza, 1627.

VIVANCO. — Historia de Felipe III.

VIZUETE (PELAYO). — Las Zahurdas de Plutón. Madrid, 1900.

VOSSLER (KARL). — Algunos caracteres de la cultura española. Madrid, 1941.

— Introducción a Gracián (Rev. Occidente, sept. 1935).

WOLF. — Anuario de Literatura. Viena, 1835. Vol. LXIX.

YÁÑEZ FAJARDO (J. J.). — Memorias para la historia de Felipe III. Madrid, 1859.

ÍNDICE

SEGUNDA PARTE

SU GENIO

TERCERA PARTE

SU OBRA